D1241710

COLLECTION « VÉCU »

Phanat nikom, 25 avril 1984, Thaïlande.

À monsieur le ministre Gérard Godin

Beaucoup de choses, il me reste encore à apprendre sur nos amis Cambodgiens. Ce livre m'a enseigné énormément sur leur vécu. J'espère qu'il sera vous enrichir autant.

C'est avec un doux plaisir que je vous l'offre.

Respectueusement

Micheline Lévesque

"école du Québec"
Phanat nikom.

PIN YATHAY

Avec la collaboration de Lucien Maillard

L'UTOPIE MEURTRIÈRE

Un rescapé du génocide cambodgien témoigne

ÉDITIONS ROBERT LAFFONT
PARIS

COÉDITION ROBERT LAFFONT — OPERA MUNDI

Si vous désirez être tenu au courant des publications de l'éditeur de cet ouvrage, il vous suffit d'adresser votre carte de visite aux Editions Robert Laffont, Service « Bulletin », 6, place Saint-Sulpice, 75279 Paris Cedex 06. Vous recevrez régulièrement, et sans aucun engagement de votre part, leur bulletin illustré, où, chaque mois, sont présentées les nouveautés que vous trouverez chez votre libraire.

© Opera Mundi, Paris, 1980

ISBN 2-221-00430-2

Ce livre relate des faits authentiques. Je le dédie à la mémoire de mes enfants, de ma femme, de ma famille et des millions de mes compatriotes victimes des massacres, des travaux forcés et de la famine durant cette période de ténèbres qui s'est abattue sur mon pays, le Cambodge.

Pin Yathay

SOMMAIRE

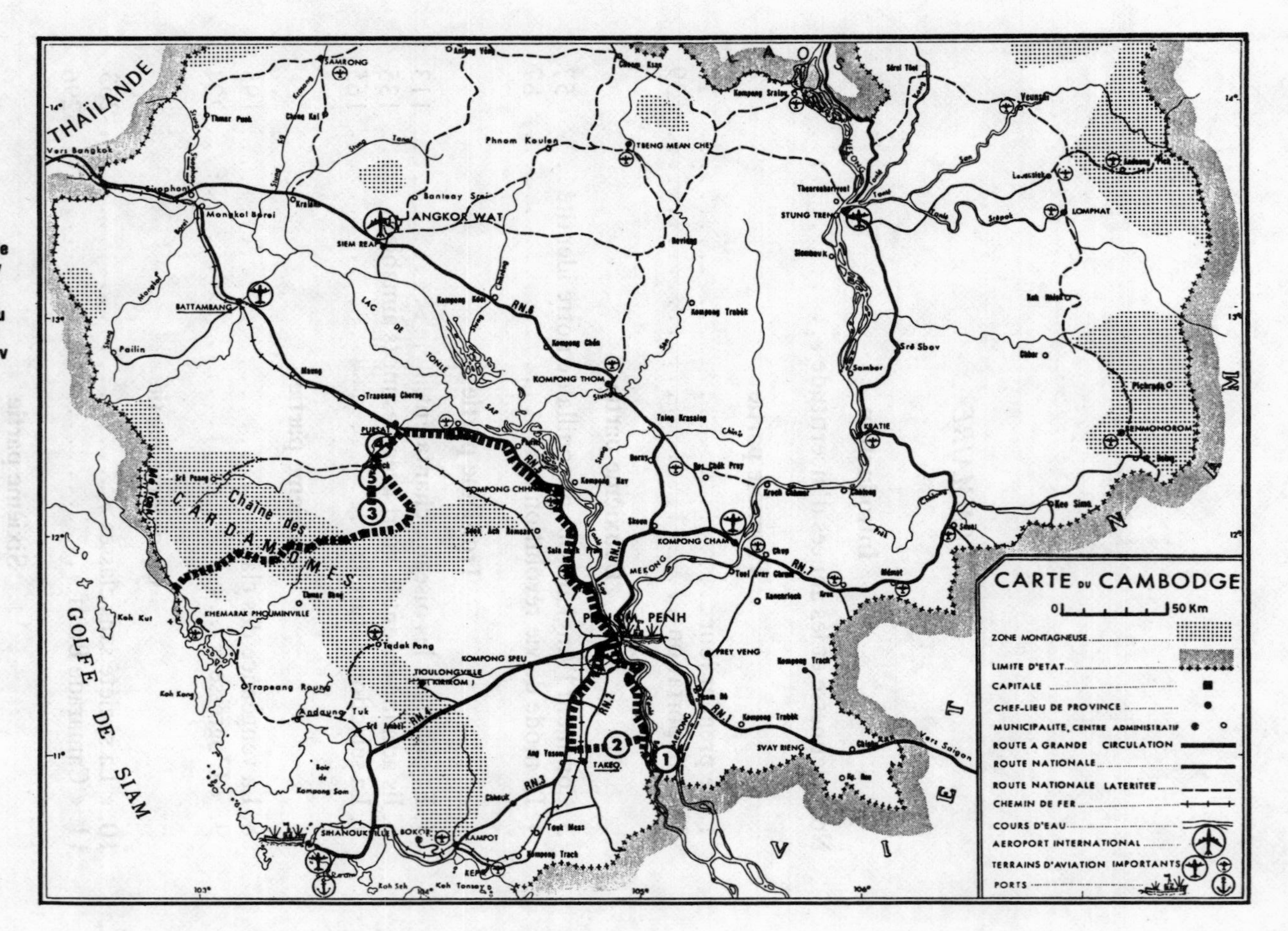

■■■■■ Itinéraire de Pin Yathay

1. Cheu Khmau
2. Sramar Leav
3. Veal Vong
4. Don Ey
5. Leach

Plan de PHNOM PENH

Itinéraire de PIN YATHAY

▬ ▬ ▬ au cours des premiers jours de la déportation

▪▪▪▪▪▪▪ durant le troisième exode

1 - Son domicile
2 - La Villa du Cousin
3 - Pagode Onalom
4 - Hôpital Chinois
5 - Lycée du 18 mars
6 - Faculté de Droit
7 - Hôpital des Bonzes
8 - Atelier Municipal

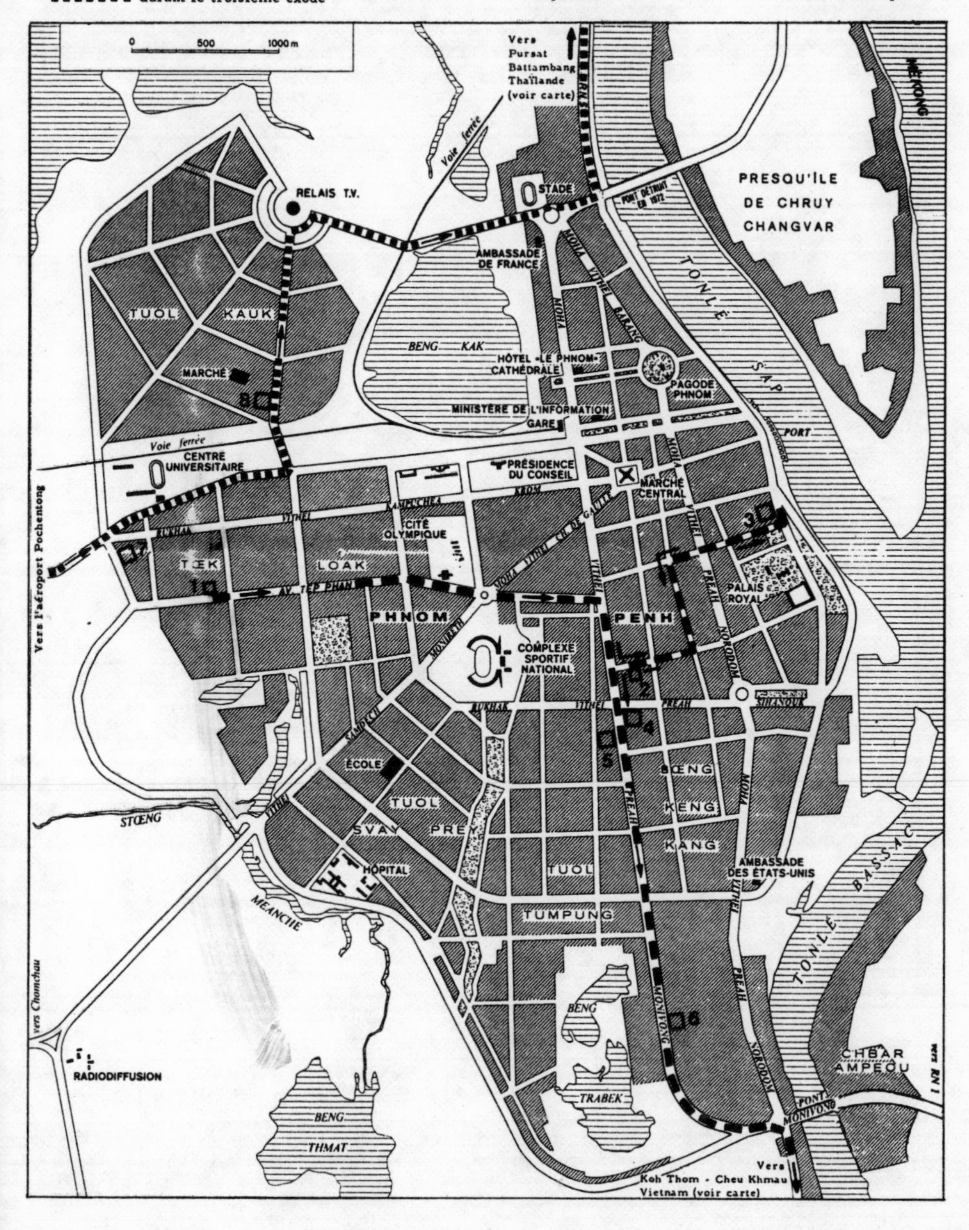

INTRODUCTION

NOTRE JEUNESSE ET LES ANNEES D'INCERTITUDE

Mon nom est Pin Yathay.

Je suis né le 9 mars 1944 au Cambodge. J'ai normalement suivi, dans la capitale, Phnom Penh, des études primaires et secondaires. Originaire d'une famille modeste, j'étais un élève studieux, estimé par ses professeurs. En 1960, j'étais en classe terminale section mathématiques élémentaires au lycée Sisowath. Depuis la cinquième, je m'étais appliqué, obstinément, à être le premier de la classe. Je n'avais pas honte de mes ambitions. J'obtins mon baccalauréat en 1961 et, la même année, je fus reçu premier au concours général de mathématiques du Cambodge. La cérémonie des prix revêtait un caractère très solennel. La mère du prince Sihanouk, la reine Kossamak, m'avait remis ma récompense.

Comme tous mes camarades cambodgiens, j'avais rêvé, à cette époque, de poursuivre mes études supérieures en France. Malheureusement, le gouvernement royal avait pris, cette année-là, la décision de ne plus envoyer d'étudiants cambodgiens dans les universités françaises. La raison de cet embargo culturel était politique. Il était apparu aux autorités que les étudiants khmers, une fois installés en France, étaient encadrés et pris en charge par des militants marxistes. L'organisation gauchiste qui endoctrinait les jeunes Cambodgiens fraîchement débarqués de leur pays s'appelait l'Union des Etudiants khmers. Elle avait officiellement établi son siège à Paris. C'était le principal noyau de l'opposition à Sihanouk. Le prince, il est vrai, était à l'apogée de son règne.

Sihanouk avait abdiqué après le succès de sa croisade pour l'Indépendance nationale. La France avait accordé l'indépendance au Cambodge en 1953. En renonçant au trône par l'abdication – au profit de son père, le roi Soramarith, puis de sa mère, la reine Kossamak –, Sihanouk réussissait un étonnant tour de passe-passe politique. Il avait troqué sa couronne contre le rôle actif de chef de l'Etat afin de s'occuper des affaires du pays. Ainsi, il détenait tous les pouvoirs.

Sa politique extérieure était fondée sur le principe d'une stricte neutralité. Cette habileté diplomatique permettait au Cambodge de vivre en paix tandis que ses voisins vietnamiens s'entre-tuaient.

Sihanouk était très populaire parmi les Cambodgiens. Sa philosophie politique tenait dans une formule laconique : « le socialisme bouddhique ». Paternel, ombrageux, le prince exerçait une autorité vigilante sur les ministères et prenait les décisions importantes de l'Etat. Un simulacre de consultations démocratiques périodiques – le Congrès national semestriel – sauvait les apparences de la monarchie constitutionnelle khmère aux yeux du monde occidental. Sihanouk voyageait inlassablement à travers le pays. Il prodiguait sans répit ses encouragements à « l'œuvre d'édification nationale ». La conviction de l'orateur royal suscitait l'unanimité de la nation. Même les communistes locaux avaient fait une trêve. Ils n'étaient plus hostiles au prince.

Nous étions heureux, paisibles, et tout le monde se laissait aller à l'indolence sans se soucier de l'avenir. Nous connaissions l'existence des trafics d'influence, des injustices flagrantes et les effets fâcheux de la corruption. Notre indulgence légendaire, ancestrale, désarmait l'esprit critique. Il nous semblait que nous possédions, en Asie, des richesses essentielles : c'est-à-dire la paix et une relative prospérité. Les paysans khmers, nonchalants et souriants, appelaient le prince « Monseigneur le Père ».

Le seul foyer d'agitation politique était donc l'Union des Etudiants khmers, établie à Paris. Sihanouk, pour éviter la contagion, avait décidé de confier les étudiants cambodgiens à d'autres pays qu'à la France. Les étudiants étaient, selon leurs compétences et leurs souhaits, dirigés vers les Etats-Unis, vers les pays de l'Europe de l'Est tels que la Bulgarie, la Tchécoslovaquie et l'Union soviétique. Nous étions huit élèves admis au titre du plan de Colombo, pour le Canada. Personnellement, j'avais choisi l'Ecole polytechnique de Montréal. Je suis resté jusqu'en 1965 en Amérique du Nord. Pendant et en dehors des cours, j'étais très actif à Montréal. J'avais été élu président de l'Association des étudiants étrangers de l'université de Montréal. Cette association, baptisée Cosmopolis, regroupait six cents étudiants de toutes les nationalités. Doté du diplôme d'ingénieur civil, je retrouvai le Cambodge à la fin de l'année 1965.

La fonction publique était le seul débouché pour la profession que j'avais choisie. Engagé au ministère des Travaux publics dès mon retour, je fus successivement nommé chef de division dans la construction du barrage hydroélectrique Kirirom I (bâti sur la rivière Stung Chral avec l'aide de techniciens et d'ingénieurs yougoslaves), puis responsable du service des travaux neufs, chargé de la construction des routes nouvelles.

En arrivant, en 1965, j'avais ressenti, en dépit des proclamations pacifiques, un malaise dans le pays. L'atmosphère de Phnom Penh avait changé. Elle s'était dégradée depuis le début des années 60. Le Cambodge, tout en affichant une neutralité de façade, se livrait à une critique impitoyable des pays occidentaux et justifiait la poussée communiste au Viêt-nam. Paradoxalement, ce soutien diplomatique et moral apporté aux initiatives d'Hanoi s'accompagnait, à l'intérieur du pays, d'une véritable chasse aux sorcières. Sihanouk traquait les communistes cambodgiens. Les trois principaux intellectuels qui incarnaient l'extrême-gauche cambodgienne – c'est-à-dire Khieu Samphan, Hu Nim et Hou Youn – disparurent en 1967. On prétendait qu'ils avaient été exécutés en secret par Sihanouk. Personne, en vérité, ne possédait d'informations sur leur sort réel. Et on les nomma, jusqu'à leur réapparition en 1970, les « trois fantômes ».

Le malaise du régime cambodgien avait aussi une autre cause : la corruption battait son plein. Inexorablement, le pouvoir se décomposait. Les malversations et les injustices se multipliaient. Parallèlement, la répression s'accentuait. Sihanouk ignorait ostensiblement les avertissements des parlementaires. Il justifiait ainsi les critiques de l'extrême-gauche cambodgienne.

Indifférent aux inégalités sociales criantes, il paradait, entouré de ses courtisans. Ces derniers flattaient le prince, détournaient les fonds publics et écartaient les personnalités intègres du palais royal.

Sihanouk courait à sa perte. Il négligeait sa politique de stricte neutralité. Il avait permis aux Vietcongs et aux Nord-Vietnamiens d'utiliser le port maritime de Kompong Som et une majeure partie du territoire khmer pour acheminer, vers le Sud-Viêt-nam, des munitions et du matériel militaire.

Les Nord-Vietnamiens abusaient de la situation. Ils soudoyaient les responsables administratifs khmers pour obtenir leur complicité ou pratiquaient, par la force, la politique du fait accompli. Lentement et méthodiquement, ils renforçaient leur implantation dans l'est du pays, sur une large bande de notre territoire. Les affairistes corrompus s'enrichissaient aux dépens des paysans qui fuyaient ces régions troublées.

L'économie s'effondrait. Le gouvernement ne prenait aucune mesure pour résister à cette pernicieuse érosion. Les Vietcongs alimentaient le déficit économique, accéléraient l'inflation, en créant un réseau clandestin d'approvisionnement de riz. Tous les prix étaient bons, toutes les surenchères autorisées pourvu que le ravitaillement de l'armée nord-vietnamienne fût assuré... Quelques officiers généraux et des hauts fonctionnaires cambodgiens, victimes de leur cupidité, ruinaient le pays, véritable grenier à riz de la péninsule indochinoise.

Les gouvernements de Penn Nouth et de Lon Nol, baptisés pompeusement de « dernière chance » et de « sauvetage », se succédèrent sans pouvoir redresser la situation. Les étudiants et les intellectuels s'impatientaient. Les paysans, tenus dans l'ignorance des événements politiques, semblaient subir les caprices de Sihanouk sans protester.

Le 18 mars 1970, en l'absence du prince qui suivait un traitement médical en France, la monarchie fut déposée par les deux chambres parlementaires réunies en assemblée. Le coup d'Etat constitutionnel avait été dirigé par le prince Sarik Matak, cousin de Sihanouk, et le général Lon Nol. On a dit, plus tard, que la CIA avait su tirer profit de cette opportunité... Incontestablement, l'avantage tournait en faveur des Américains qui s'assuraient un allié voisin du Viêt-nam. J'appris la nouvelle de la destitution du prince Sihanouk au cours d'un déjeuner dans un restaurant de Phnom Penh. La radio nationale diffusait la proclamation des nouveaux responsables du pays. L'annonce du renversement de l'absolutisme fut accueillie avec soulagement. Elle suscita un élan patriotique sincère.

Les courtisans aussi avaient senti le vent tourner. Ils virèrent de bord promptement. Les flatteurs de la veille devenaient, au lendemain de sa défaite, les adversaires acharnés du prince Sikanouk, de leur ancien bienfaiteur. Ils accablaient d'insultes le prince déchu et sa famille. La bassesse de ces attaques déshonorait leurs auteurs. Blessé dans son amour propre, Sihanouk trouva refuge à Pékin.

Ses appels à la résistance, lancés sur les antennes de Radio-Pékin, couvraient en réalité les agissements des troupes nord-vietnamiennes au Cambodge. Les Khmers rouges, que Sihanouk, quelques années plus tôt, avait impitoyablement pourchassés, s'empressèrent de grossir les rangs des partisans du prince exilé. L'ancien chef d'Etat, qui avait reçu le soutien des Chinois, légitimait la guérilla.

A Phnom Penh, le nationalisme khmer avait conduit des milliers de jeunes gens et de vétérans à s'enrôler dans les troupes républicaines.

Cette armée improvisée, composée de soldats de fortune, tentait d'endiguer, au prix de lourdes pertes, l'invasion nord-vietnamienne. Les dirigeants de Phnom Penh, menacés d'encerclement par la machine de guerre vietcong, firent alors appel à l'aide militaire des Américains et des Sud-Vietnamiens. Nous n'avions pas l'impression, en acceptant cette alliance tactique, de sceller un pacte avec le diable.

J'étais directeur adjoint du matériel et des travaux neufs à cette époque. En tant que fonctionnaire – comme l'ensemble des employés de l'Etat, des étudiants et des travailleurs de Phnom Penh –, je participais avec enthousiasme aux exercices paramilitaires. Nous n'étions pas avares de bonne volonté. L'oncle Sam ne ressemblait pas à un ogre. Nous ne songions qu'au salut de notre patrie envahie par les Nord-Vietnamiens.

Malheureusement, au nom de l'union sacrée du peuple khmer contre l'envahisseur, le nouveau gouvernement se déroba devant une réelle épuration du personnel administratif et politique. Les hommes incompétents et corrompus qui avaient appartenu à l'ancien régime surnageaient. La révolution promise par Lon Nol ne supprimait pas leurs abus.

Le peuple attendait des châtiments exemplaires. Sa soif de justice fut déçue. Cette révolution indulgente, presque complaisante, n'accouchait pas d'une société plus juste. Toute l'administration héritée de la monarchie avait survécu à l'instauration de la république. Même les personnages coupables de prévarication n'étaient pas déplacés. En réalité, l'actualité de la guerre, qui se rapprochait – jour après jour – de la capitale, étouffait le débat politique et constitutionnel. Les mois passaient et les combats s'amplifiaient.

Les nouvelles unités, les bataillons et les divisions armés par les Etats-Unis poussaient comme des champignons. Certaines étaient complètes; d'autres n'existaient que sur le papier. Les statistiques, qui rendaient compte de l'effort militaire, enregistraient pêle-mêle les régiments réels et les effectifs fantômes. Les héros adolescents, pourtant, tombaient sur les champs de bataille par milliers...

Frappé d'hémiplégie, le maréchal Lon Nol, président de la République, laissait agir, en toute impunité, les cohortes d'incapables. La création des partis politiques ne contrariait pas leurs appétits. La corruption ravageait toutes les couches de la société. Lon Nol, très diminué, prétendait qu'il restait au pouvoir pour sauvegarder l'unité républicaine. Certains de ses protégés, son jeune frère Lon Non surtout, manifestaient une arrogance de plus en plus visible.

Quelques républicains honnêtes, des militaires et des civils, tentèrent, en vain, de détruire les germes de la corruption. Leur impuissance prouva aux intellectuels et aux étudiants que le gouvernement n'était pas en mesure d'éliminer l'influence pernicieuse d'un petit groupe de parasites.

L'élite de la capitale se détacha de la politique. Les intellectuels, pour la plupart diplômés des universités européennes ou américaines, essayaient de vivre à l'écart de cette guerre qui ne les concernait plus. Toutefois, il arrivait que l'un d'entre eux, choqué par l'inconscience du maréchal Lon Nol, rejoigne le maquis. Les querelles politiciennes, à l'intérieur de l'équipe gouvernementale, achevaient de décourager les spectateurs passifs de cette mauvaise comédie décadente.

Pendant ce temps, dans le maquis communiste, les Khmers rouges prenaient le relais des soldats nord-vietnamiens. Les Chinois, également, leur assuraient une assistance logistique et médicale. Sihanouk avait cautionné, dans ses discours de Pékin, la croisade du FUNK – Front Uni National du Kampuchéa –, sorte d'instance dirigeante des Khmers rouges. La propagande des maquisards gagnait du terrain sur les mentalités citadines qui regrettaient la paix. « A quoi bon cette guerre ? » répétait le peuple de Phnom Penh. La radio clandestine des Khmers rouges s'était engagée à maintenir les libertés et à châtier seulement, « les sept super-traîtres ». En échange de ces sept têtes, les Khmers rouges promettaient la restauration de la paix d'autrefois...

La population, secrètement résignée, était lasse d'assister aux combats fratricides. Elle envisageait la paix et la mise en place d'un régime socialiste avec sérénité. Les gens formaient un seul vœu – celui-là était urgent : ils voulaient voir les Vietnamiens décamper.

Les Cambodgiens, au cours de leur douloureuse histoire, avaient accumulé de sérieux et légitimes griefs contre le comportement annexionniste des Vietnamiens. Les troubles politiques et les agressions militaires de la fin des années 60 réveillèrent l'antique contentieux. Les députés cambodgiens avaient renversé Sihanouk pour nous sortir du piège où les Vietnamiens nous avaient poussés. En mars 1970, avant l'instauration du régime républicain, des soulèvements avaient agité le pays. Les paysans s'attaquaient aux Vietcongs qui avaient établi leurs sanctuaires près de la frontière vietnamienne. Les cortèges des manifestations d'étudiants, spontanées ou non, parcouraient Phnom Penh. L'ambassade nord-vietnamienne avait été saccagée par les manifestants. Le gouvernement du prince, débordé, avait réclamé le retour de Sihanouk. Celui-ci bouda l'invitation. Lon Nol, entre-temps, était revenu de son séjour en France. Il envoya deux émissaires auprès du prince pour le convaincre de rallier le Cambodge. Le prince, offusqué, refusa de répondre à l'offre de Lon Nol. Et la république, après ces allées et venues semi-officielles, fut proclamée à Phnom Penh. La Chine dépêcha alors son ambassadeur dans notre capitale. Les Chinois accordaient leur appui au gouvernement républicain si ce dernier tolérait l'utilisation par les troupes vietcongs de quelques sanctuaires sur la frontière vietnamienne et l'emploi du port de Kompong Som pour approvisionner en armes les maquis du Sud-Viêt-nam. Lon Nol répliqua par un refus. Aussitôt, les Nord-Vietnamiens déclenchèrent une vaste offensive sur le territoire cambodgien. Indignée par cette attaque brutale, une partie de l'armée républicaine devint furieuse et chercha des boucs émissaires. Elle voyait des agents de la cinquième colonne partout. Les agents vietnamiens, ou les Vietnamiens soupçonnés d'être communistes, étaient lynchés, passés par les armes. Ces dénonciations, ces mises à l'index, si elles étaient cruelles et condamnables, n'en exprimaient pas moins une angoisse profonde du peuple khmer. Nous ne voulions pas être balayés par les envahisseurs.

Pris en tenaille par des impérialismes rivaux les Cambodgiens avaient perdu leur sérénité coutumière, désigné l'ennemi héréditaire et basculé en faveur des Américains. Faute politique ? Peut-être, mais nous voulions préserver l'intégrité de notre territoire. Les beaux jours de la résistance nationale furent vite gâtés par les exactions de certains personnages officiels et par l'isolement diplomatique. Tous les liens avec les autres gouvernements communistes d'Asie avaient été rompus.

Nous étions presque résignés à la dérive institutionnelle et politique après les déceptions de l'expérience Lon Nol. Nous avions pris l'habitude d'accueillir les changements de régime avec fatalisme.

En 1975, les Cambodgiens étaient pleins de ressentiments à l'égard des politiciens républicains qui n'avaient pas su arrêter et stabiliser l'offensive vietnamienne, ni instaurer un régime plus juste. La guerre avait plongé le pays dans une situation économique déplorable. Ce désarroi nous incitait à accorder notre confiance, secrètement, aux promesses du programme du FUNK. Nous pensions que les aspirations du peuple allaient enfin être respectées... C'était l'unique condition pour reconstruire le pays et retrouver une paix réelle.

Les Khmers rouges pouvaient contribuer au développement économique du Cambodge dans l'indépendance. Sihanouk, malgré toutes les péripéties de son règne, était une garantie de notre liberté et de notre dignité. Alliés des Khmers rouges, le prince et ses amis maquisards n'étaient pas communistes. Heureux de mettre un terme aux déchirements sauvages et fratricides, nous cédions au mythe de la troisième force.

Tout le monde, au fond, souhaitait la fin de la guerre. Notre vœu fut exaucé le 17 avril 1975. La population acclamait les vainqueurs. Les soldats de l'armée républicaine déposaient volontairement les armes. Les Khmers rouges gagnaient la guerre sur le front militaire, le front politique et entraient dans Phnom Penh avec l'estime des assiégés. Ce n'était plus une reddition pour la capitale, c'était un soulagement général.

Le jour de la chute de Phnom Penh, après quelques heures d'attente, je devinai qu'il se tramait, dans les rues de la ville, des choses insolites.

première partie

« Une rivière séparait deux royaumes; les paysans l'utilisaient pour arroser leurs champs, quand survint une année de sécheresse où il n'y eut plus suffisamment d'eau pour tous. Ils se battirent d'abord à coups de poing, puis les rois envoyèrent des troupes pour protéger leurs sujets. La guerre était imminente; le Bouddha se dirigea vers la frontière où campaient les deux armées.

– Dites-moi, commença-t-il en s'adressant aux deux rois, qu'est-ce qui a le plus de prix : l'eau de la rivière ou le sang de vos peuples ?

– Le sang de ces hommes sans aucun doute, répondirent les rois, a plus de prix que l'eau de la rivière.

– Ô rois insensés, dit le Bouddha, qui allez perdre ce qui a le plus de prix pour gagner ce qui vaut beaucoup moins ! Si vous livrez bataille, vous allez répandre le sang de votre peuple et vous n'aurez pas augmenté d'une seule goutte d'eau le cours de la rivière.

Les rois, confus, décidèrent de se mettre d'accord de façon pacifique et de partager l'eau. Peu après vinrent les pluies et tout le monde put arroser. »

JORGE LUIS BORGÈS,
Qu'est-ce que le bouddhisme ?

1
LE PREMIER JOUR

Le 17 avril 1975, le premier jour de la fin... Nous nous étions réveillés, ma femme et moi, plus tôt que d'habitude, ce jour-là. A 5 heures, nous étions tous debout. Même les trois jeunes enfants s'étaient levés. Nous avions rassemblé, dans quelques valises, des vêtements, des objets de valeur et des ustensiles de première nécessité. Prévoyants, nous avions pris nos dispositions pour échapper à une bataille rangée ou au pillage de la ville. Une véritable pluie d'obus s'était abattue, la veille, sur Phnom Penh. Notre quartier, le quartier périphérique de Tuk Laak où était situé l'hôpital des bonzes, était particulièrement visé. La proximité de l'aéroport de Pochentong expliquait sans doute la violence et l'intensité du tir d'artillerie que nous subissions.

Les colonnes hétéroclites des habitants de Pochentong, chassés par les bombardements, refluaient vers le centre de la ville. Nous avions écouté, toute la nuit, dans le grondement des obus, cette foule apeurée qui défilait devant notre maison, avenue Tep Phân. Nous avions peu dormi... Chacun, dans la maison, préparait ses bagages. Ma femme, mes beaux-parents, ma belle-sœur et mon beau-frère s'affairaient. Je n'avais pas encore eu la possibilité d'acheter un appartement. J'habitais chez mes beaux-parents depuis mon mariage.

Mes trois garçons s'habillaient. L'aîné, Pin Sudath, était âgé de neuf ans. Le second, Pin Kunnawath dit Nawath, avait cinq ans et le cadet Pin Phourin, deux ans et demi. Ils étaient insouciants, comme tous les enfants. Ils couraient dans les jambes de leur mère et s'amusaient.

J'éprouvai, en les contemplant, de l'inquiétude. J'aurais dû, pensais-je, les faire partir à l'étranger avec ma femme. Ils risquaient leur vie sous le déluge de roquettes et d'obus. J'avais envisagé, plusieurs fois, d'envoyer ma famille en France ou au Canada. Je craignais toujours de regretter cette décision. Je tenais trop à ma famille pour m'en séparer. Et je me rassurais, à propos de la situation cambodgienne, en songeant que je comptais beaucoup d'amis de l'autre côté, chez les Khmers rouges. J'avais appartenu à l'Association des ingénieurs khmers où il n'existait pas de distinction, de discrimination idéologique. Certains anciens dirigeants de l'association, des amis gauchistes, avaient rejoint le maquis. Ils connaissaient ma méfiance vis-à-vis des gouvernements républicains. Ils savaient que je m'étais tenu à l'écart des manœuvres et des intrigues politiciennes.

Je pensais, d'autre part, que mes qualités de technicien, mes capacités professionnelles, pouvaient être employées par le nouveau régime. Ne fallait-il pas reconstruire le pays... Les réformes économiques de la révolution ne m'effrayaient pas. Je ne craignais pas d'être dépossédé de mes biens : je ne possédais rien ou presque rien. Je priais seulement le ciel d'épargner à ma famille la séparation, la désunion. Si l'on protégeait ma femme et mes enfants, j'acceptais de travailler pour un régime socialiste et égalitaire.

Mes parents – des petits commerçants d'origine paysanne – vivaient, avant la guerre, dans une petite bourgade proche de la capitale. J'avais quitté ce village Oudong très tôt, au début de mes études primaires. Par la suite, j'étais resté à Phnom Penh. Seuls mes grands-parents ne nous avaient pas suivis en ville.

La famille de ma femme appartenait à la bourgeoisie aisée de Phnom Penh. Ils nous avaient reçus dans leur maison. Mes parents, plus sensibles qu'eux aux réalités en raison de leurs origines, me recommandaient de partir à l'étranger avec ma femme et mes enfants. Ils avaient rencontré de nombreux réfugiés qui avaient fui les « zones libérées » par les Khmers rouges. Les récits des réfugiés décrivaient les exactions et les tourments que les communistes infligeaient aux populations « émancipées ». Je ne voulais pas croire à la vraisemblance de ces histoires dont nous ne connaissions même pas la source. Je riais en les écoutant : « Vous ne savez pas de quoi vous parlez. Moi, je connais les Khmers rouges! J'ai des amis, des intellectuels, parmi eux... » A mon tour, j'essayais de convaincre mes parents, de les rassurer : « Mes amis m'ont expliqué que les Khmers rouges ne veulent pas faire couler le sang, surtout, des travailleurs et des techniciens. Ils tentent, précisément, de persuader les soldats de déposer leurs armes afin d'éviter un bain de sang. » Avant le 17 avril, à maintes occasions, j'avais tenu ce langage à mes parents. J'imaginais l'inévitable issue des combats et, pourtant, j'étais confiant.

La population du Cambodge, malgré les ravages de cette guerre impitoyable, n'avait pas réellement mesuré la gravité de la situation. Jusqu'au dernier jour du régime républicain, elle s'était accommodée de la guerre. Elle avait appris à survivre, à faire front.

En dépit de l'afflux massif des réfugiés, Phnom Penh n'avait jamais connu la famine. Chaque famille avait économisé un stock de riz important. Assez, en tout cas, pour se nourrir pendant un mois. La guerre nous avait enseigné la prudence. Les précautions alimentaires n'étaient pas négligeables. Les Américains assuraient une partie du ravitaillement. Mais nous ne manquions jamais, en dehors de cette importante contribution étrangère, de légumes, de fruits, de viande. Nous mangions à notre faim au plus fort de la guerre.

Les dizaines de milliers de réfugiés, chassés par la bataille qui faisait rage dans la campagne cambodgienne, avaient été bien accueillis à Phnom Penh. Ils s'étaient installés dans les pagodes ou dans les camps spéciaux aménagés pour leur accueil. Les divers organismes humanitaires et religieux s'étaient entendus pour les nourrir et leur prodiguer des soins médicaux.

Les réfugiés étaient libres de quitter leur camp et de circuler dans la ville. La plupart formaient une main-d'œuvre active, rétribuée comme les autres travailleurs. Ils participaient à la construction des digues, des canaux, ou à la culture du riz, des légumes, à la périphérie de la capitale et des cités provinciales. Même si leurs conditions d'existence n'étaient guère enviables, ils pouvaient se nourrir décemment et gagner un peu d'argent. La grande misère, c'est-à-dire un dénuement absolu, n'existait pas à Phnom Penh aux heures les plus critiques du régime républicain. Sauf quelques interruptions dues aux bombardements de roquettes des maquisards, les écoles restèrent ouvertes jusqu'au dernier moment. L'organisation et le fonctionnement des services publics n'étaient pratiquement pas perturbés.

Je m'étais marié en 1965 et j'avais obtenu, au cours de mes dix années d'administration, les promotions auxquelles peut prétendre un fonctionnaire ambitieux. On m'avait même proposé un poste de ministre. J'avais courtoisement refusé cette offre. Mon activité dans la vie sociale de Phnom Penh avait probablement attiré l'attention des autorités. J'avais été élu secrétaire général de l'Association des ingénieurs khmers que j'avais fondée avec un groupe d'amis. Certains adhérents de l'association étaient passés dans la clandestinité et ils étaient devenus des dirigeants khmers rouges redoutés.

Je présidais aussi le *Bees Club*. C'était en réalité la couverture d'un mouvement de réconciliation nationale que nous avions appelé le « Rassemblement des Patriotes khmers » (RAPAK). Il réunissait des intellectuels de toutes tendances. Nous étions tous patriotes, hostiles au totalitarisme et à la tyrannie, indifféremment de droite ou de gauche... Les membres du rassemblement venaient de tous les horizons. Des technocrates, des jeunes officiers, des doyens de faculté, des étudiants et quelques députés de l'opposition s'étaient ralliés à notre cause.

Nous n'étions pas partisans de Lon Nol, ni des Khmers rouges. Nous ébauchions, en comités discrets, notre programme. Nous voulions faire bande à part. Les autres intellectuels, qui attendaient que l'heure de la révolution sonne, avaient déjà choisi leur camp. Leurs sentiments penchaient en faveur des Khmers rouges. Nous voulions, au contraire, nous dégager des vieux courants, des rivalités idéologiques.

Nous avions fait le raisonnement suivant : si Sihanouk revenait au pouvoir, le pays allait se partager en deux blocs. Notre volonté était de contrebalancer l'influence des intellectuels totalitaires, intolérants. Ainsi, j'ai longtemps cru, jusqu'à l'effondrement de mes espoirs, que le pays pouvait être relevé du désastre économique et militaire. Cela m'avait retenu à Phnom Penh. Jamais je n'avais éprouvé l'envie de quitter mon pays.

Les obus éclataient près de la maison. Le flot des réfugiés, sur le boulevard, grossissait d'heure en heure. Les bagages furent rangés, en hâte, dans nos voitures, une Fiat 124 et une Austin 1100. La pluie de projectiles se rapprochait du quartier. De multiples foyers d'incendie se déclaraient dans les faubourgs de Phnom Penh. Les crépitements des armes automatiques déchiraient l'air...

Nous nous jetâmes dans ce fleuve d'hommes, de femmes et d'enfants. Les piétons occupaient la chaussée. Nous ne pouvions pas avancer plus vite qu'eux. Les femmes portaient leurs nourrissons contre leur hanche et tenaient, de l'autre main, les sacs qu'elles avaient empilés sur leur tête. Tous les moyens de locomotion et de transport s'enchevêtraient, se heurtaient : les cyclopousses, les bicyclettes, les remorques, les motos, les automobiles, les charrettes, les camions... C'était une débâcle sans tapage. Parfois, des enfants pleuraient. Les adultes les grondaient. Nous étions tous angoissés, affolés par l'intensité des tirs de roquettes et des bombardements. Les Khmers rouges voulaient nous intimider avant de prendre possession d'une ville ouverte.

Ma vie avait déjà été marquée par les deuils, par les coups du sort. J'avais été marié deux fois. Ma femme, que j'avais épousée en 1965, était morte en couches en 1969. Elle m'avait donné un enfant, mon aîné. Un an après le décès, je me remariai avec la sœur de ma femme. Nous avions eu deux autres enfants.

La crue des réfugiés envahissait et submergeait notre avenue. Tout le monde se dirigeait, sans mot dire, vers le centre de Phnom Penh. Je savais, depuis la veille, par des confidences des membres de l'opposition, que la capitale allait tomber entre les mains des maquisards.

Les camps de réfugiés qui entouraient Phnom Penh s'étaient vidés en quelques heures. Les soldats – le fusil sur l'épaule – avaient déserté leurs cantonnements des faubourgs. Ils remontaient, eux aussi, vers le quartier des ministères. Ils n'avaient pas l'air effrayé. Ils semblaient plutôt heureux d'en finir. Ils plaisantaient entre eux. Ils blaguaient. La désertion massive était une sorte de jeu à leurs yeux, un motif de bonne humeur. Leurs sourires dissimulaient la vraie tragédie des citadins. Les explosions d'obus faisaient de nombreuses victimes. Une maison avait été soufflée à trois cents mètres de mon domicile. Les services publics – les services de secours et l'assistance médicale – fonctionnaient encore. Les ambulances et les véhicules des pompiers tentaient de se frayer un passage dans la foule.

Le malheur s'était brusquement abattu sur la capitale. Jusqu'au bout, nous avions tenté de vivre à Phnom Penh comme par le passé. C'était une ville étendue, cossue, agréable, où il faisait bon vivre. Il y avait des jardins, des parcs et des arbres en fleurs...

A la fin du conflit, Phnom Penh comptait plus de trois millions d'habitants. Nous repoussions, mentalement, la guerre en nous attachant à la vie familiale, à la bonhomie des rapports humains. L'allégresse de la population, sa frénésie à jouir de l'instant, étaient interprétées comme de mauvais présages. Le jour de l'An, le 1er janvier 1975, symbolisa parfaitement cette insouciance ou, si l'on préfère, ce désir de gommer les événements. Des bals avaient été organisés un peu partout dans la ville. Les officiers supérieurs menaient la danse...

La population était psychologiquement démobilisée et les Khmers rouges arrêtèrent cette date pour lancer leur offensive finale, décisive. Quelques soldats isolés, quelques compagnies, essayèrent de résister à la pression communiste mais leurs camarades les abandonnaient. Il était impossible de briser, dans ces conditions militaires précaires, dans cette atmosphère défaitiste, l'encerclement communiste. Aussi, trois mois après le début de l'offensive, nous étions coupés du monde. Le dernier avion était parti pour la Thaïlande le 13 avril. L'aéroport de Pochentong, transformé en champ de bataille, était inutilisable. Les gouvernementaux avaient préparé un autre terrain à

Obekkaam, dans la périphérie immédiate de Phnom Penh. C'était une piste de fortune destinée à recevoir les avions américains et les parachutages de vivres.

Le 16 avril, il n'y avait plus d'avions, plus d'Américains. Lon Nol était parti et l'ambassadeur Dean s'était enfui. Arme au poing, les GI's avaient pris position le 12 avril dans la rue pour protéger la retraite de leur ambassadeur et de quelques personnalités cambodgiennes. Cette démonstration dérisoire avait fait la joie des enfants. La ville était livrée aux communistes une semaine après cette évacuation d'opérette.

L'armée républicaine, par nature, était vulnérable. C'était une armée de métier : une armée composée de mercenaires. Le principe de la conscription n'avait jamais été correctement appliqué car les riches commerçants contournaient la loi et soudoyaient les officiers recruteurs. Pour former des effectifs, les jeunes gens pauvres étaient enrôlés de force. Ces enlèvements provoquaient un mécontentement certain à la campagne. La réputation des officiers supérieurs, à quelques exceptions près, était détestable. Ils commettaient de nombreuses irrégularités. Dans notre esprit, nous avions associé la guerre à ces pratiques déshonorantes, méprisables.

La débandade des républicains était l'inévitable conséquence de tous les compromis, de toutes les démissions des milieux politiques et militaires. Nous étions, à notre tour, jetés dans cette débâcle dont nous n'avions pas prévu le dénouement. Nous avancions au pas sur la route encombrée. Nous avions presque atteint, après deux heures de route, Psar Silep, au centre de la ville, près de l'hôpital chinois.

Mon cousin habitait ce quartier résidentiel de Phnom Penh. Il venait d'y faire construire une vaste et belle maison. Il avait investi toutes ses économies dans cette villa. Il occupait seul, avec ses deux domestiques – un chauffeur et une cuisinière – sa maison neuve. Il avait pris la précaution, deux semaines avant la chute de la capitale, d'envoyer sa femme et son fils unique à l'étranger.

Une trentaine de personnes nous avaient précédés au domicile de mon cousin. Mes cousins, mes deux sœurs, mes frères, mes beaux-frères, mes belles-sœurs, mes neveux, mes nièces et mes parents s'étaient abrités dans le sous-sol de la villa. Elle était construite sur de solides fondations. C'était un abri idéal. Mes beaux-parents avaient cherché refuge dans la demeure d'une tante, non loin de là...

Nous étions laissés à notre incertitude. Aucune information ne nous parvenait. La radio était muette. En théorie, le couvre-feu permanent – vingt-quatre heures sur vingt-quatre – interdisait tout déplacement dans les rues de la ville. Personne n'avait respecté l'ordre du gouvernement. Des foules entières parcouraient la ville sans rencontrer de service d'ordre, de policiers. Le gouvernement ne tenait plus la situation en main. Quelques soldats étaient restés à leurs postes. Ils gardaient les ministères, les bâtiments publics.

Nous discutions, terrés dans notre cave, du programme politique du Gouvernement Royal d'Union Nationale du Kampuchéa – le GRUNK – qui représentait les maquisards. Le programme du GRUNK ne faisait jamais allusion au communisme comme l'affirmaient les partisans de Lon Nol. Il s'agissait surtout de reconstruire le pays sur de nouvelles bases politiques. Malgré la banqueroute de Lon Nol, le pays possédait encore d'importantes richesses et ressources naturelles inexploitées. Il n'était pas nécessaire, pour nourrir toute la population cambodgienne – dont le nombre s'élevait à sept millions et demi d'habitants en 1970, à la veille de la guerre[1] –, d'appliquer une politique aussi rigoureuse qu'en Chine populaire.

Le nouveau régime pouvait confisquer les biens personnels. Nous acceptions volontiers de vivre avec le strict nécessaire... Avec un travail honnête, dans une atmosphère respirable ; une atmosphère de justice, d'égalité. La corruption et les abus de pouvoir, prouesses quotidiennes de nos dirigeants, avaient dévasté le Cambodge. La renaissance du Cambodge ne pouvait pas être accomplie sans notre concours. Seules victimes désignées par le programme du GRUNK , les sept super-traîtres. Parmi eux se trouvait le jeune et dynamique Premier ministre Long Boret. Il était condamné à mort par contumace.

Toutefois, rien n'avait été vraiment décidé à propos du sort qui leur était réservé. Les rumeurs les mieux fondées laissaient supposer qu'un accord dans le sens de l'entente et de la réconciliation avait été trouvé. Cette information officieuse expliquait la présence du Premier ministre et de son conseil dans la capitale.

Un de mes amis, le doyen de la Faculté de chimie appliquée, était connu à Phnom Penh pour ses opinions gauchistes. Il m'avait confié que les Khmers rouges avaient, depuis un mois, la possibilité de donner l'assaut final à la ville assiégée. Les jeux étaient faits. Ils n'avaient pas attaqué, prétendait-il, pour des raisons humanitaires. Mon ami m'avait cité leur leitmotiv favori : ils ne voulaient pas « faire couler le sang khmer ». Honorable justification qu'il démentait aussitôt en disant : « Ils veulent, en fait, épargner les intellectuels et les techniciens afin de reconstruire le pays. »

Je comprenais tout à présent. Les Khmers rouges préféraient

1. A la chute de Phnom Penh, en avril 1975, tenant compte du taux d'accroissement démographique annuel et des pertes en vies humaines, nous estimions la population à environ 7 millions d'habitants, dont les deux tiers vivaient sous le contrôle du régime républicain défunt.

gagner la guerre lentement en démontrant leur supériorité aux républicains. Ils voulaient prouver que la situation des républicains était désespérée, qu'il n'y avait plus qu'une issue : déposer les armes et négocier. Contrairement aux affirmations des communiqués officiels, le Premier ministre Long Boret, pensai-je, avait pris contact avec un émissaire des Khmers rouges à Bangkok. A son retour de Thaïlande, il avait décidé de confisquer les armes des citoyens de Phnom Penh. C'était une mesure qui répondait probablement aux exigences des Khmers rouges. Le 16 avril 1975, cette interprétation des événements nous paraissait plausible. Les soldats gouvernementaux rentraient des fronts par groupes de dix. Ils se repliaient en désordre, avec leurs armes et leurs radios, et se fondaient dans la population. L'atmosphère était favorable à la réconciliation nationale. Nous espérions que Sihanouk était encore capable de réaliser un exploit : rassembler autour de son nom les bonnes volontés et se porter garant de la paix civile du pays.

Les obus continuaient de pleuvoir sur nos têtes. Quelquefois, la cave où nous nous trouvions était ébranlée par une déflagration puissante. Les sirènes des ambulances striaient le bourdonnement sourd de l'artillerie.

Tout à coup, nous entendîmes la voix de Samdech Sangreach, le patriarche, à la radio. Le patriarche Huot Tat, l'autorité bouddhiste de Phnom Penh, était mon grand-oncle. Il était âgé de quatre-vingt-cinq ans. Il avait été bonze depuis son enfance. A la fin de sa vie, il avait accédé à la distinction suprême dans l'ordre religieux khmer.

L'allocution du patriarche fut courte. Il déclara solennellement que les tirs devaient cesser entre Khmers. La radio diffusa ensuite un message du général Mey Si Chân, de l'état-major des Forces nationales khmères, les forces gouvernementales. Le général annonça d'une voix forte : « Tous les soldats doivent déposer les armes pour éviter l'effusion de sang tandis que les négociations continuent, avec nos frères de l'autre côté, sur la façon de rétablir la paix et l'ordre public. » La déclaration du général Mey fut suivie de discussions inintelligibles. La confusion cessa brusquement. Une voix grave et menaçante imposa le silence : « La guerre est gagnée par les armes et non pas par la négociation... » Le général s'était adressé à toutes les unités combattantes du Cambodge. Il avait été interrompu par un dirigeant khmer rouge. Celui-ci, sans s'embarrasser de bonnes manières, avait parlé de reddition des gouvernementaux et du triomphe militaire des maquisards.

Le silence succéda à la sentence communiste. Victime du black-out, la radio s'était tue. Nous restions l'oreille collée au transistor, dans l'attente d'autres nouvelles.

Le murmure des réfugiés accablés couvrait le bruit de la rue, des automobiles, des coups de feu sporadiques, des rafales d'armes automatiques. Tout le monde, dans notre quartier, s'était enfermé à double tour. Nous n'osions plus sortir dans la rue.

Des milliers de sans-abri, qui ne connaissaient personne en ville, erraient dans les avenues de Phnom Penh. Ils quêtaient l'hospitalité dans les pagodes ou campaient sur les pelouses des universités et des ministères.

Une heure passa dans ce climat d'anxiété. Des acclamations nous tirèrent de notre torpeur. Une clameur de joie, des vivats et des applaudissements s'élevaient de la rue. Les jeunes gens sortaient de leurs tanières, se risquaient dehors. Ils criaient : « Les Khmers rouges... Ce sont les Khmers rouges! » Les portes s'ouvrirent. Les drapeaux blancs surgirent à toutes les fenêtres; drapeaux taillés dans les draps, dans le linge de maison. Nous étions sortis pour assister au défilé des vainqueurs.

Nous aperçûmes une colonne de Khmers rouges. Ils portaient des uniformes noirs, des casquettes chinoises et des sandales Hô Chi Minh découpées dans des pneumatiques d'automobiles. Ils marchaient à la queue leu leu. Ils ne souriaient pas. Ils avaient l'air grave. Ils semblaient vigilants, les yeux aux aguets. Les soldats qui passaient devant nous étaient très jeunes. Ils avaient entre quatorze et dix-huit ans. Leurs chefs avaient environ trente ans. Leur attitude sévère tranchait sur le comportement des citadins.

Les gens manifestaient, avec excès, le sentiment de soulagement qu'ils éprouvaient. La gêne et la crainte étaient oubliées. Certains citadins couraient derrière la colonne en applaudissant. On aurait dit que les hommes et les femmes de Phnom Penh s'étaient débarrassés, d'un seul coup, de la peur et de la retenue. Les jeunes spectateurs étaient les plus exubérants.

Cependant, l'impassibilité des Khmers rouges nous impressionnait. Ils n'avaient pas l'air surpris par notre accueil. Nous étions intrigués par la sévérité des traits de ces adolescents. Ils marchaient dignement mais ne fraternisaient pas. Ils se méfiaient de nous.

Nous, dans la fièvre de la paix retrouvée, nous avions oublié nos émotions passées, le désarroi des jours de siège. Nous étions sortis indemnes de l'assaut final. Les rescapés d'une guerre civile se congratulaient. Nous nous embrassions et agitions des pavillons blancs. Des chemises, des serviettes de bain; n'importe quoi pourvu que cela fût blanc. Des morceaux d'étoffe étaient accrochés aux pare-chocs des automobiles, aux portières. Nous n'en revenions pas qu'ils aient pu pénétrer dans la ville sans commettre de crime.

Inouï : tout s'était déroulé sans violence. Les voisins accoururent.

Ils voulaient nous faire partager leur euphorie. Nous bavardions, nous plaisantions, nous bâtissions des projets d'avenir ; nous tirions des plans sur la comète. On avait hâte de rentrer chez soi, de retrouver ses meubles, ses affaires. On craignait le pillage ou les bombardements.

Mes beaux-parents, avec leur Austin, avaient déjà fait demi-tour. Ils nous avaient avisé qu'ils rentraient à la maison. Nous avions, par conséquent, décidé de différer notre retour. Mon cousin nous avait invités à déjeuner.

Nous étions d'humeur plutôt détendue. Les enfants jouaient dans le jardin et nous nous apprêtions à prendre le thé. Il était presque 11 heures du matin. On riait très fort. On parlait haut. Fini les tueries, les destructions...

Les Khmers rouges marchaient à travers la ville, silencieux et attentifs, sous les applaudissements de la foule des réfugiés. Nous n'entendions plus de coups de feu. J'avais aperçu deux ou trois journalistes occidentaux qui suivaient les colonnes des Khmers rouges. Les chefs précédaient leurs hommes. Aux croisements, ils s'arrêtaient et laissaient passer les voitures. C'était curieux. On avait l'impression qu'ils se défendaient d'approcher les choses de la ville.

La circulation commença alors à reprendre. Chacun était pressé de retrouver son domicile. Nos spéculations sur l'avenir occupaient toutes nos conversations. Nous parlions des futurs voyages, des promenades à la plage : le territoire cambodgien n'était plus déchiré par la guerre civile. Le comportement des vainqueurs renforçait notre opinion.

Les Khmers rouges, sous mes yeux, avaient interpellé un militaire républicain qui circulait en GMC. Ils lui avaient fait signe de descendre du camion. L'homme s'était enfui... Au lieu de tirer et de l'abattre sans sommation, les Khmers rouges lui avaient couru après et l'avaient rattrapé. Nous pensions qu'il allait être exécuté sur-le-champ. Les Khmers rouges, posément, lui ordonnèrent d'ôter ses vêtements militaires, de laisser son GMC et de rentrer chez lui. Cette scène m'avait rassuré.

Nous étions en train de déjeuner, vers 1 heure de l'après-midi, quand un homme entra, en coup de vent. Il avait l'air affolé : « Les Khmers rouges nous font sortir des maisons et nous disent de quitter la ville. Qu'est-ce que je dois faire ? » C'était le gardien de la maison des beaux-parents de mon cousin. Ils avaient quitté le Cambodge, quelques semaines plus tôt, en confiant leur maison à cet homme tout à coup désemparé. Le gardien avait eu affaire aux Khmers rouges du Sud-Ouest, les Khmers rouges de la dernière vague. J'en déduisis que chaque unité khmère rouge avait reçu une mission particulière.

Ils ignoraient la stratégie d'ensemble et les instructions données à leurs compagnons d'armes. La dernière vague de Khmers rouges avait reçu mission de vider les maisons de leurs habitants et d'évacuer les familles hors de la ville.

Nous avions interrompu notre déjeuner. On ne comprenait pas très bien ce que voulait dire le gardien. Il avait estimé nécessaire de prévenir le gendre de ses propriétaires qu'il ne pouvait plus garder la maison. Mon cousin le pressait de questions, lui demandait des précisions. L'opération d'évacuation s'effectuait méthodiquement, progressivement. Les Khmers rouges, qui avaient commencé par envahir les quartiers périphériques, resserraient leur étau. L'homme ignorait la nature et la durée de l'évacuation.

Nous étions désemparés. L'intrus fauchait brutalement les espoirs que nous évoquions depuis une heure ou deux. Nous ne voulions pas donner crédit aux allégations du gardien. Nous étions persuadés qu'il se jouait de nous, qu'il était pressé de rentrer chez lui. L'envie de plaisanter avait disparu. L'homme avait menti ; ça n'était pas possible... Une évacuation, quelle idée ! Les gens, sur le pas de leurs portes, manifestaient leur incrédulité. Ils n'avaient rien entendu à la radio et ils se fiaient au silence officiel pour justifier leur optimisme.

On ne savait plus quoi faire. Fallait-il quitter la maison de mon cousin avec toute la famille, c'est-à-dire trente personnes ? Faute de trouver une solution, nous avions décidé de consulter notre oncle, le grand patriarche Huot Tat. Le vénérable résidait dans la pagode Onalom. Ses conseils étaient précieux ; sa protection aussi. A travers les épreuves que le Cambodge avait subies, le patriarche continuait d'incarner l'incontestable autorité morale du pays. Nous étions chanceux d'avoir, dans notre famille, un oncle aussi prestigieux.

Le vénérable Huot Tat était respecté par toutes les parties en cause. Nous pensions qu'il restait encore influent. Aussi, dans l'incertitude, nous préférions attendre les événements à ses côtés. Nous n'emportions pas grand-chose pour aller à la pagode. Nous étions entassés, tous les trente, dans trois voitures : ma Fiat 124, la Peugeot 404 de mon frère et une Mercedes 220 qui appartenait à mon cousin. Il restait peu de place pour les bagages et les objets personnels. Le cuisinier et le chauffeur de mon cousin avaient reçu la permission de rentrer chez eux.

Nous nous étions engagés, de nouveau, dans la lente procession des fuyards, des familles atterrées. Il n'y avait pas d'embouteillage... C'était un spectacle curieux, inhabituel dans cette ville d'ordinaire agitée. Il y avait pourtant beaucoup de monde et point de cohue. Nous devenions tout à coup corrects, courtois, soumis à la nouvelle autorité que nous ne connaissions pas. Instinctivement, nous respections scrupuleusement le Code de la route. On craignait de provoquer des accidents.

Je vis une colonne d'une trentaine de Khmers rouges surgir d'une rue adjacente. Ils étaient entièrement vêtus de noir et portaient les mêmes casquettes. Ils marchaient en file indienne au milieu de la chaussée et se tenaient silencieux. Ils feignaient d'ignorer la circulation. Ils avançaient dans la rue sans prêter attention aux voitures ou aux piétons. Nous nous écartions ou nous arrêtions à leur passage. De temps en temps, un coup de feu éclatait. Ces rappels de la guerre nous tenaient en alerte. Nous ne savions pas qui tirait dans la ville...

Nous roulions lentement vers la pagode Onalom, située au nord du palais royal. La pagode était séparée du fleuve par l'avenue des quais et un grand jardin fleuri.

Nous étions encore sous l'effet de la découverte de cette colonne d'automates; ces soldats khmers rouges qui ne parlaient, ne bronchaient pas. Trente jeunes gens, peut-être cinquante, au même regard fixe, aux visages figés. Ils portaient en bandoulière des fusils chinois AK 47, des FM américains M 16... Ils regardaient droit devant eux.

Près de la pagode, il y avait aussi de nombreux Khmers rouges. Contrairement à leurs camarades, ils étaient habillés en treillis. On prétendait que les Khmers rouges en treillis venaient plutôt des provinces cambodgiennes de la rive est du Mékong.

La pagode était ancienne. Il y avait plus d'une dizaine de pagodes dans Phnom Penh. Onalom était le temple du chef suprême. La majorité des Cambodgiens demeuraient fidèles au bouddhisme. C'était une religion puissante au Cambodge.

Beaucoup d'habitants de Phnom Penh avaient agi comme nous et rejoint la pagode. Nous trouvâmes le vénérable dans ses appartements. Les dignitaires bouddhistes l'entouraient.

Le vénérable s'entretenait avec trois officiers supérieurs et des simples citoyens qui voulaient connaître son opinion. Ils quêtaient une parole rassurante, une raison d'espérer. Le général Chhim-Chuon, ancien aide de camp du maréchal Lon Nol, et le général Mao Sum Khem, le chef du troisième bureau des Forces armées républicaines, étaient dans l'assistance, en civil. Leurs gardes du corps les accompagnaient. Ces généraux étaient, avant la chute de la ville, les personnages les plus arrogants du gouvernement. Leur humilité soudaine faisait peine à voir...

Nous étions assis tout autour du patriarche. Deux questions essentielles revenaient sans cesse. La première : comment les officiers supérieurs devaient-ils se comporter à l'égard des vainqueurs ? Seconde question : pourquoi la population civile était-elle obligée d'évacuer la ville ?

Le patriarche ne comprenait pas pourquoi l'ordre d'évacuation avait été donné. Il n'existait pas de confirmation officielle. Le programme du FUNK ne faisait pas allusion à une déportation massive. Le patriarche affirmait qu'il n'était pas raisonnable de croire à la vraisemblance d'un tel ordre. La paix avait été rétablie sans bataille rangée. La population, dans son ensemble, était prête à coopérer avec les vainqueurs.

Le patriarche, de son côté, n'avait pas obtenu d'informations particulières. Les nouvelles autorités ne l'avaient pas contacté. Par téléphone, il était entré en relation avec Mme Chuop Samloth – présidente de la Croix-Rouge cambodgienne; il appela aussi M. Chau Sau – secrétaire général du parti démocrate – c'est-à-dire le représentant officiel de l'opposition. Cet homme bénéficiait, chez les adversaires des républicains, d'une considération réelle. Le patriarche pensait que ces deux personnalités avaient recueilli, grâce à leur position et leur réputation, de précieux renseignements sur l'attitude des vainqueurs.

En fait, les Khmers rouges les tenaient à l'écart des décisions comme tous les autres citoyens de Phnom Penh. Ils étaient logés à la même enseigne que nous : ils n'avaient aucune information. Mme Chuop Samloth savait seulement que la Croix-Rouge internationale avait établi un abri à l'hôtel *le Phnom.* Cet hôtel était désormais considéré comme un territoire neutre. M. Chau Sau n'avait pas été tenu au courant des événements.

Nos conversations furent interrompues par un communiqué diffusé à la radio. Tous les ministres et tous les officiers généraux des trois armes étaient convoqués au ministère de l'Information, à 16 heures. Aucune absence, aucune exception, n'était tolérée. Le chef suprême des bouddhistes demanda alors aux personnalités présentes autour de lui de se conformer strictement aux ordres des vainqueurs. Le patriarche avait également décidé d'envoyer un représentant à la réunion de 16 heures au ministère de l'Information. Ce délégué bouddhiste était chargé de recueillir des éclaircissements au sujet de l'évacuation.

La pagode recevait de plus en plus de réfugiés. Nous étions au milieu de l'après-midi. Il faisait très chaud. La panique nous avait rassemblés là. Nous émettions toutes sortes d'hypothèses. Seuls le grand patriarche et quelques dignitaires bouddhistes restaient sereins. Leur attitude nous donnait du courage.

A 16 heures, l'attente devint intolérable. Nous cherchions à apercevoir le bonze qui avait remis le message du patriarche aux Khmers rouges. J'étais angoissé. Je ne voyais pas comment nous pouvions nous tirer de ce mauvais pas. J'avais pensé à demander asile à l'hôtel *le Phnom* ou à l'ambassade de France. Mais un étrange pressentiment m'interdisait de me déplacer.

Je voulais en avoir le cœur net : j'appelai, avec la permission du patriarche, l'ambassade de France où je demandai l'autorisation d'être reçu, avec ma famille. Un Français me répondit. Il voulait connaître l'origine de l'appel. Je lui dis que je m'étais réfugié auprès du vénérable. Le Français fut catégorique : il était impossible de franchir le seuil de l'ambassade de France. Le portail était gardé par des Khmers rouges. Et le Français ajouta : « Même si le patriarche se présentait à la porte, les soldats khmers rouges ne le laisseraient pas passer... » J'essayai, après cet échec, de joindre mes beaux-parents chez moi. Ils ne répondaient pas. Le téléphone sonnait... Où étaient-ils passés ?

A la tombée de la nuit, vers 18 heures, le vénérable So Hay, l'envoyé du patriarche, fut de retour. Il rendit compte au chef des bonzes de ses conversations avec les Khmers rouges. Les gens se pressaient autour de lui. Le patriarche imposa le silence.

Nous tentions de lire, dans le regard du messager, quelque bonne nouvelle. Je m'approchai pour saisir ses paroles :

« Beaucoup d'officiers supérieurs et de ministres étaient présents à la réunion. Mais il n'étaient pas au complet. Le Premier ministre Long Boret était venu... » Le vieux bonze continua son récit. Il s'était assis, nous disait-il, à côté d'un officier supérieur khmer rouge. Celui-ci ne portait pas d'étoile. Rien ne le distinguait, sinon la qualité de son langage et ses bonnes manières, des autres soldats khmers rouges. Il s'était adressé respectueusement au bonze, exaltant les bienfaits de la victoire des maquisards et souhaitant, rapportait le bonze, reconstruire le pays avec le concours des anciens fonctionnaires, des intellectuels et des techniciens de la république déchue.

L'interlocuteur du bonze avait ajouté : « Nous avons des soldats avec des fusils pour gagner la guerre mais pas assez de cadres et de techniciens pour bâtir la paix. » Selon le bonze, le général avait précisé que les spéculations autour d'une éventuelle évacuation ne lui paraissaient pas fondées. Il lui avait expliqué que cela n'avait pas de sens. Un ordre aussi extravagant ne pouvait pas venir des Khmers rouges, affirmait-il : « Pourquoi voulez-vous que nous laissions à l'abandon un pays dévasté par cinq années de guerre, par les bombes des impérialistes américains ? Pourquoi ordonner l'évacuation des hommes valides si nous devons remettre sur pied une économie saine ? Je peux vous donner ma parole d'honneur que je ne connais pas cet ordre. C'est une manœuvre des impérialistes. Leurs agents veulent semer la panique parmi la population. »

La rumeur d'évacuation était toujours persistante malgré le

rapport optimiste du bonze. Le temps passait et rien ne venait contredire ces bruits. Il était 20 heures. Nous étions de plus en plus alarmés. Le général s'était moqué du vieux bonze ou il s'était vanté d'être dans le secret des dieux. Il n'était probablement pas tenu au courant des décisions de l'état-major khmer rouge. Le patriarche nous répétait que le général ne pouvait pas mentir. Il avait été loyal. Il n'était peut-être investi que d'une seule mission : gagner la bataille. Le reste lui était étranger dans ce cas...

Lassés par ces épreuves morales et physiques, nous avions fini par nous endormir sur le plancher de la salle des fêtes de la pagode. Cela n'était pas facile de trouver le sommeil. Une étrange fébrilité s'était emparée des habitants du quartier où s'élevait la pagode.

Sous la menace des Khmers rouges, ils quittaient leurs maisons. D'autres inventaient des prétextes pour s'attarder chez eux. Ils trompaient les jeunes gens en uniforme sombre afin de gagner la pagode. Chacun espérait y entendre le démenti officiel de l'ordre d'évacuation. Tout le monde priait pour un sursis...

J'étais, moi-même, très déprimé. J'avais tenté, une seconde fois, d'appeler mes beaux-parents. Pas de réponse. Avaient-ils été chassés de la ville ? J'imaginai le pire.

Au moment où nous nous étendions sur des nattes pour nous reposer – vers 21 h 30 – un officier khmer rouge entra dans la salle, un pistolet à la main. Il était en treillis. Dans le maquis, les officiers étaient les seuls à posséder un pistolet. Il avait mon âge. Il nous regardait tous avec un air soupçonneux. Prêt à tirer, il nous désignait l'un après l'autre avec son arme. Puis il aperçut les motocyclettes et les vélos rangés contre une porte cochère. Son visage s'illumina. S'adressant à nous, il s'écria : « A qui appartiennent ces motos ? » Nous nous taisions, terrorisés par l'intervention de l'officier; il rengaina son pistolet, saisit une moto Honda bleue, presque neuve, étincelante. Une chaîne antivol cadenassée la liait à deux autres motos.

Deux fois, l'officier répéta : « Quel est le propriétaire de cette moto ? L'Angkar en a besoin ! » Le ton ne supportait pas la contradiction. Comme personne ne se manifestait, l'officier laissa tomber la moto, tira son arme de sa ceinture et visa la chaîne de l'antivol. Il fit feu par deux fois. Les projectiles brisèrent la chaîne. A notre stupéfaction, l'officier s'en alla avec la moto qu'il convoitait. Nous étions à la fois effrayés et effarés par cette naïveté brutale et impudente. Un quart d'heure après l'incident, deux autres soldats vinrent retirer, eux aussi, leurs motos sans dire un mot.

Informé, le grand patriarche fut surpris et bouleversé. Aucun cadre khmer rouge ne l'avait prévenu du passage de l'officier et de sa brutale saisie. Depuis la fin de la matinée, il attendait que les nouveaux dirigeants du pays prennent contact avec lui. Si les Khmers rouges bafouaient l'autorité spirituelle, il était difficile de se bercer d'illusions.

Mon fils aîné, avant de s'endormir, m'avait demandé : « Dis, papa, quand allons-nous rentrer à la maison ? » Je restai silencieux, incapable de le réconforter. Ma femme lui répondit : « Dors, mon enfant ; nous serons chez nous demain... »

Le patriarche était sombre et méditatif. Les Khmers rouges qui avaient emporté les motocyclettes ignoraient l'identité du patriarche. Pour les citadins, c'était une chose inconcevable, une sorte de blasphème. Religion d'Etat au Cambodge, le bouddhisme était un culte très libéral. On ne forçait personne à croire à l'enseignement du Bouddha. Le bouddhisme dit : « Crois ce que tu crois. » C'est l'apprentissage même de la tolérance. Il faut d'abord raisonner, comprendre, se convaincre soi-même. Se forcer à croire sans être convaincu ne sert à rien. Il y a un principe essentiel du bouddhisme : « Tu es responsable de toi-même, tu es ton propre chef. » D'autres principes exaltent cette liberté de l'individu : « Aucune faute ne peut être rachetée. L'homme naît seul, vit seul, meurt seul. Et c'est lui seul qui pioche le chemin qui peut le conduire au nirvâna. » En d'autres termes : « Tu peux seul te sauver toi-même. Bouddha n'est pas un dieu. Il n'est qu'un guide. Il te montre le chemin. A toi de te convaincre que le chemin qu'il t'indique est le bon. Tu n'es pas obligé de le prendre. Mais si tu le prends sans le connaître, sans être convaincu, sans le comprendre, cela ne sert à rien. Bouddha te met sur la voie... »

J'étais bouddhiste mais non pratiquant. J'allais seulement à la pagode pour rencontrer les membres de ma famille lorsqu'ils s'y réunissaient. Les vieux y allaient pour prier. Nous n'attachions pas grande importance aux rites. Le patriarche était toutefois une personnalité dont le véritable rayonnement dépassait le cadre religieux. On était censé le respecter dans les villages les plus reculés du Cambodge. L'insolence des soldats chapardeurs – les voleurs des motos – était extrêmement choquante à nos yeux. Nier l'autorité du patriarche, c'était renverser les valeurs établies dans notre civilisation depuis des siècles.

2
LA DÉPORTATION

Dans la pagode, la nuit du 17 au 18 avril, nous avions à peine somnolé. Les enfants semblaient mieux dormir que nous. Tout le monde, au petit matin, s'était spontanément réveillé et avait rangé ses affaires. Il semblait déjà que nous obéissions à un règlement, que nous nous soumettions à un système; ça n'était pas pourtant dans nos habitudes...

Les Khmers rouges entrèrent dans la pagode avant l'aube. Ils nous ordonnèrent de partir aux premières heures du soleil. La voix de l'officier était lourde de menaces. Elle ne tolérait pas la contestation. Les bonzes et les réfugiés, rassemblant les rares effets qu'ils avaient pu emporter, se mirent en route. Même les religieux étaient sommés d'obéir.

La ville ouverte se vidait de ses âmes. La déportation commençait. Quelques soldats khmers rouges se démenaient en tous sens, dans le quartier de la pagode, pour colporter l'ordre d'évacuation. Ils pressaient les gens de partir. Une centaine de bonzes vivaient en permanence dans la pagode. Les Khmers rouges avaient envahi tous les bâtiments, même le sanctuaire.

Le patriarche, avant de nous laisser partir, nous conseilla de respecter scrupuleusement les commandements des soldats. Il déclara aux bonzes : « Tous ceux qui peuvent partir et quitter la pagode doivent s'en aller. Moi, je reste. Je suis trop vieux pour vous accompagner. »

Le patriarche avait refusé de s'en aller. Il était déjà dans l'autre monde, au-delà des douleurs humaines. Les Khmers rouges ne pouvaient plus l'atteindre. Il était au-dessus de tout. Même si les Khmers rouges l'ont tué, l'ont torturé, cela n'a pas pu l'atteindre. Il n'en a pas souffert...

Une dizaine de hauts dignitaires restèrent aux côtés du vénérable. Ils étaient volontaires pour résister, avec le patriarche, à l'ordre des Khmers rouges. Nous ne savons pas ce qu'ils sont devenus.

Les Khmers rouges nous avaient averti que nous quittions la ville pour trois jours et qu'il n'était pas nécessaire d'emporter beaucoup de vêtements, d'objets personnels. Ils avaient bien précisé : trois jours... Ils prétendaient que cet exode massif, intégral, radical, leur permettrait de « nettoyer ». Ils racontaient aussi qu'ils déplaçaient la population de Phnom Penh en raison de l'imminence des bombardements américains.

Ces bobards relevaient de l'intoxication pure et simple. Les Khmers rouges voulaient accélérer notre fuite et justifier leurs mesures insensées. Je ne pouvais pas croire ces sornettes : pourquoi des bombardements américains ? Les Américains nous avaient laissé tomber.

Longtemps, j'avais voulu nier la retraite précipitée de nos « alliés ». Je ne pouvais même pas penser que les Américains s'apprêtaient à abandonner le Sud-Viêt-nam.

Les Américains nous avaient lâchés le 12 avril. S'ils l'avaient voulu, ils auraient probablement bombardé les Khmers rouges avant la chute de la ville. Pourquoi bombarder Phnom Penh pendant trois jours plutôt que pendant une semaine ? C'était incompréhensible. La démonstration des Khmers rouges ne tenait pas debout. Le bombardement US n'était qu'un épouvantail.

Les larmes aux yeux, nous nous étions séparés du patriarche et nous avions repris nos voitures. En conduisant, j'essayais de raisonner, d'établir la part de vérité dans les fables des Khmers rouges. Autrefois, j'avais cru à la fidélité américaine. Jusqu'au 17 avril, j'avais pensé que les Américains, attachés au Sud-Viêt-nam, le soutiendraient coûte que coûte. Cela nous laissait quelques mois de répit, de quatre à six mois environ, pour redresser la situation et trouver une solution pacifique. La plupart de mes compatriotes avaient fait, pour leur malheur, le même calcul. Les hauts fonctionnaires et les gros commerçants avaient acheté de nombreux billets d'avion la semaine précédant le 13 avril, date du Nouvel An cambodgien. Ils attendaient la fin de la fête pour partir. Mais, le lendemain, plus d'avions ! Nous étions pris dans la nasse. Les Américains s'étaient couverts de honte et de ridicule lors du départ de leur ambassadeur. Pourquoi, après cette piteuse sortie, reviendraient-ils bombarder la capitale ?

J'étais très inquiet. Les Khmers rouges nous mystifiaient. Que voulaient-ils donc nettoyer ? Mon espoir de paix et de réconciliation s'était effrité. En quittant la pagode, nous avions décidé de passer au domicile de mon cousin pour prendre des vivres supplémentaires, des ustensiles de cuisine, des sacs de couchage et des couvertures. L'expérience de la pagode nous avait prouvé que nous manquions de l'essentiel. Péniblement, nous essayions de nous frayer un chemin dans la foule à contre-courant. Les habitants du quartier de la pagode Onalom se dirigeaient vers la route nationale 5 qui menait aux provinces du Nord. Nous, nous avions décidé de rouler vers le sud. C'était un peu risqué mais nous n'avions pas le choix. Heureusement, aucun Khmer rouge n'était visible alentour.

A mi-chemin, nous aperçûmes un groupe de soldats. Nous obliquâmes à droite au premier carrefour. Ce judicieux détour nous permettait d'éviter la colonne khmère rouge. Nous nous efforcions d'être prudents, de réduire les occasions de rencontres fortuites. De temps en temps, nous croisions une jeep ou une voiture particulière, remplie de Khmers rouges, qui circulait à vive allure.

La ville semblait enfiévrée. La nonchalance cambodgienne avait disparu. Les gens, sur leurs bicyclettes et leurs motos, se dépêchaient de quitter la ville. Les automobiles étaient rares. Les quartiers du centre, entre le palais royal et l'hôpital chinois, commençaient à se vider. Leurs habitants avaient déjà presque atteint la périphérie de la ville.

On n'entendait plus les klaxons des automobiles. Les gens craignaient de faire du bruit. Ce calme surprenait à Phnom Penh, une ville ordinairement bruyante et vivante.

Les cyclopousses avaient déserté les rues, aussi. Ceux qui circulaient transportaient des vêtements et des bagages. La veille, j'avais assisté à une scène édifiante. Un Khmer rouge avait ordonné à un passager de cyclopousse d'en descendre car son attitude était jugée immorale et offensante pour le peuple. C'était faire injure à la révolution. L'homme ne devait plus être exploité ou transporté par ses semblables. Le cyclopousse pour passagers était définitivement banni du nouveau Cambodge.

Je croisais des connaissances et des amis. Les rires et les sourires s'étaient effacés. Nous échangions quelques signes discrets. J'avais entr'aperçu un de mes confrères, M. Hing Kunthon, un ingénieur statisticien. Il était président de la Banque khmère pour le Commerce.

Sa voiture, apparemment, était déjà chargée. Il était sur le point de quitter sa maison. Quelques mois plus tôt, il avait pris la précaution d'envoyer sa famille à l'étranger. Furtivement, nous avions échangé quelques mots. Nous avions rapidement coupé court. Ces conversations pouvaient être mal interprétées. Le silence et l'ordre étaient de rigueur.

Nous avions atteint le domicile de mon cousin vers 8 heures du matin. Les Khmers rouges ne se manifestaient pas dans ce quartier. Nombreux étaient les habitants qui n'avaient pas voulu abandonner leurs maisons. Les Khmers rouges étaient passés le matin même. Nous chargions les voitures de vivres, de vêtements et d'ustensiles de cuisine. Nous avions mis de côté assez de nourriture pour trois jours.

Tandis que ma femme et mes parents rangeaient les affaires, je détruisais des papiers qui auraient pu être considérés comme compromettants. Il valait mieux dissimuler aux nouvelles autorités les statuts du Rassemblement des Patriotes khmers et supprimer la liste des membres du RAPAK. Je détenais tous les fichiers. Ces pièces à conviction pouvaient être retournées contre nous. Dans nos pays sous-développés, la pratique politique et le civisme n'étaient guère prisés. En réalité, la politique s'était toujours confondue avec le pouvoir. La raison du plus fort restait la meilleure.

Je ne pouvais pas m'empêcher d'être pessimiste quand je considérais la situation de mon pays. Les aléas de la république m'avaient rendu sceptique. Qui pouvait prédire que les nouveaux maîtres du Cambodge n'utiliseraient pas la force pour garder le pouvoir qu'ils avaient conquis par les armes ? Je n'étais pas un héros. Je n'avais pas envie de devenir un martyr. Je possédais un pistolet, comme tous les fonctionnaires, mais je décidai de le laisser à la maison.

Je supposais que tout le monde devait agir comme moi : abandonner les armes personnelles, obéir docilement aux ordres, satisfaire, avec complaisance, aux exigences des vainqueurs. Nous avions peur des représailles. La rumeur de la rue décrivait le sort réservé aux insoumis. Nos raisons d'obéir étaient complexes : l'appréhension, la peur, l'espoir incrédule.

Enfin, si nous prétextions de nos liens familiaux pour retarder l'échéance du départ, les Khmers rouges nous citaient leur vie en exemple. Ils mettaient en évidence notre égoïsme lorsque nous hésitions à nous séparer des nôtres pendant trois jours. Les combattants khmers rouges avaient bien accepté de se tenir éloignés, pendant des années, de leurs parents. Ils ne se plaignaient pas de cette séparation. Ils avaient accepté ce sacrifice pour le pays, pour notre salut.

Mes parents, qui connaissaient des paysans qui avaient fui les « zones libérées », nous conseillaient de prendre beaucoup de vêtements. Nous emportions aussi nos seuls biens : des bijoux et de l'argent que j'avais économisé, deux millions de riels et trois mille dollars. J'avais mis de côté ces trois mille dollars au cours de mes voyages à l'étranger. L'inflation endémique, au Cambodge, nous incitait à constituer un pécule en dollars. En 1970, soixante riels valaient un dollar. Cinq ans après, la monnaie du Cambodge s'était effondrée. Le cours du dollar s'élevait à deux mille riels. Aussi, nous cachions des dollars et des bijoux. C'était une assurance.

Autour de nous, nous avions entendu des familles se plaindre de séparations arbitraires. Combien d'enfants étaient sortis pour acclamer les vainqueurs et n'étaient jamais revenus chez eux... Certaines familles, même, s'étaient dispersées entre divers domiciles. Ces personnes séparées étaient obligées d'accompagner leurs hôtes vers des destinations que les Khmers rouges leur avaient imposées.

Quelques pères de famille en faction dans les administrations, les écoles ou les ministères, ne pouvaient plus rejoindre leurs enfants. Ils appartenaient désormais au secteur de la ville où la victoire des Khmers rouges les avait surpris.

On nous rapportait des scènes déchirantes : un mari qui avait accompagné sa femme malade à l'hôpital n'avait pas pu retourner chez lui, auprès de ses enfants.

Personne ne décrochait le téléphone chez moi. Je n'avais aucune nouvelle de mes beaux-parents. Je ne voulais pas non plus aller vérifier par moi-même si la maison était vide et risquer ainsi d'être séparé de mes enfants. Mais, au fond, pourquoi me faisais-je autant de mauvais sang ? Les Khmers rouges nous avaient assurés que nous partions pour trois jours.

Notre cortège – trois voitures deux motocyclettes et un vélo – se dirigea vers le boulevard Preah Monivong. C'était la route du sud Elle avait pris l'aspect du chaos de l'exode; une sinistre cohue de piétons, d'automobiles, de cyclopousses.

Des hommes et des femmes pleuraient à chaudes larmes. Ils ne voulaient pas quitter leurs maisons. Ils suppliaient les Khmers rouges de leur laisser quelques minutes de sursis pour attendre un parent, un fils, une mère. Les Khmers rouges ne s'apitoyaient pas : « Il ne faut pas pleurer. Partez tout de suite, vous reviendrez dans trois jours. » La majorité des Khmers rouges tenait un langage rassurant. Ils tentaient de nous consoler. Ils ne souriaient pas mais leur voix ne trahissait la plus légère nuance de menace. Ils nous promettaient de protéger nos maisons.

Ils ne s'impatientaient qu'à bout d'arguments : « Dépêchez-vous ! Une journée est déjà passée et les Américains peuvent nous bombarder d'un moment à l'autre... »

Nous suivions la foule. J'avais le secret espoir de revoir mes beaux-parents. Ma femme les aimait beaucoup ainsi que mes enfants. Le flot des citadins se retirait lentement du centre de la ville. Dans cette marée humaine, ce ressac, nous pouvions reconnaître des hauts fonctionnaires, des médecins, des ingénieurs, des réfugiés, des professeurs, des ouvriers. Personne n'avait échappé à la rafle.

Je me souviens d'un malade que son fils portait sur le dos. Les bébés, les éclopés et les infirmes n'étaient pas exemptés de cette douloureuse marche. Aucun habitant de la ville n'avait été épargné par la décision des Khmers rouges. D'une voiture à l'autre, entre les cris et les pleurs d'enfants, nous échangions des informations. A deux cents mètres de la maison, nous avions vu, au bord de la chaussée, deux cadavres de militaires. Personne ne s'arrêtait. Ils gisaient sur le trottoir et ne portaient pas de trace de blessure. Les services publics avaient été disloqués. Il n'y avait plus de service médical, plus d'ambulance, plus de fossoyeur.

Il n'y avait même pas d'infirmiers pour soigner, sur cette route de l'exode, les victimes des syncopes ou des crises de nerfs. Chaque famille devait prendre en charge ses malades. Chacun pour soi...

Il était plus de 10 heures du matin. Avril, au Cambodge, est le mois le plus chaud de l'année. Un gigantesque embouteillage, entre l'hôpital chinois et le lycée du 18 Mars, ralentissait notre épuisante et misérable procession. La chaleur nous accablait. Des vieillards se sentaient mal. Des nourrissons suffoquaient.

A quelques minutes d'intervalle, on entendit deux coups de feu. Tout le monde se tut. Nous avions à peine dépassé le lycée du 18 Mars. On se retourna pour voir d'où venaient les coups de feu. Un jeune homme était étendu sur le seuil d'une villa. Il était à moins de cent mètres de ma voiture. Il avait environ dix-huit ans, les cheveux longs. C'était un étudiant. A une quinzaine de mètres du jeune homme abattu, un Khmer rouge semblait défier les témoins de son acte. Son fusil fumait. Le soldat se serait exclamé, en désignant sa victime : « Voilà ce qui attend les récalcitrants ! » Je ne sais pas si la citation est exacte.

Nous avions pu reconstituer l'accident. L'étudiant avait oublié quelque chose chez lui. Il avait bravé l'interdiction du soldat et tenté de pénétrer dans sa maison au moment où le Khmer rouge lui tournait le dos. Le soldat avait fait demi-tour et il avait tiré. Le jeune homme s'était écroulé. Le soldat, d'une balle dans la tête, l'avait achevé.

Curieusement, le drame n'avait pas provoqué d'attroupement. Les gens, craintifs, regardaient de loin le cadavre et le bourreau. Nous n'étions pas encore fixés sur notre sort mais nous avions compris qu'il était désormais impossible de faire marche arrière. Les bonnes volontés, dans la foule, ne s'étaient pas manifestées pour enterrer les trois gisants que nous avions vus. Nous faisions mine de les ignorer de peur d'être dénoncés comme étant leurs complices.

Vers 1 heure de l'après-midi, nous avions atteint le campus de la Faculté de droit. Dans la matinée, nous n'avions accompli que deux kilomètres. A ce moment-là, une colonne de Khmers rouges, venant en sens inverse, nous fit signe de nous écarter et de dégager la chaussée. Nous réussîmes à nous serrer sur les bas-côtés de la route malgré la confusion et le désordre qui régnaient dans la foule. Deux Peugeot 404 grises et une Mercedes noire passèrent devant nous à vive allure. Elles roulaient vers le centre de la ville.

A l'intérieur des Peugeot, j'avais distingué des hommes noirs en armes. Deux hommes, à l'arrière de la Mercedes, n'étaient pas armés. L'un était plutôt corpulent. L'autre, qui portait des lunettes, avait une silhouette mince. Les deux parlaient en nous regardant. Ils avaient un sourire ironique sur les lèvres. Je n'oublierai jamais ce sourire. Autour de moi, dans la foule, on chuchota le nom de l'un des hommes. C'était Ieng Sary, un des dirigeants khmers rouges. La foule se referma sur le cortège après son passage.

Nous n'avions pas encore déjeuné et la Faculté de droit nous offrait un abri pour l'étape. Elle grouillait de monde. On avait le sentiment que tout le monde s'y était donné rendez-vous.

Nous avions roulé très lentement. Inconsciemment, cette lenteur était une manière de résister aux ordres des Khmers rouges. En nous écartant le moins possible de Phnom Penh nous gardions une chance de retrouver nos domiciles. Nous ne pouvions pas nous résigner à abandonner la capitale.

A notre arrivée dans la Faculté, nous avions trouvé une place pour notre famille dans le hall du bâtiment principal. Nous étions chanceux. Ceux qui nous avaient rejoints plus tard avaient dû dormir à la belle étoile. Certaines familles campaient sur la chaussée. Chaque famille devait compter sur ses propres réserves de nourriture. Aucune ration de riz n'était distribuée par les Khmers rouges.

Rien n'était aménagé pour recevoir des familles. Il n'y avait pas de couvertures, pas d'eau. En l'absence d'une véritable organisation, nous étions contraints d'improviser un semblant de vie familiale. Il fallait se nourrir et faire dormir les enfants. Même si les lieux d'aisance étaient devenus inaccessibles, nous pouvions encore boire et nous laver. Deux robinets fonctionnaient à l'étage supérieur. Deux points d'eau pour des milliers de familles...

La nuit, nous apercevions, de temps à autre, deux ou trois Khmers rouges qui faisaient leur ronde, une torche électrique à la main. Les soldats étaient nerveux et vigilants. Ils n'aimaient pas l'obscurité. Le jour, leur présence se faisait moins sentir.

Il existait, derrière la Faculté de droit, le grand magasin de la coopérative alimentaire municipale. Le magasin avait été laissé ouvert et les Khmers rouges autorisaient la population à s'y approvisionner. C'était un pillage toléré, en vérité. Une dangereuse mêlée où tous les coups étaient permis. Deux personnes, trop téméraires, avaient péri étouffées sous les sacs de riz.

Mes deux frères, dans cette foire d'empoigne, avaient arraché deux sacs de riz, quelques kilos de sucre en poudre et de graines de soja. Les Khmers rouges encourageaient presque les pillards. Les hommes les plus robustes prenaient tout ce qui leur tombait sous la main. Certains avaient les bras chargés de bouteilles de whisky, de transistors, d'appareils photos. Ces trafiquants vendaient tout ce qu'ils pillaient à des prix exorbitants. Le riel, la monnaie de la république défunte, avait cours parmi nous. Sa valeur, même si elle était symbolique, nous permettait d'acheter de la nourriture. La clientèle des pillards était essentiellement constituée de négociants riches qui n'avaient pas pris la précaution d'emporter des vivres.

Un Chinois seul et pathétique restait assis à l'écart de la meute. Il tenait un sac plein de riels. C'était tout ce qu'il avait emmené avec lui. Il n'avait pas de vêtements, pas de riz, pas d'objets personnels. Il souriait, persuadé qu'il pouvait se procurer tout ce qui lui manquait avec son sac de riels.

Les Khmers rouges fermaient les yeux sur le saccage de la coopérative et de quelques villas voisines. Je pensais au pillage de nos maisons en contemplant cette image de notre déchéance. Cette ruée me déprimait.

J'avais acheté quelques produits complémentaires pour améliorer nos repas. De la sauce de soja, des grains de maïs, deux boîtes de Nescafé et cinq boîtes de lait condensé. Pendant le court séjour dans la Faculté de droit, j'avais repris contact avec d'anciens camarades : des ingénieurs, des fonctionnaires, des hommes d'affaires.

Un ami, un ingénieur agronome, m'avait expliqué que le comportement des Khmers rouges n'était pas extravagant. Il n'avait pas peur. Il lui paraissait naturel que les Khmers rouges nettoient la ville. Peu d'hommes partageaient son optimisme. Deux fils de M. Penn Nouth, le bras droit du prince Sihanouk et le Premier ministre du GRUNK se trouvaient parmi nous. Leur présence m'étonnait. Subissaient-ils le même sort que nous ?

Je m'étais également entretenu avec le général Thappana Nginn, ex-ministre de la Défense nationale et ex-ministre des travaux publics. J'avais travaillé sous ses ordres. Sa famille l'accompagnait ainsi que le colonel Long Mân, son subordonné. Les deux militaires étaient en civil. Les Khmers rouges n'avaient pas donné de consigne mais les soldats républicains avaient devancé leur intention. Ils s'étaient dépouillés de leur uniforme pour se fondre dans la foule.

Le bruit courait, dans la Faculté, que les Khmers rouges considéraient comme une faute grave la détention d'effets et d'objets militaires. Les soldats et les civils abandonnaient les ponchos, les treillis, sur les pelouses du campus. Moi-même, je m'étais défait d'une couverture et de bidons.

Le général m'avait confié que les républicains avaient été dupés, pendant l'agonie du régime Lon Nol, par les Khmers rouges. Ils avaient été victimes, selon lui, d'une mystification politique et militaire. D'après ses sources, deux hautes personnalités du parti social républicain – le parti au pouvoir – étaient entrées en contact avec quelques dirigeants de l'autre bord. M. Hang Thun Hak et M. Keam Reth, les deux émissaires, à leur retour, avaient convaincu le gouvernement d'accepter l'enrôlement volontaire de deux cents Khmers rouges, armés jusqu'aux dents, qui affirmaient avoir déserté les rangs communistes. Ces deux cents soldats avaient été répartis sur tous les fronts. Leur mission, définie par nos fins stratèges, était d'inciter les combattants khmers rouges à déposer les armes. Leur action devait faciliter l'entreprise de réconciliation nationale après le départ du maréchal Lon Nol. On connaît la suite des événements. Le contraire se produisit : les Khmers rouges engagés aux côtés des soldats républicains avaient dissuadé leurs camarades de prolonger la guerre. Nos troupes refusaient le combat. Elles avaient reçu la promesse d'une amnistie générale.

D'autres négociations secrètes avaient précédé la chute du gouvernement républicain. Le Premier ministre Long Boret, paraît-il, avait rencontré à Bangkok un émissaire du FUNK. Une personnalité de la République Khmère s'était même entretenue avec Hou Youn, l'un des « trois fantômes » ressuscités. (Hou Youn devait définitivement disparaître après la victoire du 17 avril 1975. On avait annoncé qu'il avait été tué dans la dernière bataille de Phnom Penh. En réalité, il avait été exécuté par ses anciens camarades khmers rouges. C'était l'une des premières victimes des purges.)

L'entrevue avec Hou Youn avait eu lieu dans la province de Kompong Cham. La sincérité du cadre communiste avait désarmé le représentant du gouvernement républicain. Enfin, certains appuis diplomatiques semblaient prouver que l'on s'acheminait, à un niveau plus élevé, vers une solution pacifique et négociée. Le général prétendait aussi qu'une grande puissance socialiste avait accepté de soutenir la République Khmère après la défaillance et le retrait des Américains. Selon des accords clandestins – qui n'ont jamais été divulgués depuis – la puissance socialiste amie devait contribuer à rétablir

Sihanouk à la tête de l'Etat, doter d'un équipement neuf l'armée républicaine et faciliter une alliance des républicains avec une partie des maquisards. Ces maquisards, connus sous le nom de Puok Romdos, étaient les principaux partisans du prince Sihanouk. Ensemble, ils pouvaient résister à l'influence de la tendance la plus radicale du mouvement khmer rouge. Les propos du général confirmaient l'opinion d'un artiste dont nous avions exposé les œuvres au *Bees Club*, le 13 avril 1975. M. Nhek Dim, un grand peintre cambodgien, m'avait dit qu'une personnalité modérée lui avait demandé de rassembler ses meilleures œuvres. Ses toiles devaient être prêtes pour le retour de Sihanouk. Des échos comme celui-ci alimentaient la rumeur...

Le général interprétait ces événements comme une géniale duperie : les Khmers rouges avaient promis qu'en échange d'un cessez-le-feu, ils constitueraient un gouvernement d'union nationale comprenant des patriotes communistes et non-communistes. Les principes de ce gouvernement de salut public étaient fondés sur le programme du FUNK. Il est probable que les républicains avaient consenti à adopter ces mesures pour ramener la paix.

Ceci expliquait la présence, au moment de la chute de la capitale, de Long Boret, Premier ministre, du prince Sisowath Sarik Matak, de Lon Non – frère du maréchal – et Hang Thun Hak. Le coup de force des Khmers rouges avait consisté à berner les politiciens retors, à paralyser une armée lasse et affaiblie, à abuser de la bonne foi des réformateurs sincères. Le jour où ils réussirent à mettre en joue leurs adversaires, ils renoncèrent aux déclarations pompeuses et bienveillantes. Ils avaient tiré un trait sur les promesses d'amnistie.

Le vénérable Pang Khat, un bonze proche du patriarche, avait évoqué, devant moi, la manœuvre soviétique quelques semaines avant la défaite des républicains. Ses inclinations politiques penchaient en faveur des Khmers Romdos – « les libérateurs » – partisans de Sihanouk parmi les Khmers Kraham – « Khmers rouges ». Les modérés, semble-t-il, avaient été pris de vitesse par les révolutionnaires le 17 avril. C'était une course contre la montre entre les défenseurs d'un humanisme progressiste et les Khmers rouges.

Les Soviétiques, sachant que les Chinois soutenaient la faction autoritaire des Khmers rouges, avaient opté pour une solution négociée. Ils acceptaient de prendre le relais des Etats-Unis à condition qu'un « arrangement » politique remette le pays d'aplomb. Ils n'eurent pas le temps d'intervenir et d'infléchir la rigueur révolutionnaire des Khmers rouges.

Sihanouk était lésé et le peuple cambodgien tout entier était floué. Un officier de liaison, que j'avais connu à la Faculté de droit, m'avait rapporté cette curieuse observation : « Nous avions des codes secrets pour communiquer entre nos unités. A chaque fois que nous tentions d'entrer en communication avec nos troupes, nous entendions, de l'autre côté, la voix d'un officier khmer rouge. Non contents de nous abandonner, nos amis Américains avaient livré, pour accélérer notre défaite, nos codes secrets aux Khmers rouges. » Je ne savais pas quoi penser des déductions de l'officier.

Nous étions les dupes des marchandages diplomatiques. Nous avions toujours cru à un rachat possible du Cambodge, à l'énergie ultime de nos compatriotes. Notre tempérament national ne s'accommodait guère de la désespérance. Le peuple khmer était profondément bouddhiste. Il avait toujours mangé à sa faim, même à travers ses épreuves les plus critiques. Il avait une histoire, une langue et une culture ancienne. Le problème agraire, au Cambodge, ne se posait pas avec la même acuité que dans certains pays en voie de développement.

Chez nous, les paysans pouvaient vivre de leur travail et nourrir toute la population. Il suffisait d'avoir une équipe de dirigeants honnêtes et efficaces : nous réunissions ainsi presque toutes les conditions pour rebâtir le pays. Nous n'imaginions pas qu'un clan de fanatiques rêvait de faire table rase de notre histoire, de nos traditions, de notre orgueil.

L'indifférence des Khmers rouges à notre égard nous déroutait. Nous étions paralysés par la peur d'agir, de mal agir surtout. Nous nous étions rendu compte que les communistes tentaient de prendre notre vigilance en défaut, de surprendre une maladresse, un geste interdit.

Avant le 17 avril, j'avais cumulé un certain nombre de fonctions. C'était une pratique tolérée et courante au Cambodge. J'étais fonctionnaire des Travaux publics. En même temps, j'étais le directeur d'engineering de la *Resettlement and Development Foundation* financée en partie par les Américains. Cette fondation était destinée à réinsérer les réfugiés de guerre dans la vie normale et à promouvoir le développement rural.

Les maigres salaires de la fonction publique ne nous permettaient pas de vivre. Je devais donc trouver un substantiel complément. J'avais ouvert, avec quelques amis, parallèlement à ces activités, un cabinet d'ingénieurs-conseils khmers. Ce cabinet était la seule organisation privée d'ingénieurs proprement cambodgienne du pays. Nous utilisions une trentaine d'ingénieurs à temps partiel. La plupart d'entre eux appartenaient au ministère de l'Agriculture et au ministère des Travaux publics. Toutes ces activités, à mes yeux, se complétaient.

Le général Thappana Nginn m'avait rappelé que mes différentes fonctions sous l'ancien régime m'exposaient à la rigueur des communistes plus que tout autre ingénieur. La présence des notables de l'ancien régime nous consolait toutefois de nos misères. Les anciens hauts fonctionnaires et les anciens ministres partageaient notre sort. J'en fis la remarque au général : « Tout le monde connaît votre identité ici. Vous n'avez pas peur d'être reconnu, même en civil... » Le général prit peur. Il alla se réfugier à l'intérieur du bâtiment.

Vers 5 ou 6 heures, dans la soirée, les Khmers rouges arrêtèrent le général Thappana Nginn et son inséparable subordonné, le colonel de génie Long Mân. Ils avaient une cinquantaine d'années tous les deux. Leurs mains étaient liées dans le dos.

Les arrestations et les dénonciations jetaient le trouble parmi nous. La nuit, nous nous taisions et faisions semblant de dormir d'un sommeil lourd, de crainte d'être interpellés. Nous nous étendions par terre, dans la Faculté de droit, après avoir dîné de riz et de poisson séché. Il régnait une pagaille épouvantable dans ce campement improvisé. Au bout de deux jours, il n'y avait plus d'eau. Les enfants pleuraient; les vieillards souffraient de chaleur. Aucune organisation collective, curieusement, ne se mettait en place.

Trois jours étaient passés. Les nouvelles autorités, toujours impassibles, ne sortaient pas de leur anonymat militaire pour nous inviter à retourner chez nous.

Chacun se repliait sur soi, sur sa famille. Nous attendions d'être chassés par les Khmers rouges. Nous ne voulions pas bouger sans ordre précis. Nous pratiquions une défense inerte. Au matin du quatrième jour, sur ce ton égal et poli qui était le leur, les Khmers rouges nous indiquèrent qu'il fallait nous remettre en marche.

Au carrefour des boulevards Preah Monivong et Preah Norodom, nous avions deux possibilités : traverser le fleuve ou le longer. Le pont, à notre arrivée, fut fermé. Nous étions obligés de longer le Bassac et de nous diriger vers le sud. Je croisai alors mon planton au ministère des Travaux publics. Il me reconnut et me salua. Je lui fis comprendre, discrètement, qu'il devait rester indifférent et continuer sa route. « Plus rien ne nous distingue désormais », lui dis-je en le quittant.

Le soir, nous nous reposions à la belle étoile ou dans un abri de fortune, dans les maisons calcinées, sur les trottoirs. Une nuit, nous avions trouvé asile dans le lycée de Ta Khmau, le long du fleuve. Nous étions environ une cinquantaine de personnes dans ce lycée. Nous avions transformé la salle de classe en dortoir. C'était une initiative heureuse car, pour la première fois dans l'année, il s'était mis à pleuvoir. Nous assistions au premier orage de l'année. Les gens qui étaient restés sur la route se dispersaient en tous sens. Ils abandonnaient les vélos et les cyclopousses. Cette averse nous avait permis de nous laver et de garder un peu d'eau pour la cuisine.

Plus on s'éloignait de la capitale, plus on abandonnait les malades, les blessés, les éclopés et les vieillards. Les morts étaient laissés sur les bas-côtés de la route. Beaucoup de familles étaient touchées par les dépressions nerveuses, suivies parfois de suicides. Pourtant, le suicide est condamné par la sagesse bouddhique. Les suicidés n'avaient pas pu survivre à la séparation des familles, à cet écartèlement des sentiments humains élémentaires. Leurs gestes de désespoir n'avaient suscité, chez les Khmers rouges, que du mépris.

C'était une chaîne sans fin de drames indescriptibles, de tragédies muettes. Les gens sans nourriture, sans vêtements, sans parents... Il y avait, dans la foule, des médecins et des infirmières en blouse blanche. Ils avaient été expulsés de leurs hôpitaux et de leurs labotoires sans explications. Sans ménagements non plus. Les Khmers rouges ne prêtaient même pas attention à eux. Souvent, les médecins avaient été évacués dans une direction opposée à celle prise par leur famille, également déportée. Les étudiants, qui avaient acclamé l'entrée des troupes khmères rouges dans Phnom Penh, les avaient suivies et s'étaient retrouvés de l'autre côté de la ville. Ils s'étaient ainsi écartés de leurs amis, de leurs parents, en voulant saluer les vainqueurs.

Dans notre étrange cortège de damnés et de somnambules, les étudiants formaient des petits groupes de deux ou trois personnes. Ils approvisionnaient, à tour de rôle, le groupe. Comme ils étaient vigoureux, ils se nourrissaient sans difficultés. Ceux, toutefois, qui n'avaient pas participé au pillage des maisons, qui n'avaient rien à échanger, se démenaient en vain pour trouver du riz.

Les exécutions sommaires nous tenaient en alerte. Il fallait se méfier, de la part des Khmers rouges, des égards comme des blâmes. Nous économisions l'essence pour conserver, le plus longtemps possible, nos voitures. Nous ne pouvions plus nous ravitailler en carburant. Nous étions vingt-sept à nous entasser dans les voitures. Le beau-frère de mon cousin possédait une motocyclette, ma sœur aussi. Un de mes jeunes cousins avait un vélo. Nous avions réparti nos bagages entre les coffres d'automobiles et les motos.

Les jours passaient lentement, trop lentement. Nous ne connaissions pas notre destination finale. De temps en temps, quelqu'un découvrait, non loin de la route, un cadavre à moitié décomposé. Nous n'en parlions pas, par prudence. Personne ne se dévouait pour les enterrer. Notre lâcheté était collective. Tacite, comme la peur. Partout, nous relevions des traces de batailles. Certaines maisons étaient éventrées et brûlées. La population autochtone avait été chassée de ces régions. Les fortifications républicaines n'étaient pas encore démantelées. Les cratères créés par l'explosion des bombes n'avaient pas été comblés. Les paysages tropicaux étaient meurtris, désolés. Les palmiers à sucre étaient décapités et déchiquetés par les obus. Les troncs des arbres étaient transpercés de part en part.

Faute de carburant, les gens délaissaient les voitures ou les poussaient. La nuit, tout déplacement était interdit. Les soldats khmers rouges tiraient à vue.

La septième nuit, tandis que nous préparions nos lits de fortune en pleine campagne, un soldat khmer rouge s'approcha de nous. Il semblait poli et réservé : « A qui appartient cette moto ? L'Angkar en a besoin... » Le soldat portait un fusil. Comme personne ne répondait, il répéta sa question. Ma sœur hésita quelques secondes avant de parler, puis elle s'avança vers le soldat : « La moto est à moi. C'est tout ce qu'il me reste pour transporter ces bagages. Je ne veux pas m'en séparer. Prenez plutôt la bicyclette. » Elle désignait le vélo mais le soldat ne voulait rien entendre. Il s'obstinait à répéter : « L'Angkar a besoin de cette moto. L'Angkar vous propose de l'emprunter. Acceptez-vous, oui ou non ? »

Ma sœur croyait qu'on pouvait répliquer aux Khmers rouges. Elle refusa de céder. Le soldat, irrité par l'entêtement de ma jeune sœur, tira un coup de feu en l'air. Il semblait très fâché : « Vous osez dire non à l'Angkar ? » Ma sœur éclata en sanglots. Elle cachait son visage dans ses mains. Ma mère la prit dans ses bras. Nous étions figés par la peur. Mon père se détacha du groupe et s'adressa au soldat qui nous regardait fixement : « Camarade, vous pouvez prendre la moto. Pardonnez à ma fille. Elle est trop jeune... »

Nous avions déjà constaté, en poussant une voiture des Khmers rouges qui était tombée en panne, que les communistes faisaient main basse sur tous les objets sophistiqués, les caméras, les transistors. Bien sûr, nous n'avions fait aucune remarque en voyant ces objets mais les soldats surpris dans la voiture avaient un air coupable. Ils avaient tenté de dissimuler les appareils photos, les transistors.

Nous étions alors dépouillés de tout ce qui forge la mémoire familiale : les photos, les livres, les objets fétiches, les jouets, les diplômes et les lettres. Notre seule richesse était constituée de vêtements. J'avais réussi à emporter ma montre-bracelet, un stylo à bille et quelques livres : un ouvrage technique consacré à l'irrigation, un livre scientifique décrivant les méthodes de terrassement, un dictionnaire français-anglais et quelques romans policiers. Je pensais que les livres techniques pouvaient se révéler utiles. Naturellement, j'avais soigneusement protégé mes papiers d'identité.

Si nous comparions notre sort à la misère de nos compagnons

de route, nous étions en quelque sorte des veinards dans cet exode. J'avais encore du carburant. Les enfants restaient dans l'auto et nous pouvions nous reposer. Autour de nous, le spectacle était pitoyable. Nous avions rencontré un père complètement désemparé, séparé de sa femme et de ses enfants. Il n'avait rien à manger et faisait l'aumône de quelques grains de riz, au bord de la route. Il essayait même de payer sa nourriture avec le peu d'argent qu'il lui restait. Au fur et à mesure que nous nous éloignions de la ville, l'argent n'avait plus cours...

Nous ne voulions pas entendre les supplications des plus déshérités. Nous nous détournions de leurs pleurs, de leurs lamentations. C'est horrible, mais c'est la vérité. On nous reprochait les beaux gestes, la générosité. Moi-même, j'avais donné du riz à une vieille femme qui voyageait avec une petite fille. D'après ses vêtements, cette femme semblait venir d'un milieu aisé. Ma mère me mit en garde : « Pense d'abord à toi. Si tu as pitié d'autrui, tu verras, plus tard, quand ton tour viendra, comment vous serez traités, toi et ta famille. » L'avertissement de ma mère me suffit et je renonçai à donner. L'égoïsme était l'une des clés de la survie.

J'avais revu, dans un village, le Chinois solitaire qui avait quitté la ville avec un sac de billets de banque. Il était maigre, vêtu de haillons et traînait son sac bourré de billets inutiles. Du jour au lendemain, il avait tout perdu. Sa famille, sa fortune, son nom, sa raison d'être. Il n'avait plus qu'à se suicider. Huit jours après la chute de Phnom Penh, le Chinois se jeta dans le fleuve et se noya. Il avait laissé sur la berge le sac plein de riels...

deuxième partie

« ... Après un exposé du ministre des Affaires étrangères indiquant qu'il ne faut pas, selon lui, dramatiser la situation du Cambodge parce que « renvoyer les gens à la rizière, on y trouve des poissons, j'en ai même pêché, il ne mourront pas de faim ». « Si on envoyait le Quai d'Orsay à la rizière ? » suggère Valéry Giscard d'Estaing, suave. »

Extrait de *La Comédie du pouvoir,* par Françoise Giroud.

3

COMMENT L'ANGKAR NOUS DEPOUILLA DE NOTRE IDENTITE

Après avoir parcouru une soixantaine de kilomètres, nous nous aperçûmes que nous avions atteint ce que les Khmers rouges appelaient « les zones libérées ». Dans ces « zones libérées », les populations n'avaient pas été déportées et les maisons étaient intactes. Les Khmers rouges les avaient baptisés, habitants de base ou « peuple ancien ». Ils représentaient environ un tiers de la population totale. Par opposition, nous, déportés, étions désignés comme « peuple nouveau ». Ces communautés, de gré ou de force, étaient passées depuis longtemps sous le contrôle des Khmers rouges. Les habitants de Prek Toch, dans la région de Saang – province de Kandal – nous avaient bien reçus. Ils nous avaient accueillis sous leur toit. Les familles du peuple ancien avaient cédé un coin de leurs paillotes aux citadins déportés et un peu d'eau pour cuire le riz. Cette hospitalité nous semblait assez humaine, généreuse. Nos hôtes ne pouvaient pas nous donner d'autres marques de bienveillance... Mais quel dépaysement, quelle détresse pour des hommes et des femmes venus de la ville !

Habitués à un confort relatif, nous étions brutalement plongés dans la confusion et la misère. On ne peut pas mesurer l'importance d'une telle rupture dans les coutumes, dans les usages quotidiens. Il fallait retrouver les gestes élémentaires d'une vie fruste : apprendre à coucher sur des nattes, à chercher de l'eau potable, à faire du feu. Et nous devions, en même temps, désapprendre l'hygiène, tolérer la promiscuité, nous accommoder de la crasse. En quelques jours, nous nous étions adaptés, tant bien que mal, à cette existence rude et précaire. Notre consolation venait d'un sentiment de pitié réciproque. Tout le monde était logé à la même enseigne. Il n'y avait pas, parmi le peuple nouveau, de sort enviable. Les hommes qui avaient occupé les postes les plus élevés sous l'administration républicaine étaient les premières cibles de la répression rigoureuse des Khmers rouges. Un riche propriétaire de Prek Toch m'avait offert asile pour une nuit. Sa maison était vaste. Elle pouvait abriter toute ma famille. Le paysan souffrait de la présence des Khmers rouges dans son village et de leur autorité implacable. La chute de Phnom Penh ne l'avait pas enchanté, malgré l'intense propagande.

A voix basse, il me demanda comment l'évacuation de la capitale s'était réellement déroulée. Il voulait surtout connaître les circonstances exactes de notre déportation. Mon récit semblait renforcer son pessimisme. Résigné, il nous avait laissé entendre qu'il n'y avait rien à espérer du régime communiste. J'essayai de lui expliquer qu'il avait vécu les années les plus difficiles, sacrifiées à l'effort de guerre, et que la paix lui apporterait désormais les satisfactions de la reconstruction. Les rôles étaient renversés. Je tentais de le réconforter : « Je ne désespère pas et je suis pourtant un réfugié... »

Je lui racontai comment nous avions été chassés de la ville en raison d'un étrange nettoyage qui n'en finissait pas. « Sans doute, affirmai-je, l'Angkar Loeu (l'Organisation suprême des Khmers rouges) a-t-elle besoin de plusieurs semaines pour accomplir cet énorme travail... » Je me rassurais moi-même en essayant de le convaincre. Au fond, j'étais partagé entre le désespoir de mon interlocuteur et le rêve modeste de faire demi-tour. J'étais un technicien, un ingénieur. J'avais une place à tenir dans l'édification d'un pays moderne et neuf. J'espérais pouvoir impressionner mon hôte. J'agissais ainsi afin qu'il comprenne combien il était important de bien me traiter en prévision des jours meilleurs. Dans l'avenir, je pouvais éventuellement être réintégré à un poste de responsabilité. Le villageois hostile au Khmers rouges avait-il été sensible à mes arguments ? Je ne le sais pas. Cet homme sceptique et incrédule m'avait reçu avec cordialité et dévouement.

Certaines familles de citadins choisissaient un village et décidaient d'y demeurer. Quelquefois, les villages où nous faisions étape ne pouvaient pas nous accueillir; chaque maison abritait déjà une ou deux familles. Nous n'avions d'autre possibilité que de continuer notre route à la recherche d'une grange ou d'une paillote libre. Nous trouvions toujours un logement de fortune. La capacité d'accueil des maisons anciennes pouvait absorber l'afflux des citadins errants.

Généralement, mon cousin et moi, nous tentions de nous installer la nuit, avec nos familles, dans des maisons voisines. Ils étaient sept en tout et nous étions vingt-trois. Les familles anciennes qui acceptaient d'héberger des réfugiés pour une durée plus longue se méfiaient des groupes trop nombreux. Trois, quatre personnes – c'était logique – étaient mieux tolérées que les grandes tribus. Une autre considération pragmatique entrait dans la prise en charge, par les villageois, des groupes de réfugiés. Les paysans évaluaient la force physique des citadins avant de les recevoir. Les hommes robustes étaient mieux accueillis que les gros appétits. On retenait, dans les villages, les individus forts, capables de fournir une aide efficace dans les travaux agricoles. Les familles qui comptaient beaucoup d'enfants et de vieillards étaient rejetées pour des motifs divers. L'importance de notre groupe, une trentaine de personnes, et le nombre de nos enfants nous condamnaient au vagabondage. Nomades, nous nous abritions un ou deux jours chez des villageois et nous repartions sans connaître la future étape.

Les pagodes abandonnées servaient souvent de refuges aux colonnes de citadins. Dans l'une de ces pagodes, les Khmers rouges avaient diffusé des messages destinés aux techniciens de l'Electricité du Cambodge et aux employés de la Régie des Eaux. Le message affirmait qu'ils devaient se présenter aux autorités locales pour retourner à Phnom Penh. Ils étaient invités par l'Angkar à reprendre leurs postes dans la ville.

Les cadres communistes, interrogés par les techniciens, confirmaient cette affectation. Les techniciens étaient heureux d'apprendre qu'ils allaient retrouver leurs domiciles. Ils déchantèrent vite lorsque les Khmers rouges leur ordonnèrent d'aller à Phnom Penh sans leurs familles. Les communistes, sur ce point, étaient intransigeants : « Vous partez seuls ! » Les techniciens volontaires s'inquiétaient. Pourquoi cette séparation arbitraire ? Les Khmers rouges, de manière évasive, répondaient que les familles suivraient... Plus tard, elles pourraient rejoindre leurs parents dans la capitale.

Cela n'était pas clair. Devant l'appréhension des techniciens, les Khmers rouges feignaient la surprise : « Que craignez-vous, camarades ? Vous ne connaissez donc plus vos maisons ? Vos femmes et vos enfants ne se souviennent pas de leurs domiciles ? Pourquoi pensez-vous qu'ils s'égareront ? Allez, camarades ! L'Angkar a besoin de vous. Ne pensez plus à votre famille. Elle vous rejoindra. N'en doutez pas... Pensez d'abord à l'Angkar. » On ne discutait pas les commandements de l'Organisation. Les hommes étaient requis par l'Angkar. Ces réquisitions ressemblaient à un recrutement militaire. Nous avions connu, après le village de Prek Toch, une famille ainsi séparée de son principal soutien.

Si l'on excepte l'appel dans la pagode, l'exode s'était déroulé sans brutalités policières, sans tracas administratifs. Cette illusion de paix civile fut vite dissipée. A l'entrée du village de Koh Thom, notre cortège fut arrêté. Quatre Khmers rouges se tenaient au bord de la route. Ils recensaient les réfugiés. Nous avions encore, avec mon cousin, nos trois voitures. Elles étaient chargées de sacs et de bagages. Un soldat nous ordonna de descendre de voiture : « Videz la voiture de tous les imprimés, de tous les papiers... » Nous ne comprenions pas son intention. « Oui ! Sortez les livres ! Tout ce qui est écrit ! »

Je lui montrai mes ouvrages techniques en arguant qu'ils pouvaient se révéler utiles pour la construction des barrages, des digues, des routes. Il ne saisissait pas un mot de mes explications. Il refusait de comprendre ce que je lui disais. Il ne connaissait pas les livres que je brandissais en protestant. Le soldat était illettré : « Ces livres contiennent la pensée impérialiste. Laissez-les là ! Avez-vous d'autres papiers ? » Je lui tendis la carte grise de la Fiat. « Jetez ça ! C'est de l'écriture impérialiste. » Je réalisai que le français et l'anglais étaient deux langues bannies dans le nouveau Cambodge. Mes deux frères instituteurs et ma sœur étudiante se débarrassèrent aussi de leurs livres. Même les livres écrits en langue khmère tombaient sous le coup de cette prohibition idéologique. Les ouvrages khmers, selon le soldat, étaient des reliques de la culture féodale.

Tous les imprimés, cartes d'identité, permis de conduire ou journaux, étaient impitoyablement jetés en vrac sur la chaussée. Nous n'avions plus d'identité officielle. Ils nous avaient retiré les rares pièces administratives qui justifiaient notre identité.

Je m'étais bien gardé de leur parler des trois mille dollars que je cachais sur moi. Je respirai. Ils ne m'avaient pas fouillé. Ils s'étaient contentés des papiers et des livres que nous leur avions donnés. Sans insister, ils nous avaient laissés repartir. Les papiers, les livres et les journaux jonchaient la route. Nous nous écartions pour ne pas marcher dessus. Les Khmers rouges n'avaient pas le temps, visiblement, de détruire tous ces documents par le feu. Ils comptaient sur la pluie et sur le vent pour les disperser...

Mon cousin avait préféré rebrousser chemin avec sa famille dès le premier contrôle. Il avait prétendu, pour s'éclipser, connaître des gens dans la région de Takeo. Les Khmers rouges le crurent sur parole et nous nous séparâmes. Je ne devais jamais plus le revoir.

Un second poste de contrôle succédait au premier barrage. Il était situé à un kilomètre de l'endroit où nous avions laissé nos papiers. Là, on nous ordonna d'abandonner nos voitures. Les soldats nous donnèrent un reçu en échange. Ce troc dérisoire était suivi d'une enquête hâtive. On interrogea chacun de nous : « Nom ? Métier ? Age ? » Un soldat, assis à une table, prenait des notes. Je cachai ma montre et mon stylo avec beaucoup de soin. Quand l'Angkar « proposait » de saisir un objet, il fallait obéir impérativement. Cela signifiait : l'Angkar impose ! Outre la motocyclette de ma sœur, l'Angkar m'avait emprunté une lampe torche... La lampe était perdue.

Nous étions vingt-trois à nous présenter à ce contrôle d'identité sommaire : mes trois enfants, ma femme, mes deux frères mariés, mes deux sœurs dont l'une avait épousé un professeur, mes neveux, mes nièces, mes parents, les beaux-parents de mes frères, la belle-sœur de l'un de mes frères et un cousin. A cet endroit de notre voyage, l'expérience ne nous avait pas encore appris à nous méfier de tout. Je déclarai que j'étais ingénieur des Travaux publics et mes frères avouèrent qu'ils étaient instituteurs. Les soldats nous questionnaient sur les sommes d'argent que nous possédions. « Avez-vous des dollars ? » La même interrogation revenait à chaque fois. Nous gardions les riels si nous le voulions mais, d'après eux, notre monnaie ne valait plus rien. Les détenteurs de dollars devaient les remettre à l'Angkar.

Certains réfugiés, naïfs, donnaient les dollars qu'ils avaient gardés sur eux. Moi, j'hésitais. Je ne savais pas ce qui me retenait... Mes dollars étaient cachés dans une poche cousue. Les soldats ne fouillaient personne. C'était curieux. En fait, nous ne pouvions pas dire non à l'Angkar. Ceux qui possédaient des dollars et qui le reconnaissaient devaient les remettre à l'Angkar. Les autres se taisaient. Je m'étais tu. Je restai impassible...

Le contrôle avait lieu au centre d'une place de village. Les soldats se tenaient derrière un bureau. Les Khmers rouges avaient installé des haut-parleurs. Grâce à un micro, le chef s'adressait aux milliers de réfugiés qui envahissaient la place. Une dizaine de Khmers rouges procédaient au tri et à l'interrogatoire des citadins.

Le plus jeune de mes frères avait des parents par alliance dans le village – des cousins de ses beaux-parents. Il pouvait justifier d'une famille d'accueil et il fut autorisé à se détacher de notre groupe, avec sa femme, ses beaux-parents et sa belle-sœur. Il n'y avait pas d'enfants dans leur groupe et tous étaient en bonne santé. Ils pouvaient s'établir dans le village de Koh Thom. Ils étaient capables de rendre de grands services aux paysans. Les villageois, par contre, nous jugeaient indésirables. Comment nourrir dix-huit personnes dont trois vieillards et sept enfants ? Où pouvions-nous aller ? Koh Thom était bâti au bord du fleuve. C'était un petit port assez riche. La terre y était fertile et l'on pêchait beaucoup de poissons dans le fleuve et dans les lacs à l'entour.

Koh Thom n'était qu'à une vingtaine de kilomètres de la frontière vietnamienne. Nous nous déplacions depuis dix jours. Je n'avais qu'une obsession : installer ma famille dans une région riche afin de nourrir ma femme et mes enfants tous les jours. Je gardais espoir car j'écoutais, la nuit, la *Voix de l'Amérique*. Par miracle, j'avais pu dissimuler, au fond d'un sac, un transistor. Dans l'obscurité, je le cachais entre deux couvertures et je m'en servais comme oreiller. Je pouvais ainsi écouter, presque toutes les nuits, les messages de la *Voix de l'Amérique* sans me faire remarquer.

Les Khmers rouges nous laissaient la possibilité d'emprunter deux itinéraires à partir du village de Koh Thom. Première solution : nous pouvions passer, dans les barges, sur l'autre rive du fleuve. Renseignements pris, cela nous entraînait très loin avant d'atteindre le premier village à l'intérieur des terres. Mes enfants étaient trop jeunes pour marcher longtemps. Je devais donc prendre le second itinéraire pour me rapprocher de la frontière vietnamienne. A cette époque, je songeais encore à me réfugier au Sud-Viêt-nam. Je choisis de descendre le fleuve et de trouver asile dans un village, en aval. Nous avions tous embarqué dans une chaloupe à moteur. Le village fixé – Cheu Khmau – se trouvait à sept kilomètres de Koh Thom. A Cheu Khmau, les Khmers rouges firent descendre les passagers de la chaloupe. C'était le crépuscule. Nous étions rassemblés dans une pagode. Quelques bonzes l'occupaient encore. Les Khmers rouges nous donnèrent à manger. Les mets n'étaient pas extraordinaires mais, par rapport à la nourriture des jours précédents, nous avions l'impression de nous régaler. On nous avait distribué de la soupe de poisson et du riz en quantités suffisantes. Nous nous estimions presque chanceux. L'accueil du village semblait plus chaleureux que les autres séjours. Des centaines de familles déportées étaient réunies dans la pagode, en cette soirée du 28 avril. L'exode durait depuis onze jours.

Le fait d'entrevoir un peu de répit nous soulageait de tous nos maux. Nous avions abandonné nos voitures et il ne nous restait plus qu'une bicyclette. Une mauvaise surprise, toutefois, nous attendait. Les séances de fouilles n'étaient pas terminées. Les Khmers rouges voulaient s'assurer que nous ne transportions pas d'armes. Je regardai attentivement les soldats. Ils inspectaient les bagages, les vêtements et palpaient les poches des déportés. La fouille était implacable. Les choses se gâtaient pour moi. J'avais gardé mes trois mille dollars dans l'éventualité d'une évasion au Sud-Viêt-nam ou en Thaïlande. Je devais absolument tromper les Khmers rouges. Je cherchai un subterfuge, une ruse. Tout à coup, je remarquai des enfants insouciants qui couraient et jouaient entre eux. Ces enfants ressemblaient aux miens. Aussi, avant d'entrer dans la grande pièce où la fouille avait lieu, je mis les dollars dans les poches de mon fils de cinq ans – Nawath, le second. Puis, je dis à mes enfants d'aller jouer avec les autres.

Les Khmers rouges, lors de ces inspections, posaient toujours les mêmes questions. C'était un rituel : « Qu'avez-vous à déclarer ? » Ils notaient machinalement toutes nos réponses. Ils faisaient l'inventaire systématique des bijoux et se désintéressaient des vêtements. Ils confisquaient les dollars. Après la fouille, j'appelai mon fils et replaçai l'argent dans ma poche. La paradoxale réception de Cheu Khmau nous intriguait de plus en plus. Nous subissions les brimades d'une enquête sévère et, dans la pagode, les Khmers rouges semblaient plutôt bienveillants à notre égard. Quand le repas fut achevé, on nous ordonna de coucher dans la pagode en attendant de trouver un logement convenable et décent pour chaque famille.

Ma famille était l'une des plus nombreuses. Par conséquent, parmi les plus difficiles à loger. On nous attribua la paillote abandonnée d'un bonze. C'était une construction en bambous sur pilotis, située en face du temple de la pagode. Le toit était endommagé. A l'exception de la toiture, cette paillote constituait un abri solide et fiable. Nous étions l'une des rares familles à ne pas être prise en charge par les habitants de base. C'était un privilège de vivre seul, d'échapper à la cohabitation avec les paysans.

Les habitants de base, nous le savions, avaient tous reçu une mission précise de l'Angkar. Ils épiaient les paroles, les gestes et les écarts de conduite du peuple nouveau. Ils surveillaient et dénonçaient. Nous avions de la veine de pouvoir échapper à cette surveillance constante. Nous pouvions parler entre nous sans craindre les trahisons ou la délation. Néanmoins, jour et nuit, il fallait être attentif et veiller à ne pas se laisser surprendre par un enfant du village. Les Khmers rouges utilisaient surtout les enfants pour nous espionner.

Le lendemain de notre arrivée, nous fûmes conviés à assister à une vaste réunion politique. Une heure avant la réunion, les Khmers rouges diffusèrent, par un haut-parleur, le rappel de la convocation. Tout le monde devait se rendre à la séance d'éducation politique. A l'heure dite, les gens quittèrent leurs paillotes et se rassemblèrent dans la grande salle des fêtes de la pagode. C'était un hall de vingt mètres de largeur sur trente mètres de longueur environ. Cette pièce se trouvait au centre de la pagode. Elle ne comportait aucune cloison. Les uns et les autres, nous nous disposions entre les colonnes qui soutenaient la charpente de la pagode. Toute l'assitance était composée d'hommes, de femmes et d'enfants appartenant au peuple nouveau. Nos vêtements colorés nous distinguaient du peuple ancien. C'était notre marque d'infamie. Les gens se regroupaient spontanément par familles. Ils avaient l'air triste, las, résigné. Leurs visages exprimaient l'accablement. Certaines femmes avaient les yeux gonflés et rougis de pleurs.

Les citadins se plaçaient sans précipitation et sans bruit. Ils ne parlaient pas. Ils marchaient comme des automates. Seuls les jeunes enfants rompaient, par leurs cris et leurs larmes, le silence terrifiant. Les mères essayaient de calmer et de consoler les nourrissons. Elles les berçaient dans leurs bras. En quelques minutes, tout le monde avait pris place. Les retardataires étaient rares : trois ou quatre sur un total de plusieurs centaines. Ils restaient debout dans la cour de la pagode.

Les Khmers rouges n'avaient pas eu besoin de nous rappeler la rigueur de leur discipline. La docilité était de règle. Les habitants de base ne participaient pas à ce rassemblement. Les cadres khmers rouges s'étaient groupés autour du chef de village. Ils portaient indistinctement, filles ou garçons, l'uniforme noir, les chaussures noires. Les traits de leurs visages étaient graves. Les cadres khmers rouges ne souriaient jamais. Un micro était posé sur une table. Les soldats avaient accroché des haut-parleurs aux colonnes de la salle des fêtes. Le représentant khmer rouge portait autour du cou une écharpe à carreaux rouges et blanc – *le Krâmar.* Ce foulard était le véritable signe de reconnaissance des Khmers rouges. Le *Krâmar,* parfois, était noir et blanc. Une sorte de calme pieux, d'attente religieuse, nous contraignait à nous taire, nous empêchait de bouger. L'orateur commença son discours sans préciser le rôle qu'il occupait dans la hiérarchie communiste : « Pères, mères, frères, sœurs, camarades respectés et bien aimés, vous mesurez votre chance, je l'espère, d'être reçus ici par les représentants de l'Angkar. A l'époque des impérialistes, vous ne pouviez pas vous déplacer sans papiers d'identité. Maintenant, vous n'en avez plus besoin. Ces papiers d'identité vous humiliaient comme ces médailles qu'on attache au cou des chiens. Vous n'avez plus besoin de ces étiquettes, de ces médailles. Vous n'avez plus à payer d'impôts, de taxes dans notre nouvelle société révolutionnaire... »

Chacun de nous pensait, dans son for intérieur, que l'Angkar pouvait légitimement nous exempter d'impôts étant donné qu'elle nous avait dépouillés de tous nos biens, de nos maisons, qu'elle nous avait retiré nos attaches familiales. Nous nous gardions bien de râler; nous avions peur.

Nous avions deviné, en écoutant attentivement le discours, que l'homme qui s'adressait à nous n'était pas instruit. Il avait appris sa leçon par cœur. Il utilisait ses formules révolutionnaires à tort et à travers. Son raisonnement puéril et répétitif ne nous impressionnait pas. Nous étions encore capables d'apprécier l'ironie de cette situation. Le discours était long. Il dura deux heures. Nous faisions semblant d'écouter l'orateur et nous prenions notre mal en patience :

« Vous êtes libres, libérés des impérialistes. Vous êtes des hommes libres. Les impérialistes sont peureux. Ces poltrons se sont enfuis. Ceux qui n'ont pas fui le pays ont été exterminés. Les impérialistes vous ont abandonnés mais l'Angkar est clémente. Malgré votre collaboration avec le régime passé, l'Angkar vous pardonne. Démunis, vous vous êtes tournés vers l'Angkar. L'Angkar est généreuse. Elle promet de vous nourrir, de vous loger si vous abandonnez vos coutumes anciennes, vos vêtements occidentaux. Vous devez éliminer les traces de l'impérialisme, du féodalisme et du colonialisme. Les garçons ont les cheveux aussi longs que les filles. C'est encore une influence impérialiste. Il faut renoncer à tout cela et penser au travail politique que vous allez entreprendre dans les prochains jours. Si vous avez des choses à dire à l'Angkar, dites-les ! Vous ne devez rien cacher à l'Angkar. L'Angkar vous a sauvés de toutes les servitudes. Vous êtes en zone de libération. L'Angkar ne dit rien, ne parle pas. Mais elle a des yeux et des oreilles partout. L'autorité de l'Angkar veille sur vous. »

La première journée nous avait paru supportable. Après ce que nous avions enduré pendant onze jours, nous étions satisfaits de notre sort. Les Khmers rouges n'avaient pas encore confisqué les transistors. Pendant la nuit, j'avais entendu, sur la longueur d'onde officielle de Phnom Penh, la déclaration de Khieu Samphan, le commandant en chef des forces armées populaires. Ce que je voulais entendre, en réalité, c'était la *Voix de l'Amérique*. Jusque-là, les informations du Sud-Viêt-nam entretenaient mon espoir d'évasion. Je croyais que tout n'était pas perdu si je pouvais rejoindre le Sud-Viêt-nam. Le 28 avril au soir, j'appris que les Américains avaient quitté Saigon. Je compris alors ce qui allait se passer. Nous avions vécu un scénario identique quelques semaines plus tôt au Cambodge.

Je connaissais le dénouement de ces piteuses retraites. Je ne pouvais plus envisager de me réfugier au Sud-Viêt-nam dans ces conditions; je risquais d'être refoulé par les communistes vietnamiens. J'avais un autre handicap sérieux : je ne parlais pas le vietnamien. Aussi, je renonçai à mon projet de fuite. Jamais je n'aurais pensé que Saigon tomberait si vite entre les mains des forces communistes.

Dans un sens, je me sentais soulagé de ne pas avoir à courir le risque de franchir une frontière très surveillée. Quelle déception, tout de même ! Tout se refermait sur nous. J'évitais un danger immédiat mais je repoussais l'espoir. Attendre et voir...

J'espérais que les Khmers rouges feraient appel à mes connaissances techniques pour reconstruire le pays dévasté. Pour cette dernière raison, j'avais délibérément donné mon nom et ma profession aux autorités. Je croyais pouvoir me rendre utile. Le lendemain, mes illusions étaient dissipées.

A 6 heures du matin, nous fûmes réveillés pour travailler dans les champs. Tout le monde était requis, même les femmes. Ma mère gardait les enfants et mon père, légèrement souffrant, avait le droit de rester avec elle. Je n'avais jamais travaillé à la campagne. Le premier jour, on m'avait donné une machette. Je devais défricher un coin de brousse à deux kilomètres du village pour y semer, plus tard, du maïs. Pendant une semaine, j'étais affecté au débroussaillement.

A midi, nous mangions. Les rations étaient assez copieuses. Nous les faisions cuire à l'aube. Certains réfugiés avaient encore des poissons séchés – des *trey ngeat.* Les autres se contentaient de riz et de sel. A 18 heures, nous pouvions rentrer chez nous. Nous préparions le repas familial. Nous n'avions pas pris l'habitude de nous plaindre. L'essentiel, toutefois, c'était de préserver notre famille des séparations, de la maladie et de la disette. Nous avions, sans trop de dégâts, traversé la première épreuve de la déportation. J'avais vu des enfants mourir, des vieillards succomber d'épuisement, des malades abandonnés par leur famille au bord de la route, des moribonds dans les fossés. Nous avions l'impression, en assistant à cette tragique et lamentable débâcle, d'être des miraculés, des élus de la providence. Nous avions mis de côté, en partant, des conserves alimentaires, du Nescafé et du sucre. Ces produits donnaient plus de saveur à nos repas familiaux.

Je n'étais pas habitué au travail pénible des villageois. Les sentinelles, autour de nous dans les champs, n'étaient pas nombreuses. Deux Khmers rouges montaient la garde pour cinquante personnes. Ces gardes travaillaient avec nous. Ils ne ménageaient pas leurs efforts et nous parlaient de manière douce. Ils appelaient les vieux « père » et « mère » – *Pouk* et *Mé*. Les jeunes gens étaient appelés « frère » et « sœur » – *Bang* et *Phaon* – et le terme « camarade » – *Mith* – était destiné aux hommes et aux femmes de leur âge. Les Khmers rouges employaient un vocabulaire rempli d'archaïsmes. Ce langage particulier nous avait frappés au début de notre séjour à Cheu Khmau. Révolutionnaires intégristes, ils introduisaient l'égalitarisme dans le vocabulaire.

Les Khmers rouges étaient également impitoyables envers eux-mêmes. Ils ne s'accordaient aucune pause dans le travail. Leurs paroles étaient douces mais leurs décisions ne toléraient aucune contestation. Les bons sentiments étaient superflus. Les gens qui pleurnichaient pour un rien, qui se prétendaient malades étaient immédiatement emmenés pour rééducation. Il s'agissait vraiment de rééducation. On ne tuait pas encore les gens secrètement. C'est mon sentiment : les purges sanglantes, dans les villages, n'avaient pas commencé. Les Khmers rouges invitaient les contrevenants à faire leur autocritique. Pour ne pas m'exposer à ces désagréments, je travaillais beaucoup.

Je n'économisais pas mes forces. Je souhaitais être bien vu des autorités pour assurer à mes enfants une vie décente. J'avais une seule inquiétude : être dénoncé en tant qu'ancien haut fonctionnaire des Travaux publics. J'avais été téméraire en révélant ma véritable identité. Je voulais me fondre dans la révolution, me mettre à l'abri d'éventuelles malveillances.

Tout ce qui touchait au maquillage ou à l'élégance vestimentaire était considéré comme les vestiges du capitalisme, de l'impérialisme étranger. Les Khmers rouges stigmatisaient le goût des robes décolletées et des pantalons « pattes d'éléphant ». Le rouge à lèvres, le rimmel, les parfums et le fond de teint passaient pour les signes de décadence de l'Occident. L'usage des produits de beauté, dénoncés comme les souillures de l'impérialisme, était interdit. Les Khmers rouges nous recommandaient de noircir nos vêtements avec des fruits de maclœur que l'on broyait et que l'on diluait dans l'eau. Les lunettes étaient également bannies. Les Khmers rouges ne faisaient aucune différence entre les lunettes de soleil et les verres correctifs. Les myopes étaient très malheureux.

Nos relations amicales étaient soumises aux caprices des Khmers rouges. La formation des équipes de travail changeait souvent. Nous n'avions plus la liberté de nous déplacer dans d'autres villages pour retrouver des amis ou des membres de notre famille. Nous étions obligés d'accepter ce que l'on nous donnait à manger. Toutes les nourritures et toutes les boissons d'origine étrangère avaient disparu : plus de biscuit, plus de liqueurs, plus de Pepsi-

Cola ni d'orangeade... Il n'y avait plus rien à acheter. La monnaie et les marchés avaient été abolis.

Nous vivions au rythme des saisons, des travaux de la terre. Nous nous couchions tôt le soir et on se réveillait de bonne heure. Nous n'avions plus envie de rire. La présence des Khmers rouges nous glaçait. Kim, un jeune officier, avait l'audace de lâcher quelques histoires drôles quand nos sentinelles s'écartaient du chantier. Les plaisanteries de Kim ouvraient une brèche dans l'austérité et le puritanisme de ces révolutionnaires nerveux, tendus, aux abois. Les manifestations joyeuses paraissaient sacrilèges aux Khmers rouges. Leur règlement distillait l'ennui et la peur. Les chants révolutionnaires s'étaient substitués à nos danses et à nos chansons traditionnelles. Tous les moyens de communication avaient été supprimés. La poste et le téléphone appartenaient au passé, à l'ancienne société honnie. Les enfants n'allaient plus à l'école. Telle que nous la concevions, l'école, d'ailleurs, n'avait plus aucun sens pour les Khmers rouges. La révolution nous avait réduits à l'état d'animaux de trait. Les Khmers rouges voulaient nous transformer en main-d'œuvre efficace et servile. Ils jugeaient le sport et les distractions nuisibles et inutiles.

Mon frère, trop zélé au travail, s'était vite éreinté. Je ne voulais pas l'imiter. Je faisais de mon mieux pour ne pas être réprimandé. Tous les sept ou dix jours, nous avions le droit d'aller chercher de la nourriture pendant une journée. Les Khmers rouges ne nous distribuaient que des rations de riz et un peu de sel. Nous complétions ces rations avec du poisson, de la viande et des légumes que nous nous procurions au cours de la journée réservée à ce ravitaillement empirique.

Nous partions à la cueillette des légumes sauvages en compagnie des Khmers rouges. Ils ramassaient, comme nous, des liserons d'eau et des pousses de bambous. Je pense que cette habitude devait être ancienne. Ils nous l'avaient transmise par discipline. La récolte moyenne de légumes sauvages s'élevait à cinq kilos. Cela agrémentait les repas de toute la famille pendant une semaine. J'étais aussi allé à la pêche, dans le cadre de ces jours fastes, avec les Khmers rouges. Mon frère était de l'expédition. Il fallait quatre hommes pour pêcher selon cette méthode antique : deux pêcheurs lançaient le filet et le tendaient; les deux autres, enfoncés dans l'eau jusqu'à la taille, rabattaient le poisson dans le filet. Ensuite, nous jetions les poissons vivants dans des paniers en bambou tressé.

A tour de rôle, au retour, nous portions les paniers suspendus à un balancier. Tous les kilomètres, le porteur changeait. Nous avions sept kilomètres à parcourir. Les soldats Khmers rouges prenaient leur tour sans rechigner. Ils étaient plus robustes que nous.

Nous n'avions pas l'habitude de marcher aussi longtemps avec un lourd fardeau. Au village, nous partagions équitablement notre pêche avec les Khmers rouges.

Après la pêche, nous faisions sécher le poisson dans le sel. Nous aimions griller ces filets de poissons séchés chaque matin avant d'aller travailler. Nous en prenions un ou deux suivant la grosseur du poisson. Chacun de nous, ma femme, ma sœur, s'en allait avec son bol de riz et ses poissons. La plupart du temps, nous attrapions des petites carpes. Les belles pièces nous échappaient.

Les petits étangs, larges d'une vingtaine de mètres, étaient nombreux dans notre région. Nous pêchions quelquefois dans ces mares. Elles étaient poissonneuses. Les liserons d'eau s'y développaient bien. C'était un légume appréciable. Pendant nos pêches, les Khmers rouges nous expliquaient fièrement que ces mares étaient en réalité les cratères formés par les bombes que déversaient les B 52 américains. Pour éviter les bombes, nous disaient-ils, il suffisait d'être plus rusé que les bombardiers. La nuit, quand les Américains bombardaient les zones tenues par les Khmers rouges, le couvre-feu était imposé dans les villages. Afin de créer une diversion, les Khmers rouges allumaient des bûchers dans la brousse, loin des habitations. Ces ruses, paraît-il, trompaient les Américains.

Au cours des journées de ravitaillement, où les sentinelles étaient moins sévères que sur les chantiers quotidiens, nous assistâmes à trois suicides. Déprimés, incapables de faire face à cet anéantissement méthodique de l'individu, les gens mettaient fin à leurs jours. Ainsi, nous avions vu une femme, séparée de son enfant et de son mari depuis la chute de la capitale, se donner la mort par pendaison. Il y avait, à côté de ces morts volontaires, beaucoup de décès par maladie. Médecins et médicaments n'existaient plus. Il ne restait que les médicaments que chacun avait apportés dans ses bagages. Il s'agissait de médicaments courants que l'on trouve dans une armoire à pharmacie familiale. Des médicaments contre les maux de tête, contre la diarrhée, contre la fièvre.

Certaines familles étaient complètement démunies et devaient s'en remettre à la chance... Nous ne possédions pas d'antibiotiques pour soigner les maladies les plus graves, les affections sérieuses. Les malades cardiaques ou pulmonaires étaient laissés sans soin. Mon père, tuberculeux, était particulièrement vulnérable. Il semblait tenir bon, cependant. Nous n'avions pourtant que de l'aspirine pour le soulager.

Les séances d'éducation politique, à Cheu Khmau, avaient lieu tous les trois jours. Même les enfants étaient tenus d'y assister.

Il était bienvenu de feindre, dans ces réunions, une adhésion religieuse. Les mêmes thèmes revenaient sans cesse dans les discours monocordes du chef de village. Les auditeurs récalcitrants, enclins à s'endormir dans un coin de la salle des fêtes, étaient brutalement tirés de leur somnolence et envoyés en rééducation sans autre forme de procès. Les malades devaient être à l'article de la mort pour échapper à cette corvée idéologique. Les tricheurs étaient maltraités par les Khmers rouges.

Souvent, la rééducation se résumait à une autocritique publique. J'avais personnellement subi les désagréments de cette mise en accusation. Pendant mon travail de débroussaillement, j'avais perdu une hache. Quelqu'un, je crois, me l'avait volée. Après les réprimandes du chef de groupe, j'avais affronté, le soir, les admonestations du chef de village. Au cours de la séance d'éducation politique habituelle, il avait fustigé, pendant une demi-heure, mon étourderie : « En égarant sa hache, le camarade Yathay a commis une faute grave. Il a perdu son indispensable outil de travail. Même si la hache lui appartient, cette circonstance n'atténue pas la faute. Il faut bien évaluer la conséquence capitale de cette négligence. Le camarade Yathay est comme le soldat qui a perdu son fusil. Le soldat désarmé est promis à la défaite. Si la hache n'avait pas été perdue, combien d'arbustes auraient pu être abattus, combien de clairières auraient été défrichées, combien de légumes auraient été plantés et récoltés ? Combien de bouches seront privées de nourriture en raison de cette insouciance ? »

Le chef du village se tourna vers moi et m'adressa un blâme : « Camarade Yathay, vous devez pleinement mesurer la gravité de votre acte. L'Angkar est indulgente pour cette fois. Le camarade Yathay doit désormais faire attention à ses outils. C'est le dernier avertissement. Cette recommandation est valable pour l'ensemble de l'assistance. Tout le monde est prévenu. Seuls ceux qui ignorent nos commandements et les principes de la révolution peuvent bénéficier de notre indulgence. Il n'y aura pas d'autre maladresse. Il n'y aura pas de second rachat. Cela concerne le fautif et l'assistance ! »

Je soufflai. J'avais eu chaud. Je venais aussi de comprendre pourquoi certains habitants de base se plaignaient de la sévérité des Khmers rouges à leur égard. Leur ignorance de la discipline était impardonnable.

Pourtant, la discipline, à Cheu Khmau, ne nous semblait pas trop rigide malgré l'application pointilleuse et tatillonne du règlement. Deux sœurs séparées de leur famille avaient demandé de partir dans un village voisin où leurs parents s'étaient établis.

Leur requête fut rejetée. L'organisation locale des Khmers rouges était très cloisonnée. On ne pouvait pas passer d'une communauté à l'autre. Nous étions prisonniers dans nos villages. Les Khmers rouges avaient expliqué aux deux jeunes filles qu'il fallait travailler pour mériter un meilleur sort. Plus tard, affirmaient-ils, les déplacements de village à village seraient autorisés.

Les jeunes filles n'avaient pas attendu l'autorisation des soldats pour s'évader. Un soir, elles disparurent. Elles furent arrêtées le lendemain. Elles n'avaient pas parcouru beaucoup de chemin. Au lieu de se diriger vers la frontière, elles s'étaient enfoncées à l'intérieur du pays. Elles n'avaient pas menti. Elles voulaient retrouver leurs parents. Pas prendre la fuite. Les deux jeunes filles avaient été ramenées au village mais nous ne les avions pas vues.

Les Khmers rouges nous avaient raconté cette histoire à titre d'exemple. Ils voulaient nous faire comprendre, une fois pour toutes, que l'on n'échappait pas à la vigilance de l'Angkar.

Nous avions déjà entrepris, à cette époque, de nombreux travaux dans le village. Pendant trois mois – avril, mai, juin – nous avions sans relâche défriché de vastes enclaves dans la forêt. C'était une tâche exténuante : à l'aide de machettes et de haches plus ou moins affûtées, nous coupions les bambous, les arbustes de toutes tailles, les arbres aussi. Nos bras et nos visages étaient griffés par les buissons d'épineux. Je travaillais dans les équipes d'avant-garde. Tous les jours, j'avais une parcelle à éclaircir. Jugé comme l'un des plus actifs défricheurs, je fus désigné pour accompagner une cinquantaine d'hommes – l'équipe de choc – qui participait à la percée d'un canal. C'était un grand chantier trans-villageois. Les travaux planifiés par l'Angkar étaient divisés en deux catégories, d'une part, les travaux des champs, les campagnes de défrichement et d'irrigation relevaient de la compétence de chaque village. D'autre part, les grands canaux, destinés à alimenter ou à améliorer la production de plusieurs villages, étaient creusés par les meilleurs éléments de chaque communauté, c'est-à-dire les moins avares de leur énergie.

Il rassemblait, dans des proportions variables, filles et garçons. Tous les jours, nous faisions sept kilomètres par la piste, à travers les villages et les champs, pour atteindre le chantier. Celui-ci était proche de la frontière vietnamienne. Cette proximité expliquait peut-être nos fastidieuses allées et venues quotidiennes. Les jours de pluie, la piste était détrempée; nous étions couverts de boue. L'un d'entre nous, las de ces marches forcées, demanda un matin aux Khmers rouges si nous pouvions nous installer sur le chantier pour la durée des travaux et ne revenir au village qu'une fois par semaine. Cela nous aurait épargné les navettes entre le village et le chantier. Ces navettes qui nous laissaient, le soir, fourbus.

Les Khmers rouges nous répondirent qu'il était impensable de nous faire camper en pleine forêt, loin de toute habitation et si près, surtout, de la frontière. Nous avions compris qu'ils n'avaient pas confiance en nous. Ils préféraient nous voir marcher tous les jours. Le travail était réellement harassant mais l'accès au chantier décuplait la fatigue. Les averses fréquentes rendaient la piste impraticable, un jour sur deux.

Là-bas, chaque jour, l'organisation nous distribuait des pioches et nous attribuait une portion de terrain à retourner, à creuser. Nous n'avions pas le droit de traîner. Le travail confié le matin devait être achevé le soir même. Pas question d'accorder un sursis jusqu'au lendemain. Il faisait nuit quand nous retournions au village. Heureusement, les femmes travaillaient dans un chantier plus proche de nos habitations. Elles préparaient le repas avant notre retour.

Nous étions démoralisés, mon frère et moi. La dureté des travaux manuels nous avait choqués. L'espoir de rentrer à Phnom Penh nous aidait à surmonter l'amertume que ce régime totalitaire sécrétait en nous. Nous pensions sincèrement être réhabilités par le nouveau régime. Nos conversations tournaient toujours autour de ce sujet : « Ils veulent nous mettre à l'épreuve. Ils tentent d'éprouver notre capacité au travail. Ils nous renverront à Phnom Penh lorsque la pénitence sera terminée. L'Angkar aura besoin d'ingénieurs et d'instituteurs. Un pays ne peut pas se passer d'écoles et de services publics. » Nous n'imaginions pas le pire.

Une nuit, vers la seconde semaine de mai, nous fûmes réveillés par des éclats de voix et des bruits de pas. Je compris que plusieurs personnes approchaient de la maison. Nous venions juste de nous endormir, les enfants dormaient profondément. Je me demandais vraiment d'où venait cet insolite remue-ménage. Je risquai un œil par la fente d'une cloison en bois. J'aperçus quelques hommes munis de lampes-torches. Je ne comprenais pas ce qu'ils se disaient. Quelques minutes passèrent et l'on frappa à notre porte. On m'interpellait. Je ne reconnus pas les voix qui m'appelaient, qui appelaient mon frère : « Camarade Yathay, camarade Theng, réveillez-vous ! L'Angkar a besoin de vous. »

Nous fûmes pris de panique. Avions-nous commis, sans le savoir, quelque délit ? On venait peut-être nous arrêter parce que nous étions d'anciens fonctionnaires de l'administration républicaine déchue. Mes parents, mes sœurs et ma femme étaient livides. Les coups redoublèrent. Mon père décida d'ouvrir la porte. Mon frère et moi, nous nous étions habillés en hâte. Le chef du village nous attendait devant la porte. Il nous demanda, à notre grande surprise, d'aller décharger une chaloupe remplie de sacs de riz. Une vingtaine de voisins s'étaient déjà préparés pour porter les sacs de la berge, où la chaloupe avait accosté, au centre du village. La chaloupe n'avait pas terminé sa navigation. Après le débarquement de nos sacs de riz, elle devait continuer en aval vers un autre village.

Ce travail nocturne ne dura qu'une heure. La fatigue ne nous accablait plus. Nous étions délivrés de la peur. Cet immense soulagement nous rendait ivres. La mobilisation nocturne se reproduisit plusieurs fois, tous les quinze jours environ. Nous nous étions accoutumés à ces réveils brutaux, en pleine nuit.

Un mois après la fin du chantier de défrichage, le bruit commença à courir que les Vietnamiens pouvaient retourner au Sud-Viêt-nam « libéré ». Comme nous étions établis près de la frontière, certains Cambodgiens se faisaient passer pour Vietnamiens dans l'intention de quitter le Cambodge. Je connaissais un Vietnamien – Tran – marié à une Cambodgienne et père de deux enfants. Tout en poursuivant des études de médecine, Tran avait été infirmier à Phnom Penh. Souvent, nous avions l'occasion de travailler ensemble. Il m'avait confié qu'il était un cadre Nord-Vietnamien.

Tran n'était pas mécontent que la guerre s'achève dans ces conditions. La décision des dirigeants Khmers rouges d'évacuer Phnom Penh l'avait désemparé. Pourquoi gaspiller les connaissances des ingénieurs et des techniciens, disait-il, pour accomplir des travaux massifs, colossaux, dont l'urgence ne s'était jamais fait sentir. Il ajoutait qu'on rééduquait les gens au Viêt-nam mais qu'on les réutilisait peu après...

Lui-même avait une filière pour contacter les Vietnamiens. Malheureusement, depuis l'évacuation de la ville, Tran ne savait plus comment communiquer avec ses compatriotes. Il avait beau révéler son identité et sa fonction, personne ne voulait le croire. Les Khmers rouges faisaient semblant de ne pas avoir reçu d'ordres à son sujet. Tran attendait une décision de ses anciens alliés... Finalement, il prit les devants et s'inscrivit sur les listes des volontaires pour partir au Viêt-nam.

J'hésitais encore à l'imiter. J'aurais pu me faire passer pour Vietnamien mais je ne connaissais pas la langue. C'était une mystification périlleuse. D'autres familles, surtout chinoises, songeaient à gagner le Viêt-nam. Les formalités étaient simples. Les Khmers rouges omettaient de vérifier l'authenticité de l'origine ethnique des candidats. Il suffisait de revendiquer la nationalité vietnamienne. La facilité avec laquelle les Khmers rouges enregistraient les candidatures m'étonnait. Cette bonne volonté n'était pas coutumière. Je craignais un interrogatoire avant le passage de la frontière. Les Khmers rouges, imaginais-je, allaient forcément essayer de savoir si nous parlions vietnamien. Mes parents, nonobstant leur propre peur, m'encourageaient à tenter ma chance. Ils avaient renoncé au projet d'évasion.

J'étais indécis pour plusieurs raisons. D'abord, le Viêt-nam était un pays communiste. La vie, sans doute, y était plus décente qu'au Cambodge mais nous ne savions pas grand-chose du Viêt-nam reconquis. Je risquais d'être refoulé par les autorités vietnamiennes, soupçonneuses à notre endroit. Dans ce cas, les Khmers rouges m'auraient infligé une punition plus douloureuse que le sort que j'étais en train de subir à Cheu Khmau.

Je tenais mes renseignements sur le Viêt-nam d'un cadre révolutionnaire. Il pouvait tronquer, maquiller la réalité. Et, même s'il n'avait pas menti, qui sait si la situation politique, à Saigon, n'évoluait pas contre ses aspirations les plus sincères. Une fois réfugié au Viêt-nam, il m'était impossible de rejoindre la Thaïlande. La Thaïlande demeurait le seul pays libre de la péninsule indochinoise.

On disait que le Viêt-nam avait maintenu l'usage de sa monnaie; ça pouvait être une feinte... Au moment de la fouille, au second barrage, l'Angkar nous avait annoncé que la monnaie cambodgienne, le riel, n'avait plus cours. Nous pensions que cette affirmation n'était pas fondée. Nous avions toujours l'espoir de pouvoir utiliser un jour notre papier-monnaie ou de l'échanger contre d'autres espèces.

M. Seng, un voisin chinois dont la femme était vietnamienne, parvint à me convaincre de partir au Viêt-nam. Il connaissait une autre famille vietnamienne déjà inscrite sur la fameuse liste. Cela renforçait notre sécurité.

Le jour du départ, un convoi de chaloupes attendait les émigrants. Le Khmer rouge chargé de l'opération nous appela un par un. Il posait les mêmes questions à tous les membres des familles présentes : « Pourquoi voulez-vous partir ? Etes-vous vietnamiens ? » Mme Seng avait expliqué au Khmer rouge qu'elle était vietnamienne et que son mari était d'origine chinoise. L'autre famille était chinoise mais les parents vivaient au Viêt-nam. Enfin, mon tour arriva. Je n'étais pas fier. Je n'arrivais pas à forcer cette angoisse qui me paralysait. Je répondis carrément aux questions du Khmer rouge : « Je ne suis pas vietnamien. Ma femme est originaire du Viêt-nam mais elle est cambodgienne, bien sûr. Ses parents sont Khmers Kroms (Khmers du Sud-Viêt-nam)... » Je n'en menais pas large.

Le soldat sembla décontenancé par ma réponse puis il me fit signe de sortir de la file : « Ah bon ! Si vous n'êtes pas vietnamien, vous ne pouvez pas partir. » Le refus des Khmers rouges ne me peinait pas trop. Les deux autres familles paraissaient déçues. Elles avaient tout misé sur ce départ. Le cadre nord-vietnamien fut la seule personne de notre village autorisée à franchir la frontière. Sa femme et ses deux enfants l'accompagnaient.

Si j'avais cru à la possibilité de ce départ, j'aurais probablement pu réclamer l'aide du Vietnamien. Nous aurions pu monter n'importe quelle histoire. Nous ne risquions pas grand-chose. Nous n'avions plus de papiers d'identité. La vraie raison de notre échec tenait dans cette coupable hésitation. Sans détermination, on ne peut rien faire. L'irrésolution, je venais d'en faire la déplorable expérience, nous menait tout droit au désastre.

Je n'avais qu'une hantise : être désigné comme un haut fonctionnaire de la république de Lon Nol. Ce que je n'osais pas envisager arriva. Un jeune homme qui appartenait au peuple ancien me reconnut. Il avait travaillé sur un chantier de travaux publics à Phnom Penh. Il se souvenait de l'époque où j'étais ingénieur. A la direction du matériel et des travaux neufs, je disposais d'un millier de personnes. Ce chiffre comprenait les ingénieurs, les techniciens, les contremaîtres, les conducteurs d'engins. Ce personnel était employé à temps complet. Je faisais appel, aussi, à un contingent bien plus important de main-d'œuvre temporaire. Le paysan qui m'avait reconnu avait ainsi travaillé sur un chantier proche de Phnom Penh, trois ans avant notre rencontre.

« Ah ! Je vous remets en mémoire, camarade. Vous supervisiez des travaux au nord de la capitale. J'étais manœuvre. Je faisais le béton pour la construction d'un pont à dix-huit kilomètres de Phnom Penh, sur la route nationale 5. Vous vous souvenez de moi ! » Il avait une mémoire infaillible. Mentir n'aurait servi à rien : « Je me souviens du chantier, répondis-je, mais je ne peux pas mettre un nom sur tous les visages... »

Le paysan m'avait vu inspecter les chantiers. Mon comportement au poste de directeur m'avait valu la considération du personnel. Je n'avais rien à me reprocher. J'avais tenté de mettre un frein à la corruption qui empoisonnait les services publics. Paradoxalement, le cumul de mes emplois me protégeait contre la corruption. Le mal était pourtant très répandu dans l'administration.

L'ancien manœuvre avait gardé une bonne opinion de son directeur des travaux publics. Au lieu de tomber dans la haine de classe que prêchaient les Khmers rouges, il me donnait à manger en cachette... Tous les trois jours, il allait chercher de la nourriture pour les cadres Khmers rouges. Il en détournait un peu à son profit, à notre profit aussi. Par rapport aux autres résidents, nous étions relativement bien nourris.

La discrimination alimentaire était à la base de cette politique arbitraire. Mon père m'avait recommandé de faire des cadeaux aux Khmers rouges pour les encourager à la mansuétude. Je ne pensais pas qu'ils accepteraient mes « dons ». Il me semblait que l'honnêteté idéologique leur interdisait les trafics d'influence... Mon frère avait offert une chemise à un chef khmer rouge. Le chef avait mordu à l'hameçon. Il avait emporté la chemise sans se faire prier.

Se nourrir et guérir exigeait du talent, de l'adresse. J'avais, par exemple, troqué de l'aspirine contre une centaine d'hameçons pour la pêche. Je pêchais avec un voisin, un ingénieur électronicien qui devait, selon les Khmers rouges, retourner à Phnom Penh. Ils avaient besoin de ses compétences au service radiophonique du ministère de l'Information. Malheureusement, son départ était remis tous les jours. Chaque matin, nous nous levions vers 4 heures du matin et nous allions poser nos lignes dans un lac, à deux kilomètres du village. Nous relevions les lignes le soir, en rentrant chez nous. Cette méthode de pêche était aléatoire.

Mme Yok Lévine, une amie dont le mari électricien avait rejoint Phnom Penh, était restée seule auprès de nous. Mère de deux enfants, elle avait été employée de banque. Son mari ne lui écrivait pas. Il nous semblait curieux qu'elle ne reçoive aucune lettre de Phnom Penh. Elle dissimulait, par pudeur, son anxiété. Sa tante était l'un des dirigeants les plus haut placés dans la hiérarchie khmère rouge. Cette femme lui avait adressé une lettre dans laquelle elle lui affirmait que son mari viendrait la chercher. Les mois passèrent... Elle attendit des nouvelles en vain et assista, désemparée, à la mort de ses deux enfants.

Les décès furent nombreux au cours des trois premiers mois. Nous enterrions les morts sans cérémonie. On tolérait encore les pleurs et les lamentations. Nous ne pouvions plus, toutefois, inviter les bonzes pour dire des prières. Les offrandes aux morts et les prières collectives étaient interdites. Nous n'avions pas le temps de prier et de méditer. La pagode était intacte mais la plupart des bonzes avaient renoncé au sacerdoce. Une dizaine de bonzes réfractaires refusaient de trahir leur mission religieuse. Cette résistance isolée de quelques bonzes irritait les Khmers rouges. Ils souhaitaient voir les prêtres s'intégrer à la vie civile. Les Khmers rouges, dans les premiers mois, toléraient les convictions des bonzes mais ils exigeaient d'eux qu'ils travaillent.

Traditionnellement, les bonzes vivaient de la charité. Ils mendiaient. Les laïcs, les fidèles, devaient leur venir en aide. Ce principe charitable constituait une anomalie dans le nouvel ordre social et moral. Dans notre village, les bonzes n'étaient pas obligés de renier leur foi mais ils travaillaient pour vivre. Comme nous, les bonzes réfractaires se transformaient en paysans. Les prêtres ne touchaient pas de rations de l'Angkar. Ils se nourrissaient eux-mêmes. Tous les huit jours, un ou deux bonzes cessaient de travailler pour célébrer le jour saint du bouddhisme. Les vieux du village assistaient à ces cérémonies admises par les Khmers rouges. Ils pouvaient même apporter des offrandes aux prêtres. Il s'agissait essentiellement d'habitants de base, du peuple ancien, qui disposaient encore de leurs maisons, de leurs propriétés.

Moralement, nous étions tous abattus. Les hommes qui avaient charge de famille se désintéressaient de la religion. Nous n'avions qu'un souci : améliorer notre existence quotidienne. Quand je dis « nous », je veux parler, bien sûr, de tous les déportés. Les suicides en chaîne nous avaient fortement éprouvés. Tuer, pour les bouddhistes, est un péché très grave. Le suicide, dans cette échelle de valeurs, était le plus criminel des péchés. Plus la conscience est engagée dans une mauvaise action, plus nous péchons. Tuer une fourmi, par exemple, est un acte moins grave que tuer un éléphant bien qu'il s'agisse d'êtres vivants. La fourmi, trop petite pour être vue, peut échapper à la conscience humaine tandis que l'on peut voir souffrir un éléphant. Par conséquent, commettre un suicide, à nos yeux, c'est la solution ultime du désespoir. C'est encore plus grave qu'un infanticide. Se suicidaient, dans notre village, ceux qui avaient perdu leur foi, leur raison d'être. Victimes de dépressions nerveuses, ils cessaient de raisonner, bravaient les interdits religieux et se tuaient.

Ma famille, unie et solidaire, était à l'abri de ces drames. Nous évitions de nous quereller. Mon fils de neuf ans, dès le premier mois, travaillait plusieurs heures par jour. Les deux autres étaient confiés à mes parents. A Cheu Khmau, les enfants n'étaient pas affectés à des travaux difficiles. Pour mon fils aîné, le travail n'était qu'un jeu.

Lentement, comme un mal silencieux et rampant, le problème de l'alimentation commença à se poser. L'illusion des premières semaines se craquelait. Lucides, nous nous interrogions sur les moyens de nourrir nos enfants. Mon cadet manquait de vitamines. Certaines familles étaient divisées par la préoccupation alimentaire. Le manque de viande, de poisson et de légumes exacerbait les rancœurs, l'amour propre blessé.

Chez nous, il y avait encore quelques boîtes de conserve et des morceaux de sucre. L'Angkar ne distribuait jamais de sucre. Nous ne recevions des autorités que du riz et du sel. Nous avions caché une précieuse boîte de Nescafé. Chaque matin, nous en dégustions une demi-cuillerée chacun. Ma femme avait emporté des ustensiles de cuisine : des cocottes en aluminium, une friteuse, une poêle, des bols en métal. Nous possédions même un magnétophone à cassette qui, faute de pile, restait muet.

Nous pouvions échanger des vêtements contre de la nourriture et des friandises pour les enfants. Les habitants de base – de l'ancien peuple – participaient à ce troc. On essayait de consoler tout le monde. Quelquefois, les enfants taquinaient leurs grands-parents. Je les tançais rudement. J'étais attaché à la paix familiale. Le respect d'un semblant d'harmonie constituait notre dernière défense. Ma femme, mes sœurs, ma belle-sœur et mon frère s'entendaient bien.

Les jours où les Khmers rouges nous autorisaient à chercher de la nourriture, chacun allait de son côté et, au retour, nous mettions nos maigres récoltes en commun. Mes parents ne quittaient pas la paillote. Ils organisaient notre vie quotidienne, ils distribuaient la nourriture et répartissaient les rations. La vie du clan s'organisait autour d'eux. Nous formions une famille protégée et repliée sur elle-même.

Nous nous serrions les coudes. Notre solidarité était favorisée par ce sentiment de privilège et de confort relatif. Nous n'avions pas besoin de nous chicaner pour obtenir une ration décente ou un morceau de sucre.

Au mois de mai, ma femme constata qu'elle n'avait plus de règles. Nous avions peur qu'elle soit enceinte. C'était impossible : nous avions cessé d'avoir des rapports plus d'une semaine avant la chute de Phnom Penh. J'étais très inquiet. Etre enceinte à ce moment-là prenait un caractère dramatique. De plus, ses précédentes grossesses s'étaient accompagnées de dépressions nerveuses. Un mois passa. Toujours rien... Aucun signe de grossesse, non plus. Son ventre était plat. Elle n'avait pas de nausées. Elle était plutôt rassurée mais elle ne comprenait pas l'absence des règles. Elle consulta ma mère, mes sœurs et ses compagnes de travail. Les cycles menstruels étaient interrompus chez toutes ces femmes. Elles n'avaient plus eu de règles presque tout de suite après la chute de Phnom Penh. Ma femme, plus jamais, n'eut ses règles.

Les Khmers rouges, au début, nous parlaient poliment et essayaient de nous convaincre plutôt que de nous asservir par la force. Leur manière de dispenser l'idéologie était ridicule et maladroite : « Dans les villes, les impérialistes occidentaux vous souillaient, vous avilissaient et transformaient les femmes en prostituées. »

Quelle vision caricaturale ! Nous savions bien que les femmes seules n'étaient pas des prostituées. Les Khmers rouges désignaient comme des filles vénales des femmes souvent arbitrairement séparées de leurs maris. Selon la doctrine révolutionnaire, la vénalité symbolisait la pire des déchéances. Accepter de vendre son corps, c'était renoncer à la dignité humaine, c'était s'exposer au mépris de la collectivité.

Certains Khmers rouges vivaient à l'écart des villageois. Ils étaient divisés en deux catégories : les militaires et les cadres civils. On les appelait respectivement les *Yothears* et les *Kamaphibals.* Il restait, à l'intérieur du village, la masse du peuple ancien, c'est-à-dire les habitants de base – *Prâcheachun Moulthann. Les Yothears* ne se mêlaient pas à la population de Cheu Khmau. De temps en temps, une colonne, qui se dirigeait vers la frontière, traversait le village. Nous percevions les échos assourdis de tirs d'artillerie, d'explosions d'obus. Sur la frontière, la bataille faisait rage la nuit, surtout. Nous n'avions pratiquement aucun contact avec les combattants. De leur côté, les cadres civils s'organisaient entre eux. Ils ne nous parlaient pas.

Cheu Khmau était un village traditionnel du Cambodge. Une centaine de maisons avaient été bâties autour de la pagode. Non loin de notre petite agglomération, il existait une autre communauté qui s'était installée le long du fleuve. Nous ignorions si leurs conditions d'existence étaient meilleures que les nôtres. Nous ne pouvions pas rejoindre l'autre village.

A Cheu Khmau, chaque maison abritait environ vingt personnes, au mépris des règles élémentaires de l'hygiène.

Nous logions dans des maisons en bois, couvertes de tuiles ou de chaume, parfois construites sur pilotis. Les maisons en maçonnerie étaient rares. Deux ou trois seulement. Il y avait aussi des petites paillotes.

A cette époque, celui qui possédait une maison pouvait la garder. L'Angkar obligeait seulement le propriétaire à héberger une ou deux familles. A l'origine, les habitations n'étaient guère confortables pour les paysans. Six personnes vivaient dans deux pièces. L'arrivée d'une famille étrangère devenait alors une contrainte pénible.

Le soir, nous rentrions généralement des champs vers 6 ou 7 heures, au crépuscule. Nous allions nous baigner en famille dans le fleuve. C'était un moment de répit où nous pouvions discuter. Il y avait des maisons tout le long du fleuve – aussi loin que portaient nos regards – et nous nous demandions si nos cousins, mes beaux-parents y habitaient. Je posais souvent la question au chef khmer rouge auquel mon frère avait offert une chemise. Je m'entendais bien avec lui. J'espérais entrer dans ses bonnes grâces afin de pouvoir me promener dans les alentours et retrouver la trace de mes beaux-parents. Il me découragea vite...

Les averses étaient fréquentes dans ce village construit au bord de l'eau. Tous les soirs, ma femme rentrait à la maison avant moi. Les jours de pluie, elle s'inquiétait toujours de me voir fatigué, transi, si maigre. Mes parents, aussi, se faisaient du mauvais sang pour moi. Ils pensaient que les quatre heures de marche forcée quotidiennes me rendaient malade. C'était inexact. J'avais vécu confortablement à Phnom Penh. Cette épreuve – que je croyais provisoire – m'avait endurci.

La douceur du refuge familial apaisait mon anxiété. Elle me permettait de surmonter les obstacles. Les Khmers rouges ne nous avaient rien distribué pour nous laver ou nous soigner. Il nous restait un peu de savon. Nous n'avions plus de pâte dentifrice. Le troc clandestin était le moyen le plus sûr de trouver les produits essentiels à la vie quotidienne. Il suffisait d'agir avec discrétion. La répression ne frappait pas sévèrement le marché noir. Nous étions dans une région fertile. Les habitants de base étaient riches. Ils avaient du savon, des poulets, des canards, des œufs, des fruits – des papayes, par exemple. Les échanges coûtaient cher. Nous avions emporté beaucoup de vêtements. J'avais huit pantalons et douze chemises que je pouvais négocier.

Le troc, au fond, était assez avantageux. Nous n'avions pas à nous préoccuper des rations quotidiennes. Elles étaient suffisantes pour nous permettre de songer au supplément. L'Angkar assurait l'essentiel. La demande, de la part du peuple nouveau, n'était pas trop élevée. De l'autre côté, nos fournisseurs du peuple ancien ne faisaient pas de surenchère. Nous pouvions discuter avec nos « courtiers ». La valeur des vêtements était plus élevée que celle du riz en raison de notre isolement même. En dehors du marché noir, il n'y avait pas d'autre moyen licite pour se procurer des vêtements. Certaines personnes avaient quitté Phnom Penh sans pantalons, sans chemises de rechange. Il régnait un certain esprit de camaraderie parmi les citadins qui travaillaient sur le chantier. Toutes les classes sociales étaient représentées. La propagande des

Khmers rouges n'avait pas de prise sur nous. Les soldats rabâchaient une leçon infantile que nous connaissions par cœur.

L'attitude du soldat khmer rouge, en tant que chef d'équipe, était nettement plus convaincante. Il donnait toujours l'exemple de l'effort et du courage physique. Nous admirions la ténacité et l'énergie des cadres khmers rouges. Cette persévérance nous étonnait et nous incitait à rivaliser de force et d'opiniâtreté. Nous n'avions pas d'arrière-pensée. Nous formions des petits groupes de cinq ou six amis sûrs. Nous ne risquions pas d'être épiés. Kim, le jeune officier, était toujours d'excellente humeur. Il aimait nous faire rire. C'était un jeune marié insouciant, père d'un enfant. Kim vivait au jour le jour. Le futur le laissait indifférent. En plaisantant, il nous avait raconté comment il avait berné les Khmers rouges le jour de la défaite. A Phnom Penh, sa maison était située dans le quartier du front de Bassac où la municipalité avait construit de nombreux logements à loyer modéré. Lors du passage des Khmers rouges, il descendit dans la rue, comme tout le monde, pour voir les vainqueurs. Aussitôt que les communistes s'éloignèrent, il remonta chez lui et partit se réfugier, en compagnie de sa femme, de son fils et de trois autres familles, dans l'ambassade d'Australie dévastée. Pendant deux jours, ils se gavèrent de conserves de luxe, s'enivrèrent de vins français, de champagne et pillèrent les chambres froides. Puis, ils sortirent de la ville les bras chargés de foie gras, de bouteilles de whisky, les poches pleines de cigares.

Dans le village, il y avait encore des cigares. Respirer une bouffée de cigare était une vraie volupté.

Pendant le travail, aux heures de repas, nous pouvions nous assembler. Chacun recevait un bol de riz avec un morceau de poisson ou de viande. Nous mettions tout en commun, ce que l'on nous donnait et ce que nous apportions : des poissons séchés, du crabe. On partageait même ces plats communs avec celui qui n'avait apporté qu'une pincée de sel. Nous étions tous en perdition. Nous nous fichions des différences sociales. Nous étions tous solidaires : les ouvriers, les officiers, les hauts fonctionnaires ou les paysans égarés à Phnom Penh, surpris par la tragédie de l'exode. La société que nous formions, fondée sur l'entraide, était distincte du monde des Khmers rouges.

Un jour, au cours d'une réunion politique, les Khmers rouges nous demandèrent si nous étions volontaires pour rejoindre notre village d'origine. Cette proposition intéressait les citadins originaires de Kompong Speu et de Kampot. Mes parents avaient vécu à Oudong, dans la province de Kompong Speu. J'avais donc levé la main et mes parents m'avaient imité. J'avais réagi sur un coup de tête. Je ne savais pas ce que ce geste impliquait. Mon voisin, Ta Pum, s'était également porté volontaire. Ta Pum était un excellent musicien, très populaire au Cambodge. Il avait plus de quarante-cinq ans. C'était déjà un homme âgé. Il portait le titre de premier trompettiste du Cambodge. Le prince Sihanouk lui avait remis, pour célébrer sa popularité, une « trompette d'or ». Malgré la confiscation de sa trompette par les Khmers rouges, Ta Pum était persuadé qu'il assisterait au retour du prince.

Sa famille avait souffert de la déportation. Ils avaient eu de nombreuses pertes. Ecartelé entre le chagrin et la certitude de revoir Sihanouk, Ta Pum me suivait partout. Au mois de juillet 1975, quand nous décidâmes de partir, il nous suivit aussi. Nous étions originaires de la même province sans le savoir.

Tous les volontaires furent rassemblés sur la plage. Nous devions nous diriger vers la capitale, en amont du fleuve. Les gens embarquaient, d'une façon désordonnée, dans une petite chaloupe. Il y avait tellement de monde qu'on ne pouvait pas ranger tous les sacs, tous les bagages. Je laissai mes parents s'installer à bord de la chaloupe avec mes deux jeunes enfants. Il était décidé que les adultes en bonne santé traverseraient le fleuve en barque puis marcheraient le long de la berge.

Nous avions atteint, après une ou deux heures de confusion, l'autre rive. La chaloupe remontait le fleuve, à contre-courant. Sept kilomètres après Cheu Khmau, nous traversâmes le village où nous avions été arrêtés et fouillés. La première étape était prévue cinq kilomètres plus loin. Nous nous arrêtâmes à 2 heures de l'après-midi pour prendre un peu de repos. Nous marchions depuis le matin.

Les rencontres entre les réfugiés fournissaient le prétexte d'un échange. Nous nous présentions aux uns et aux autres; je tentai de glaner des informations sur l'itinéraire emprunté par mes beaux-parents. Nous voulions savoir si des familles avaient pu contacter mon beau-père, M. Khem Boun Chann. Les personnes que nous interrogions nous questionnaient aussi : « Qui êtes-vous ? De quel côté allez-vous ? » Pour ma part, j'avais croisé, dans la matinée, trois personnes que je connaissais à Phnom Penh. Les habitants du village que nous avions traversé avaient l'air aussi déprimé que nous. Leurs gestes étaient les mêmes. Ils occupaient des maisons identiques aux nôtres et étaient hébergés par le peuple ancien. Seule différence notable : les femmes ne travaillaient pas et gardaient les enfants. Il n'y avait pas assez de vieillards pour surveiller les enfants.

Plus loin, nous avions revu le champ où nos voitures gisaient parmi des centaines de véhicules. Les pneus avaient disparu. Les jantes rouillaient. Certains pare-brise étaient défoncés et quelques sièges éventrés.

Notre cortège était pitoyable. Nous marchions lentement, chargés comme des animaux de trait. Nous préférions cette lenteur plutôt que de nous débarrasser de nos encombrants colis. Nous ne jetions rien. J'avais toujours mes dollars sur moi.

Nous avions échangé des comprimés d'aspirine contre des régimes de bananes. Un comprimé donnait droit à un régime. C'était un festin pour les enfants. Ils étaient radieux. Ce marché avait tourné à notre avantage : les médicaments étaient rares et les bananiers abondants... Nous avions distribué des bananes à notre famille et à nos compagnons de route. Nous retrouvions, grâce à ces fruits très nourrissants, assez de forces pour continuer l'interminable marche vers les villages de nos ancêtres. Les fruits avaient un goût de résurrection. Nous avions vraiment l'impression de revenir aux sources, au berceau natal. Nous pensions revoir nos oncles, nos tantes, nos amis d'enfance et la maison familiale.

Le rêve de reprendre notre vie normale à Phnom Penh s'était éloigné.

Nous avions placé nos espoirs immédiats dans ces retrouvailles avec le village natal. Cela nous encourageait à ne pas céder au sentiment de lassitude.

Nous avions fait étape dans une pagode, à Prek Taduong. La chaloupe avait déjà débarqué les enfants et les vieillards. Nous avions déchargé les bagages. Mes parents avaient craint que la chaloupe chavire. Les passagers semblaient satisfaits de retrouver la terre ferme. Les Khmers rouges, lorsque le débarquement fut terminé, nous assignèrent des emplacements dans la pagode. Nous y avions entassé nos sacs à dos, nos valises et des paquets de toutes sortes.

Nous sommes restés une semaine à Prek Taduong. Nous n'avions rien à faire. Les Khmers rouges nous distribuaient des rations de riz. L'oisiveté était une récréation inattendue. Je me promenais souvent autour de la pagode. J'écoutais les gens. J'essayais de recueillir des nouvelles de mes amis. J'avais ainsi retrouvé l'un de mes étudiants de Phnom Penh. Il était inscrit à mon cours de génie civil, à l'université technique. Il était arrivé là avec ses parents. Prek Taduong était son village natal. Il connaissait tous les habitants. C'était un garçon généreux. Il s'arrangeait pour me procurer des morceaux de manioc.

L'étudiant m'avait suggéré d'échanger ma montre contre deux filets de pêche. Il y avait deux sortes de filets dans ces régions; l'un servait à rabattre le poisson, l'autre était lancé dans l'eau puis traîné. J'avais conclu un marché avec un Khmer Islam, un Cambodgien musulman. J'avais beaucoup hésité. Je ne voulais pas me séparer de ma montre. Ma femme m'avait démontré qu'il était plus important de pêcher et de nourrir ma famille que de garder une montre que l'Angkar pouvait me soustraire à tout moment. Le matériel de pêche et de culture était indispensable à notre survie. A quoi bon une montre sophistiquée quand l'essentiel devient précaire ?

Un autre compagnon de voyage avait tenté de m'apprendre à lancer le filet. Ma bonne volonté ne donnait guère de résultats. J'étais malhabile et ne parvenais pas à jeter le filet comme on me l'avait montré. Nous partagions donc les responsabilités : à moi le filet; à lui le savoir-faire... La pêche durait une ou deux heures le matin et le soir. Quand la pêche était terminée, nous allions nous baigner et faisions sécher le poisson.

Cette partie du travail était réservée aux femmes. Elles vidaient les poissons, retiraient les arêtes, salaient les filets et les exposaient au soleil. Nous pêchions entre cent et cent cinquante poissons tous les jours. Leur taille variait entre dix et quinze centimètres. Nous pouvions ainsi manger à notre faim, faire des provisions et échanger les poissons contre certains fruits, en particulier des mangues. Cette économie marginale, à condition de rester discrète, était tolérée par les Khmers rouges.

Les Khmers rouges, pour exercer leur autorité, s'appuyaient sur le silence, sur le mystère. Nous ignorions les règles de ce jeu tragique. Nous avions gardé nos riels bien que l'Angkar ait proclamé l'abolition de la monnaie. Un incident que mes parents m'avaient rapporté illustrait le désordre de l'administration de l'Angkar.

Dans la chaloupe où mes parents avaient pris place, un vieux monsieur, sans raison apparente, avait été brutalement fouillé par les Khmers rouges. Sans doute avait-il tenu des propos malveillants à l'égard des autorités ou occupé, naguère, un poste important sous l'ancien régime. Les Khmers rouges, en fouillant les poches du vieil homme, découvrirent environ dix mille dollars. Le chef de la patrouille brandissait la liasse en criant à la cantonnade : « Vous détenez de la monnaie impérialiste ! » L'officier jeta la liasse de dollars dans le fleuve. Stupéfaits, les passagers de la chaloupe regardaient les Khmers rouges. Pourquoi ne gardaient-ils pas les dollars ? Ils pouvaient les confisquer mais pourquoi les jeter ? On pouvait obtenir n'importe quoi à l'étranger avec des devises...

Je me demandai si le commerce avec l'extérieur n'était pas suspendu. Cette hypothèse expliquait le geste incongru du soldat. Il me semblait toutefois impossible de se tenir en dehors de tout commerce international. Les autorités supérieures savaient-elles, d'ailleurs, que les soldats khmers rouges jetaient les dollars dans l'eau avec autant de mépris ? L'Angkar avait-elle donné l'ordre de détruire la monnaie ?

L'acte du chef de patrouille m'avait interloqué. En y réfléchissant mieux, j'en déduisis que le soldat devait ignorer la valeur de l'argent. Il n'avait jamais connu la valeur d'une monnaie étrangère. Combien de cadres khmers rouges avaient imité l'iconoclaste ?

Au cours de notre première fouille, certains citadins avaient remis des dollars aux soldats. On avait eu l'impression que chacun interprétait les ordres à sa façon. Indifférents, certains Khmers rouges amoncelaient l'argent sur la chaussée. Les autres le mettaient de côté avec beaucoup de soin. Les ordres étaient appliqués différemment d'un village à l'autre.

Nous fûmes bien nourris pendant la semaine passée à Prek Taduong. Comme nous n'avions rien à faire, j'évitais de me promener dans le village pendant les heures de travail. Cela, pensais-je, pouvait gêner les habitants de base et les résidents du peuple nouveau. Je contactais les paysans le matin de bonne heure ou le soir après le travail pour échanger des vêtements et de la nourriture. Mon ancien étudiant m'avait beaucoup aidé. Le manioc qu'il m'avait donné était excellent pour la santé des enfants.

Les enfants étaient encore insouciants. Ils jouaient. Les déplacements, les changements de climat, de mode de vie, ne les peinaient pas trop. Ils ne se rendaient pas compte du malheur que nous subissions. Ils couraient dans la pagode.

Les travaux des villageois m'avaient paru moins durs que ceux que j'avais connus à Cheu Khmau. Le peuple nouveau et les habitants de base construisaient une digue. Leurs horaires étaient plus souples que les nôtres. Les gens travaillaient de 9 à 11 heures et de 15 à 17 heures. Les travailleurs ne manifestaient guère d'enthousiasme. Ils s'attardaient et se moquaient de l'efficacité. Ils tiraient au flanc, c'était visible. Renseignements pris auprès de mon ancien étudiant, les chefs khmers rouges étaient originaires de Prek Taduong. Ils ne venaient pas d'une autre région du Cambodge. Familiers des coutumes et des usages de cette province, ils étaient indulgents avec les habitants. Cette observation confirmait encore mon impression générale : il n'y avait pas de règle établie pour tout le pays, de traitement uniforme. En l'absence d'un véritable code public, d'une constitution, l'application de la discipline variait selon le bon plaisir de chaque chef. Ce flottement ne fut ressenti qu'au cours des premiers mois. La vie était encore acceptable malgré le déracinement, les séparations et les décès.

Au bout d'une semaine, notre heureuse et paisible récréation cessa. On nous ordonna de monter dans cinq camions qui venaient d'arriver. Il s'agissait de camions civils bâchés. Très vite, sans discuter, nous nous hissâmes dans les véhicules avec nos bagages. Nous étions serrés les uns contre les autres. Chaque camion transportait une quarantaine de personnes.

Ah ! Comme nous avions hâte de retrouver le village natal. Nous nous étions empressés de répondre à l'ordre d'évacuation que nous attendions depuis une semaine. Plusieurs chemins conduisaient à Oudong. La route bitumée que nous empruntions était en mauvais état. Elle était truffée de nids-de-poule. Nous devions normalement suivre cette route jusqu'à Phnom Penh puis obliquer vers la route nationale 5 après la traversée de la capitale. L'itinéraire prévu ne fut pas respecté. Le camion tourna dans la brousse, à dix kilomètres de Prek Taduong, et prit un sentier dans la forêt.

Où diable nous conduisait-on ?

4

LE MODE DE VIE RÉVOLUTIONNAIRE

Une terrible sensation nous envahit lorsque notre convoi s'engagea dans le sentier forestier : l'impression de sombrer dans l'inconnu, de perdre pied. Nous avions éprouvé la même détresse, le même sentiment d'abattement au cours de la seconde évacuation. Nous n'avions même plus envie de nous plaindre de l'inconfort des conditions de transport. Le camion glissait dans les ornières de la piste défoncée. Nous étions secoués dans tous les sens, retournés par les chocs. Cela nous paraissait toutefois secondaire en comparaison de l'imposture dont nous avions été victimes. Nous étions brutalement replongés dans le désespoir. Pourquoi cette traversée de la forêt ?

Les camions s'arrêtèrent dans un village, au bord d'une rivière assez large. Ils ne pouvaient pas franchir le cours d'eau. Il n'existait qu'un pont pour piétons. Nous descendîmes des véhicules et nous traversâmes la rivière à pied. Sur l'autre berge, les Khmers rouges nous demandèrent de continuer la route, de faire encore deux kilomètres.

Nous étions surchargés. Nous n'avions pas imaginé cette nouvelle difficulté en partant. Chacun portait ses bagages comme il pouvait. Par chance, ma famille avait gardé une bicyclette. On avait entassé beaucoup de paquets sur le porte-bagages et sur le cadre. Le plus jeune enfant marchait. Any, ma femme, le prenait quelquefois dans ses bras. Quand elle était fatiguée, elle le posait par terre et l'enfant nous suivait. Mes deux fils aînés n'avaient pas besoin d'assistance pour marcher. Mes parents, vieux et malades, marchaient lentement. Les autres membres de la famille portaient les paquets et les ustensiles de cuisine. Ma femme tenait son fils dans un bras, contre sa hanche, et, de l'autre main, traînait un sac.

L'atmosphère s'était assombrie. Nous marchions, silencieux et mortifiés, avec les autres réfugiés. Personne n'osait parler. Les vieux soupiraient; les enfants étaient essoufflés. Nous avions atteint, au crépuscule, une sorte de campement.

Il y avait là une pagode abandonnée. Pas âme qui vive... De loin, nous avions aperçu des feux de bois mais nous ne savions pas qui campait autour de ces foyers. S'agissait-il de Khmers rouges ou de réfugiés ? Il était téméraire d'importuner nos gardes avec ce genre de questions. Les trois soldats qui nous accompagnaient nous indiquèrent un endroit où nous devions nous installer provisoirement.

Le sol était jonché d'excréments de bœufs. C'était un emplacement sale et malodorant qu'il fallait tenter de nettoyer avec les moyens du bord. Nous étions désemparés par la répugnante saleté et par l'obscurité du lieu. Nous nous sentions perdus, incapables de réagir.

Une heure après notre installation, des hommes munis de lampes-torches nous inspectèrent sans dire un mot. Leurs visages étaient sévères et menaçants. L'un des visiteurs nocturnes prit la parole. Il ne s'embarrassa pas de formules de politesse. L'Angkar ne promettait plus rien. Le Khmer rouge nous demanda de rester calmes, de ne pas bouger. Des rations de riz avaient été distribuées le matin même à Prek Taduong, avant notre départ. Nous devions tenir trois jours avec ces rations.

Il fallut préparer le repas du soir. Mon frère retourna au pont pour nous ravitailler en eau. Nous possédions un seau. C'était un privilège appréciable. Les gens privés de seau prenaient leurs minuscules bidons pour aller à la rivière et faisaient plusieurs voyages. Dès que nous eûmes fini, ils nous empruntèrent notre seau. Notre maigre dîner englouti, nous nous couchâmes. Le sommeil nous submergea, en dépit des conditions déplorables d'hébergement.

Le lendemain matin, un nouveau groupe de Khmers rouges vint nous chercher. C'était la première fois que l'on voyait ces soldats. Ils organisèrent un recensement. Leurs questions étaient précises : « Qui êtes-vous ? D'où venez-vous ? Etes-vous nombreux dans votre famille ? Combien d'hommes ? De femmes ? Noms ? Professions ? » Les Khmers rouges posaient les mêmes questions à toutes les familles. Jamais, ils n'étaient allés aussi loin dans leurs investigations.

Les choses se gâtaient pour moi. Un pressentiment m'avait averti de l'imminence du danger. A l'appel des Khmers rouges, je répondis Thay au lieu d'annoncer mon véritable nom : Pin Yathay. De la même façon, je renonçai à mon titre d'ingénieur et je leur dis que j'étais technicien des travaux publics. L'humilité s'imposait. Theng, mon frère était moins prudent. Il s'affirmait toujours instituteur. Mon beau-frère, le malheureux Sarun, avait eu un accident de moto à Phnom Penh. Il était alors professeur dans l'enseignement technique. Son accident lui avait laissé des séquelles. Il était atteint d'une sérieuse lésion mentale. Par instants, il était lucide. Mais il parlait souvent à tort et à travers. Il souffrait aussi d'amnésie. Il avait déjà beaucoup parlé à Cheu Khmau. Beaucoup trop parlé... Les Khmers rouges n'avaient pas écouté ses propos insensés et décousus. Ils savaient qu'il était tombé sur la tête. La femme de Sarun, très dévouée, essayait toujours de faire attention à ce qu'il racontait et de prévenir ses gaffes. Physiquement, mon beau-frère était robuste et infatiguable. C'était une force de la nature.

Notre famille était l'une des plus nombreuses du groupe. Les Khmers rouges notaient précisément tous les détails nous concernant. Mon père avait plus de soixante ans. J'en avais trente-deux. Mon beau-frère avait le même âge que moi. Mon frère n'avait que trente ans. Mon cousin Sim était âgé de dix-huit ans. Il ne savait pas où aller. Il m'avait suivi parce qu'il n'avait pas pu retrouver ses parents le jour de la chute de Phnom Penh. Sarun – mon beau-frère un peu dérangé – avait épousé ma sœur, Kéng. Mon autre sœur, Vùoch, était célibataire. Elle était étudiante en troisième année de génie civil. Elle voulait devenir ingénieur comme moi. Ma nièce, la fille de Kéng, avait cinq ans. Il y avait aussi mes trois enfants, ma femme, les trois enfants de mon frère et sa femme Lav, ma mère et la belle-mère de mon frère.

Les Khmers rouges avaient consigné ces informations dans un cahier. « Apprêtez-vous à repartir. Les charrettes vont bientôt arriver... » ajoutèrent-ils. Nous fûmes surpris. Des charrettes ? On rassembla précipitamment nos bagages, nos sacs.

Au bout d'une heure et demie d'attente, vers 10 heures du matin, on nous pria d'aller rejoindre les charrettes qui se trouvaient en dehors du campement. C'était une espèce de course entre les familles pour jeter son dévolu sur les meilleures charrettes. Nous avions pu en garder trois. Pour dix-huit personnes, ça n'était pas trop mal. Il nous restait la bicyclette. Ma femme et mes parents s'étaient installés sur une charrette. Mes enfants avaient pris place sur une autre charrette. Le plus petit n'avait pas voulu quitter sa mère.

Nous partîmes à la queue leu leu. Nos charrettes se suivaient. La providence nous aidait : nous n'étions pas désunis. Certaines familles étaient séparées par le hasard de l'attribution des charrettes. Ainsi, une famille de douze personnes était divisée en deux parties. Le premier groupe se trouvait à l'avant du cortège; l'autre groupe était maintenu parmi les dernières charrettes. Les retardataires et les maladroits étaient sanctionnés par la séparation arbitraire. Les Khmers rouges n'entendaient pas leurs protestations.

Les bœufs tiraient les charrettes et, coûte que coûte, il fallait suivre. Les traînards s'écartaient du gros de la troupe. Le convoi ne ralentissait pas pour les attendre. A midi, nous fûmes autorisés à nous arrêter et à manger un peu. Les rations étaient préparées depuis le matin. Nous avions fait cuire quelques boîtes de riz. Une heure après qu'on nous eut ordonné de nous arrêter, des familles arrivaient encore, lasses et épuisées. Les Khmers rouges n'attendirent même pas que les derniers arrivés prennent quelques minutes de repos. Dès que le convoi fut reconstitué, ils donnèrent le signe du départ. On voyait encore quelques charrettes à l'horizon. Les Khmers rouges ne connaissaient qu'une chose : les horaires que l'Angkar avait fixés. Ils appliquaient les ordres au pied de la lettre. Plus loin, nous allions nous apercevoir que les Khmers rouges, décidément, s'ingéniaient à pousser leur logique jusqu'à l'absurde.

Il y avait, à douze kilomètres de notre brève étape, une patte-d'oie. Notre piste se séparait en deux voies. Les dix premières charrettes furent dirigées vers la route de gauche. Nous étions dans la onzième charrette... Notre charrette bifurqua à droite et toutes les autres la suivirent. Je pensai à cette famille séparée en deux groupes. Les uns étaient partis à gauche; les autres, les retardataires, étaient partis à droite. Quel drame !

Le soir, le père nous avait rejoints avec ses deux enfants. Il ne savait pas où se trouvait sa femme. Il avait supplié l'Angkar de lui accorder le droit de la suivre, de prendre la piste que sa charrette avait empruntée. L'Angkar faisait la sourde oreille. Le chef d'expédition prétendait qu'il n'était pas compétent pour prendre une telle décision. « L'Angkar, avait-il répondu au mari désarmé, est la seule autorité qui peut vous donner une réponse. » On nous accablait toujours de ces promesses faciles. « Demain, l'Angkar... L'Angkar commande... L'Angkar agit pour votre bien... »

Le conducteur du char à banc ne voulait pas, non plus, prendre d'initiative. Il repoussait la possibilité d'un détour : « Pour l'instant, je ne peux pas m'arrêter et changer de direction. Je dois en référer à l'Angkar. » Le père de famille éploré luttait en vain, au milieu de la brousse, contre une bureaucratie irresponsable et impitoyable. Il ne savait pas que ses tentatives d'émouvoir les Khmers rouges étaient vouées à l'échec. Il ne pouvait pas obtenir gain de cause.

Personne, sauf les Khmers rouges, ne connaissait à l'avance la volonté de l'Angkar. Les charrettes nous laissèrent à Sramar Leav, dans la province de Takéo. Cette partie du pays – la région 55 du sud-ouest – était réputée pour sa résistance au régime républicain. C'était le sanctuaire le plus dur du mouvement khmer rouge. Le village de Sramar Leav appartenait à un ensemble de communautés reliées les unes aux autres par la même administration. Les villages étaient distants de trois kilomètres entre eux.

A peine avions-nous déchargé les bagages et les paquets des charrettes que le chef khmer rouge nous harangua : « Camarades ! Je sais que bientôt vous serez tous appelés à regagner les villages où vous êtes nés, où vous avez vécu. Mais nous sommes en juillet. C'est la pleine saison des cultures. Les pluies vont arriver. Il est nécessaire de s'arrêter pour cultiver les rizières, pour produire de quoi manger... Quand ce travail sera fini, vous pourrez repartir. L'Angkar vous invite à rester ici. Naturellement, l'Angkar peut vous loger et vous nourrir. Elle s'occupe de tout, ne vous en faites pas. En contrepartie, l'Angkar exige que vous respectiez ses ordres, sa discipline. Il faut essayer de vous purifier. »

Le thème de l'épreuve et de la purification revenait constamment dans les sermons des cadres khmers rouges. Notre orateur déclamait la litanie des vœux de l'Angkar. Son discours-fleuve exaltait la transformation de l'homme : « L'Angkar veut faire de vous de vrais révolutionnaires. Vous avez travaillé dans les champs pendant trois mois, à Cheu Khmau. Vous avez failli produire quelque chose... » Dans l'assistance, un déporté interrompit le Khmer rouge : « Nous avons effectivement tenté de cultiver nos champs mais nous n'avons pas eu le temps de récolter le fruit de notre travail. Nous sommes partis trop tôt. »

Sèchement, le cadre khmer rouge pria le perturbateur de se taire et reprit le cours de sa démonstration : « Les fruits et les légumes que vous avez cultivés dans le dernier village seront récoltés par l'Angkar pour nourrir d'autres réfugiés. Ici, vous vous alimenterez avec les céréales et les légumes que vos prédécesseurs ont plantés. Toute la production appartient à l'ensemble de la population. Nous sommes maîtres chez nous et vous aussi. Dans le Kampuchéa indépendant, nous n'avons pas besoin d'aide extérieure. Actuellement, l'Angkar subvient à vos besoins. C'est elle qui remplit votre estomac. Efforcez-vous d'être maître et responsable de votre destin, en travaillant fort, en produisant ce dont vous avez besoin. Il est essentiel de se comporter en bon révolutionnaire, de laver les souillures des impérialistes, des capitalistes et des féodalistes. »

Les cadres de Sramar Leav paraissaient plus instruits, toutefois, que les Khmers rouges qui nous commandaient à Cheu Khmau. Ils s'exprimaient dans un langage cohérent et clair. Leur doctrine ne ressemblait plus à cet assemblage grotesque de menaces hystériques et de promesses puériles. Les Khmers rouges de Sramar Leav avaient renforcé la discipline villageoise mais ils avaient adapté, avec beaucoup de discernement, leurs méthodes à la nouvelle population de citadins. D'une manière générale, illettrés ou non, les Khmers rouges parlaient aisément. Ils aimaient discourir. Leurs formules, pour ouvrir une séance d'éducation politique, étaient toujours identiques : « Pères, mère (pour les vieux); frères, sœurs, camarades, enfants bien aimés, je vous présente mes respects. Je me permets d'ouvrir la séance... » Là-dessus, le cadre entonnait l'éloge de la purification et du travail.

La première réunion avait rassemblé tous les citadins, sans distinction. On nous classa vite par catégories sociales. Chaque groupe était consigné dans un quartier du village. Tous les fonctionnaires civils vivaient ensemble dans une ancienne pagode. Les militaires étaient cantonnés dans un autre ghetto. Les gens étaient regroupés selon leur profession. Même les ouvriers et les commerçants tombaient sous le coup de cette décision. Notre « village » était ainsi constitué de campements et de hameaux corporatifs. La coopérative communiste n'existait pas encore. L'unité villageoise khmère rouge était conçue sur la base des anciennes communautés. Les groupes de citadins s'installaient dans des villages satellites. Ces hameaux, créés de toutes pièces, étaient distants de deux kilomètres, environ. Les anciens militaires, par exemple, occupaient de très petites paillotes, toutes construites sur le même modèle. Il était vraisemblable que les précédents réfugiés les avaient bâties.

Il n'y avait pas de grand fleuve dans la région de Takéo. C'était une vaste plaine irriguée, un paysage de rizières où s'élevaient, pour rompre l'harmonie des digues et des talus, quelques bouquets d'arbustes et quelques hauts palmiers à sucre. Le riz était la culture unique de cette province.

On nous avait attribué, comme logement, une pagode saccagée. Les Khmers rouges, qui ne respectaient pas notre religion, dévastaient les pagodes. Le grand temple était transformé en grenier. Tous les bonzes, même les plus réticents à se soumettre aux nouvelles autorités, étaient défroqués. Les paysans, devant ce mépris de leur religion et les actes de vandalisme, parlaient de sacrilège...

Notre pagode était située dans un hameau proche du village principal. Les maisons des villageois, des habitants de base, étaient dispersées autour de la pagode. Nos voisins n'hébergeaient plus de déportés. Ils ne pouvaient pas entrer en contact avec nous.

Les cadres khmers rouges, peu nombreux, coiffaient toutes les activités. Le clan des dirigeants se résumait au président, au vice-président, au secrétaire et à quelques auxiliaires; l'auxiliaire chargé de la culture, l'auxiliaire responsable de la discipline. L'auxiliaire chargé de la santé distribuait quelques médicaments de fabrication locale. On nous donnait des pilules, des liquides bruns ou jaunâtres contenus dans des bouteilles de coca-cola. Les Khmers rouges prétendaient que leurs pilules guérissaient tous les maux. Ils nous administraient ces médicaments pour soigner les diarrhées, les fièvres. L'auxiliaire chargé de la culture fixait les normes du mode de vie révolutionnaire. Il indiquait la manière de nous vêtir, de nous couper les cheveux.

Les cadres khmers rouges étaient informés de nos faits et gestes par un mouchard patenté : *le chlop*. Paradoxalement, *le chlop* était un espion désigné par l'administration. Nous le connaissions. Nous savions qu'il tournait autour de nos maisons pour nous prendre en défaut, qu'il furetait en quête d'une dénonciation. *Le chlop* avait des informateurs et des filières de renseignements. Il savait faire parler les couards, les poltrons.

Ce *chlop* était seul pour nous surveiller.

Parmi les nouveaux arrivants, deux familles seulement, dont la nôtre, avaient pu s'installer dans la pagode. Ta Pum et sa famille avaient dû nous quitter. Les Khmers rouges les avaient parqués dans un autre village. Nous ne devions plus jamais les revoir. C'était l'un des principaux traits des ruptures et des séparations organisées par les Khmers rouges. Elles étaient irrémédiables. Nous avions pris place dans une pagode déjà à moitié occupée. Les habitants de la ville de Takéo, chef-lieu de la province, avaient également été déportés. Certains « résidents provisoires » venaient de Phnom Penh. Quelques commerçants s'étaient fait passer pour des instituteurs afin de rester avec leurs familles. Nous ne comprenions pas pourquoi nous étions rassemblés par catégories sociales. Nous n'appréhendions pas l'extermination. Pourtant, les Khmers rouges nous avaient préparés au pire...

Pour être franc, en nous installant dans la pagode, nous ne pensions même pas à une possibilité d'évasion. Nous imaginions que nous étions dans une nasse, pris au piège de la terreur. A tout moment, nous avions peur de rencontrer, si nous nous étions risqués hors du village, des soldats barbares armés de couteaux, de fusils, de piques.

Le travail commença à l'aube, le lendemain même de notre arrivée. Il pleuvait. Nous étions en juillet. Les villageois parlaient d'année maudite. L'année avait été anormalement sèche. Les paysans croyaient que Dieu se vengeait des exactions commises dans les pagodes par les Khmers rouges. Les habitants de ces régions étaient superstitieux. Les calamités naturelles leur semblaient tomber du ciel. Elles exprimaient, dans leur esprit, la réprobation divine devant les actes sacrilèges de la soldatesque.

La sécheresse, il est vrai, frappait durement les villageois. Nous avions entamé les travaux de culture intensive sous une petite pluie avare. Ces gouttelettes n'irriguaient pas la terre. Nous souhaitions de véritables averses. Et elles ne venaient pas... Les fruits qu'on trouvait généralement en abondance à cette saison, les *Pring* – des grappes de petites prunes bleues très appréciées au Cambodge – n'avaient pas mûri. C'était exceptionnel. De mémoire d'homme, on n'avait jamais vu ça dans la province de Takéo.

Les paysans nous confiaient leurs superstitions car ils savaient que nous appartenions au peuple nouveau. Ils pouvaient parler sans craindre une dénonciation. En revanche, nous ne pouvions pas leur répondre; nous n'étions pas sûrs de leurs sentiments profonds. Personne n'était à l'abri d'une provocation.

Les paysans ne couraient aucun danger en nous livrant leurs confidences. Ils savaient que le peuple nouveau était unanimement hostile aux Khmers rouges. Les déportations successives avaient exarcerbé notre rancœur et notre colère.

La population de base du village était elle-même divisée en plusieurs clans. Tous les villageois pouvaient nous communiquer leurs opinions mais nos réponses devaient être prudentes. Comment reconnaître les partisans des Khmers rouges, les provocateurs ? Nous sondions les gens pour vérifier s'ils étaient sincères.

La pagode était un point de rassemblement où j'avais pu nouer des relations utiles, à l'insu du chlop. Au centre de toutes les pagodes cambodgiennes, il y avait généralement une mare couverte de lotus. Les paysans venaient s'y approvisionner en eau potable. Quelques-uns se lavaient au bord de la mare. Ces visites fréquentes nous permettaient d'échanger des vêtements, des pantalons surtout, contre des pains de sucre.

J'avais fait la connaissance d'un commerçant originaire de Phnom Penh. Il avait atteint Sramar Leav deux mois avant nous et se faisait passer pour un instituteur. Le village natal de Chan – c'était son nom – se trouvait à deux kilomètres de la pagode. Chan voulait absolument rejoindre ses parents, dans son village, mais les Khmers rouges lui interdisaient de quitter la pagode.

Le piège se refermait sur nous et la répression s'accentuait : les déportés du peuple nouveau ne pouvaient plus cohabiter avec leurs parents du peuple ancien. Les Khmers rouges murmuraient que cela n'était pas souhaitable en raison de la solidité des liens familiaux. Les sentiments paternels et maternels pouvaient adoucir le sort des citadins souillés. Cette indulgence des familles risquait de remettre en cause le contrôle et la surveillance constante des déportés.

Pendant les heures creuses, entre midi et 1 heure, Chan enfreignait quelquefois la loi et allait rendre visite à ses parents. Je l'accompagnais. Nous nous dépêchions d'engloutir le repas copieux que ses parents nous avaient préparé. Le régime économique de leur village n'était pas tout à fait collectiviste. Le peuple nouveau, qui ne possédait rien – pas de champs, pas de potagers –, était soumis à la règle communautaire. Le peuple ancien n'était pas contraint de tout mettre en commun. Les villageois cultivaient leurs légumes. Il y avait encore deux façons d'aborder le collectivisme. Les exceptions étaient tolérées pour le peuple ancien. Tout le monde s'accommodait plus ou moins de cette discipline. Les paysans se gardaient de faire des éclats.

Deux ou trois récalcitrants s'étaient manifestés sans grand succès. Il s'agissait des personnages les plus riches du village, des petits capitalistes – *Anouk-Thun* en khmer, traduction littérale de petits riches. Ces propriétaires relativement nantis possédaient trois à cinq hectares de rizières. Ils voulaient conserver leurs terrains. Les autres, les pauvres, adhéraient au système collectif; ils n'avaient pas grand-chose à perdre. Volontairement, ils se rangeaient aux côtés des Khmers rouges. J'en veux pour preuve cette observation : lorsque je quittai le village, tous les habitants étaient membres de la communauté. Les autorités assuraient qu'ils étaient tous volontaires pour mettre en commun les moyens de production.

D'une manière générale, au-delà de la propagande grossière des Khmers rouges, il existait deux groupes du peuple ancien dans les villages : d'un côté les petits capitalistes natifs du village et, de l'autre, les habitants de base les plus déshérités. Les gens de base les mieux considérés étaient les illettrés complètement désarmés. Les ivrognes, par exemple... Sous les régimes de Lon Nol et de Sihanouk, un homme instruit, même peu instruit, pouvait acquérir les rudiments d'un métier et trouver du travail. Un homme paresseux et illettré, par contre, ne trouvait pas d'embauche et sombrait dans l'alcoolisme. Souvent, l'ivrogne, dans une famille, était soutenu par un parent. Il se détruisait lentement et se résignait à la déchéance.

Les Khmers rouges avaient bouleversé l'ordre des valeurs. L'homme privé d'attache familiale, de propriété et de penchants individualistes était bien considéré. Il était hissé à un poste assez élevé dans la hiérarchie révolutionnaire. Ce qui m'avait frappé, dans ce phénomène social, c'était la transformation physique et mentale des humbles que l'Angkar prenait en main. L'ivrogne, désintoxiqué et remodelé par l'Angkar, était métamorphosé. Grâce à l'éducation révolutionnaire, il avait retrouvé une incontestable personnalité. Signe de cette force recouvrée : tout le monde le craignait. Il pensait avoir dominé ses penchants alcooliques. C'était une espèce de libération et une reconquête de sa dignité. Il se prenait pour un autre homme mais on lui avait injecté une personnalité factice. L'ignorant, malgré tous les lavages de cerveau, demeure un ignorant. Les slogans politiques maquillaient passagèrement la brutalité intrinsèque de l'individu récupéré.

Ces hommes réhabilités par l'Angkar, investis de missions de commandement, pouvaient tuer leurs compatriotes sans remords, sans scrupule.

Ils s'étaient enrôlés chez les Khmers rouges pour assouvir une vengeance sociale. En m'aventurant, derrière les buissons d'arbustes, j'avais découvert des cadavres. Leurs vêtements indiquaient qu'ils appartenaient au peuple nouveau. Ils avaient été abandonnés sur le lieu même de l'exécution.

La rumeur des liquidations sommaires s'amplifiait dans le village. On nous disait que nous pouvions connaître le même sort. Les cadavres des victimes des Khmers rouges n'étaient pas enterrés. On les exposait à dessein pour effrayer les habitants du village. Ils servaient d'épouvantails.

Le travail dans le village était dur. On m'avait ordonné, le premier jour, de labourer les rizières. Je ne savais pas labourer mais je n'avais pas le choix. Je devais conduire un attelage de bœufs et tenir la charrue. Nous labourions avec les bœufs des villageois. Les Khmers rouges avaient raison de louer la générosité des habitants de base, au cours des réunions politiques : « Vous n'aviez rien quand vous êtes arrivés. Maintenant, nous vous fournissons des bœufs, des charrues, nous vous attribuons des terrains à labourer. Les gens de base – les artisans de la révolution – vous confient leurs propriétés. »

Vraiment, si nous avions écouté la propagande des Khmers rouges, nous aurions dû nous sentir coupables d'être dépossédés de nos biens, d'entrer à Sramar Leav les mains vides. Et, au fond, les Khmers rouges auraient trouvé naturel que nous leur exprimions notre joie et notre gratitude de pouvoir travailler, d'être nourris. Les paysans, en fait, nous donnaient du paddy au lieu de nous donner du riz blanc, du riz ordinaire. Le paddy, c'est un riz complet avec l'écorce du grain. Il faut le décortiquer avant de le faire cuire.

Au début de notre séjour à Sramar Leav, on nous distribuait le paddy en quantité suffisante mais la préparation nous faisait perdre beaucoup de temps. Traditionnellement, dans les villages cambodgiens, c'était un travail exclusivement féminin. Les jeunes femmes de la ville, comme Any – ma femme – et mes sœurs, n'avaient jamais fait ça de leur vie. Nous étions tous obligés d'accomplir cette corvée ménagère après les activités du jour. Sinon, nous n'aurions pas pu manger de riz. Toutes ces tracasseries empoisonnaient notre vie quotidienne.

Le travail nocturne compliqua encore la vie familiale. Les équipes envoyées loin du village, à quatre ou cinq kilomètres, furent les premières touchées par cette mesure autoritaire. Jour et nuit, sans relâche, nous creusions des canaux et nous élevions des digues. Les grands chantiers forgeaient la solidarité idéologique.

Quelquefois, les lois de la physique étaient défiées par les Khmers rouges, piètres constructeurs. A l'œil nu, on ne pouvait pas distinguer la pente d'un terrain. Les Khmers rouges se moquaient de l'assistance technique qui corrigeait les erreurs d'appréciation. Ils se fiaient à leurs jugements. Les grands travaux étaient exécutés en dépit du bon sens. Chaque responsable khmer rouge agissait à sa guise. La main-d'œuvre ne manquait pas. Des milliers d'hommes et de femmes obéissaient aux ordres des cadres civils. Le résultat de la désinvolture des Khmers rouges était affligeant : canaux à contresens, digues détruites par les premières pluies, colmatées et de nouveau emportées par les eaux... Le résultat des travaux, d'ailleurs, n'avait guère d'importance. L'essentiel, c'était de savoir tirer des leçons de l'expérience. Nous devions, instruits par ces déconvenues, prendre des initiatives pour éviter qu'elles se reproduisent.

J'étais ingénieur. Malgré mes appréhensions, je n'osais pas contrarier les ordres des Khmers rouges. Il était interdit de critiquer les Anciens. On ne pouvait pas leur expliquer qu'ils se trompaient.

Les événements singuliers qui se déroulaient dans notre pays confirmaient les prédictions de Puth[1]. Une certaine prédiction de Puth prévoyait une ère de malheur pour le Cambodge. Elle indiquait que les maisons seraient vidées de leurs habitants et qu'il n'y aurait plus de circulation dans les rues. Tout cela était prédit. Le texte religieux prévoyait même que les ignorants – « les hommes qui sont tombés très bas » – ôteraient le pouvoir aux hommes en place – « des hommes instruits condamnés à tomber plus bas encore que les

1. Le nom de Puth, en cambodgien, se confond avec celui de Bouddha : Preah Puth.

ignorants ». C'était aussi une ère sans religion, sans bouddhisme. Les « Thmils », les barbares mécréants, détiendraient le pouvoir absolu et persécuteraient les prêtres.

La prédiction esquissait un renversement total des valeurs. Elle ajoutait qu'il fallait planter l'arbre du Kôr (Kapokier) pour se sauver, pour échapper au désastre. Cela voulait dire, selon l'interprétation religieuse du message, que seuls les sourds-muets pouvaient être sauvés pendant cette période de malheurs. Rester sourd et muet... J'avais trouvé le moyen de survivre. Faire semblant d'être sourd ! Feindre le mutisme ! Ne rien entendre; ne rien écouter. J'essayais de paraître ignorant. Je ne parlais pas beaucoup.

Je savais qu'on ne pouvait pas creuser des canaux au jugé, sur une distance de cinq kilomètres. Je me taisais. Les Khmers rouges attribuaient des tâches précises à chaque brigade de villageois. Ces missions limitées s'inscrivaient, comme les pièces d'un puzzle, dans l'ensemble d'un vaste projet. Tel village, par exemple, devait remblayer une partie de la route, creuser sa part de canal et élever son quota de digues.

Les Khmers rouges n'aimaient pas s'encombrer d'intellectuels, de spécialistes. Ils affirmaient que les diplômes étaient de la paperasse inutile. Ils employaient une expression cambodgienne – *Saignabat* – qui signifie mot à mot : le signal qu'on ne voit pas. Les Khmers rouges voulaient que nous exhibions, à la place de la paperasse abominée, le signal que l'on pouvait voir, c'est-à-dire *Saignakhoeunh...* C'était un jeu de mots qui voulait dire, en raccourci, que les diplômes étaient bannis. Ce qui comptait, c'était le travail concret qu'on pouvait évaluer et sanctionner; l'effort de labourer ou de piocher. C'était un travail honorable parce que visible, tangible.

Les hommes diplômés étaient traqués, humiliés et méprisés. Il n'y avait plus de médecins, plus de techniciens... Nous remarquions, au cours des réunions politiques, que les anciens techniciens manifestaient quelque mauvaise volonté à appliquer les ordres des Khmers rouges. La tension s'accroissait, au fur à mesure que les travaux avançaient, entre les Khmers rouges et les citadins instruits. Je ne voulais pas être jeté dans le même sac, être taxé d'opposition ou de mauvaise volonté. Je mesurais mes propos. Je me méfiais de tout. J'étais attentif à ce que l'on me disait sans faire de zèle. Même le zèle, en réalité, était suspect.

Dès les premiers jours, j'avais labouré sans rechigner pendant que ma femme repiquait le riz avec les autres femmes de notre groupe. Nous labourions puis nous laissions l'eau envahir les rizières. Les femmes, alors, repiquaient le riz. L'eau arrivait à la hauteur de leurs chevilles. Ce niveau d'eau était indispensable au développement des pousses. Malheureusement, un mois après le repiquage, les rizières furent asséchées. Faute d'une irrigation rationnelle, les pousses étaient mortes. La sécheresse avait ruiné notre travail. Les Khmers rouges, déçus par cet échec, nous occupèrent en nous confiant divers travaux, plus ou moins utiles. Nous avions ainsi construit des petites digues à proximité du village.

On ne nous accordait plus de jours de répit comme dans le premier village. Il fallait travailler tous les jours sans râler, sans protester. Quand un ouvrage, une digue par exemple, était terminé, nous avions droit à deux ou trois jours de permission. On arrosait alors les plants de légumes de notre petit potager. Nous tentions aussi d'élever des poulets, des poules, d'avoir des œufs surtout. C'est formidable, les œufs ! Nous nous étions procuré les poules en faisant des échanges avec les villageois. Nous avions troqué une chemise, un pantalon, une veste, un sarong et quelques cachets d'aspirine. Le coq m'avait coûté un pantalon. On pouvait élever de la volaille. A condition de bien la garder... Nous avions construit des poulaillers avec des bambous trouvés dans la forêt voisine. La vigilance du propriétaire des poules était mise à l'épreuve. Les vols étaient nombreux.

L'Angkar nous mobilisa pour la réalisation des grands travaux collectifs plusieurs semaines après notre arrivée. Nous étions chargés, dans mon village, de réaliser un tronçon du grand canal. Notre tronçon s'étendait sur cinq cents mètres; le travail était défini en fonction du nombre de participants. Les villages n'épargnaient pas leurs efforts pour sortir vainqueurs de cette véritable compétition idéologique. C'était une course effrénée entre les différentes équipes de travail. Nous nous acharnions à la tâche pour être bien notés par l'Angkar. Nous nous levions tôt le matin dans l'espoir de devancer les autres équipes. Le réveil était fixé à 4 heures du matin. Il faisait nuit quand nous commencions à creuser la terre. Le soir, il nous arrivait de rester sur le chantier jusqu'à 22 ou 23 heures.

La fin des travaux du grand canal – la séparation des ouvriers du chantier – fut célébrée par un meeting important. Ce meeting devait être présidé par le chef de district. C'était l'un des cadres les plus brutaux que l'on connaissait dans la province. Sa réputation de garde-chiourme avait fait le tour de tous les villages. Plutôt malin et indélicat, il avait vécu comme un ivrogne, comme un oisif sous l'ancien régime. C'était un voyou seulement capable de faire du tort aux gens. Sa conversion à la révolution avait effacé, du même coup, son passé déshonorant et malhonnête. Il était devenu chef de district.

Devant des milliers de spectateurs, il avait prononcé un beau et puissant discours. Des dizaines de villages participaient à cette réunion exceptionnelle. Les qualités oratoires du chef de district étaient incontestables. Bien sûr, c'était un truand. Mais il s'était révélé courageux dans la bataille pour Phnom Penh. Même s'il était dépourvu de scrupules, il parlait clair et fort dans le micro. Nous étions tous assis le long du canal pour l'écouter. Il n'y avait pas, à cet égard, de consigne particulière. Chacun était resté avec ses compagnons de travail, dans son groupe.

Contre toute attente, le chef de district n'avait pas évoqué notre zèle à finir le chantier dans les délais fixés par l'Angkar. Nous avions pourtant fourni un effort surhumain. L'Angkar, apparemment, se fichait de notre éreintante compétition. Certains groupes avaient creusé et pioché jour et nuit pour ne pas prendre de retard. Au lieu des félicitations attendues, on se contenta d'un discours orthodoxe, comparable à tout ce que nous avions déjà entendu.

Nous sommes rentrés dans nos villages après le meeting. Les travaux avaient duré six semaines. Pendant la dernière semaine, nous avions couché à la belle étoile, sur une natte, près du chantier. Les Khmers rouges n'avaient pas pu nous donner des tentes. De temps en temps, il pleuvait; août est un mois pluvieux au Cambodge. Nous allions nous abriter des averses sous les grands arbres de la forêt. Les moustiques pullulaient. Nous allumions des feux pour les chasser. Les nuits étaient froides. Ma couverture ne me protégeait guère contre le froid et l'humidité. J'avais été très malheureux au cours de la dernière semaine du chantier. Epuisé, isolé, grelottant... Nous ne pouvions même pas nous laver. L'eau était sale et malsaine. On oubliait l'absence d'hygiène.

Vers la mi-août 1975, au cours d'une réunion politique, le chef khmer rouge de ma pagode nous révéla que la monnaie allait être réutilisée, remise en circulation, vers la fin de l'année. Le chantier était achevé. Nous respirions un peu. Le chef nous annonça aussi que la valeur de la monnaie révolutionnaire serait plus élevée que le riel. Pour donner plus de poids à ses informations et aiguiser nos espoirs, il nous énonça la liste des principales denrées qui feraient l'objet d'une taxation. Un prix unitaire était fixé pour chaque produit. La longue liste comprenait les principaux outils de travail : les faux, les haches, les pioches, les pelles... Les prix du kilo de viande de bœuf, d'une douzaine d'œufs, du kilo de riz étaient également définis. Le chef de groupe afficha même la liste des prix.

Cette nouvelle nous transporta de bonheur. Si tel était le résultat de la politique d'autosuffisance, cela nous paraissait satisfaisant. Certains produits évoqués par le chef de groupe avaient complètement disparu de nos habitudes alimentaires. Ce retour à une économie planifiée – moins médiévale que la vie rustique que nous menions – confirmait les rumeurs du rétablissement du prince Sihanouk dans la vie publique.

A Sramar Leav, j'avais rencontré un instituteur, le camarade Leang, arrivé dans la pagode deux mois avant nous. Leang avait été membre du Comité central du parti démocrate, principal parti d'opposition sous le régime républicain du maréchal Lon Nol.

Je m'entendais bien avec Leang. Discrètement, il m'avait décrit les divisions qui agitaient le mouvement khmer rouge. Il existait deux principales tendances au sein du mouvement. Ces factions avaient leurs sanctuaires. Les Khmers rouges de la rive est du Mékong étaient plutôt favorables à Sihanouk. Ces Khmers rouges modérés portaient des treillis. Nous en avions vu quelques-uns à Phnom Penh, le jour de la reddition. L'autre faction était hostile à Sihanouk. Elle était plus radicale aussi. Ces ardents révolutionnaires venaient de la région du Sud-Ouest – Phoum Pheak Nirdey. Ils avaient adopté l'uniforme noir. Leurs cadres étaient originaires de Takéo. Ces hommes étaient partisans d'une politique brutale et cruelle. Ils étaient les puritains du mouvement khmer rouge. Ils occupaient tout le pays, à l'ouest du Mékong.

D'après Leang, les deux tendances étaient en mauvais termes. Il pensait que Sihanouk pouvait jouer le rôle d'arbitre dans ce conflit interne. Dans ce cas, nous avions une chance de retrouver nos maisons. Leang affirmait que les premiers citadins rapatriés à Phnom Penh seraient les instituteurs et les techniciens. Sihanouk était notre carte ultime si nous voulions sauver notre peau. Le prince revenait en ami pour réconcilier tous les clans. Son intérêt était identique au nôtre : il fallait restaurer la paix civile pour reconstruire le pays. L'instituteur, bien qu'affaibli par l'exode, avait bon espoir de revoir Phnom Penh.

Leang avait une femme et deux enfants. Régulièrement, il allait pêcher dans un lac poissonneux, à douze kilomètres de Sramar Leav. Je possédais toujours mon filet. L'instituteur savait le lancer. Moi, je ne savais toujours pas. Je lui prêtais le filet et il allait pêcher à ma place. Les Khmers rouges lui avaient donné l'autorisation d'aller pêcher, périodiquement, pour le village. Il mettait de côté une partie de ses prises et nous nous les partagions. C'était la seule façon de manger un peu de poisson. Il était important d'avoir une alimentation convenable en pleine saison des pluies – au mois d'août – pour résister au froid.

Je m'interrogeais sur l'évolution des événements politiques. Les propos du chef de groupe et ceux de l'instituteur concordaient. L'instituteur semblait sûr de lui quand il nous parlait de Sihanouk. Le doute ne l'effleurait pas. D'où tenait-il cette certitude ? Où se trouvait Sihanouk ? Sur quoi reposait son pouvoir ? Sur quels arguments s'appuyait son pouvoir de persuasion ?

Sihanouk incarnait le salut. Lui seul pouvait dominer les querelles idéologiques et restaurer quelques petites libertés. Tous les fonctionnaires qui vivaient dans la pagode s'accrochaient à cette idée. Sihanouk n'avait pas de raison de se plaindre de nous. Nous avions toujours été loyaux à son égard. Nous ne demandions rien d'autre que de travailler et de retourner chez nous.

Nos essais d'agriculture avaient été ruinés par la sécheresse. Nous n'avions plus grand-chose à faire dans les rizières. Les canaux et les digues avaient été mal conçus. L'eau n'arrivait pas dans les rizières. Cette désillusion avait découragé les Khmers rouges. Le rythme du travail avait baissé. Nous creusions des rigoles pour assainir le village. Nous arrosions les légumes, les bananiers communautaires. Avec beaucoup d'ingéniosité, les Khmers rouges essayaient de nous inventer des activités. Aux heures creuses, nous allions chercher des crabes de terre. Ce passe-temps amusait surtout les enfants. Nous accrochions les petits crabes enterrés au fond de leurs minuscules terriers avec un morceau de fil de fer. La recherche du bois de chauffage mobilisait aussi toute la famille. Ma femme nous accompagnait dans ces expéditions. Le bois était rare et il n'y avait pas d'autre source d'énergie, pas de pétrole, pas d'électricité. Nous n'avions rien pour nous éclairer. Le soir, nous mangions à la lueur du feu de bois. Il fallait utiliser le bois avec parcimonie. Nous le gardions pour la cuisson du riz et nous nous endormions vite sous les moustiquaires que nous avions heureusement emportées.

Quelquefois, Chan, le commerçant, m'emmenait chez ses parents où nous nous régalions de citrouilles et de sucre de palme. Petits propriétaires, les parents de Chan subissaient les brimades de leurs anciens voisins et des Khmers rouges. Tous leurs gestes étaient épiés; ils devaient rendre compte de tous leurs déplacements aux cadres khmers rouges. Les pauvres, au contraire, bénéficiaient d'une sorte d'immunité. Ils n'étaient pas persécutés.

A la même époque, Chan m'avait présenté sa cousine qui était mariée à un cadre khmer rouge. Mith Pech, le cadre khmer rouge, travaillait dans notre région. C'était un homme haut placé dans la hiérarchie provinciale communiste. Son village, toutefois, était assez éloigné de notre communauté. Il n'était jamais armé.

Mith Pech venait voir son cousin par alliance en motocyclette. La coupe de ses vêtements révélait l'importance de sa fonction. Les deux stylos qu'il exhibait fièrement à l'une des poches de sa veste prouvaient qu'il appartenait à l'élite. Je l'avais rencontré par hasard, au cours d'un déplacement avec son cousin. Mith Pech était courtois. Il nous parlait librement, sans mépris. Chan m'avait assuré qu'on pouvait lui poser des questions en toute confiance. Une seule chose me préoccupait. Je voulais savoir si nous allions rentrer à Phnom Penh. Ce retour m'obsédait.

Sa réponse fut affirmative : « Oui, je crois que vous allez rentrer bientôt. Mais je n'ai aucune information formelle à ce sujet. Nous devons toujours, quoi qu'il arrive, respecter l'ordre de l'Angkar. Il ne faut jamais trop parler, trop commenter les décisions de l'organisation suprême... » Nous avions l'impression qu'il se confiait à nous.

Mith Pech s'occupait alors de la rééducation politique des officiers républicains. Sa mission, de son propre aveu, était imprécise. Il ne connaissait pas les intentions de l'Angkar vis-à-vis des hommes qu'il tentait de réformer. Il ignorait s'ils allaient être repris dans l'armée ou dirigés vers une autre activité. Mith Pech donnait des conférences aux officiers dans l'ignorance de leur sort futur. Les officiers dont il avait la charge étaient deux cents, environ. La femme de Mith Pech l'accompagnait parfois à Sramar Leav. Elle nous apportait du sucre et du sel. Parfois, elle venait avec de la noix de coco et des cigarettes.

Elle n'était pas embarrassée d'aider une famille de petits capitalistes mise à l'index dans leur village.

Les parents de Chan survivaient d'ailleurs grâce à l'aide de leur cousin khmer rouge. Ils étaient à l'abri des ragots malveillants. Mith Pech paraissait honnête et amical mais, cependant, je n'osais pas lui dire toute la vérité. Je m'étais présenté à lui en tant que technicien des travaux publics. Je lui dis que j'espérais qu'on utiliserait un jour mes compétences. Les ponts devaient être reconstruits... Il me répondit de manière évasive : « C'est possible... C'est possible... Il faut d'abord que vous vous rééduquiez et que vous vous forgiez une autre morale. Cette phase de rééducation n'est pas encore terminée. Nous pensons pouvoir faire appel à tous les techniciens dans un an. D'ici là, gardez espoir ! Nous sommes cambodgiens comme vous. Nous ne vous abandonnerons pas. »

Il était sincère. Pour lui, tout allait redevenir normal après une année de pénitence. Mith Pech était censé posséder plus d'informations que les autres Khmers rouges que nous avions l'habitude de côtoyer. Nous supposions qu'il en savait plus long que nous tous. C'était la première fois qu'on évoquait explicitement, devant nous, une période de pénitence et de mortification. Jamais les autres cadres n'avaient aussi clairement parlé de cette mise à l'épreuve. Mith Pech complétait les propos tenus par notre chef de groupe au cours de la réunion politique. Le chef de groupe, qui répercutait avec un certain retard les consignes venues d'en haut, nous avait parlé de la mise en circulation d'une nouvelle monnaie.

Mith Pech, proche des dirigeants régionaux, nous rapportait un autre son de cloche. L'éventuelle remise en circulation de la monnaie à la fin de l'année 1975 ne signifiait pas que le peuple nouveau avait achevé sa traversée du purgatoire. Nous avions compris qu'il fallait endurer pour longtemps les travaux forcés, même si l'argent retrouvait sa valeur initiale. J'avais essayé d'expliquer au cousin de Chan que les ingénieurs, les médecins et les instituteurs seraient plus utiles dans leurs véritables emplois que penchés sur la terre.

Mith Pech répliqua vivement à ma suggestion : « Vous pouvez être rééduqués au bout d'un an si vous ne commettez pas d'erreurs, s'il n'y a pas de bavures, de fautes relevées par vos chefs. Exécutez correctement, sans tricher, les missions que l'Angkar vous demande d'accomplir. » Notre conversation tournait au dialogue de sourds. Quelque chose me tracassait encore. Je m'enhardissais. Les faits dénonçaient malheureusement la rigueur de sa démonstration.

L'Angkar nous avait invités à retourner au village natal. Pourquoi, alors, avions-nous fait étape à Sramar Leav ? Mes questions semblaient l'excéder. Il me rabroua : « Si vous devez aller quelque part, l'Angkar est maîtresse de votre destin. Il est essentiel de savoir cela. L'Angkar a beaucoup de détours – *Angkar Bât Ben.* L'Angkar est imprévisible. Elle peut sauter les étapes sans préavis – *Angkar Lot Plâk.* Ne vous fiez pas trop à ce que dit l'Angkar. Cela peut changer au prochain tournant. Le caractère de l'Angkar est imprévisible. L'Angkar procède par bonds. » Mith Pech employait ces paraboles pour me faire comprendre que nous n'étions sûrs de rien. On pouvait rester ici, aller là-bas... Tout était incertain, aléatoire. Du jour au lendemain, tout pouvait changer et les prévisions être démenties.

Le caractère paradoxal de l'organisation me troublait. Je demandai à mon interlocuteur : « Mais vous avez pourtant gagné la guerre. Il doit y avoir beaucoup d'étrangers chez nous maintenant ? » Mith Pech, par sa franchise et sa bonne volonté, m'avait mis en confiance.

Cette question des résidents étrangers me turlupinait depuis longtemps. Longtemps, j'avais hésité à parler, de peur d'être interrogé par les Khmers rouges. Avec Mith Pech, ma curiosité était plus forte que le devoir de prudence. Je ne prenais plus garde aux espions, aux mouchards. Je n'avais plus conscience du danger. Mith Pech parut surpris par ma question. Il voulait savoir exactement de quels étrangers je parlais. Je précisai les nationalités : les Nord-Coréens, les Chinois et les Nord-Vietnamiens. Il fut formel sur ce point : « Personne ne vit chez nous ! Pas d'étrangers ! Pas de Vietnamiens ! »

Je voulais en avoir le cœur net. Je revins à la charge : « Mais on parle pourtant de bombardements... » Takéo n'était pas très éloigné de la frontière. Dans le premier village, à Cheu Khmau, nous avions entendu de nombreux coups de feu, des échos d'explosions. Mith Pech n'éluda pas ma question : « Vous savez sans doute que le Viêt-nam n'est pas tout à fait révolutionnaire. Il n'a pas ordonné l'évacuation des villes, à l'opposé de nos décisions. Nous savons qu'il est dangereux de laisser les villes intactes, habitées. C'est le centre de la contestation et des groupuscules. Dans une ville, il est difficile de dépister ces noyaux contre-révolutionnaires. Si l'on ne modifie pas la vie citadine, une organisation ennemie peut se reconstituer et se liguer contre nous. Il est vraiment impossible de contrôler une ville. Nous avons évacué les villes pour abattre toutes les résistances, pour détruire les berceaux du capitalisme réactionnaire et mercantile. Chasser les citadins, c'est éliminer les germes de résistance anti-khmers rouges. Cela n'est qu'un des aspects de notre désaccord avec les Vietnamiens. »

Selon Mith Pech, quelques Chinois vivaient au Cambodge comme experts ou conseillers. Aucun Vietnamiens, en revanche, ne résidait officiellement dans notre pays. Il allait loin dans ses révélations : « Depuis ce désaccord, il y a des incidents de frontière entre le Viêt-nam et le Cambodge. »

Je découvris le schisme marxiste. J'avais toujours cru que les Khmers rouges et leurs anciens alliés vietnamiens s'entendaient parfaitement. J'avais posé ma question en toute candeur. Le cousin de Chan avait clos ses confidences par un avertissement : « Faites ce que l'on vous dit de faire. Mangez ce que l'on vous donne. Ne rouspétez pas trop; ne posez jamais de questions pareilles... Faites attention ! »

Mith Pech avait trente-huit ans. Chan était son aîné de deux ans. C'était un homme bien portant et éduqué. Il avait réussi son baccalauréat avant d'entrer dans le maquis. Je crois qu'il avait été enrôlé malgré lui dans les troupes khmères rouges. Son village avait été envahi par les maquisards. Mith Pech avait accédé aux rouages politiques de l'équipe dirigeante de la province. C'était un privilège rare de posséder une motocyclette. Mith Pech, décidément, ne pouvait pas se tromper quand il nous annonçait la prolongation de notre interminable mise à l'épreuve. Ses informations n'avaient cependant pas tué notre espérance de voir la fin du cauchemar.

Vers la fin du mois d'août 1975, nous étions prêts à croire toutes les promesses, toutes les déclarations d'intentions. Malgré les inconvénients de la vie collective – le travail nocturne et le paddy que nous décortiquions en famille, nous gardions un moral inflexible. Nous pouvions encore nous déplacer dans les villages voisins. Nos escapades étaient clandestines. Nous marchions sur les talus des rizières au lieu d'emprunter les chemins habituels.

Les citadins les plus téméraires tentaient de ne pas céder au fatalisme. J'avais vécu ma première histoire d'évasion sur le chantier. Là-bas, pendant les travaux, j'avais rencontré cinq étudiants qui vivaient dans un village voisin. Nous nous estimions mutuellement. Il n'y avait aucune méfiance entre nous. Nous formions un petit clan à l'écart des autres travailleurs. Rapidement, les langues se délièrent et les cinq étudiants me proposèrent de participer à leur évasion. Ils avaient caché une carte du Cambodge. C'était une carte à grande échelle au cent millième ou au deux cents millième, je ne me souviens plus. Ils avaient également dissimulé des poignards, des rations complètes préparées à l'avance, du sucre et du sel. Les cinq garçons étaient en bonne santé. Ils savaient que j'étais ingénieur et voulaient connaître mon avis sur le chemin qu'il fallait suivre pour atteindre la frontière thaïlandaise. Tous les cinq acceptaient le principe de sacrifier leurs vies pour que l'un d'eux, au moins, puisse témoigner, en Occident, sur nos lamentables conditions d'existence.

Ces étudiants avaient manifesté contre Lon Nol à Phnom Penh. Ils éprouvaient, devant les exactions des Khmers rouges, une amère déception. Ma participation à leur projet était utile. J'avais étudié la topographie des régions qu'ils devaient traverser. Ils invoquaient aussi une autre raison pour m'inciter à m'évader avec eux. Ils voulaient, affirmaient-ils, sauver un intellectuel du Kampuchéa totalitaire. J'étais flatté par cet argument – c'était ce qu'ils voulaient – mais je ne pouvais pas les accompagner. Je ne pouvais pas abandonner ma famille. Je justifiai ainsi mon refus : « J'ai ma femme, mes trois enfants; sans parler de mes vieux parents, de mes frères, de mes sœurs. Naturellement, mes parents peuvent rester avec mes frères et sœurs, mais ma femme, mes enfants... »

J'avançai une autre objection, point négligeable. Les étudiants allaient prendre la route en septembre. C'était le mois le plus pluvieux de l'année. L'itinéraire choisi, dans ces conditions climatiques exécrables, n'était pas de tout repos : il fallait traverser la route nationale 3, la route nationale 4, près du col de Pich Nil, puis le plateau Kirirom et la chaîne des Cardamomes avant de franchir la frontière thaïlandaise.

Ce chemin n'était pas loin de la côte. Il faisait froid et il pleuvait beaucoup dans cette région, en septembre. Les pluies torrentielles et le ciel continuellement couvert retarderaient la marche. Comment s'orienter dans ces conditions ?

Les étudiants me répondirent qu'ils possédaient une boussole. Je pensais qu'ils surmonteraient difficilement les obstacles naturels, dans la région sauvage qui s'étendait entre Takéo et la Thaïlande, pendant la saison des pluies. Les rivières étaient en crue et on ne voyait jamais le soleil. J'insistai pour qu'ils changent d'avis et remettent leur expédition à plus tard... « Mon Dieu, c'est une très longue distance. Vous allez traverser de nombreux villages, des régions habitées et des routes nationales fréquentées par les Khmers rouges avant d'atteindre la jungle. Si vous vous en tirez dans la première partie du voyage, la seconde sera fatale. »

Ils étaient résolus à partir et ne voulaient pas entendre mes conseils de prudence : « Tout ça n'a pas de sens pour nous pourvu que vous acceptiez de nous accompagner. Nous vous protégerons et courrons tous les risques à votre place. Chacun d'entre nous peut porter, à tour de rôle, vos trois enfants. Votre femme est capable de marcher. Pour les vivres, ne vous faites pas de mauvais sang; nous en avons mis de côté. Nous avons assez pour vous nourrir jusqu'à notre arrivée en Thaïlande. Il faut partir coûte que coûte. Qu'est-ce que nous risquons ? Nous possédons des poignards... La condition de notre association, la seule, c'est de consentir à mourir si nous sommes pris... »

Je demandai d'y réfléchir pendant la nuit. Je promis de donner ma réponse le lendemain. Tout bien pesé, je crus que c'était un défi impossible. La distance entre notre village et la frontière de l'ouest était trop longue, les obstacles naturels et les Khmers rouges trop nombreux... Je me voyais mal traversant les torrents avec ma femme et mes enfants. Ma femme ne savait pas nager et les enfants étaient faibles. Nous ne pouvions pas prévoir dans quelles conditions le voyage allait se dérouler. Les pires, sans doute. Je connaissais peu cet itinéraire mais je savais qu'il était accidenté. J'avais participé à la construction d'un barrage conçu par les Yougoslaves dans la région de Kirirom. Nos conditions de travail n'étaient guère enviables. Les nuées d'insectes et la malaria faisaient des ravages parmi la main-d'œuvre. Il y avait beaucoup d'animaux sauvages, aussi.

J'essayai de prévenir les cinq étudiants de ces difficultés : « Il vaut mieux attendre la saison sèche pour entreprendre une expédition pareille. » Ils ne voulaient pas démordre de leur idée. Un étudiant me dit : « Je ne peux pas attendre la saison sèche. Cinq mois, c'est trop long. » Les autres l'approuvaient. Il n'y avait rien à faire pour les dissuader de partir. Je leur proposai un marché : « Puisque vous partez, pouvez-vous me donner la moitié de la carte ? Celle que vous n'utiliserez pas. J'ai des dollars. » Il acquiesça. Les dollars pouvaient lui être utiles en Thaïlande. Contre cent dollars, il me donna un morceau de sa carte du Cambodge. Il s'agissait du nord-ouest de la province de Battambang et d'une partie de la province de Pursat.

Sur sa moitié de carte, je lui traçai son itinéraire au crayon. Les cinq étudiants étaient jeunes et déterminés. Quelques jours après notre entrevue, ils filèrent discrètement à la fin du chantier, sans même revenir au village. Ils ne voulaient pas perdre de temps. Cette fuite anticipée leur laissait quelques jours de répit. Les chefs de village, avant de donner l'alerte, pouvaient les croire retenus sur le chantier.

Plus tard, une fois réfugié en Thaïlande, j'ai cherché à retrouver mes cinq étudiants fugitifs. Je me suis renseigné auprès des autorités des camps de réfugiés, des ambassades. Aucune nouvelle. A la suite de mon évasion, j'ai donné des conférences dans les principales capitales du monde occidental. Cette activité me fit connaître dans les milieux cambodgiens de l'étranger. Les jeunes gens se seraient manifestés s'ils m'avaient su en vie. Mais rien, désespérément rien... Je n'ai jamais su s'ils avaient été repris ou non.

A Sramar Leav, j'avais retrouvé un ami ingénieur : Prum Kim Choeun. Il avait été formé en Tchécoslovaquie. C'était le gendre de Ly Chhê, un gros commerçant sino-khmer de Phnom Penh. Il avait quitté la capitale en Mercedes. Ly Chhê fut séparé de ses enfants lorsqu'on lui confisqua sa voiture. Il avait été envoyé dans un autre village. Prum ne savait pas où vivait son beau-père.

J'avais aperçu la voiture de Ly Chhê dans la forge du village. Les forgerons mettaient la Mercedes en pièces pour la transformer en outils de travail. Ils utilisaient certaines parties de la carrosserie pour fabriquer des socs de charrue. Le moteur était démonté et accouplé à une pompe. Les Khmers rouges découpaient des sandales Hô Chi Minh dans les pneus. La Mercedes neuve et rutilante subissait la plus illogique des métamorphoses. Quel gâchis ! Cela me rappelait les cimetières de voitures et les dollars jetés dans le fleuve. Je me demandais quelle idée les Khmers rouges avaient derrière la tête. Ils accomplissaient la révolution du gaspillage au lieu d'économiser. Où avaient-ils appris la doctrine communiste pour l'appliquer d'une façon aussi radicale ?

La doctrine officielle, dont on nous bourrait le crâne, niait et défiait l'intelligence critique. Les cadres khmers rouges nous serinaient leur idéologie de manière incohérente. Tellement incohérente qu'on gaspillait, au nom du marxisme, nos rares ressources économiques, nos moyens de production. Les Khmers rouges, animés par une haine xénophobe, détruisaient les objets qualifiés d'impérialistes au lieu d'en tirer profit. Ils haïssaient ces objets comme des fétiches maudits. Ils croyaient qu'on ne pouvait rien tirer de bon d'une machine importée par le régime républicain. Cette haine aveugle de certaines choses inertes était inexplicable. La Mercedes représentait je ne sais quel symbole méprisable.

Les Khmers rouges, s'ils avaient été raisonnables, auraient pu échanger toutes nos automobiles avec la Chine populaire pour obtenir des vêtements, des médicaments ou des outils. Ces voitures pouvaient transporter des marchandises et faciliter les communications. Rarement, j'ai vu les Khmers rouges circuler en voiture ou en jeep. Même les camions étaient peu utilisés.

Les Khmers rouges préféraient marcher ou circuler à bicyclette plutôt que de sacrifier leur pensée dogmatique au symbole du confort occidental et impérialiste. Inconscients du gaspillage, les Khmers rouges étaient très fiers de leur aptitude à transformer les objets. Ils disaient, en désignant les couteaux et les haches taillés dans les carrosseries d'automobiles : « Voilà l'initiative créatrice ! » Ils nous invitaient, dans les réunions politiques, à les imiter. Ils définissaient leurs insolites « conversions » d'objets : « Avoir l'esprit d'initiative, c'est essayer de se servir d'un objet impérialiste en le transformant afin qu'il soit utile à la révolution. » Heureusement, les bruits qui couraient autour du retour de Sihanouk et de la restauration d'une nouvelle monnaie se précisaient. Ils nous réconfortaient...

Je pensais que les trois mois de travail forcé constituaient une sorte d'épreuve expiatoire. L'Organisation voulait mesurer nos possibilités de purification. J'avais dédaigné de croire aux prévisions pessimistes de Mith Pech, le cousin de Chan. Je refusais de voir la tragédie en face. On allait rouvrir les écoles – j'en étais certain – et remettre en état les Facultés. On peut se passer d'ingénieurs pour construire des ponts mais comment faire vivre un pays sans écoles primaires, secondaires, sans universités... A mes yeux, un pays privé d'écoles et d'universités était inimaginable. Je ne donnais pas cher de l'avenir du Cambodge si l'on supprimait tout projet d'éducation.

Qu'étaient devenus mes amis, mes copains ingénieurs ou médecins qui s'étaient rangés dans l'autre camp ? Je ne pouvais pas imaginer tous ceux qui avaient rejoint les Khmers rouges résignés à la négation de l'enseignement et de la pédagogie. Les intellectuels communistes ne pouvaient pas devenir aussi sectaires. Ils ne pouvaient pas laisser le pays sans éducation, laisser périr les gens sans soins.

Pourquoi les hommes instruits étaient-ils condamnés aux travaux agricoles pour lesquels ils n'étaient pas faits ? Les intellectuels qui avaient rejoint le maquis devaient le savoir... Logiquement, nous devions nous acheminer vers une libéralisation du régime. Le contraire me semblait inconcevable. Il était inévitable que notre société, après tout ce que nous avions subi et souffert, changeât, évoluât vers un nouveau type d'organisation. Le retour du prince Sihanouk coïncidait avec cette évolution que je jugeais inexorable. Mais l'Angkar veillait à nous surprendre. Nous faisions des projets en négligeant l'avertissement de Mith Pech.

Un soir, au cours d'une réunion politique, on nous demanda s'il y avait encore des volontaires pour aller à Battambang : « Qui est originaire de Battambang ? » Je levai la main sans hésiter. Battambang était la province la plus riche du Cambodge. Le Khmer rouge m'interpella. Je lui avais dit, auparavant, que j'étais originaire de la province de Kompong Speu. Il ne comprenait plus rien : « Alors, vous êtes de Battambang, maintenant ? » Je lui répondis que ma femme venait de Battambang. Toute ma famille avait levé la main en même temps que moi.

En me portant volontaire, j'avais pensé que Battambang était la province la plus proche de la Thaïlande. Il fallait aussi que je me déplace souvent. Je vivais dans la crainte perpétuelle d'être découvert. La peur d'être séparé des miens me hantait. J'avais abrégé mon nom. Je m'appelais désormais Thay. La proposition des Khmers rouges de partir pour Battambang m'arrangeait bien, au fond. Cela me fournissait l'occasion de me rapprocher de la Thaïlande et – dans l'hypothèse où le régime n'évoluerait pas dans le sens espéré – de faire usage, enfin, de mon morceau de carte.

troisième partie

« Il faut critiquer les défauts du peuple, mais il faut le faire en partant véritablement de la position du peuple ; notre critique doit être inspirée par le désir ardent de le défendre et de l'éduquer. Traiter ses camarades comme on traite l'ennemi, c'est adopter la position de ce dernier. »

MAO ZEDONG

5

ET POURTANT LES OISEAUX CHANTAIENT...

Les décisions de l'Angkar étaient déconcertantes mais elles étaient toujours appliquées avec diligence. Le soir même de la réunion politique où nous nous étions portés volontaires pour Battambang, nous nous empressâmes de rassembler nos affaires et de préparer notre voyage. Il ne fallait pas se laisser prier et attendre les consignes officielles. Nous connaissions le rituel par cœur. Mon ami Prum Kim Choeun, malgré mon insistance, n'avait pas voulu nous suivre.

Il préférait rester à Sramar Leav. Son raisonnement différait sensiblement de mes calculs, de mes prévisions. Prum Kim Choeun se méfiait des « déplacements volontaires ». Il avait été échaudé par les promesses de l'Angkar. Kim Choeun n'avait pas changé de nom, ni caché sa profession. Il était plus menacé que moi. Plus tard, un rescapé du village de Sramar Leav, qui s'était enfui en Thaïlande, m'avait appris l'arrestation – pour rééducation – de Prum Kim Choeun quelques semaines après notre départ.

Le nouvel exode avait lieu le lendemain de la réunion politique.

M'apprêtant à quitter Sramar Leav, j'essayais de faire un bilan et d'évaluer nos chances. Selon moi, notre déplacement initial, du premier au second village, était un vaste redéploiement démographique. Mon raisonnement s'appuyait sur quelques observations : l'Angkar avait besoin de répartir la population sur l'ensemble du territoire ; enfin toutes les communautés de déportés qui s'étaient installées sur les berges du fleuve risquaient, à la saison des pluies, d'être inondées.

Il semblait que l'Angkar souhaitait à la fois déployer le travail et la population dans toutes les régions. Ce type de décision correspondait aux objectifs d'autosuffisance exposés au cours des réunions politiques. Les deux premiers villages avaient été placés sous le signe d'une indulgence relative. Les Khmers rouges nous octroyaient des journées de repos pour améliorer notre nourriture et décortiquer le paddy.

Nous étions encore des citadins mal éduqués. Nos juges étaient conciliants et magnanimes. Ils statuaient sur nos fautes avec fermeté et patience. Rire et jouer, par exemple, étaient interdits par l'Organisation. Nous étions presque pardonnés si l'on nous surprenait en train de rire ou de déformer involontairement l'enseignement de l'Angkar.

Les Khmers rouges désapprouvaient notre manière de nous habiller et de nous coiffer mais ils ne nous imposaient pas leur volonté par la force. Ils ne forçaient personne à avoir les cheveux courts. Nous le faisions par précaution, pour éviter les ennuis. Les négligences majeures n'étaient pas forcément suivies de châtiments exemplaires. La preuve : la perte de la hache ne m'avait pas coûté la vie comme l'insinuait le responsable du chantier... Certes, les Khmers rouges étaient prodigues d'avertissements et de blâmes. Ils ne manquaient pas, toutefois, de dispenser « équitablement » les foudres de leur vertueux code social.

Les femmes et les hommes du peuple ancien maugréaient contre la dureté des cadres khmers rouges. Depuis des années ils vivaient sous leur autorité. En connaissance de cause, ils devaient pleinement assumer leurs fautes. En revanche, l'insuffisance de notre instruction politique était une garantie – tout au moins pendant cette période – contre les pénitences trop expéditives. J'avais ressenti, dans la discipline, un certain flottement. La ligne dure, parmi les Khmers rouges, n'avait pas encore triomphé. A Sramar Leav, notre chef d'équipe, un Khmer rouge résolu, nous avait fait quelques révélations. Il parlait des traîtres. Selon lui – et surtout selon les versions officielles qu'il avait entendues – mon grand-oncle le patriarche et les deux vénérables Khiew Chum et Pang Khat étaient des agents impérialistes.

Les deux vénérables – deux dignitaires bouddhistes qui occupaient un rang élevé dans la hiérarchie religieuse – avaient eu une grande activité anticommuniste avant la chute du régime républicain. La population de Phnom Penh les aimait beaucoup. Le rôle du patriarche était différent. Ce n'était pas un personnage politique. Son autorité spirituelle avait longtemps dominé le pays.

La violence des propos du cadre khmer rouge suggérait que les trois vénérables avaient été exécutés. Paroles en l'air, me disais-je... Je ne voulais pas croire à cette exécution. J'espérais qu'il s'agissait de divagations irresponsables. Notre chef de groupe comparait leur sort tragique à celui qui avait été infligé à une trentaine d'agents impérialistes blancs. Ces agents impérialistes, comme il les appelait, avaient fait une incursion dans les zones « libérées » dès les premiers jours de la révolution, c'est-à-dire dans les premiers mois de l'année 1970. Ces journalistes occidentaux voulaient recueillir des informations auprès des maquisards, des forces révolutionnaires. Mal leur en prit. Ils avaient été capturés par les Khmers rouges. Jamais plus nous ne devions entendre parler d'eux. Notre chef de groupe, accidentellement, nous confirmait leur fin atroce. Je n'ai pas pu vérifier, par la suite, cette information...

Nous quittâmes Sramar Leav quand le soleil était déjà haut. Encore un bond dans l'inconnu, un pari téméraire. Nous formions un convoi de trente charrettes avec des volontaires provenant de quelques villages voisins. Nous nous étions hissés, sans oublier notre bicyclette, dans deux charrettes de notre hameau.

La campagne cambodgienne était déserte. Les Khmers rouges en armes étaient rares. Au cours de notre trajet on décelait quelque animation dans les rizières et les champs. Apparemment, rien, dans la campagne, n'avait changé depuis la chute de Phnom Penh. Les paysages étaient intacts mais le tempérament cambodgien s'était altéré. Il avait subi une hideuse métamorphose. Tout semblait désormais avoir basculé dans la gravité et la méfiance. Vingt kilomètres plus loin – nous avancions très lentement – on nous déposa sur la route nationale 2. Cette route traversait la province de Takéo.

Là, les Khmers rouges nous expliquèrent que nous changions de district et que nous devions abandonner les charrettes. Nous n'avions pas beaucoup avancé depuis la matinée. Il était 2 heures de l'après-midi. Nous interrogeâmes les Khmers rouges : « Comment pouvons-nous continuer ? » La surprise était déplaisante : il fallait continuer à pied. Les Khmers rouges nous indiquèrent le chemin à suivre et le nom d'une pagode sur la route nationale 3. Nous étions las de ces pérégrinations improvisées, de ces ordres incohérents.

Il pleuvait et nous éprouvions beaucoup de difficultés à décharger les charrettes, à rassembler les bagages et à les mettre à l'abri sous le feuillage. Nous n'avions pas d'imperméables, pas de toile cirée ou caoutchoutée. Nous étions trempés jusqu'aux os.

Mon fils cadet était très malade. Maigre, affaibli, il souffrait d'une sorte d'œdème. Il mangeait peu. Ma femme avait essayé de le soigner et de le nourrir mais son état déclinait de jour en jour. Nous étions vraiment malheureux, incapables de trouver une tente, une bâche pour nous abriter.

Nous voyant désemparés, les Khmers rouges nous accordèrent une halte. La pluie cessa au bout d'une heure d'averses diluviennes. Une trentaine de familles campaient là, profitant d'une éclaircie pour se sécher. Toutes les familles étaient volontaires pour Battambang. Les Khmers rouges nous avaient ordonné d'atteindre la pagode Watt Ang Recar, à sept kilomètres de là, pour y attendre les camions chargés de notre transfert à Battambang.

Nous nous trouvions à l'opposé de Battambang. Il était nécessaire de traverser la capitale Phnom Penh pour rejoindre la prétendue province natale de ma femme. Au fond de moi, je pensais qu'on ne voulait pas nous conduire à Battambang mais que nous allions être déplacés dans une région proche de cette cité provinciale. On ne pouvait pas anticiper sur les choix de l'Angkar.

Au cours de cette pause, j'avais aperçu sur la route nationale 2 une cinquantaine de charrettes et des 2 CV tractées ou poussées par des hommes. D'abord, je n'y avais pas prêté attention. Puis, je m'étais interrogé sur le sens de cette utilisation de la main-d'œuvre humaine. Pourquoi ces hommes étaient-ils obligés de pousser les voitures ou de tirer les charrettes ? Un bouvier nous avait expliqué qu'ils allaient prendre livraison du sel pour leurs villages respectifs. Ils se dirigeaient vers la province Kampot, via Takéo.

Je ne comprenais pas, dans ce cas précis, les raisons des Khmers rouges. Disposaient-ils d'un excédent de main-d'œuvre ? Avaient-ils épuisé les stocks d'essence ? Impossible d'en savoir plus long... Nous savions seulement que chaque village devait s'approvisionner en sel.

Après nous avoir donné les dernières instructions, les Khmers rouges, qui nous avaient accompagnés depuis Sramar Leav, rebroussèrent chemin avec les charrettes vides. Nous devions continuer notre route à pied et seuls, c'est-à-dire sans escorte.

Trop fatigués pour marcher, nous passâmes la nuit au bord de la route. Nous étions installés près d'une paillote, habitée par une vieille femme, et d'un campement de Khmers rouges. La paysanne, émue par le spectacle de mon fils malade, avait accepté d'accueillir ma femme et mon fils pour la nuit. Tandis que je préparais leurs paillasses, quatre Khmers rouges entrèrent dans la maison. Ils ne prêtèrent même pas attention à nous. Immédiatement, en les voyant apparaître, la vieille femme avait sorti une grosse jarre qui contenait du sucre de palme. Elle enfonça un bol dans le sucre de palme et elle le tendit aux quatre Khmers rouges. Ces derniers avaient apporté deux noix de coco.

Le sucre, depuis les restrictions alimentaires, était un produit coûteux et convoité. L'envie ne nous manquait pas de demander un peu de sucre. Terrés dans un coin de la pièce, nous regardions les Khmers rouges savourer les noix de coco et le sucre de palme. Quand ils eurent fini de manger, les Khmers rouges repartirent et la vieille femme cacha la jarre.

Forçant notre crainte, nous essayâmes timidement d'obtenir un fond de bol de sucre pour notre fils. La paysanne restait impassible. Elle faisait semblant de ne pas nous entendre. Puis, brusquement, elle se mit à nous parler : « Ce sont les camarades qui m'ont dit de cacher la jarre de sucre. Je ne peux pas vous en donner. » Elle était apeurée et honteuse. L'effroi était plus fort que son sentiment de culpabilité. Je me demandais comment elle pouvait vivre seule, isolée, à proximité du campement khmer rouge. Cette femme semblait vieille ; elle n'était guère plus âgée, pourtant, que ma mère. Nous ne lui posâmes pas d'autre question. Elle avait été bonne : elle nous avait accordé le droit de rester dans sa paillote pour la nuit. Les autres familles couchaient sur le sol, au bord du chemin.

Notre longue marche reprit le lendemain matin. Nous devions transporter toutes nos affaires, tous nos bagages, à dos d'homme. Tout, alors, était précieux. Comment choisir les objets dont il fallait se délester ? Physiquement, nous ne pouvions pas faire autrement que d'alléger notre fardeau. C'était une pénible décision. Rien n'était superflu pour nos échanges. Nous abandonnâmes trois ou quatre paquets à la paysanne qui nous avait hébergés pour la nuit. Dans l'un de ces paquets, il y avait un magnétophone à cassettes... J'avais gardé la radio. Eventuellement, elle pouvait se révéler utile.

Au cours de la matinée, ma femme commença à frissonner. Elle était fiévreuse. Cela rappelait les symptômes de la malaria. La pluie, qui s'était remise à tomber, ne facilitait pas notre marche. La santé de ma femme se détériorait au fil des heures. Les fièvres de mon fils s'aggravaient aussi. Tant bien que mal, secouée de spasmes, elle avançait péniblement, tenant son enfant dans les bras. Inlassablement, j'allais et venais, avec l'aide de mon jeune cousin, pour porter tous les bagages. Mon frère et mes sœurs faisaient aussi plusieurs voyages. Ils devaient s'occuper de leur propre famille. Mes parents, enfin, étaient trop vieux pour m'aider.

Au bout du compte, au lieu des sept kilomètres de marche assignés par les Khmers rouges, j'avais fait quatorze kilomètres pour atteindre la pagode. L'enfant malade, pendant ce temps, pleurait doucement dans les bras de sa mère.

La pagode Watt Ang Recar se trouvait en retrait de la route nationale 3, près du district de Angtassom. Elle était pleine à craquer. Elle abritait déjà plus de deux mille personnes. C'était une véritable gare de triage. Les bonzes avaient disparu. Nous occupions leurs logements et les grands temples où les Bouddhas avaient été renversés, brisés.

Nous devions rester deux semaines dans la pagode. Deux semaines, c'est très long lorsqu'on est privé de toute hygiène, lorsque les familles s'entassent les unes sur les autres. Seul avantage au milieu du désarroi : nous étions exemptés de travail et d'instruction politique. On nous distribuait des rations tous les deux jours. Quelquefois, on nous convoquait pour nous donner des ordres ou des informations. Personne ne nous empêchait de quitter l'enceinte de la pagode mais une peur immanente et diffuse nous retenait de sortir, de transgresser les recommandations des Khmers rouges.

Le flux des déportés ne s'interrompait jamais. Nous pouvions entrer en contact avec les villageois, autour de la pagode, pour échanger des vêtements et des objets précieux contre des canards et des poulets. Le bruit courait qu'on ne pouvait emporter que le strict minimum dans les camions. Nous avions pris la décision, ma femme et moi, de tuer et de manger notre coq et nos deux poules. Il valait mieux manger les volailles sur place plutôt que de les laisser aux Khmers rouges.

J'avais essayé, dans le village, d'échanger du sucre et du manioc contre des sarongs. Nous n'étions pas avares de vêtements. J'avais également échangé des médicaments pour soigner ma femme. Au terme d'une semaine difficile, la fièvre s'était évanouie comme par enchantement. Mon fils cadet, cependant, était toujours malade. Toutefois, son état était moins critique. Nous avions enrichi notre nourriture et cet apport alimentaire avait amélioré notre santé. Les deux semaines de repos étaient bienvenues. Nous avions pu manger des légumes, du sucre, du manioc et des volailles...

Il importait, pour ne pas s'attirer les reproches des Khmers rouges, de respecter l'austérité vestimentaire qu'ils nous recommandaient. Les gens qui s'obstinaient, dans la pagode, à porter des vêtements colorés, étaient mal vus. On s'efforçait, quand nous pouvions le faire, de tremper nos vêtements dans une décoction de macloeur ce fruit vert qui ressemble au raisin.

Parfois, à défaut des fruits de macloeur, il fallait recourir à une autre méthode. On mélangeait certaines écorces d'arbres que l'on pilait dans l'eau. Nous laissions nos vêtements s'imbiber de ce liquide grisâtre jusqu'à ce qu'ils perdent leur teinte originelle. Ensuite, nous piétinions les vêtements dans une boue très noire. C'est seulement à ce moment-là, après cette accumulation de teinture, que les Khmers rouges nous trouvaient décemment habillés. Enfants, vieillards, tout le monde essayait d'obtempérer.

Le macloeur n'abîmait pas les vêtements. C'était une teinture naturelle utilisée depuis des siècles par les paysans khmers. Par contre, les deux autres méthodes préconisées par l'Angkar donnaient des résultats plus que douteux. Les teintures d'écorce et de boue détérioraient le tissu. Les vêtements, après ce traitement, devenaient fragiles et se déchiraient au moindre accroc. Déjà, à Cheu Khmau, on nous avait ordonné de porter des vêtements sombres comme les habitants de base.

Dans la pagode Watt Ang Recar, la rumeur du retour de Sihanouk s'amplifiait. Nous en parlions presque ouvertement, sans craindre les représailles des Khmers rouges. Je n'ai jamais su qui était à l'origine de ces bruits. Ils venaient bien de quelque part, pourtant...

Certains citadins disaient qu'ils avaient entendu des messages sur la fréquence de *Radio-Pékin.* Par la suite, j'appris en Thaïlande que *Radio-Pékin* n'avait rien diffusé. En cachette, j'écoutais la *Voix de l'Amérique.* Rien. Absolument rien. Pas un seul mot sur la situation au Cambodge, mis à part l'évocation, quelques mois plus tôt, de l'arraisonnement du navire américain *Mayaguez* dans le golfe de Siam. Je pensais qu'on nous avait oubliés, que les Américains nous avaient rayés de la carte.

Les cinq conditions posées par le prince, pour son retour, n'en continuaient pas moins de circuler parmi nous. Nous connaissions l'énoncé de ces conditions par cœur :

1) Remise en état de toutes les pagodes. Les pagodes étaient devenues des salles de réunion ou des lieux de transit pour les déportés. Les bonzes avaient dû quitter leurs communautés religieuses, renoncer à leur condition de prêtre. Certaines pagodes étaient transformées en étables ou en magasins coopératifs.

2) Remise en circulation de la monnaie. Institution d'une économie de marché, selon la loi de l'offre et de la demande, sans grandes entreprises capitalistes. Les petites et moyennes entreprises seraient tolérées.

3) Réouverture des universités et des établissements scolaires publics : écoles primaires, collèges, lycées.

4) Rappel des fonctionnaires et des techniciens dans les villes afin de réorganiser et de reconstruire le pays. Les spécialistes et les techniciens n'avaient pas commis de fautes graves au cours de la guerre. Ce rappel des technocrates serait suivi du repeuplement des villes, au moins partiel.

5) Libre circulation des individus. Jusqu'à présent, aucun

déplacement n'était permis. Chacun était cantonné dans son village ou dans son campement, arbitrairement fixé par l'Angkar. Cette libre circulation permettrait aux gens de rechercher leurs familles et d'aller s'installer où bon leur semblerait.

Je ne savais pas quelle était la part de vérité dans les conditions que l'on prêtait à Sihanouk. Cette liste évoquait une énumération de vœux pieux.

Il est possible que les partisans du prince aient contribué, afin de s'assurer le concours de la population, à répandre et diffuser ces cinq conditions. Comme me l'avait dit l'instituteur Leang, il y avait bien deux tendances chez les Khmers rouges ; les modérés savaient qu'ils accomplissaient notre désir profond en faisant circuler ces conditions. Nous avions l'impression d'avoir été entendus. Les Khmers Romdos – ou Khmers de libération –, favorables au prince, avaient trouvé là un excellent moyen de propagande.

Ils préparaient le terrain psychologique pour donner une assise populaire à la légitimité de Sihanouk. L'influence de cette propagande sur les réfugiés fut telle, je crois, que le clan Pol Pot-Ieng Sary dut réagir brutalement, plus vite que prévu en tout cas. La diffusion des cinq conditions mit le feu aux poudres. Les Khmers rouges « historiques » précipitèrent l'application de leur politique impitoyable. La ligne dure, qui s'était progressivement emparée du pouvoir, conquit tout de suite la direction des affaires pour répliquer à la campagne des partisans de Sihanouk. Malheureusement, nous allions devenir les premières victimes de cette course au pouvoir.

Toujours curieux, j'avais essayé de comprendre les mobiles des Khmers rouges quand ils nous ordonnaient ou nous suggéraient, perfidement, de changer de village. Le second exode, de Cheu Khmau à Sramar Leav, était en réalité une évacuation. Il répondait à une nécessité tactique ou stratégique dans la même région.

En théorie, nous pouvions choisir... Curieux choix ! C'était, en vérité, un sondage pour détecter les penchants individualistes.

En répondant par l'affirmative à la question : « Voulez-vous aller dans votre village natal ? » le citadin prouvait qu'il n'était pas débarrassé de ses fâcheux penchants. Il démontrait ainsi qu'il devait subir un traitement idéologique plus sévère dans un village où les conditions de vie étaient difficiles et rudes. En nous portant volontaires, nous nous dénoncions nous-mêmes. Par ce moyen infaillible, les Khmers rouges dépistaient les déportés les plus instables, les moins satisfaits de leur sort. Le caractère idéologique de ces tris successifs était évident.

La troisième déportation, au début du mois de Septembre, était d'une autre nature. L'annonce clandestine du retour de Sihanouk accentua les rivalités entre les deux lignes politiques. Les partisans de Sihanouk militaient pour la réhabilitation partielle des libertés individuelles. La ligne dure, pour lutter contre cet espoir et annihiler, préventivement, tout mouvement de masse en sa faveur, s'apprêtait à mettre le pays en coupe réglée.

Des milliers et des milliers de gens, dans les semaines de septembre et d'octobre, seront jetés sur les routes comme des chiens. Les Khmers rouges les repousseront dans les régions les plus reculées du pays, les plus malsaines. Ces mesures brutales accéléreront le processus de purification radicale et la réalisation, par conséquent, de leur société sans classe – sans classe exploitante, ni classe exploitée. Dès notre départ de la pagode, les Khmers rouges bafoueront ouvertement – orgueilleusement – la dignité humaine. Ils se livreront aux exécutions massives, aveugles, de leurs ennemis « potentiels » sous le couvert de la vengeance de classe.

L'esprit de résistance armée était pratiquement inexistant. Puisqu'il fallait un héros, on racontait la légende du général Norodom Chantareangsei qui, paraît-il, avait pris le maquis pour combattre les Khmers rouges dans la région de Kirirom. Certains Khmers rouges prétendaient qu'il avait été tué. Toutes ces rumeurs étaient incontrôlables.

Au début du mois de septembre 1975, nous étions dans l'expectative, incapables de fomenter un soulèvement. D'après mes rencontres dans la pagode Watt Ang Recar, tous les déportés venaient de la même région. Dans certains villages, tout le monde avait dû plier bagage. Dans d'autres, seuls les volontaires pour Battambang s'en allaient. Cela démontre combien les ordres variaient d'un village à l'autre... Tantôt, il y avait option. Tantôt, l'exode était obligatoire.

J'ignorais que des milliers de personnes – hommes, femmes, enfants – m'avaient précédé dans la pagode. Nous avions fraternellement cohabité pendant une quinzaine de jours.

Avant notre départ pour Battambang, on nous distribua des rations de riz pour trois jours. Nous avions préparé nos bagages et les Khmers rouges nous avaient invités à rejoindre les camions sur la route nationale. Nous parcourûmes à pied les cinq à six cents mètres qui séparaient la pagode de la route nationale. Arrivés sur la route, nous déposâmes nos paquets. Nous étions plus de deux mille à attendre au bord de la chaussée. Plus les gens, autour de moi, paraissaient confiants, plus je doutais de la promesse des Khmers rouges.

Nous nous précipitâmes tous sur les camions lorsqu'ils s'arrêtèrent. Nous étions toujours dix-huit, Dieu merci, dans notre famille. Instruits par l'expérience du voyage de Prek Taduong à Sramar Leav, nous voulions éviter d'être séparés. Nous étions restés côte à côte, serrés. Hélas ! Nos voisins étaient plus vifs que nous. Mes deux enfants et ma femme avaient pu trouver de la place dans le premier camion qui s'était présenté devant nous. Mes parents n'avaient pas été assez rapides pour se hisser dans ce camion. Ils avaient pris le second.

Mon frère et sa femme, avec leurs trois enfants, étaient montés dans un autre camion. Mes deux sœurs et mon beau-frère aussi. J'étais le dernier. Je trouvai un peu de place, avec mon fils aîné et mon cousin, sur une plate-forme où les gens s'entassaient déjà.

Nous étions comprimés, pressés les uns contre les autres. C'était un spectacle incroyable que de voir cent personnes tenir dans un seul camion. Il y avait toutes sortes de véhicules, des camions-bennes des travaux publics, des camions chinois et américains... Les bâches avaient été retirées. Les ridelles étaient nues. Les retardataires nous poussaient pour se faire une petite place. Des gens s'asseyaient même sur les capots. De véritables grappes humaines couvraient les camions.

Nous avions l'impression d'étouffer. On voulait nous faire mourir. C'était une épreuve insupportable pour des vieillards comme mes parents ou la belle-mère de mon frère. Sans notre aide, ils n'auraient pas trouvé de place dans les camions. Visiblement, après un répit d'une quinzaine de jours, les Khmers rouges cherchaient à nous humilier, à nous avilir, à nous blesser.

Des vieillards et des enfants étaient abandonnés sur le trottoir parce qu'ils n'avaient pas pu monter dans les camions. J'avais assisté, dans mon camion, à une scène douloureuse. Une femme malade, âgée – elle avait soixante ans environ –, suppliait les Khmers rouges de lui céder un peu d'espace dans notre camion où ses enfants étaient installés. Les enfants aussi, de leur côté, priaient les Khmers rouges d'accéder à leur demande. Les Khmers rouges répondirent : « Camarades, vous ne voyez pas que le camion est plein... » Les Khmers rouges s'adressaient aux enfants avec un air de réprobation : « Ne vous en faites pas. L'Angkar prendra soin d'elle. Vous ne faites pas confiance à l'Angkar ? »

Les enfants invoquaient la pitié des Khmers rouges mais ceux-ci ne voulaient pas entendre leurs supplications : « Si elle ne peut pas partir maintenant, elle partira plus tard. L'Angkar sait où vous allez. Partez tranquilles. Laissez votre mère ici. »

Voyant que les Khmers rouges demeuraient inflexibles, la vieille femme dit à ses enfants : « Allez-vous-en... Que le ciel vous bénisse ! » Ses enfants s'éloignèrent tandis qu'elle pleurait. Ses bonnes manières et ses vêtements indiquaient qu'elle appartenait à une famille riche de Phnom Penh. Pendant l'incident, nous étions restés passifs. Nous n'avions pas osé protester.

Les Khmers rouges, avant notre départ, circulaient autour des camions. Ils regardaient ce que nous faisions. Dès que nous abandonnions quelque chose sur le trottoir, ils s'en emparaient. Faute de place, j'avais laissé ma bicyclette sur le trottoir. Ils l'avaient confisquée. Les Khmers rouges ramassaient tout dans ce pathétique débarras de l'exode et de notre histoire.

Un chef de convoi – nous l'avions reconnu au ton martial de sa voix – donnait des ordres et surveillait le déroulement de cet embarquement précipité. Sur son signe, notre calamiteuse procession s'ébranla. Nous roulions à bord de camions anciens, essoufflés, dans des conditions d'extrême inconfort, sur la route nationale 3. La route était bitumée ; nous étions moins secoués qu'à l'ordinaire. Nous souffrions surtout de l'entassement.

D'autres camions se joignaient à notre convoi sur la route. Parfois, nous nous arrêtions pour les attendre. Nous avions croisé quelques camions qui roulaient en sens inverse. Au départ, notre convoi comptait une vingtaine de véhicules. Dix autres camions, également surchargés, nous avaient rejoints. Avec les véhicules qui nous précédaient, notre cortège se composait d'une cinquantaine de camions. A chaque arrêt, je remarquais que les bourgades et les petites villes étaient désertes. Partout, je contemplais le même paysage désolé... Cela ressemblait à ce que j'avais déjà vu au cours de nos précédentes déportations. Des Khmers rouges, probablement, ou des habitants de base circulaient à bicyclette. Ils allaient travailler et se ravitailler.

Parmi les camions que nous avions croisés, deux étaient occupés par quelques techniciens chinois. Leur aspect physique et leurs vêtements – ils portaient des chemises blanches – me laissaient supposer qu'il s'agissait de Chinois. Leurs traits étaient différents des nôtres. Les Chinois avaient la peau plus claire que les Khmers rouges. Aux yeux des Khmers rouges, les gens qui avaient la peau claire étaient forcément des citadins. Les Khmers rouges détestaient les gens au teint pâle. Ils pensaient que les asiatiques blêmes étaient souillés. Les Chinois avaient cette allure et ce faciès que les Khmers rouges haïssaient.

Nous étions déprimés de voir des étrangers confortablement assis sur des banquettes alors qu'on nous traitait comme du bétail. Cela nous écœurait : nos compatriotes étaient capables de donner la priorité aux étrangers. Nous méprisions, dans le fond de notre âme, ces Cambodgiens pervers qui organisaient la discrimination à l'égard de leur propre peuple. Les dirigeants de notre pays privilégiaient les

Chinois au détriment des Cambodgiens. Entendons-nous : il y avait deux sortes de Chinois. Les Chinois commerçants vivaient depuis très longtemps au Cambodge. Ils étaient assimilés.

Tous les Chinois et tous les Vietnamiens qui vivaient dans les villes avaient été évacués comme nous. Chinois ou pas, les Khmers rouges appliquaient les ordres. Le fait d'être citadin était une marque aussi infamante, pour les Chinois et les Vietnamiens, que leur race. Sinon plus infamante...

Les Chinois que j'avais vus dans les camions étaient des techniciens et des conseillers de la République Populaire de Chine. La Chine était l'amie et l'alliée du « Kampuchéa démocratique ». L'indifférence de ces alliés nous révoltait.

Nous étions relégués au rang de bestiaux. Dans ma vie, je n'avais jamais connu d'heures si sombres. Nous étions entassés les uns sur les autres. Les enfants criaient et pleuraient. Les vieillards sanglotaient. J'avais sous les yeux toute la misère du monde. Nous ne pouvions rien faire contre la pluie. Nous étions assez heureux d'avoir conservé des vestes pour nous protéger la tête. Les nourrissons étaient exposés, tête nue, au soleil ou aux averses. Les Khmers rouges n'avaient pas prévu d'étape pour les besoins naturels. Les gens urinaient ou déféquaient dans le camion. Impossible de faire autrement.

Deux femmes, sur ma plate-forme, étaient tombées en syncope. Peu après, nous avions constaté leur décès. Au premier arrêt, on se résigna à abandonner les cadavres sur le bas-côté de la route. Les famille des deux femmes décédées protestaient et pleuraient mais nous ne pouvions pas garder les dépouilles mortelles dans le camion.

Traditionnellement, suivant la volonté de la famille et le rite bouddhique, on pouvait enterrer les morts ou les incinérer. Après l'incinération on conservait les os calcinés dans une urne funéraire. Le rituel des funérailles était sacré. Il était impensable de jeter des morts dans un fossé... Au Cambodge, la coutume voulait que l'on consacre une journée au culte des morts, comme chez les catholiques. Cela s'appelle *Pchum Ben.* Nous commémorons, ce jour-là, le souvenir de nos ancêtres. C'est une célébration importante pour nous. Aussi, le fait d'abandonner les morts était un véritable acte sacrilège. C'était comme si nous avions tout à coup renoncé à notre culture, à l'amour de nos familles.

Dans le camion, on ne pouvait pas prévenir le chauffeur en cas d'incident, de drame. Il se fichait pas mal de ce qui nous arrivait. Il s'arrêtait à sa guise. Son coéquipier non plus ne nous avertissait pas de la fréquence des arrêts. Quand le camion se rangeait sur l'accotement, nous savions que nous disposions de vingt minutes pour jeter les morts, nous dégourdir les jambes et procéder à nos besoins naturels.

Il n'y avait plus de différences sociales : nous étions réduits à l'état d'esclavage. C'est à partir de là que nous avons compris que nous étions traités comme des êtres inférieurs. Le mépris était institutionnalisé. On nous humiliait méthodiquement. Les manœuvres avilissantes des Khmers rouges provoquaient notre dégoût. Nous avions traversé des heures difficiles; ça n'était rien en comparaison de ce que nous commencions à subir. Nous prenions conscience de l'aberration idéologique : nous n'étions plus des êtres humains à part entière.

La pagode Watt Ang Recar, d'où nous venions, était à soixante-dix kilomètres de Phnom Penh. Lentement, nous approchions de la capitale. Le trajet n'était pas très long ; c'était surtout les déplorables conditions de transport qui rendaient le voyage difficile.

Depuis le début de nos pérégrinations à travers le pays, chaque déplacement servait de prétexte aux Khmers rouges pour nous dépouiller des biens que nous avions emportés. Grâce à l'évacuation de Phnom Penh, ils nous avaient pris nos biens mobiliers et immobiliers. Petit à petit, de voiture en charrette, nous nous étions débarrassés des objets personnels auxquels nous tenions. L'instinct de survie nous avait incités à garder le strict minimum.

Le chargement hâtif de Watt Ang Recar avait constitué une éprouvante rupture dans notre vie terne de déportés. Nous commencions à nous acclimater à l'indigence lorsque les Khmers rouges avaient introduit une nouvelle donnée dans notre calvaire : le sadisme. Avec cynisme, ils avaient entrepris de nous démoraliser, d'extirper les moindres germes de penchants individualistes.

Histoire de tuer le temps, nous parlions un peu dans le camion. Nous jouions à parier sur nos chances de faire étape à Phnom Penh. J'étais moins optimiste que mes compagnons de route mais la proximité de Phnom Penh me donnait presque des raisons d'espérer. Mes voisins se félicitaient déjà de s'installer à Battambang. Nous scrutions le paysage, aux alentours de Phnom Penh, pour y découvrir quelque image encourageante. Les villages étaient déserts.

Au loin, nous apercevions des gens qui travaillaient dans les champs. La circulation, sur la route, se résumait à quelques charrettes, à quelques bicyclettes. Les motos étaient rares. Elles assuraient les transmissions des Khmers rouges. La campagne portait encore les traces des batailles. Des centaines de voitures avaient été abandonnées dans les champs par leurs propriétaires. Ces cimetières d'automobiles jalonnaient la route. Tout le matériel des Travaux publics était inutilisable : les scrapers et les bulldozers gisaient au bord de la chaussée. Bientôt, nous dépassâmes Kompong Tuol sur la route nationale 3. Un poste militaire – le poste de Chom Chau – défendait l'entrée de Phnom Penh.

Le poste franchi, nous avions la sensation d'entrer dans un nouveau monde. Partout, il y avait de nombreux Khmers rouges en armes. Leurs fusils automatiques étaient modernes et bien entretenus : des AK 47 chinois et des M 16 américains. Les soldats khmers rouges travaillaient aussi dans les rizières. Les rizières étaient convenablement irriguées. Les champs de maïs et de manioc faisaient l'objet d'un entretien attentif. Plus on se rapprochait de Phnom Penh, plus le paysage devenait verdoyant. Les rizières semblaient fertiles. De nombreux Khmers rouges étaient mobilisés par les travaux des champs. Ils se déplaçaient beaucoup. La plupart d'entre eux étaient armés. Hommes et femmes portaient le strict uniforme noir.

Nous avancions vers l'aéroport de Pochentong. Un drapeau rouge flottait sur la tour de contrôle. Aucun emblème – même pas la silhouette d'Angkor – n'ornait le drapeau rouge. La tour de contrôle était vide. La piste était déserte. Des carcasses d'avions civils et militaires étaient essaimées le long de la piste. L'aéroport, à vrai dire, semblait désaffecté.

Après l'aéroport, nous traversâmes le centre de Pochentong encore désert. La place du marché que j'avais connue autrefois vivante et animée semblait frappée de torpeur. Nous n'apercevions pas l'ombre d'un habitant. Les villages entre l'aéroport et Phnom Penh étaient morts. Pas âme qui vive dans les bâtiments publics, les marchés couverts ou les villas... Quelques portes étaient défoncées, les meubles brisés jonchaient les jardins en friche et la chaussée.

J'appréhendais l'entrée dans Phnom Penh. Une impression de désolation nous avait envahis... D'un côté de la route, l'université de Phnom Penh. De l'autre, l'hôpital des bonzes. J'essayai d'apercevoir ma maison, avenue Tep Phân, mais elle était trop loin. Je ne vis même pas son toit. Je l'imaginai déserte. Toutes les maisons qui bordaient la route étaient vides. Les mauvaises herbes avaient conquis les rues et les trottoirs. Pas de chien, pas de chat errant... Pas âme qui vive !

Périodiquement, aux carrefours, nous remarquions la présence des soldats khmers rouges. Ils marchaient par patrouille de deux ou de trois hommes. Ce qui me touchait au fond du cœur, c'était l'insouciance des oiseaux dans cette ville défunte. Les oiseaux chantaient, indifférents à nos malheurs. Le ciel et les arbres n'avaient pas changé. Il suffisait de lever la tête : les oiseaux chantaient.

La paix et la joie dans les airs. La désolation sur la terre. Un fléau s'était abattu sur notre cité. Nous étions, sans nous l'avouer, très émus de retrouver Phnom Penh dans ce triste état. La mort avait tout pétrifié. Le spectacle de nos maisons ouvertes à la pluie, au vent, aux herbes folles, nous accablait. Au lieu de retrouver notre ville, nous avions découvert un immense asile de fantômes.

Nous avions envie de pleurer.

Normalement, pour nous rendre à Battambang, nous aurions pu continuer tout droit, en traversant le centre de la ville. Un moment donné, les camions obliquèrent vers la gauche. Nous avions dépassé l'Ecole normale supérieure et l'université technique. La première avait été construite avec l'aide de la France, la seconde avec l'aide de la Russie.

La route que nous empruntions traversait le quartier résidentiel de Tuol Kauk. Ce quartier périphérique comptait beaucoup de villas, beaucoup d'écoles. Je le connaissais bien car l'atelier municipal des engins mécaniques s'y trouvait. C'était là que les ingénieurs attachés à la municipalité faisaient réparer les tracteurs, les rouleaux compresseurs, les camions... A la place de l'atelier, je lus une pancarte : *Peanichkam Râth* « Organisation pour la distribution et la logistique ». C'était, en réalité, le commerce d'Etat. L'atelier était devenu le centre de ramassage et de distribution des vivres pour l'ensemble du pays.

Plus loin, nous constatâmes que le relais de télévision était en bon état mais envahi par la végétation. Après une portion de route latéritée, les camions débouchèrent sur l'ancien stade Lambert, à gauche, et l'ambassade de France, à droite. L'ambassade était fermée. Nous continuâmes tout droit jusqu'au fleuve Tonlé Sap avant de tourner encore à gauche pour prendre la route nationale 5.

Au lieu de franchir le fleuve, nous le longions. Toutes les maisons étaient vides. Toutes, sans exception ! Nous étions surpris de découvrir, à intervalles plus ou moins réguliers, des petits ateliers où les Khmers rouges travaillaient. Quelques soldats allaient et venaient sur la route. Ils n'étaient pas nombreux. La taille de ces usines réparties dans la ville était modeste. Ainsi, j'avais vu fonctionner un atelier de tissage. Sur la route nationale 5, j'avais dépassé l'atelier de Russey Keo qui, autrefois, dépendait de moi. On y réparait, sous ma direction, les chalands, les chaloupes et les péniches. Les Khmers rouges avaient conservé cet atelier. Ils avaient étendu ses activités à la réparation de tous les engins motorisés. Il y avait là des camions, des bateaux, des chalands. Les Khmers rouges semblaient s'affairer.

Nous roulions toujours. Nous avions atteint un autre pont qui se trouvait à la limite de Phnom Penh. Nous l'appelions le « pont Km 6 » parce qu'il se trouvait à six kilomètres du centre de la capitale. Mis à part le petit îlot de population khmère rouge que nous avions entrevu, la ville et sa périphérie étaient complètement désertes. Les ravages de la guerre n'avaient pas été effacés.

Les toits déchirés par les obus restaient béants. La nature s'était substituée à l'homme. Elle occupait les maisons vides, les rues silencieuses.

Le grand marché du Km 6, auquel nous étions habitués, avait subi de curieuses transformations, plutôt saugrenues. Toutes les installations en maçonnerie, où les marchands et les paysans s'asseyaient jadis pour vendre leurs produits, avaient disparu. Dans cet espace, les Khmers rouges avaient planté des légumes. Le marché – c'était un acte symbolique – était transformé en potager. Quelle métamorphose farfelue ! Il y avait assez de terrains au Cambodge pour planter des légumes... J'imaginais que les Khmers rouges avaient voulu faire un symbole de ce marché. C'était une allégorie conçue dans l'intention d'impressionner les visiteurs. Cela voulait dire, dans le discours naïf et primaire des Khmers rouges : « Nous ne voulons plus de l'économie de marché; aujourd'hui, il faut planter des légumes et pratiquer l'autosubsistance. »

C'était une démonstration ridicule. Pourquoi arracher les murets de pierre et détruire la dalle de ce marché ? Je pensais à toutes ces terres fertiles laissées en jachères autour de la capitale. L'absurdité de la politique des Khmers rouges me consternait. Les grandes usines ne fonctionnaient plus. Les travailleurs que nous croisions sur la route étaient des Khmers rouges ou des habitants de base. L'uniforme noir révélait leur origine. Les Khmers rouges, pour faire tourner leurs ateliers et se nourrir, avaient certainement déplacé des paysans dans la capitale.

A treize kilomètres de Phnom Penh, la ville de Prek Phneou était toujours déserte. Nous ne savions pas jusqu'où le no man's land s'étendait.

Je traversai Oudong, mon village natal, après le bac de Prek Kdam. J'avais vécu mon enfance dans ce bourg, à quarante kilomètres de la capitale, exactement dans la maison de mes parents construite en bordure de la route nationale 5. Les mauvaises herbes avaient pris possession de la maison. J'avais beau regarder dans le village, je ne distinguais aucun signe de vie. Cela ressemblait à un décor délaissé.

Nous traversâmes la petite ville de Sala Lek Pram et Kompong Chhnang aussi rapidement que Phnom Penh. Kompong Chhnang, à quatre-vingt-dix kilomètres de la capitale, était la quatrième ville du pays sous le règne du prince et sous le régime républicain. C'était un port fluvial très important. La population de Kompong Chhnang avait été évacuée. Quelques Khmers rouges armés déambulaient dans les rues mortes.

La nuit tomba. Nous étions en pleine brousse. Les Khmers rouges ne circulaient plus après le crépuscule. Ils avaient sans doute établi un couvre-feu. Les grands mouvements de population, d'émigration, étaient interrompus la nuit. Nous nous sentions presque soulagés en descendant des camions. L'obscurité nous accordait un bref répit.

Nous avions fait deux cents kilomètres dans la journée et nous nous étions contentés de deux ou trois étapes jamais annoncées à l'avance. Dans la nuit, sans lumière, nous essayâmes tant bien que mal de nous préparer des litières et de réchauffer les repas. Avant de nous permettre de nous installer pour la nuit, le chef de convoi avait averti : « Souvenez-vous du camion dans lequel vous avez voyagé. Demain, chacun doit retourner dans son camion. »

J'espérais que cette étape nocturne allait me fournir l'occasion, avec mon fils, de rejoindre ma femme et mes autres enfants dans leur camion. Le Khmer rouge nous avait prévenus : c'était impossible. Je priai le ciel de ne pas nous séparer le lendemain. Nous pouvions nous étendre et nous reposer à peu près décemment. Il ne pleuvait pas. Seule difficulté, si j'ose dire : le manque d'eau. A moins de cinq cents mètres, il n'y avait pas de point d'eau. Et il en fallait pour boire et cuire le riz. Nous avions improvisé nos couches dans les fossés et sur les talus qui bordaient la route. Le voyage nous avait éreintés. Il y avait de nombreux malades parmi nous. Ils tentaient de récupérer des forces pour le lendemain.

A l'aube, tout le monde était debout. On roula nos couvertures et les Khmers rouges nous ordonnèrent de monter dans les camions. Nous nous étions réveillés moins déprimés que la veille. De quoi avions-nous peur ? Au fond, nous nous trouvions sur la route de Battambang. Les Khmers rouges ne semblaient pas avoir menti. Cela nous rassurait. Battambang était une région très riche, proche de la Thaïlande. Si nous pouvions l'atteindre, nous faisions un bon bout de chemin vers l'évasion. Nous avions presque retrouvé notre sourire. Nous parlions entre nous de l'avenir. Le choc déplaisant du premier jour était oublié.

Nous repartîmes ainsi regaillardis. A cinquante kilomètres de notre lieu d'étape, les camions furent arrêtés. Nous ne comprenions pas ce qui se passait mais nous restions calmes. Nous n'avions plus guère de raison de nous inquiéter, pensions-nous. Le chef du convoi descendit de sa cabine et parlementa avec les Khmers rouges à proximité de petits bungalows qui servaient de bureaux. Une barrière avait été dressée à l'entrée de la ville de Pursat, à cent quatre-vingts kilomètres de Phnom Penh. Des soldats khmers rouges montaient la garde devant la barrière. Notre chef de convoi et les plantons discutèrent pendant une demi-heure dans un bungalow. Quand le chef sortit, nous fûmes autorisés à continuer notre route.

Nous avions suivi leurs allées et venues avec attention. Les moteurs des camions, toutefois, n'avaient pas cessé de tourner pendant tout ce temps-là. C'était un signe plutôt encourageant. Pourtant, ces palabres me chiffonnaient. Je ne comprenais pas pourquoi ils avaient discuté aussi longtemps.

Les Khmers rouges en faction nous regardèrent partir d'un air tranquille. Ils n'avaient pas bougé. Ils souriaient. J'étais étonné de voir qu'ils ne se dirigeaient point vers la barrière pour la soulever. Cette barrière ne devait jamais se lever pour nous. Ils pouvaient sourire et se réjouir de notre déception.

Au lieu d'aller tout droit, de suivre la route de Battambang, les camions tournèrent à gauche. Nouveau choc ! Nous étions désespérés. Ainsi, nous allions être déposés dans la province de Pursat et pas dans celle de Battambang.

Ce détournement impondérable ne me surprenait guère. Tout de même, j'étais déçu. Depuis le matin, emporté par l'optimisme contagieux de mes compagnons de voyage, j'avais cru à un miracle. Les membres de ma famille et mes voisins m'avaient convaincu du bien-fondé de leur espoir. Je m'étais piqué au jeu. J'avais voulu gommer mon pessimisme... .

J'avais eu tort de me fier aux avis d'autrui. Ma déception semblait modeste, toutefois, en comparaison de la détresse des familles qui nous accompagnaient. Une fois de plus, ces braves gens avaient le sentiment d'être trompés et humiliés. Les Khmers rouges nous offensaient à coups de mensonges.

Nous avions parcouru un ou deux kilomètres sur la route latéritée lorsque nous aperçûmes les bâtiments d'un important dépôt de chemin de fer. Un hangar jouxtait la gare. Devant le hangar, tout le long des rails, des milliers de gens attendaient un train. Nous étions vraiment soumis aux tourments de la douche écossaise. L'alternance de l'espoir et du découragement nous torturait. Allions-nous prendre le train pour nous rendre à Battambang ? Cette ligne, je le savais, menait à Battambang.

Les milliers d'hommes et de femmes qui patientaient de chaque côté de la voie ferrée étaient des citadins. Leurs vêtements étaient colorés et variés comme les nôtres. Ils avaient été évacués, probablement, en même temps que nous.

L'ultime chance d'aller à Battambang s'estompa : nos camions fonçaient tout droit. Cette fois, nous ne pouvions plus nourrir des projets déraisonnables. Les villages, sur notre route, étaient habités par les Khmers rouges. Des milliers de citadins – que nous reconnaissions toujours grâce à leurs vêtements – travaillaient dans les rizières. Il devait y avoir des habitants de Pursat Ville et de Phnom Penh. Certains villages étaient en cours de construction. Tout, décidément, était bien cloisonné. Les groupes de citadins semblaient vivre à l'écart des Khmers rouges.

Notre voyage continua dans cette région agricole parsemée de villages anciens et de campements établis par le peuple nouveau. A trente kilomètres du point de contrôle où nous avions tourné, nous traversâmes la grande bourgade abandonnée de Leach. Les habitants des villages, nous semblait-il, ne pouvaient pas sortir et marcher au bord des routes. Les gens devaient rester à l'intérieur de leurs bourgades. Ils n'avaient pas le droit de se déplacer.

Nous étions arrivés au bout de la route. Il était midi. Le soleil, au zénith, surplombait nos têtes. Les camions s'arrêtèrent au bord de la grande rivière Stung Pursat. Nous nous installâmes sur la berge et commençâmes à préparer les repas. Nous avions le temps de nous regrouper par familles. Ma femme faisait cuire le riz et, pour ne pas être pris au dépourvu, j'improvisai un abri – avec quelques branchages – pour coucher les enfants.

Les Khmers rouges étaient plutôt laconiques. Ils nous avaient dit : « Restez tous au même endroit. Ne vous éparpillez pas dans la nature. » Je voyais, indifférent aux malheurs d'autrui, des réfugiés arriver et d'autres s'en aller. Certains partaient avec des charrettes. Les autres traversaient la rivière à bord de barques. Je comprenais la vérité : des milliers de nomades malgré eux nous avaient précédés sur cette route. Des nomades qui n'avaient emporté que le strict nécessaire...

Les Khmers rouges, sournoisement, nous avaient attirés dans la région des Cardamomes, réputée malsaine. C'était une province montagneuse où la malaria faisait des ravages. La population autochtone n'y était pas très dense. La nature accidentée du terrain et la végétation tropicale constituait le principal obstacle à une implantation démographique. Leach, la seule bourgade de la région, était cernée par une épaisse forêt. Les Khmers loeu – les occupants de cette forêt – vivaient principalement de chasse et de cueillette. Pour leur propre subsistance, ils avaient tracé et creusé des rizières modestes. Leurs récoltes étaient maigres; les Khmers Loeu étaient accoutumés à une vie fruste. Ils ne descendaient pas souvent en ville.

L'endroit où nous stationnions, près de Leach, était un centre de tri pour personnes évacuées. C'était la dernière étape du voyage, avant que nous nous enfoncions dans la forêt. Notre attente au bord de l'eau s'éternisait. Des hommes à la peau sombre – pas des soldats mais des cadres civils responsables de villages – passèrent parmi nous pour enregistrer les noms des familles et le nombre de membres qu'elles comptaient. Ils notaient tout scrupuleusement. Chacun d'entre eux, en réalité, venait prendre la responsabilité d'un contingent de déportés. De notre côté, nous nous étions greffés sur un groupe d'une cinquantaine de familles.

Lorsqu'il eut achevé son recensement, le cadre nous avertit que nous allions partir. Repartir... Les responsables de villages se consultaient en petits comités pour constituer leurs groupes. Nous ignorions ce qu'ils se disaient mais nous devinions qu'ils ne fomentaient rien de bon.

Vers 16 heures, quand on nous fit signe de lever le camp et suivre les Khmers rouges, nous étions encore en train de nous reposer. A notre arrivée, nous avions mangé un peu de riz et nous nous étions dégourdi les jambes.

Au lieu de franchir la rivière, nous traversâmes la route. Un va-et-vient incessant animait cet étrange centre de tri. Les Khmers rouges ne nous avaient pas dit un mot de notre destination. Ils nous indiquèrent une piste dans la forêt. Des milliers de gens marchaient comme nous, en colonnes, dans des directions opposées. Faute d'éclaircissements, nous nous en remettions à la providence.

Des villages commençaient à s'élever autour de la piste. Comme nous tous, les habitants de ces villages forestiers appartenaient au peuple nouveau. Ils nous regardaient avec une curiosité mêlée de crainte. Ils n'osaient pas s'approcher. Ils nous lançaient des regards méfiants ou compatissants. Ces hommes et ces femmes ne parlaient pas. Ils cherchaient, parmi nous, un parent, un ami. De temps à autre, des retrouvailles avaient lieu. Mais il fallait marcher et la conversation était rapidement interrompue. Tous les trois kilomètres, on ralentissait et on s'arrêtait parfois pour attendre les retardataires. La colonne s'étirait sur un kilomètre. Les plus âgés marchaient en queue. Nous devions porter nos affaires et les enfants.

A la nuit tombée, nous avions parcouru une dizaine de kilomètres. Nous étions fourbus, éreintés. Il faisait déjà noir et la pluie nous transperçait. On y voyait à peine. Les Khmers rouges nous ordonnèrent de rester là. Les averses redoublaient de violence. Nous n'avions rien trouvé pour nous abriter. Nous couvrions les enfants avec nos vestes et nous tentions de prendre un peu de repos sur nos nattes trempées. Tout était désespérément humide. La terre, en septembre – c'est-à-dire en pleine saison des pluies –, regorgeait d'eau.

Les Khmers rouges nous surveillaient de loin. Nous n'avions pas le droit de nous plaindre de la boue qui s'insinuait partout, de l'eau qui ruisselait dans nos vêtements, sur nos nattes, dans les sacs où nous avions rangé nos dernières affaires personnelles. Nous étions parqués sans distinction d'âge, de maladie ou d'opinion. Jeunes et vieux se côtoyaient. Nous avions tous l'air abattu, résigné.

Dans la pluie et le brouillard, nous distinguions difficilement la foule compacte, pareille à une muraille. Les sous-bois fourmillaient d'ombres et de silhouettes comme dans un grand marché opaque. Mais nous étions prisonniers de la pluie et de la forêt. Nous bougions peu. Il faisait sombre. Les gens échangeaient quelques mots d'un groupe à l'autre. Ils se méfiaient des détours de la parole. On se contentait de banalités.

Nous parlions surtout en famille. L'Angkar nous avait appris à nous méfier des propos les plus anodins. Ce qui n'avait pas d'importance pour nous pouvait être mal interprété par l'Angkar. Chacun vivait pour soi. Nous parlions discrètement lorsque nous allions chercher de l'eau pour faire cuire le riz. Nous n'avions encore que les rations distribuées à la pagode Watt Ang Recar, deux jours avant. Par bonheur, toute notre famille s'était reconstituée. Nous étions toujours dix-huit. Les vieillards comme les enfants – sept enfants et trois vieillards – avaient résisté aux abominables conditions de transport.

Chaque famille prenait soin d'elle-même. Il y avait quelquefois des familles dispersées, des gens qui se retrouvaient seuls. Ceux-là se groupaient et formaient des familles d'occasion, des familles provisoires... Les enfants gémissaient et pleuraient. On ne pouvait aider personne. Paradoxalement, en dépit des promesses de l'Angkar, il n'existait pas de service d'ordre ou d'organisation communautaire qui, éventuellement, aurait pu prendre en charge des malades. Nous n'osions pas porter secours aux solitaires qui souffraient dans un dénuement total. La peur des Khmers rouges nous paralysait. Il émanait d'eux une autorité incontestable et redoutée.

Le lendemain matin, on nous distribua des rations. Les Khmers rouges nous répétaient à tour de rôle, lorsque nous allions recevoir nos rations : « Attendez les décisions de l'Angkar sans vous éloigner ! »

La mesure du riz était la demi-boîte de lait condensé Nestlé. Pleine, chaque boîte contenait deux-cent cinquante grammes de riz. Les vieux et les enfants recevaient la même ration. Deux ou trois Khmers rouges chargés de la distribution se tenaient sous un toit de chaume tressé. L'un d'eux, au micro, lisait nos noms et appelait les chefs de famille. L'autre Khmer rouge plongeait la main avec la boîte dans un grand sac de riz et mesurait exactement la ration. Nous étions des milliers à faire la queue, à attendre qu'on nous appelle...

Tout dépendait de la place du nom sur la liste. S'il était placé en haut ou en bas... L'attente pouvait durer quatre heures. Nous étions obligés d'attendre sinon nous ne mangions pas. La distribution interminable avait lieu tous les jours. Ils se gardaient bien de nous donner nos rations pour les jours à venir. Au contraire, l'humiliante cérémonie se reproduisait chaque jour. Cela dura trois ou quatre jours. A chaque fois qu'il nous donnait notre ration, le Khmer rouge nous disait : « Sois économe... »

Le dernier jour de notre campement, les Khmers rouges ajoutèrent : « Ne partez pas après la distribution du riz. Rangez-vous en plusieurs files. Nous allons vous attribuer des terrains. Pas la peine de relever les noms. »

Nous discutâmes entre nous. Allions-nous nous établir pour de bon dans la forêt ? Nous demeurions prudents et appliquions leurs ordres à la lettre. Il fallait être attentif à leurs réactions. Notre vraie destination était un perpétuel mystère. Bientôt, plusieurs colonnes d'une cinquantaine de chefs de familles chacune furent formées. Nous ne savions toujours pas où ils avaient l'intention de nous emmener. Peut-être tout près d'ici. Peut-être dans la forêt profonde. Nous ne souhaitions pas rester dans cette région malsaine mais nous n'avions plus le choix.

Chaque colonne fut prise en charge par deux Khmers rouges. Ils la conduisirent immédiatement vers une piste dans la forêt. Ma famille faisait partie de la deuxième colonne. Un Khmer rouge nous guidait, un autre fermait la marche.

Au bout de trois kilomètres, les Khmers rouges désignèrent à chacun de nous des emplacements d'environ vingt mètres de large. Nous étions arrivés. A cet endroit, la forêt était pratiquement vierge. C'était une clairière. Nous devions construire nos cabanes sur ces emplacements.

Le bout du voyage ?

6

ILS ADMINISTRAIENT LA MORT AVEC DES MOTS AIMABLES

Au terme de cette déportation chaotique, de cette succession de détournements pervers, nous n'avions même plus le courage de nous indigner. Nous étions anéantis, rompus de fatigue et les Khmers rouges, à présent, voulaient nous faire jouer les Robinson. Un père de famille, qui nous avait précédés dans la première colonne, au moment de la distribution des arpents, m'avait décrit le manège des Khmers rouges. Il nous avait recommandé, en revenant chercher sa femme et ses enfants, de rester groupés si nous voulions garder autour de nous tous les membres de notre famille.

Malheureusement, mon père et mon frère étaient en tête de la colonne. J'étais parmi les derniers. Ainsi, les Khmers rouges m'avaient attribué une parcelle de terrain qui se trouvait à trois cents mètres des emplacements réservés à mes parents, à mon beau-frère et à mon frère. Par rapport à leurs emplacements, mon arpent était situé en retrait d'une petite rivière. Il est impossible d'imaginer les invraisemblables conditions de notre installation. Les sous-bois étaient envahis par les herbes hautes et les ronces. Il fallait débroussailler et construire nos cabanes avec les moyens du bord. Nous ne possédions même pas de matériaux de construction. Effondrés et déprimés, nous n'osions même pas demander aux Khmers rouges quelques conseils pour dresser les huttes.

Nous avions des haches et des couteaux pour couper le bois, tailler des branches. Celui qui n'avait pas d'outil pouvait en réclamer à l'Angkar. Mais la réponse de l'Angkar, comme de coutume, était imprévisible. Si, par malchance, l'Angkar ne voulait pas fournir l'outil, il ne restait qu'un moyen de s'en procurer : s'adresser aux voisins et troquer de l'or contre une hache.

Nous commençâmes à débroussailler avec mon cousin Sim – que j'avais pris en charge. Ma femme gardait les enfants. Nous creusions des trous pour enfoncer les piquets et des rigoles pour assainir le terrain. Je tassai le sol de la cabane avec les pierres que j'avais trouvées. Puis, je couvris cette dalle inégale d'un tapis de feuilles. Nous avions tenté de faire du feu, à l'intérieur de la cabane, pour nous réchauffer. Le bois était aussi humide que la terre. J'avais gardé, opportunément, une petite bouteille d'essence et deux briquets. Les briquets étaient précieux à cette époque de l'année où le bois mouillé ne prenait pas feu aisément. Après de nombreux essais, nous avions réussi à brûler quelques branches.

Chacun, autour de nous, montait son abri à sa façon. On nous avait donné trois jours de congé pour construire les cabanes. Il n'y avait pas de temps à perdre. Les travaux des champs et le défrichage de la forêt devaient reprendre après ce court répit. Jamais, il est vrai, nous n'avions dû tolérer des conditions de vie aussi précaires. Dans les deux villages où nous avions vécu, nous nous étions installés dans les maisons anciennes. Même lorsqu'elles étaient partiellement endommagées par la guerre, la vie, dans ces maisons, était supportable. Généralement élevées sur pilotis, les maisons traditionnelles étaient isolées, pendant la saison des pluies, de l'humidité. En pleine forêt, sous la voûte végétale, nos cabanes, au contraire, étaient exposées à la pluie, ravinées par l'humidité. Nous avions posé nos nattes à même le sol. Le tapis de feuilles, rapidement, s'était imprégné d'eau...

Nous croupissions dans un marécage. L'eau suintait le long des cloisons de notre hutte. Nous étions glacés et accablés. Ma femme s'était résignée à voir mon fils malade. Mes deux autres enfants ne jouaient plus, ne souriaient plus. Taciturnes, ils se tenaient prostrés, mangeaient peu, buvaient peu. Nous tentions de les consoler. Et ça n'était pas facile. Nous n'avions ni la force ni le courage de travailler, de ramasser du bois. Nous nous regardions sans parler, ma femme et moi, et nous pleurions. Nous sanglotions en silence, la gorge nouée. Je ne pleurais pas sur mon sort. Je pleurais en pensant à mes enfants. Ma femme pleurait pour ses enfants et pour moi. Nous avions le sentiment que nos enfants prenaient conscience de notre malheur, qu'ils pleuraient en nous voyant si tristes, si désespérés.

Mon jeune cousin Sim était indifférent à cette détresse; dans sa folie douce, il ne se rendait pas compte de l'ampleur de notre tragédie. Sim se fichait de tout. Il était très actif, infatigable même, et courait partout. Pendant les trois journées consacrées à la construction de la paillote, il circula beaucoup. Il se procurait – je ne sais comment – du bois, de la ficelle et des petites lianes. Physiquement, Sim était très solide. Sans manifester la moindre lassitude, il coupait le bois, liait les branches, retournait la terre.

Pendant qu'il travaillait, j'étais allé voir mes parents qui dressaient aussi leur paillote. Ils construisaient une cabane assez vaste pour abriter douze personnes. Nous n'étions, de notre côté, que six. Notre cabane était plus modeste. Mes parents m'avaient prêté le matériel qui nous manquait. Des groupes commençaient à se former dans le camp. Nos voisins étaient trois hommes seuls. Ils n'étaient pas célibataires comme je l'avais d'abord cru. Les événements les avaient séparés de leurs femmes. Deux d'entre eux, Keo et Chan, étaient plus âgés que moi.

Ancien officier des douanes, Keo avait réussi à envoyer sa femme et sa vieille mère à l'étranger avant la chute de Phnom Penh. Chan était un ancien commerçant khmer que j'avais connu dans la province de Takéo. Il avait laissé sa femme et ses enfants à Battambang. Il ne les avait jamais revus. Le troisième, Sun, avait mon âge : trente ans. Licencié en sciences physiques, il avait été professeur dans un lycée. Keo, Chan et Sun formaient un clan très soudé. Ils étaient frondeurs et débrouillards. Plus débrouillards que moi... Ils avaient bâti une grande paillote, apparemment solide.

Les trois premiers jours dans ce campement furent terribles. Dès que nous cessions de travailler, nous nous enfermions dans le mutisme, nous restions figés et méditatifs, songeant à notre malheur. Nous étions transis de froid et de peur, submergés par des pensées lugubres. Nous nous arrangions, en dépit des difficultés, pour préparer deux repas par jour. Le rituel n'avait pas changé. Nous faisions la queue et nous allions chercher nos rations quand les Khmers rouges nous appelaient.

Pendant les journées de construction, la cérémonie des rations avait lieu le matin. Ce fut exceptionnel. Tout rentra dans l'ordre lorsque les travaux collectifs reprirent. Il fallait trois à quatre heures le soir avant d'obtenir sa ration. S'il y avait, au même moment, une séance d'éducation politique, notre attente était prolongée de deux heures. Les Khmers rouges avaient tout leur temps devant eux. Nous, nous prenions notre mal en patience. L'éducation politique, dans cette nouvelle colonie, était quasi quotidienne, au début.

Je m'attardais surtout sur le comportement de mes enfants. Ils avaient complètement perdu leur insouciance. Nous ne les entendions plus jouer. Ils étaient devenus discrets et prudents.

Les enfants devinaient qu'il se passait quelque chose d'anormal. Sudath, mon fils aîné, était conscient de notre affliction.

L'état de mon fils cadet, Phourin, s'aggravait de jour en jour. Staud – c'était son petit nom – ne pleurait plus. Il ne semblait pas souffrir. Nous essayions de le choyer malgré notre dénuement. Quand nous pouvions trouver quelque produit rare, nous le lui donnions. C'était notre obsession : l'alimenter le mieux possible. J'avais demandé aux autorités que ma femme soit dispensée de travaux collectifs. Il fallait qu'elle garde les enfants et qu'elle soigne notre fils malade. Les Khmers rouges avaient accepté sans discuter.

Deux semaines après notre arrivée, mon cousin Sim fut enrôlé dans la brigade des jeunes. Les Khmers rouges recrutaient dans cette brigade les jeunes gens les plus vigoureux des différents campements. Ce recrutement ne concernait que les célibataires. Le travail, dans la brigade des jeunes, était encore plus dur qu'ailleurs. J'avais compris qu'il suffisait de dire que l'on était marié pour éviter d'être enrôlé dans cette brigade d'élite. J'avais prévenu ma sœur célibataire. Les Khmers rouges, en effet, ne faisaient aucune distinction de sexe sur ce plan. Hommes et femmes étaient soumis au même régime de travaux forcés. Aussi, ma sœur cadette, Vuoch, avait sur mes conseils menti aux Khmers rouges. Elle leur avait dit qu'elle avait été mariée et qu'elle était veuve. C'était le seul moyen d'échapper à la discipline rigoureuse de la brigade des jeunes. La ration de riz y était plus abondante mais la fatigue accumulée annulait cet avantage.

Mes parents et la belle-mère de mon frère étaient exemptés de travail collectif comme ma femme. Ils gardaient la petite fille de ma sœur mariée et les trois enfants de mon frère. Mes parents étaient trop vieux pour être réellement utiles à la communauté. Au début de notre installation, tout le monde percevait une ration identique, la même quantité de riz. Les travailleurs et les personnes inactives avaient droit à une demi-boîte de riz. Progressivement cette situation changea et se dégrada. Quelques mois plus tard, les rations tombaient à une boîte pour six personnes puis pour huit personnes. Les séances d'éducation politique étaient, pour les Khmers rouges, un moyen de vérifier notre degré de soumission, notre attitude devant la discipline.

La périodicité des réunions politiques évolua. Tous les trois jours, environ, les Khmers rouges nous convoquaient et nous distillaient leurs recommandations. Cela tournait toujours autour des mêmes thèmes : « Vous devez travailler avec application et opiniâtreté. Vous n'avez plus le droit de vous déplacer sans un ordre écrit de l'Angkar. Et n'oubliez pas l'essentiel : l'Angkar vous nourrira si vous ne reculez pas devant le travail. Souvenez-vous : il faut travailler pour manger. »

Les rythmes de travail étaient sensiblement analogues à ceux que nous avions connus à Cheu Khmau et à Sramar Leav. Les horaires se découpaient ainsi : lever à 6 heures; interruption pour le repas de 12 heures à 13 heures; travail, l'après-midi, jusqu'à 18 heures. Le soir, nous n'étions pas obligés de travailler comme sur les grands chantiers de l'Est.

Les sentinelles khmères rouges avaient pris le relais des cadres qui nous avaient conduits dans cet enfer. Les gardes nous avaient appris que nous nous trouvions à Veal Vong. C'était le nom de ce village fantôme. Les vingt camions qui nous avaient transportés étaient repartis vides. Cela ne voulait pas dire que le grand exode s'achevait. Pendant plusieurs semaines, après notre arrivée, des milliers et des milliers de gens, aussi désemparés que nous, avaient défilé devant notre cabane. Cette poignante procession nous avait paru interminable. Toujours les mêmes visages défaits et mortifiés, toujours les mêmes pleurs, les mêmes drames...

Veal Vong se trouvait dans une petite plaine parsemée de dangers. En nous jetant dans cette cuvette de Veal Vong, au pied du plateau des Cardamomes, les Khmers rouges nous exposaient à toutes sortes de maladies et d'épidémies. Je pensais, dans mon for intérieur, qu'ils voulaient notre mort. Ils voulaient nous exterminer. C'était une volonté délibérée. La diminution des rations et l'accroissement du travail forcé ne pouvaient nous conduire qu'à la mort. Peut-être voulaient-ils nous purifier et accorder la survie aux meilleurs ?

Les Khmers rouges fondaient leur politique, leur « progrès idéologique », sur la sélection naturelle. Nous étions brutalement plongés dans des conditions de vie déplorables. On nous distribuait seulement une maigre ration de riz. Heureusement, c'était du riz blanc. Même s'il était moins riche en vitamines que le paddy, cela nous arrangeait d'une certaine manière. Nous n'avions plus d'ustensiles pour décortiquer le paddy. Ces ustensiles, qu'on nous prêtait encore dans la pagode de Sramar Leav, étaient devenus introuvables dans la forêt.

Pour la première fois, nous étions surveillés par des gardes armés pendant les heures de travail. Cette présence constante des gardes nous choquait. Ils étaient trois ou quatre à rôder sur les lieux de travail. L'Angkar voulait sans doute intimider les candidats à l'évasion. D'après les rumeurs qui circulaient, les évasions étaient fréquentes...

Il pleuvait terriblement au mois de septembre dans cette région bordée de montagnes. Cinq à six cents familles vivaient dans notre campement. Cela représentait environ cinq mille personnes. Le soir, j'allais rendre visite à ma famille et nous avions pris l'habitude de nous baigner dans la rivière. Je ramenais de l'eau pour la cuisine et pour laver mon fils cadet dont l'état empirait.

Le camp de Veal Vong, comme je l'avais pressenti, ne tarda pas à devenir un enfer, un champ de morts. Quelques semaines plus tard, nous assistions, tous les jours, à une dizaine de décès. Bientôt, notre misère tourna à la tragédie. Les premiers temps, deux, trois, quatre personnes mouraient chaque jour. Nous détournions les yeux de ces deuils pour ne pas désespérer. Mais le chiffre des morts augmentait tous les jours.

Staud, mon fils cadet, mourut une semaine après notre arrivée à Veal Vong. La mort l'avait emporté dans son sommeil. Je venais de rentrer de mon travail. Ma femme était en train de faire cuire le riz. L'enfant somnolait, étendu sur la natte. Il avait replié ses jambes et ses bras. Staud, en deux mois, avait beaucoup maigri. Il ressemblait à ces enfants victimes de la famine que l'on voit sur les affiches de l'UNICEF. Il n'avait plus que la peau sur les os. Son ventre était gonflé. Ses pieds et ses jambes avaient enflé. C'était le béribéri, je crois. Les deux autres enfants s'étaient réfugiés dans la paillote. Ils regardaient leur frère en pleurant doucement. Ils grelottaient. Ils attendaient, pour se réchauffer, la soupe de riz que ma femme préparait sur le petit foyer.

L'enfant malade était agité par la fièvre mais il ne pleurait pas. Tout à coup, il appela sa mère : « Maman... Maman... » Ma femme vint auprès de lui et lui demanda : « Qu'as-tu, Staud ? » Silencieux, il fit signe à ma femme de s'approcher. Elle s'assit tout contre lui. L'enfant ferma les yeux. Une demi-heure après, il expira dans les bras de sa mère. Un spasme et c'était fini. Nous avions cru qu'il s'était endormi.

La veille, déjà, il avait eu une grave poussée de fièvre. Cette nuit-là, la pluie avait été si violente que notre toit de branchage et de feuilles n'avait pas résisté aux averses. L'eau nous tombait dessus et ruisselait sous les nattes. Le terrain était inondé. Nous ne pouvions pas lutter contre l'inondation. Il fallait attendre que la pluie cesse... En pleine nuit, cependant, je demandai à mes voisins, mieux lotis que nous, d'héberger ma femme et mes deux plus jeunes enfants. Ils étaient gentils, bienveillants. Ils avaient accepté. J'étais resté, avec mon fils aîné et mon cousin, dans notre cabane dévastée par l'eau. Nous ne pouvions pas dormir. Nos vêtements étaient complètement trempés. Le matin même du jour où mon fils mourut, j'avais essayé, avant d'aller travailler, de réparer la cabane et de faire sécher nos vêtements. Les chutes de pluie s'étaient interrompues. J'avais peu dormi et j'étais épuisé, engourdi par le froid.

Avant la mort de mon fils, j'avais assisté à de nombreux décès parmi les déportés. Cela, puis-je le dire, ne me touchait pas... Mon fils était le premier qui partait. C'était notre premier drame. Staud avait toujours été calme. Il n'était pas turbulent. Jamais nous n'avions eu à le gronder.

Ma femme pleura beaucoup. Je ne savais plus que dire, que faire, quoi penser... Je flottais dans un état d'hébétude. Ce drame me plongeait dans un total désarroi. Comment réagir à la disparition brutale d'un jeune enfant ? Mes deux autres enfants paraissaient tristes. Ils n'avaient pas pleuré. Depuis la veille et la tempête de la nuit, je n'avais pas eu la possibilité de récupérer un peu de sommeil. J'étais littéralement abruti de fatigue. Ma réaction était celle d'un homme qu'on vient de frapper durement et qui tente d'émerger de son coma, de remuer ses membres, de reprendre contact avec les choses de la vie.

Par le passé, pourtant, mon moral avait été souvent éprouvé; j'avais réussi à garder un sourire de façade. Cette fois, le coup était trop violent, trop injuste. Par moments, j'avais aussi l'impression que notre malheur était noyé dans l'ensemble de cette tragédie, que notre douleur était assourdie par l'écho du malheur d'autrui. Depuis une semaine, la mort frappait toutes les familles. Honnêtement, nous ne comprenions plus vraiment ce qui était en train de se dérouler dans notre camp. Tantôt, nous étions malheureux, très malheureux. Tantôt, je pensais que cette mort avait été une délivrance pour notre enfant.

Il était libéré. Il n'endurerait plus cette existence infernale dont nous ignorions si elle finirait un jour. Cela nous consolait presque de penser qu'il avait rejoint l'autre monde. Nous étions très croyants et nous savions que nous allions le retrouver dans l'autre monde. Staud était parti en dormant comme un enfant tranquille, calme. Il n'avait manifesté, en expirant, aucun signe de douleur. Il était sauvé. Il était sauf pour l'autre monde. Staud avait presque trois ans.

Je fis état de sa mort au chef du village. Ma femme voulait absolument que le corps fût inciníré. L'enterrer, disait-elle, c'est l'abandonner dans la forêt. De nombreux corps, déjà, avaient été enterrés. Ma femme voulait recueillir les cendres de son fils et l'emmener, ainsi, partout où elle irait. Laisser le corps à la terre, à la forêt, lui semblait intolérable. Hagarde, presque folle, elle ne cessait de pleurer et réclamait les cendres de son fils. Rien ne pouvait la consoler. J'essayai de lui parler : « Ne pleure pas. Il est sauvé. Nous aurons d'autres enfants. La vie renaîtra dans ton ventre... Ton fils est sauvé. Il ne faut pas pleurer. C'est un soulagement pour lui. »

Je retenais mes larmes en lui parlant. J'étais aussi accablé qu'elle mais il fallait survivre. Survivre pour les deux enfants qui étaient encore avec nous. Ma femme me priait d'agir : « Fais quelque chose ! Je ne veux pas qu'on l'enterre dans la forêt. On ne peut pas l'abandonner ici. Ce ne serait pas juste. Je veux qu'on le réchauffe, qu'on le brûle. Staud a eu assez froid comme ça. Je ne veux pas le quitter. Je veux l'emporter avec moi. »

En général, à Veal Vong, on enterrait les morts. Je devais demander au chef du village la permission de brûler le corps de mon fils. Mes amis, mes trois voisins Keo, Chan et Sun, voulaient bien faciliter ma démarche. Ils connaissaient le chef du village. Ils pouvaient lui parler librement. Ils s'entendaient bien avec lui. Keo, Chan et Sun étaient résistants et travailleurs. Leur bonne volonté et leur loyauté étaient appréciées par le chef du village. Ce dernier écouta ma requête présentée par Chan. Il me permit d'incinérer mon enfant. C'était une grâce exceptionnelle. Je m'en rendais compte. Le chef du village était même venu voir l'enfant mort. Il était rare qu'il se déplace dans ces cas-là. Il avait présenté ses condoléances à ma femme qui pleurait près de l'enfant...

Mes frères et mes voisins m'aidèrent pour dresser le bûcher. Nous récoltâmes beaucoup de gros bois mort. Nous avions disposé le bûcher derrière notre paillote, à une quarantaine de mètres dans la forêt. Nous avions roulé Staud dans ses plus beaux vêtements. La crémation dura tout l'après-midi. On recueillit les cendres dans un petit sac quand tout fut calciné.

Je donnai le sac à ma femme. C'était tout ce que nous avions pu faire pour notre enfant. J'éprouvai un sentiment d'apaisement. Ma femme conserva toujours le sac sur elle.

Quelques jours après la mort de mon fils, la belle-mère de mon frère décéda. Elle avait succombé à la fièvre. Sa crise n'avait pas duré longtemps. La maladie avait été fulgurante. La belle-mère de mon frère fut inhumée le jour même de sa mort. A partir de cette date, toutes les familles furent frappées. Mes trois voisins constituaient le seul groupe épargné.

Les corps étaient enterrés dans un endroit précis de la forêt. Un endroit choisi par les Khmers rouges. Lorsqu'on lui signalait un décès, le chef du village désignait quelques fossoyeurs parmi les personnes évacuées. Les fossoyeurs devaient aider la famille du défunt – une famille affaiblie par le manque de nourriture, par le froid – à creuser la tombe, à porter le corps et à le mettre en terre.

L'aide des fossoyeurs était nécessaire car notre force physique diminuait. Les fossoyeurs désignés pour assister les familles ne travaillaient pas ce jour-là. Comme la famille endeuillée, ils étaient dispensés de travaux communautaires. La permission n'excédait pas vingt-quatre heures. Nous n'avions plus de calendrier, plus de jour de fête. Notre emploi du temps était soumis à la ronde des morts. Quatre morts. Cinq morts. Quelquefois, dix morts par jour.

Beaucoup d'entre nous essayaient de s'enfuir à cette époque. Les irréductibles, les optimistes impénitents, évoquaient encore l'éventualité du retour de Sihanouk. La rumeur courait toujours. Les Khmers rouges faisaient des paris entre eux. Les uns prétendaient que Sihanouk allait revenir au pouvoir. Les autres l'accablaient de tous les péchés du monde et le vouaient aux gémonies : « C'est un prince, un capitaliste, un féodal ! » Les Khmers rouges partisans de Sihanouk osaient tout de même avancer quelques arguments en faveur du prince : « Capitaliste ou pas, féodal ou pas, nous avons entendu dire qu'il était maintenu comme chef de l'Etat et qu'il accéderait au pouvoir réel... » Le bouche à oreille amplifiait, dans la population, cette rumeur.

Les gens, malgré la fréquentation quotidienne de la mort, étaient persuadés que les dirigeants khmers rouges avaient accepté les cinq conditions posées par Sihanouk. Ils pensaient revoir leurs villes, saisir un nouvel espoir et reprendre une vie décente. La sorcellerie, parfois, confortait cet espoir. Chez nous, tout le monde croit aux génies de la forêt – *Neakta* – qui entrent dans les corps et les possèdent. Dans notre village, après quelques incantations et rites précis, les gens, dans leur détresse, avaient invité un génie à pénétrer le corps d'une vieille femme que l'on interrogeait. A Phnom Penh, cette femme avait participé à des cérémonies rituelles analogues à l'occasion des fêtes traditionnelles chinoises. Nous lui demandions tous : « Allons-nous bientôt rentrer chez nous ? » Le génie confirmait ce vœu. Personne ne mettait en doute sa réponse. Cela se passait, évidemment, à l'insu des Khmers rouges.

Le chef du village, un jour, fut convoqué à un meeting régional, dans la ville de Pursat. Ses camarades l'interrogèrent à son retour de Pursat. Des citadins avaient surpris leur conversation et nous avaient rapporté leurs propos : « Nous savons, lui avaient dit ses camarades, qu'il a été question de Sihanouk au meeting de Pursat. Va-t-il revenir à Phnom Penh et occuper un poste important ? Qui est favorable au retour de Sihanouk ? Qui y est opposé ? »

Le chef de notre village, dans sa relation du meeting de Pursat, ne parlait pas des cinq conditions de Sihanouk. Il expliquait que les Khmers rouges étaient divisés en deux camps : d'un côté, les cadres civils, et de l'autre, les militaires. Toutefois, les cadres civils, à l'unanimité, avaient délégué leur pouvoir de décision à l'Angkar Loeu, l'Organisation supérieure. Ils étaient toujours prêts, quelle que fût la décision de l'Angkar, à s'y conformer aveuglément et à appliquer les ordres de l'Organisation supérieure. En préambule, paraît-il, le chef de village avait précisé à ses camarades khmers rouges qu'il s'exprimait au nom des cadres civils, qu'il n'avait pas d'opinion personnelle. Les opinions personnelles étaient bannies par l'Angkar.

Les mois passaient; le régime des travaux forcés ne semblait pas changer. Notre espérance était en train de s'éteindre d'elle-même, à petit feu. Les décès se multipliaient. Nous n'y prêtions plus attention. Les deuils entraient dans notre routine de forçats.

Nous vivions principalement d'échanges. Le troc nous permettait de tenir. A quatre ou cinq kilomètres du camp, il y avait encore des villages occupés par les habitants de base, c'est-à-dire les paysans. Nous complétions nos maigres rations en troquant des bijoux, des vêtements contre du riz. Tous les trois jours ou toutes les semaines, nous allions aussi dans la forêt pour ramasser des tubercules, des petites pousses de bambou, des racines, des feuilles, des champignons. Nous coupions tout ce que nous avions cueilli en très fines lamelles, en morceaux minuscules. Nous mélangions cet insolite émincé dans la soupe de riz. Notre vrai bonheur, c'était de trouver un crabe de terre, une grenouille ou un petit serpent que l'on découpait et que l'on jetait dans ce pot-au-feu clairet. Cela donnait un peu de saveur à la soupe de riz.

Les habitants de base recevaient des rations de riz nettement plus importantes que les nôtres. Les Khmers rouges, à notre grand étonnement, échangeaient aussi du riz. D'où venait tout ce riz ? Nous nous posions la question.

L'explication officieuse de ce marché noir nous parvint quelques semaines plus tard. Les Khmers rouges n'inscrivaient pas les noms de toutes les personnes décédées dans leur registre. Ils gardaient pour eux les rations de la plupart des morts. L'administration provinciale des Khmers rouges ignorait ce trafic. Le chiffre des décès ne leur était communiqué que partiellement. Ils se fondaient, pour calculer le volume total du riz à distribuer, sur le recensement qui avait été fait à notre arrivée dont on soustrayait un nombre réduit de trépassés. La différence était appréciable pour les Khmers rouges qui détournaient les sacs de riz à leur profit.

Les rations fantômes s'accumulaient dans leurs paillotes tandis que la liste des morts s'allongeait tous les jours. Ces détournements avaient presque donné un caractère institutionnel au marché noir, au trafic. Des cours étaient établis d'une façon tacite. Nous pouvions obtenir dix boîtes de riz avec un pantalon. Une chemise n'en valait pas autant : à peine quatre boîtes. On pouvait négocier six boîtes de riz avec un sarong en coton. Le sarong de soie

– *Sarong Sot* – était plus apprécié, plus convoité; son coût s'élevait à quinze boîtes de riz.

Un tael d'or – 37,5 grammes d'or fin – s'échangeait contre trente à quarante boîtes. C'était variable. La montre automatique était très prisée par les Khmers rouges et par les habitants de base. La montre était plus estimée que l'or : soixante à quatre-vingts boîtes de riz. Les Khmers rouges, ou plutôt leurs femmes et leurs proches parents, respectaient, en général, la parole donnée. Les familles des Khmers rouges étaient loyales dans leurs marchés. Tout était basé, dans ce genre d'échanges, sur la confiance. Il fallait faire confiance au commanditaire. Des filières avaient été mises en place. N'importe qui ne pouvait pas s'introduire dans ces filières. Le courtier était le pivot de la confiance réciproque.

L'un de nous, un citadin déporté qui n'avait pas froid aux yeux, faisait office de courtier. Nous le contactions et il courait le risque d'aller voir les femmes ou les proches parents des Khmers rouges. Il prenait sa part de riz dans ce marché; c'était son bénéfice d'intermédiaire. Lorsque nous lui donnions un tael d'or et qu'il échangeait quarante boîtes pour nous, il ne nous remettait que trente-cinq boîtes. Il en gardait cinq pour lui. Le courtier assumait tous les risques contre ce bénéfice. Officiellement, le troc était strictement défendu...

J'avais troqué beaucoup de vêtements par ces filières. Une seule fois, j'avais été floué. J'avais encore deux complets. Ils nous protégeaient de la pluie, ma femme et moi. Malheureusement, l'un des complets, dans ces conditions, se détériora rapidement. Usé jusqu'à la corde, il ne servait plus à rien. Je gardais donc quelques pantalons pour les mois à venir et confiais mon complet à un intermédiaire. J'avais déjà fait deux échanges avec ce courtier qui habitait un campement voisin. Il passait quelquefois devant chez moi pour aller à son travail. Au début, tout avait bien marché. La troisième fois, l'homme partit avec mon complet et ne revint jamais. Il appartenait pourtant au peuple nouveau. Je ne pouvais même pas me déplacer pour lui demander des comptes. Un jour, je le vis traverser mon village sous bonne escorte. Un Khmer rouge armé l'accompagnait. Ils se dirigeaient vers la forêt...

Grâce au troc, je pouvais nourrir ma femme, mes enfants, mon cousin, mes parents. Les rations supplémentaires étaient bienvenues. Mon cousin Sim travaillait très dur. Sa ration, plus importante que celle qu'on nous distribuait, était encore inférieure à ce que nous mangions le soir, chez nous, grâce au riz échangé. Tous les soirs, il venait en cachette dîner chez nous. Son campement était situé à quatre kilomètres de nos paillotes. La brigade des jeunes ne devait pas se disperser le soir. Sim, en s'échappant, s'exposait à de graves sanctions, à de fâcheux déboires. Il ne s'en rendait pas compte. Un soir, il disparut entre son chantier et notre campement. On ne le revit jamais.

Un de ses camarades me raconta, plus tard, que mon cousin avait été surpris sur le chemin de notre village. Les Khmers rouges l'arrêtèrent immédiatement. Il fut emmené dans la forêt. Motif de la condamnation : il aimait trop la liberté, il cédait à ses penchants individualistes. C'était un anarchiste.

Sim avait été exécuté, paraît-il, à coups de bâton, pour économiser les munitions. Cela expliquait pourquoi nous n'entendions jamais de coups de feu.

Même dans les pires conditions d'existence, nos contacts avec d'autres réfugiés étaient fréquents. Les campements étaient éparpillés un peu partout dans la forêt. Il n'y avait pas de village à proprement parler. Un ensemble d'habitations constituait une communauté. Autour de nous, il existait d'autres villages du peuple ancien et des campements du peuple nouveau. De nombreuses rivières irriguaient toute la région. La forêt était riche en bambous. C'était le matériau le plus couramment utilisé pour la construction des paillotes. Tous les villages voisins s'approvisionnaient en bambous dans notre village. Ils envoyaient souvent des équipes de travailleurs. Parmi ceux-ci, il y avait des anciens et des nouveaux... Des nouveaux, surtout.

Les anciens venaient, de temps à autre, superviser le travail des nouveaux. Les nouveaux arrivaient le matin, en colonne, et repartaient le soir avec leurs bambous. Ils avaient un petit sac à la ceinture pour garder leur nourriture et transportaient une grande marmite pour faire cuire leur riz. Ces colonnes passaient devant notre paillote tous les matins. Ces hommes constituaient mes principales filières pour échanger des vêtements, de l'or. Ces passages nous permettaient d'amplifier les échanges, d'accentuer la concurrence et, par conséquent, de leur donner plus de prix. Ainsi, nous pouvions supporter le rationnement progressif. Dans ma famille, personne n'était mort de faim. Les familles les plus pauvres et les moins intrépides avaient rapidement succombé à la famine.

Notre vie dépendait de ces boîtes de riz âprement disputées. Nous avions pu préparer des gâteaux de riz. J'avais trouvé, en troquant des boîtes de riz, de la noix de coco, du sucre de palme, des bananes et des feuilles de bananier. Nous fabriquions ainsi des gâteaux de riz que nous échangions contre d'autres boîtes de riz. Any, ma femme, faisait cuire le riz dans une feuille de bananier avec un morceau de banane. Cette cuisson à la vapeur était facile à réaliser. Any préparait aussi un autre gâteau à base de citrouille et de farine de riz. Quelquefois, nous échangions des gâteaux contre d'autres gâteaux. C'était cependant moins fréquent que l'échange traditionnel contre les boîtes de riz.

Ces transactions étaient assez avantageuses. Nous dépensions dix boîtes de riz pour faire trente gâteaux. En échangeant cinq gâteaux, nous récupérions la mise initiale. Il restait vingt-cinq gâteaux pour les enfants, pour la famille. Nous ne perdions pas au change. Ces gâteaux de riz n'étaient pas confectionnés régulièrement. Nous préparions les gâteaux la nuit pour éviter de mettre la puce à l'oreille de nos gardiens.

Après 20 heures, le travail était fini et les Khmers rouges nous laissaient un peu de répit. Ils nous contrôlaient rarement. La confection des gâteaux ne durait pas longtemps. A ce moment de la journée, c'est curieux, les Khmers rouges n'étaient pas sévères. Enfin, ils n'étaient pas trop sévères. Durant le jour, ils avaient de multiples occasions pour exercer, à tort et à travers, leur autorité, leur toute-puissance.

Nous constations, parfois, la disparition d'un officier qui avait tenté de camoufler son identité. Sans doute avait-il été découvert ou dénoncé. Nous pensions souvent qu'il s'agissait d'une évasion. Nous avons mis longtemps à comprendre que les gens disparaissaient pour de bon. Les échanges nous faisaient oublier les disparitions, la vie difficile. Personne n'était à l'abri du malheur.

Les hommes robustes faisaient du zèle; ils faisaient même de l'excès de zèle. Ils travaillaient tellement, en fait, qu'ils ne se relevaient jamais quand ils tombaient malades. Je n'étais pas d'une constitution forte mais je résistais aux mauvais traitements, aux assauts de la fièvre, aux coups de fatigue. C'était un phénomène étrange : les gens les plus robustes n'étaient pas les plus résistants. La force physique n'assurait pas forcément la survie. Les maladies qui décimaient les familles, outre la malnutrition, étaient la diarrhée, la dysenterie, l'œdème – ou le béribéri – et la malaria. Quand la diarrhée ne nous tourmentait plus, la dysenterie lui succédait. C'était une espèce de fatalité. Ces fléaux provoquaient de nombreux décès. L'alimentation était la principale cause des hécatombes : la soupe de riz préparée avec de l'eau polluée de la rivière et des herbes sauvages, les tubercules, les pousses, les champignons.

De nombreuses familles avaient été empoisonnées par les champignons. La mort arrivait très vite. Les gens, pris de vomissements, avaient la diarrhée, puis agonisaient. Nous ne connaissions pas les champignons. Nous avions appris, par ouï-dire, à distinguer les champignons comestibles des champignons vénéneux. C'était une recherche hasardeuse. Il fallait se fier à l'expérience d'autrui.

Avant de ramasser des champignons, je m'assurais que d'autres familles y avaient déjà goûté. J'étais prudent. Je ne voulais pas risquer la vie de mes enfants pour une histoire de champignons.

Dans notre village, il y avait plusieurs familles vietnamiennes. On leur avait dit qu'elles allaient rentrer au Viêt-nam. Impatients, ces Vietnamiens attendaient une décision de l'Angkar mais on ne les appelait jamais. Parmi nos voisins, nous avions une famille vietnamienne, la famille Ming. Ce jeune ménage avait un enfant de quatre ans. Ming était grand et fort. Je le considérais comme un ami. Les barrières des nationalités étaient abolies. Nous subissions le même régime, les mêmes privations.

Ming avait trouvé un astucieux procédé pour enrichir ses rations de riz. Le soir, quand les Khmers rouges distribuaient les rations, il s'approchait des sacs empilés et, dans la confusion de cette distribution bruyante, il enfonçait une sorte de couteau artisanal – une pièce de métal allongée, creuse et tranchante – dans l'un des sacs de riz. Le riz s'écoulait lentement et il le recueillait dans son écharpe. Ming perçait les sacs avec une grande habileté. Ainsi, il avait pu voler, chaque fois, l'équivalent de six boîtes de riz. Les deux premières fois, il avait réussi, sans encombre, à tromper les Khmers rouges. La troisième tentative lui fut fatale. Il fut arrêté et emmené dans la forêt. Lui non plus n'en revint pas. Son fils de quatre ans mourut une semaine après son exécution. Sa femme resta seule.

Certaines personnes, à Veal Vong, étaient démunies de tout. Elles étaient privées de médicaments, de vêtements, de bijoux, de dollars. Les échanges, dans ces conditions, étaient impossibles. Des familles pauvres mais ingénieuses, qui n'avaient rien apporté, essayaient de faire de leur mieux pour obtenir des rations supplémentaires. La meilleure façon était de se spécialiser dans la recherche de la nourriture. Les uns traquaient les crabes de terre; les autres pêchaient avec des lignes de fortune sur lesquelles ils fixaient des hameçons qu'ils fabriquaient. Nous tressions aussi des nasses pour pêcher.

Les pêcheurs les plus habiles savaient poser les nasses et prenaient beaucoup de poissons. Certaines familles attrapaient des marmites entières de crabes. Ils échangeaient leurs crabes et leurs poissons contre du riz. Moi, je trouvais plus simple d'échanger le riz contre des crabes, contre du poisson. Le chef du campement, s'il ne transigeait point sur le travail, fermait les yeux sur ces pratiques clandestines. C'était un révolutionnaire sincère mais on racontait qu'il avait été un bouddhiste fervent – *Achar*[1] – dans une pagode.

1. *Achar* : équivalent de diacre.

Nous pensions que cette formation bouddhique avait tempéré son intégrité révolutionnaire.

Au cours des travaux collectifs, j'avais rencontré un ancien sous-secrétaire d'Etat qui s'appelait Leang Hap An. Ecrivain fort connu au Cambodge, il était le président de l'Association des écrivains khmers. C'était un homme mince, très clair de peau, assez âgé. Un intellectuel distingué... Il avait été déplacé avec sa famille. Je l'avais vu seul. Nous nous étions regardés un long moment, je l'avais reconnu et nous avions un peu parlé tous les deux. Son gendre, Kim Ly – un officier de marine –, était l'un de mes amis les plus proches à Phnom Penh.

Quelques semaines après notre rencontre, les Khmers rouges s'aperçurent qu'il s'agissait d'une personnalité littéraire influente et Leang Hap An fut emmené pour être exécuté. En fait, on ne parlait pas d'exécution; on disait « rééducation ». Pour le peuple nouveau, la rééducation signifiait la peine capitale. Les Khmers rouges, discrets, accomplissaient leurs crimes dans la forêt.

A travers ces disparitions et ces exécutions, on décela le début de la vague de meurtres et d'assassinats. Tous les officiers découverts étaient impitoyablement enlevés à leurs familles et exécutés. La mort anonyme et clandestine rôdait autour des villages. Quand nous allions dans la forêt pour couper des pousses de bambou ou arracher des tubercules, nous découvrions des cadavres défigurés, en partie décomposés, méconnaissables. Les corps étaient gonflés, dilatés. Ils n'avaient pas été déshabillés. Nous savions que ces dépouilles étaient celles des condamnés à mort, des victimes des Khmers rouges, parce qu'elles n'étaient pas enterrées.

Les gens décédés de maladie ou de malnutrition étaient forcément enterrés. Les Khmers rouges l'exigeaient. Peu leur importait que la sépulture fût profonde. Il fallait une sépulture. Sur les indications des Khmers rouges, nous creusions des tombes et nous enterrions les cadavres. Les cadres civils nous avaient exposé les raisons de cette nécessité d'enterrement. La crémation était une perte de temps. Il fallait trouver du bois, faire un bûcher et assister à l'incinération. D'autre part, les cadavres, selon les Khmers rouges, constituaient un engrais précieux pour fumer la terre, pour améliorer le rendement des cultures. Les sépultures étaient creusées à proximité des champs ou des rizières. Selon l'Angkar, un citadin mort était plus utile enterré qu'incinéré.

Veal Vong était situé en pleine forêt. Il n'existait pas de rizières aux alentours. Nous devions tracer les rizières. Nos premiers travaux étaient consacrés au défrichage et au débroussaillement. Je travaillais très fort; je donnais tout de moi-même. Je ne ménageais pas mes efforts devant les Khmers rouges. Quand ils tournaient le dos, nous nous reposions un peu.

Les Khmers rouges, en réalité, n'étaient pas nombreux. Ils circulaient autour du village, dans les champs où nous travaillions, et s'arrêtaient quelquefois près de nous pendant une ou deux heures. Brusquement, ils se remettaient en marche et allaient monter la garde ailleurs. Nous profitions des mouvements de patrouilles pour freiner notre ardeur au travail. Mais il ne fallait pas être pris en défaut. Dès que les patrouilles réapparaissaient, nous devions montrer que nous étions de bons éléments.

Si le travail était correctement fait, les Khmers rouges ne nous cherchaient pas noise. Lorsque les parcelles de Veal Vong furent débroussaillées – les arbres abattus, les buissons arrachés – nous déracinâmes les souches des arbres. Nous creusions une tranchée circulaire autour des racines avant de déterrer les souches. Les troncs d'arbres débités, les broussailles et les souches étaient amoncelés en tas le long des terrains défrichés. Quelquefois, nous les brûlions. Une autre vague de travailleurs nous succédait avec des pioches. Le second mois, j'avais participé à cette tâche. Comme nous ne pouvions plus labourer, nous n'avions plus de bœufs, ni de charrues, nous retournions la terre avec des pioches. Nous bêchions et nous piochions en rang. Nous progressions en ligne.

On assista, pendant cette période, à une recrudescence des évasions, des fuites. Les gens étaient tellement malheureux qu'ils couraient le risque de transgresser la loi des Khmers rouges et de s'enfuir. Les familles se réunissaient par petits groupes – deux ou trois familles généralement – pour organiser l'évasion. Les gens partaient à l'aveuglette, sans préparation réelle. Ils fonçaient tête baissée. La plupart des fuyards, à cette époque, n'arrivaient pas à destination. L'absence d'organisation était la principale cause de l'échec des expéditions. La région était accidentée, sauvage. L'altitude, par endroits, atteignait mille mètres.

En septembre, octobre, novembre et décembre, des pluies torrentielles s'abattaient sur cette chaîne montagneuse. Il était impossible de traverser les rivières qui grossissaient en quelques heures. Autre désagrément : les sangsues pullulaient pendant la saison des pluies.

Comment survivre dans la jungle tropicale sans rations et comment s'orienter en scrutant un ciel opaque, éternellement chargé de nuages ? Je crois que les dizaines de familles de Veal Vong qui s'étaient aventurées dans les montagnes, à cette époque, furent implacablement détruites. Moi-même, j'avais alors envisagé de partir avec ma femme et mes enfants. Je remercie le ciel de m'avoir empêché de commettre un acte aussi suicidaire.

Avant que nous songions à notre fuite, quatre familles nous avaient précédés sur cette voie de l'exil. Elles nous avaient montré l'exemple. Un pilote avait emmené avec lui sa femme et deux de ses trois enfants. Il avait confié un enfant à une famille voisine. Le plus jeune. Les aînés étaient partis avec leurs parents. Une autre famille, sino-khmère, était partie avec quelques jeunes garçons enrôlés dans la brigade des jeunes. Ils s'étaient fixé un rendez-vous en forêt et ils étaient partis un jour avant moi.

Les rivières n'étaient pas en crue. Le jour de leur départ, juste après le travail, à la fin de l'après-midi, je les avais accompagnés pour reconnaître le chemin. Je leur avais expliqué que je ne pouvais pas les suivre en raison de l'importance de ma famille. Ils étaient déjà trop nombreux.

Pour ne pas attirer l'attention des Khmers rouges, je suivais les fuyards de loin. J'étais seul, à l'écart dans la forêt; je faisais semblant de chercher des pousses de bambou. Je les observais attentivement. La quatrième famille – qu'ils attendaient – n'arrivait pas. Elle avait quitté le village mais n'avait pas rejoint le point de rendez-vous dans la forêt. Elle s'était probablement égarée ou avait été surprise par les Khmers rouges. Cette famille avait disparu sans laisser de trace. Nous ne devions jamais connaître l'épilogue de son infortune. Ne voyant pas arriver leurs compagnons, les trois familles décidèrent de partir et de traverser la rivière, leur premier obstacle. La rivière était large d'environ quatre-vingts mètres. Les hommes, les femmes et les enfants se tenaient par la main, faisaient une chaîne, pour résister au courant puissant. Les eaux n'étaient pas hautes.

Nous avions prévu de nous évader le lendemain. Ma femme et moi, nous avions rassemblé un maximum de provisions, de vivres, pour le voyage. La fréquence des évasions m'encourageait à imiter les familles téméraires. Nous nous étions associés à deux autres familles pour nous soustraire à la terreur des Khmers rouges. J'avais révélé mon projet à tous les membres de ma famille – mes parents, ma femme, mes frères, mes sœurs – mais je n'en avais pas parlé à mes enfants.

La veille, j'étais allé voir mes parents pour les informer de notre départ. Ma mère, au lieu de me retenir, m'avait poussé à partir. Elle m'avait béni : « Tu dois partir. Si tu restes ici, tu vas mourir. Parti, tu auras une chance de réussir, de retrouver la liberté. Il vaut mieux mourir dans la montagne, libre, que de rester ici. Je ne te retiens pas. Je prie pour toi. Ne te fais surtout pas de soucis pour ton père et moi. Nous sommes déjà trop vieux... » Mon père approuva ces paroles et me transmis une antique « prière » pour me défendre, dit-il, contre les dangers de la forêt. J'appris sa prière avec conviction.

Je ne voulais pas emporter beaucoup de vêtements dans cette équipée. Je gardai le strict nécessaire et donnai le reste à ma mère. Ma femme et mes deux enfants me suivaient. Les trois voisins célibataires, pleins de ressources, venaient avec nous. Une autre famille, la famille de Chrean, s'était jointe à notre groupe. Chrean avait été secrétaire général de l'Institut pédagogique de Phnom Penh. Je le connaissais bien. Il avait une quarantaine d'années. Sa femme était beaucoup plus jeune que lui. Elle avait une sœur âgée de vingt ans.

Mes voisins célibataires m'avaient conseillé de partir sans mes enfants. Ils m'avaient parlé avec franchise : « Pourquoi tu ne confierais pas les enfants à tes parents ? Il nous serait plus facile de nous évader sans les enfants... » Ils avaient raison. Les enfants pouvaient tomber malades et ralentir notre marche. Mais ma femme ne voulait pas abandonner ses deux enfants. Nous savions que rester c'était mourir et que partir c'était mourir aussi. Alors, pourquoi ne pas tenter de partir avec les enfants...

Nous avions pensé qu'il fallait profiter du jour de permission, habituellement réservé à la recherche d'une nourriture supplémentaire, pour nous évader. C'était le seul jour où nous étions autorisés à nous égailler dans la forêt, à ramasser, chacun de notre côté, des champignons, des tubercules.

Ce jour-là, nous étions donc partis, sac au dos, comme d'ordinaires villageois allant à la cueillette des fruits et des légumes sauvages. En général, les enfants restaient au village pendant l'absence des parents. Je m'étais toujours singularisé à cet égard : j'avais pris l'habitude d'emmener mes enfants avec moi tandis que ma femme se reposait. Quelquefois, elle nous accompagnait. Nous nous étions rendus au bord de la rivière par groupes séparés afin de ne pas éveiller les soupçons des Khmers rouges. Chaque famille venait de son côté. Les rencontres étaient espacées dans le temps. Des habitants de base et des Khmers rouges allaient et venaient sur la piste qui menait au lieu de rendez-vous. Il était donc difficile de faire demi-tour.

Coûte que coûte, il fallait réussir cette évasion. J'avais aperçu des Khmers rouges qui parcouraient les berges de la rivière. Les habitants de base travaillaient près de la piste que nous avions empruntée. Je feignais de chercher des champignons tout en me dirigeant vers la rivière. Je n'étais pas seul. Il y avait beaucoup de monde dans la forêt. Des familles entières qui grattaient la terre, arrachaient les tubercules et les pousses de bambou...

Nous étions les premiers à atteindre la rivière, le point de rendez-vous. Au bout de quelques minutes d'attente, les autres familles nous avaient rejoints. Le cours de la rivière était beaucoup plus torrentiel que la veille. Les eaux avaient monté. Dans de telles conditions, nous ne pouvions pas traverser. Nous nous étions cachés à trois cents mètres de la piste, en retrait de la berge. Nous nous interrogions sur ce que nous allions faire. J'avais emporté le filet de pêche qu'il me restait. On ne m'avait pas rendu l'autre filet que j'avais prêté à un ami dans la région de Takéo. Le filet que je portais sur moi était lourd. Il était lesté de chaînes. Cela pouvait être utile.

Malgré les nouvelles difficultés créées par les averses de la nuit précédente, nous ne voulions plus reculer. Chacun répétait : « Moi, je ne veux pas retourner au village... » Sans présumer de l'issue de notre tentative – mourir ou nous tirer d'affaire – il fallait essayer, par tous les moyens, de franchir la rivière, de construire un radeau.

Il y avait beaucoup de bambous dans la forêt et nous possédions des couteaux, des haches. Cent mètres, ce n'était pas long. Tout le monde savait nager sauf les deux enfants et l'une des femmes. Ils pouvaient s'installer à côté des bagages sur le radeau. Nous étions résolus à traverser la rivière. Nous avions l'impression d'être poussés par une énergie inconnue, indéfinissable. Ce sentiment nous donnait du courage. Le simple fait d'avoir quitté le village et d'être arrivé près de la rivière nous laissait déjà croire à la liberté.

Chrean et les deux sœurs faisaient le guet, surveillaient les alentours, pendant que nous coupions les bambous pour construire le radeau. En faisant le moins de bruit possible, tout le monde s'employait à cisailler et élaguer les cannes de bambou : les trois célibataires, ma femme et moi. Nous étions partis le matin et la journée avançait vite. Midi, 1 heure, 2 heures... A 3 heures, nous avions taillé assez de bambous. Malheureusement, nous n'avions pas de corde, pas de ficelle pour les assembler. Je décidai de sacrifier mon filet de pêche. « Coupez-le et prenez la petite chaîne qui sert de lest ! » dis-je à mes compagnons.

Nous avions commencé à assembler les bambous lorsque notre guetteur, M. Chrean, revint vers nous, l'air nerveux et agité. Beaucoup de gens passaient près de nous. Même la présence, dans les bois, des déportés du peuple nouveau l'inquiétait. Il sursautait dès qu'il entendait quelqu'un marcher non loin de lui. Le rôdeur le plus innocent le mettait en transes. Je le voyais : il n'en pouvait plus. Son attente devenait intolérable. Il crevait de peur et transpirait à grosses gouttes. Effondré, les nerfs en charpie, il nous déclara : « Il faut que je rentre. Je craque. Je ne peux pas continuer. Il est encore temps, pour moi, de rentrer au village. J'arriverai avant 5 heures, ne vous en faites pas... Je ne parlerai pas. Je ne dirai rien. Pardonnez-moi, mais je n'ai pas le courage de traverser la rivière. »

Chrean ne bluffait pas. Il tremblait de tous ses membres. Nous étions atterrés par ce renoncement. Il mettait en péril une entreprise déjà incertaine. C'était trop injuste. Le comportement irresponsable de Chrean nous consternait. Nous lui expliquâmes les raisons de notre indignation : « Vous ne pouvez pas vous dégonfler comme ça ! C'est impossible. Vous êtes notre voisin. Les Khmers rouges vont s'interroger sur notre absence. Si vous rentrez, ils s'apercevront que nous les avons trompés. Ils sauront la vérité et ils vous condamneront. Puis, ils nous poursuivront. »

Je lui décrivis les dangers auxquels sa défection nous exposait. Les Khmers rouges, à partir du moment où l'alerte était donnée, pouvaient nous rattraper aisément. Nous étions chargés et nous ne connaissions pas la région.

Nous savions qu'une évasion était délicate en cette fin du mois de septembre. C'était un risque que nous avions tous accepté et que nous devions assumer. Il valait mieux mourir dans la forêt que de croupir dans ce village. Chrean, têtu et peureux, ne voulut rien entendre. Il se fichait de nos arguments. Il rentra au village avec les deux jeunes femmes. Nous avions interrompu la fabrication du radeau. Démoralisé, Chan – l'un des célibataires – prit également la décision de faire demi-tour. Je me demandai comment nous pouvions rentrer à Veal Vong sans être repérés.

L'explication de M. Chan ne m'avait guère convaincu. Il voulait me rassurer : « Nous avons encore le temps de rentrer. Nous pourrions essayer... » Nous improvisâmes un nouveau plan. Cela n'était pas simple. Nous devions emprunter un autre chemin pour donner un caractère vraisemblable à notre retour. Des centaines de familles, au mois de septembre, étaient encore acheminées dans des régions forestières plus profondes. Ils défilaient tous les jours devant notre campement. On pouvait se faire passer pour ces déportés, suivre, avec eux, la piste qui conduisait dans une autre région et monter, comme eux, dans une barque des Khmers rouges destinée à l'usage des villageois. Une fois arrivés sur l'autre berge, de l'autre côté de la rivière, nous avions la possibilité de leur fausser compagnie et de continuer notre route à travers la forêt... Cette solution, assez cohérente, me paraissait raisonnable. Elle fut adoptée.

Avant de partir, nous avions le devoir de faire disparaître – si nous ne voulions pas être dénoncés – toutes les traces de notre remue-ménage. Le radeau fut mis en pièces et les morceaux de bambous jetés dans la rivière. On se débarrassa également du filet de pêche déchiré et de la chaîne. Les indices de notre passage sur cette rive furent effacés.

Keo, Sun et Chan se précipitaient, s'affolaient. Ils perdaient leur sang-froid. Je leur dis que leur panique n'avait aucun sens, que nous pouvions continuer en changeant d'identité. Il était possible de se faire passer pour des nouveaux déportés puisqu'il n'existait plus de papiers officiels, plus de fichiers. Nous étions tranquilles si les Khmers rouges ne nous reconnaissaient pas. Nos trois compagnons, cependant, ne nous avaient pas attendus.

Pressés d'échapper aux Khmers rouges, ils nous précédaient et accéléraient l'allure. Moi, je suivais derrière, avec les deux enfants et ma femme. Nous nous étions répartis les bagages. Mon fils aîné, âgé de neuf ans, marchait aussi vite que nous. Je portais le petit. Nous avions presque atteint l'endroit, sur la berge, où les Khmers rouges embarquaient les nouveaux déportés quand nous vîmes les trois célibataires revenir vers nous.

Nous ne comprenions plus ce qui était en train de se passer. Encore un contretemps, pensai-je... Les trois hommes étaient très agités : « On nous demande à quel groupe nous appartenons et quel est son numéro. On ne connaît pas le nombre des groupes. On ne peut pas répondre. »

Nous n'avions plus qu'à nous résigner au retour. Vers 5 heures et demie du soir, nous étions revenus au village. Tous les petits objets que j'avais laissés dans la paillote avaient disparu. Avant de partir, j'avais remis mes vêtements à ma mère et abandonné derrière moi des petites choses sans grand intérêt. La disparition, chez nous, de certains objets révélait toutefois que notre paillote avait été fouillée. Volontairement, ma femme et mes enfants étaient restés en arrière. Ces précautions n'étaient pas superflues.

Mes trois voisins, déjà, avaient retrouvé leur paillote. Il semblait que rien ne leur était arrivé. Personne, d'ailleurs, n'était venu les voir pour leur poser des questions. Un autre voisin, qui vivait en face, m'interpella rudement :

– Eh Thay ! Les Khmers rouges sont venus visiter ta maison cet après-midi... Tu es pris. Ils savent que tu es en fuite.

– Quand ai-je été surpris en train de prendre la fuite ? Je suis sorti ce matin comme tout le monde pour ramasser des champignons, des tubercules.

– Où sont donc tes enfants ? On n'a pas vu ta femme et tes enfants de la journée. D'habitude, ils restent là. Que s'est-il passé ?

– Il ne s'est rien passé du tout. J'ai voulu emmener ma femme et nous ne pouvions pas laisser les enfants seuls, sans surveillance. Le cadet ne se sentait pas bien; il a voulu nous suivre.

– Mais, où sont tes affaires, Thay ? Pourquoi n'as-tu pas laissé tes affaires dans la paillote ? Quand tu t'absentes, n'oublie pas de laisser tes affaires en évidence.

Ma femme m'avait rejoint. Elle se faisait du mauvais sang. La mort de son fils l'avait beaucoup affectée. Ses nerfs étaient fragiles. Je lui dis de rester tranquille, de ne pas s'affoler. Il fallait que je trouve, de toutes les façons, une solution. Même si nous voulions nous échapper, nous ne le pouvions pas. Nous étions coincés. Nous n'avions pas de rations de riz pour survivre dans la jungle. Heureusement, j'étais sûr de moi à ce moment-là. Je n'avais pas perdu mon calme. Je me sentais fort. Aussi, je décidai d'avoir recours à un innocent stratagème.

J'allai voir la famille d'un chauffeur des Travaux publics, Saly, qui avait travaillé sous mes ordres. Saly logeait à une centaine de mètres de ma paillote. C'était un très bon ami, un homme loyal et fidèle. Je lui parlai sans détour :

« Mon vieux, il faut que tu m'aides ! Je n'ai confiance en personne ici. Tu es le seul qui peut me tirer d'affaire. » Saly vivait avec sa femme et un enfant. Il n'hésita pas une seconde à me venir en aide.

« Qu'est-ce que je peux faire, monsieur », me répondit-il. Saly continuait de m'appeler monsieur en cachette. Sereinement, je lui expliquai les événements de la journée et je lui demandai de me rendre un service :

« Acceptes-tu d'abriter, chez toi, les bagages que j'ai emportés pour cette tentative d'évasion ? Bon ! Je les dépose dans ta paillote en passant par-derrière, en pleine forêt. Si les Khmers rouges t'interrogent, dis-leur que j'ai laissé mes affaires chez toi ce matin même afin d'aller chercher, l'esprit libre, de la nourriture en forêt. »

Je déposai tous mes bagages chez lui à l'exception des outils nécessaires pour extraire des racines. Mon ami, pour me fournir un alibi, m'avait donné beaucoup de tubercules, qu'il avait ramassés au cours de la journée. En échange, je lui avais cédé deux boîtes de riz et du sel.

Je revins donc chez moi avec un sac rempli de tubercules. J'en distribuai à ma femme. Probablement informés de notre retour, les Khmers rouges apparurent bientôt. Le plus âgé de la patrouille semblait agressif :

– Nous savons que tu as essayé de t'enfuir ! Tu es revenu parce que tu ne pouvais pas traverser la rivière. C'est ça, hein ?

– Non, c'est inexact. Regarde mon sac : je suis allé à la cueillette des légumes. Tiens, voilà des tubercules...

Mon assurance le troublait mais je voyais bien qu'il ne voulait pas me croire. Il insista :

– Où sont tes outils ? Pourquoi as-tu emmené ta famille dans la forêt ?

– Ma femme voulait venir avec moi et emmener ses enfants. Le petit ne se portait pas bien et l'aîné voulait nous accompagner. C'est tout !

– Mais alors, où sont tes affaires ?

– Mes affaires ? Je les ai confiées à un camarade qui habite un peu plus loin. Je dois aller les prendre tout à l'heure. Si vous ne me croyez pas, vous pouvez venir avec moi. Je ne peux pas laisser mes affaires sans surveillance. Même pendant la révolution, il y a des gens malveillants. On a déjà perdu pas mal de choses, ces temps-ci. Nous sommes méfiants; on ne sait jamais à qui se fier...

– Tu as raison. J'espère seulement que tu ne mens pas.

– Non, camarade. Viens avec moi et tu verras que je n'avais pas l'intention de mentir.

Le Khmer rouge me suivit. Je ne doutai pas un instant de la loyauté de Saly. J'avais confiance en cet homme honnête avec lequel j'avais longtemps travaillé. En entrant dans sa paillote, je m'adressai à lui sur un ton détendu, dégagé :

« Me voilà... Je viens rechercher les affaires que je t'ai confiées ce matin. »

Aussi calme que moi, mon ami Saly raconta, comme prévu, la petite fable que nous avions mise au point : « Le camarade Thay m'a demandé de garder ses affaires pour la journée. Il vient les reprendre, c'est naturel. » Saly feignait d'être surpris par la présence du Khmer rouge. « Oui, ma femme et mon fils sont restés à la maison toute la journée. Ils veillaient sur les affaires de Thay pendant que je ramassais des tubercules. Regardez... »

Il montrait au Khmer rouge les tubercules qu'il avait gardés pour sa propre consommation. « Est-ce que Thay peut reprendre ses affaires ? » demanda Saly au Khmer rouge apparemment impressionné. L'autre acquiesça. Je pris alors mes trois sacs et je rentrai chez moi. « Vous voyez, camarade... » Le Khmer rouge n'ajouta rien et ne chercha pas d'histoires. Malgré sa réputation de dureté et de sévérité, le chef de village – ce camarade – devenait, à mes yeux, plutôt sympathique. Déjà, il avait accepté que mon fils ait des funérailles décentes. Et il n'avait pas discuté la justification de mon absence. Il avait écouté mon explication. Je pouvais donc rester dans le village et l'évasion ratée n'était qu'une péripétie.

Après ma déconvenue, j'avais constaté que d'autres familles continuaient de s'enfuir. J'avais provisoirement renoncé à prendre la fuite. Je savais désormais, à mes dépens, que les apparences et les beaux discours étaient trompeurs. Certaines personnes pouvaient se dérober devant le danger et tout abandonner malgré leur éloquence.

Je pensais toutefois qu'il fallait que je quitte le Cambodge coûte que coûte. Je n'avais pas le choix. J'avais fait un planning, comme les ingénieurs : à partir de cet échec, je m'accordai un délai de trois années pour m'évader ou mourir. Je ne voulais pas mourir de maladie, ni des travaux forcés, ni de famine. Je ne voulais pas mourir dans un champ comme un esclave.

La piteuse expérience de l'évasion manquée m'avait montré combien on pouvait se méprendre sur le caractère d'un individu. Dorénavant, j'agirais seul. J'avais appris que dans les situations difficiles il ne faut compter que sur soi-même. Cette détermination – qui ne risque rien n'a rien – me tenait en alerte, m'écartait de la tentation de me résigner. J'essayais, pour étayer cette folle certitude de survie, de penser à mes expériences passées, d'y piocher des leçons utiles pour l'avenir. Je voulais, au fond, m'encourager moi-même : depuis mon séjour canadien, en 1961 à Montréal, jusqu'au dernier jour du régime républicain, en avril 1975, j'avais appris à me débrouiller.

Et puis, dans une société humaine, j'étais un véritable passe-partout. C'était une capacité formidable dans cette période d'oppression. Je savais m'abaisser, m'élever et mener des hommes aussi. Pourquoi je ne pourrais pas à mon tour m'évader ? J'étais capable d'organiser ma fuite...

Il y avait cependant un handicap : mes parents et mes enfants ne pouvaient pas se déplacer aussi vite que moi. Pourtant, je cherchais une solution afin de les associer à notre évasion. J'avais pris la décision de m'en aller, en prenant soin de bien choisir mes compagnons et d'établir un plan précis.

Nous étions immobilisés à Veal Vong, en attendant l'occasion de nous évader, et les mois passaient... Nous n'avions plus de calendrier, plus de dates, plus de jours, mais la radio khmère rouge annonçait régulièrement des manifestations de masse, des meetings et des discours des dirigeants. C'est ainsi que nous nous rendions compte que le temps s'écoulait. Les annonces officielles étaient accompagnées de dates précises. Septembre, octobre, novembre... Mon beau-frère Sarun, l'ancien professeur technique déséquilibré mental, parlait à tort et à travers à tout moment, même pendant le travail. Un jour, les deux gardes qui nous surveillaient avaient surpris ses propos inconséquents. Accusé d'agitation contre-révolutionnaire, il avait aussitôt été emmené dans la forêt pour rééducation. On ne l'avait pas revu.

Au cours des trois premiers mois passés à Veal Vong, j'avais perdu Staud, mon fils cadet, mon cousin Sim, mon beau-frère et la belle-mère de mon frère. Nous n'étions plus que quatorze dans la famille. Miraculeusement, dans cette détresse, notre tentative d'évasion n'avait pas eu de conséquence néfaste.

Dans les premières semaines de notre installation à Veal Vong, la rumeur du retour de Sihanouk persistait. Les Khmers rouges demandèrent alors aux spécialistes, aux diplômés, de s'inscrire sur une liste de recensement. Les fonctionnaires de l'ancien gouvernement, les techniciens, les ingénieurs et les étudiants étaient sollicités en priorité. Cet appel au volontariat était orchestré par une séduisante campagne d'explications : Sihanouk, disait-on dans nos rangs, allait être amené à diriger le gouvernement, à reconstruire le pays et à constituer une nouvelle administration.

Tout le monde s'inscrivit. Même les officiers qui, jusque-là, avaient soigneusement dissimulé leur identité. Les fonctionnaires, non plus, ne résistèrent pas à cette propagande naïve. M. Chum Yem, ancien directeur des douanes, et M. Hu Khiam, ingénieur hydraulicien diplômé de l'Institut de Grenoble, s'étaient spontanément portés sur la liste des volontaires. Ils vivaient dans un village voisin et l'on m'avait parlé d'eux. Ils nous était arrivé de nous croiser et d'échanger quelques mots.

Prudemment, je m'étais inscrit en tant que simple technicien des Travaux publics. La plupart des gens me connaissaient mais ils n'avaient rien dit. Il régnait entre les nouveaux une certaine solidarité dans la misère. Les Khmers rouges et nous, c'était vraiment l'huile et l'eau. Le chef du village nous avait réclamé cette liste quinze jours après son retour du grand meeting. La liste lui fut remise et, au bout d'une semaine, quelques camions arrivèrent. L'appel des hauts fonctionnaires et des officiers commença. Tout le personnel de direction et d'encadrement de l'ancien régime – les ingénieurs, les chefs de service, les médecins – fut embarqué dans les camions.

Ils étaient une quarantaine environ dans mon village. L'ingénieur en hydrologie croyait être utile à la révolution parce qu'il était diplômé. Il croyait pouvoir assister les Khmers rouges dans la construction des canaux et des barrages. Moi-même, j'avais failli tomber dans le panneau. Après réflexion, je m'étais ravisé. Je m'étais présenté comme un technicien. Les professeurs se faisaient passer pour des instituteurs. Un cadre de l'administration des douanes s'était inscrit sous la fausse qualification d'agent des douanes.

Les Khmers rouges, au cours de cette rafle déguisée, avaient dédaigné les employés de bureau, les anciens chauffeurs, les techniciens. Cela ne s'était pas vérifié partout. Dans certains villages, les

Khmers rouges embarquaient tous les fonctionnaires, quel que fût leur rang... nous l'avions appris par des équipes de travailleurs venus de ces villages. Les Khmers rouges prétendaient que ces hommes allaient suivre des cours intensifs de recyclage afin de se réformer idéologiquement et de se reclasser dans la nouvelle société. Les Khmers rouges avaient promis de tenir compte de la spécialité de chacun.

Ce qui nous intriguait, c'était de voir partir les gens seuls et sans bagages. L'Angkar, répétaient les Khmers rouges, pouvait les prendre en charge. Cette litanie ne nous avait pas convaincus. Pourquoi les familles étaient-elles arbitrairement séparées ? Nous ne comprenions pas l'attitude des Khmers rouges. Même les hauts fonctionnaires retraités devaient répondre à l'appel. Les étudiants n'avaient pas été tracassés cette fois-là. Cela n'était qu'un sursis.

Nous ne devions jamais entendre parler des hommes qui étaient partis. Nous avions d'abord cru que la rééducation s'éternisait. Les mois passaient et aucune nouvelle ne nous parvenait. Personne n'était revenu de ces prétendues séances de rééducation accélérée. On ne savait pas ce qui s'était réellement passé. Les familles, laissées dans l'ignorance du sort de leurs parents, étaient désespérées. Nous n'avions pas de preuves pour accabler les Khmers rouges. Nous ne pouvions rien affirmer. Mon cousin et mon ami avaient été emmenés dans la forêt; ça, nous pouvions le prouver. Ils n'en étaient pas revenus.

La situation des hauts fonctionnaires et des militaires déportés était un peu différente. Le bruit courait qu'ils avaient été exécutés mais nous ne pouvions pas ajouter la foi à la rumeur. Les hommes étaient portés disparus, c'est tout. Pour les Khmers rouges, qui ne parlaient jamais d'eux, ils cessaient d'avoir une existence officielle. Les hommes étaient-ils enfermés dans des camps spéciaux et condamnés aux travaux forcés ? Nous n'en savions rien. Ils avaient pu être exécutés ou succomber à la famine, aux épidémies. Nul ne le savait. Je ne connais pas de rescapé.

Les rations, pendant l'automne et l'hiver 1975, étaient vraiment maigres. Normalement, on nous distribuait les rations tous les jours. De préférence tard le soir. Le jour, nous étions obligés de travailler.

Au cours du mois de novembre, les rations avaient été considérablement réduites. Il fallait nourrir huit personnes avec une boîte de riz et ne pas manquer, surtout, la distribution du soir. Cette attente était une épreuve très pénible après les travaux harassants de la journée. Les retards dans la distribution du riz étaient fréquents.

Pendant un ou deux jours, sous prétexte que les camions

Phnom-Penh, la capitale du Cambodge, avant et après la prise du pouvoir par les Khmers rouges. *(Ph. : Picou — Asie Photo; Mihovilovic — Gamma)*

Lauréat du Concours général à la fin de ses études secondaires, Pin Yathay reçoit, en 1961, le premier prix de mathématiques des mains de Sa Majesté la reine Kossamak du Cambodge, mère du prince Sihanouk.

Le vénérable Huot Tat, chef suprême des bonzes et grand-oncle de Pin Yathay, au cours d'une exposition de livres, avant 1975.

Photographiés en 1973, de gauche à droite : la belle-mère de Pin Yathay, Any, sa femme, son beau-frère, son beau-père. Au premier plan, les deux enfants de Pin Yathay — l'aîné Pin Sudath et le second Pin Kunnawath. Aujourd'hui, tous sont morts ou portés disparus, sauf son beau-frère qui vit actuellement en France.

Le dernier enfant de l'auteur laissé survivant au Cambodge, aujourd'hui porté disparu.

Le 17 avril 1975, l'entrée des Khmers rouges dans Phnom-Penh.
(Ph. : Roland Neveu — Gamma)

Il n'y a plus rien à acheter. La monnaie et les marchés ont été abolis.
(Ph. : Jean-Claude Labbe — Gamma)

Le premier jour, ce n'était pas une reddition pour la capitale, c'était un soulagement général. *(Ph. : Roland Neveu — Gamma)*

Pol Pot, le maître du « Kampuchéa démocratique ».
(Ph. : Mihovilovic — Gamma)

Les ''Yothear'' — soldats — gardiens redoutés de l'Angkar.
(Ph. : Kraipit — Sipa Press)

Motif de mobilisation idéologique, la réalisation des grands chantiers niait toute technique élémentaire de construction.
(Ph. : Politika — Sipa Press)

Un des charniers découverts quelque part dans la forêt du Cambodge. *(Ph. : A.F.P.)*

Les Cambodgiens qui ont survécu aux exécutions, aux travaux forcés, à la famine, à la maladie, réussissent parfois à franchir la frontière. En Thaïlande, les plus faibles meurent d'épuisement, de maladie... *(Ph. : Arnaud de Wildenberg — Gamma)*

Après trois mois de soins et de repos dans un camp de réfugiés en Thaïlande, Pin Yathay recouvre la santé. Il est photographié en compagnie de Mme et M. Stearns de la Jean-Baptist Mission.

Les contacts que Pin Yathay avait pris dans le camp de Khlong Yai lui avaient permis d'alerter les représentants de la presse internationale.
(Ph. : André Abegg)

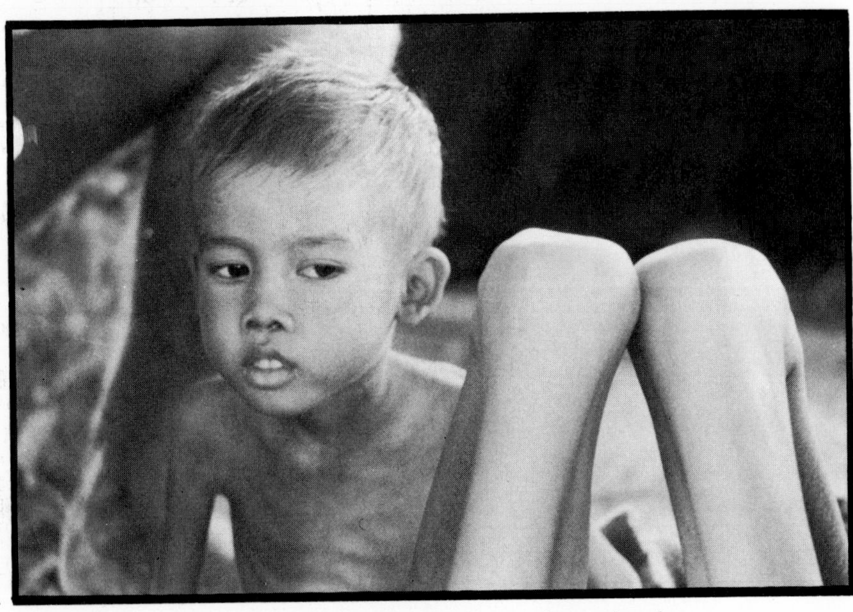

(Ph. : Arnaud de Wildenberg — Gamma)

« Combien restera-t-il de mes compatriotes, demain, sur le sol cambodgien, pour entrevoir l'espoir ? »

Les photos non signées relèvent de la collection de l'auteur n'avaient pas acheminé le riz, nous étions privés de rations. Nous ne pouvions même pas protester. Notre avis n'était pas pris en considération. De plus, les Khmers rouges ne réparaient pas leurs oublis. Les jours sans ration n'étaient pas rattrapés. Nous n'avions même pas droit à ces rations avec deux jours de retard. Les rations étaient définitivement perdues. Les raisons invoquées pour ces contretemps étaient toujours les mêmes : difficultés de transport et d'approvisionnement. Les camions, selon les Khmers rouges, n'étaient pas assez nombreux.

Le premier jour de disette était à peu près tolérable pour tout le monde. Les choses se gâtaient le second jour. Ceux qui n'avaient rien à échanger mouraient. Les déportés les plus pauvres étaient les premières victimes de ces négligences.

Ces défaillances de l'organisation khmère rouge se produisaient souvent. Toutes les semaines, environ. Certains avaient répandu le bruit, fondé sur d'authentiques informations, que les rations étaient détournées par les cadres khmers rouges. Cela n'était pas invraisemblable. Les cadres khmers rouges faisaient ainsi monter les cours du riz au marché noir et pouvaient s'approprier, à bon compte, les bijoux et les vêtements des déportés. Ces pratiques malhonnêtes déshonoraient l'Angkar et indignaient la population de Veal Vong.

Un jour du mois de novembre 1975, nous assistâmes à un phénomène incroyable : quelques centaines de « nouveaux » manifestaient pacifiquement dans le village, avec quelques instituteurs à leur tête, pour réclamer les rations en retard et non distribuées. C'était une procession lente et digne; le cortège se dirigeait vers le kiosque de bois et de chaume où se tenaient trois cadres khmers rouges. La distribution des rations, tous les soirs, avait lieu à cet endroit.

Je n'avais pas participé à cette manifestation car je possédais de quoi manger et je me méfiais, surtout, de la réaction des Khmers rouges. Nous étions pris au piège comme des rats. Comment croire, dans ces conditions, qu'une manifestation pouvait déboucher sur autre chose que sur un échec ? J'étais sceptique. Nous n'étions pas en démocratie. Les Khmers rouges détenaient la force et le pouvoir. A mon sens, le jeu n'en valait pas la chandelle. Les risques étaient trop élevés. J'avais donné mon opinion sur ce genre de contestation mais les cinq instituteurs, qui avaient songé à rassembler la population du village, ne voulaient pas renoncer à leur projet.

Les cinq instituteurs, les meneurs, étaient des opposants virulents au régime. Devant le kiosque, ils s'étaient détachés du cortège et l'un d'eux, le plus téméraire sans doute, avait improvisé un bref discours. Il adressa ses doléances au chef du village après avoir fait l'éloge de l'Angkar. Au fur et à mesure que son discours avançait, le ton devenait plus vif, plus sincère. C'était un cri du cœur : « Le régime alimentaire qu'on nous impose n'a pas de sens. Les rations sont illusoires : pas de viande, aucun légume. Le travail est trop dur et nous ne pouvons pas nous soigner. Nous n'avons pas de médicaments ni d'infirmerie. » La supplique de l'instituteur était pathétique. De bonne foi, l'homme exposait tous ses griefs.

Quand il eut fini, le chef du village vint lui répondre de manière douce et rassurante. Ses paroles ne trahissaient aucune exaspération. Il se voulait convaincant : « L'Angkar a fait tout son possible pour vous nourrir. N'oubliez pas une chose : vous ne travaillez pas pour l'Angkar mais pour vous-même. Nous n'avons pas encore récolté ce que nous avons planté. Il faut travailler très fort pour que notre production soit importante et suffisante pour nous tous... Vous vous plaignez de ne pas manger de poisson mais l'Angkar n'en a pas non plus. La distribution des rations a été retardée pendant deux jours. Cela ne veut pas dire que ces rations sont sacrifiées. Ces deux jours de retard sont indépendants de la volonté de l'Angkar. Il faut absolument que vous compreniez cela. »

Sa voix s'enfla et le chef de village se mit à assener chaque phrase comme on profère une menace : « Vous faites actuellement beaucoup de désordre. Vous provoquez des troubles et vous perturbez la quiétude du village. Vous jetez le doute dans l'esprit des gens. C'est une attitude regrettable. Vous dites que l'Angkar ne s'intéresse pas à votre santé, à votre estomac. Pourtant, l'Angkar a tout fait pour vous aider. Qu'avez-vous apporté ici ? Rien ! L'Angkar doit vous transporter, vous fournir du riz et vous n'avez encore rien produit ! Voilà maintenant que vous me présentez vos réclamations parce que l'Angkar a seulement un peu de retard... C'est cela le rôle d'un bon révolutionnaire ? Vos griefs sont-ils le résultat de l'éducation que l'on vous a donnée tous les jours ? C'est cela l'élimination des penchants individualistes ? Non ! Camarade, ce n'est pas cela la révolution ! Retournez immédiatement chez vous et restez calmes. Les rations vont venir... »

Une semaine après ces événements, les cinq instituteurs et quelques autres villageois soupçonnés d'agitation disparaissaient. Leurs familles, qui n'avaient pas quitté le village, étaient incapables de donner une explication. Nous doutions qu'ils aient pris la fuite sans leurs familles. Les familles des disparus, bouleversées par l'absence d'un père, d'un mari, décidèrent, au bout de quelques jours, de demander des informations au chef du village. Ce dernier affirma ne pas en savoir plus que les familles anxieuses. C'était possible.

Nous parlions de cette affaire, des disparitions, entre nous. Les chefs de village étaient des cadres civils. Ils n'avaient aucun pouvoir militaire. Des colonnes de Khmers rouges en armes patrouillaient constamment autour du village. Ils venaient, de temps à autre, nous surveiller. Une heure par ici, une heure par là, ils bougeaient sans cesse. Ils étaient graves et taciturnes. Ils ne parlaient jamais aux habitants du village. Nous pensions qu'ils étaient chargés d'enlever les gêneurs.

Les patrouilles enlevaient certainement leurs victimes une par une au cours de la nuit. Les instituteurs avaient dû disparaître dans ces conditions. Les rapts nocturnes, que l'on évoquait entre nous avec effroi, étaient plausibles. Le chef du village, c'est probable, n'en avait pas été informé. Les ordres étaient très cloisonnés chez les Khmers rouges.

Volontairement, les Khmers rouges entouraient leur répression de mystère. Ils exécutaient clandestinement leur opposition réelle ou potentielle. On ne les avait jamais vus agir. Ils accomplissaient leurs sinistres missions, leurs hautes œuvres, en secret. Leurs paroles restaient cordiales, très douces, même aux pires moments. Ils allaient jusqu'au meurtre sans se départir de cette courtoisie. Ils administraient la mort avec des mots aimables.

Les gens disparaissaient en allant couper du bois. Parfois, nous apercevions des cadavres. Moi-même, à Veal Vong, j'avais découvert trois cadavres. Je n'avais rien vu le premier mois. En octobre, j'avais aperçu mon premier cadavre. Il était décomposé. En novembre, j'en avais vu deux. Les cadavres gisaient dans la forêt depuis un certain temps. Il était impossible de les reconnaître. Ces découvertes macabres étaient plutôt rares. Elles faisaient l'effet d'épouvantail. Les Khmers rouges étaient arrivés à leurs fins : ils terrorisaient la population du village en laissant pourrir quelques dépouilles défigurées.

Il n'y avait pas de soulèvement possible. La disparition des cinq instituteurs nous avait profondément émus et blessés. Nous étions si vulnérables... Comment se révolter ? Nous n'avions pas d'armes. Et, même si nous avions pu nous en procurer et tuer ainsi une cinquantaine de Khmers rouges dans le village, qu'allions-nous devenir après ce soulèvement ? En face de Veal Vong, il y avait la forêt... Difficile de prendre le maquis contre une organisation totalitaire avec dix ou vingt fusils, peu de munitions en réserve et des vivres réduits.

Les Khmers rouges nous distribuaient avec parcimonie des rations quotidiennes pour deux raisons : la première, c'était d'empêcher les villageois de constituer un dépôt de vivres. La seconde raison était plus diabolique : les Khmers rouges nous distribuaient une boîte de riz pour six ou huit personnes afin de nous affamer.

Dans cet état de faiblesse, la survie dans la forêt était compromise. Au bout de quelques jours d'errance, même en écartant le danger des patrouilles, la mort était inévitable.

Les Khmers rouges voulaient écraser l'individu, le piétiner. Ils nous imposaient les travaux forcés et nous interdisaient de nous déplacer pour nous humilier, nous écraser. La famille, fort heureusement, n'était pas encore devenue la cible de la cruauté méthodique des Khmers rouges. Nous vivions et nous mangions en famille. La pratique des repas communautaires n'avait pas, à cette époque, été instituée. Nous pouvions échanger le riz économisé sur nos rations. C'était un moyen pour se procurer des ustensiles de cuisine. Si nos modestes réserves de riz étaient découvertes, nous racontions aux Khmers rouges qu'il s'agissait d'un reliquat de nos rations. Ils fermaient les yeux sur le trafic. L'essentiel était de leur cacher que nous envisagions, d'une manière ou d'une autre, une évasion.

Pour décourager toutes les tentatives de fuite, les Khmers rouges avaient mis sur pied une organisation extrêmement hiérarchisée. Les villages, isolés dans la forêt hostile, étaient cloisonnés. Aucun lien ne pouvait être sérieusement et durablement établi entre les différentes communautés. Les contacts étaient impossibles. Nous n'avions même pas la possibilité matérielle de nous consulter, de parler entre nous, de conspirer, en somme. Nous n'étions pas disponibles pour une révolte...

Toujours au travail, il fallait mettre les brefs moments de répit à profit pour trouver de la nourriture. Les tentatives de rébellion étaient brutalement réprimées. Dans un mouvement de colère, un jour à Veal Vong, un jeune homme avait tué un garde Khmer rouge. Il avait été immédiatement abattu par les autres soldats.

L'organisation communiste paralysait toute vélléité d'insurrection. A moins d'une aide logistique venue de l'extérieur ou d'une révolte militaire chez les Khmers rouges, toutes les tentatives pour renverser la dictature de l'Angkar étaient vaines.

7

LA SÉLECTION NATURELLE

L'ère meilleure que les Khmers rouges avaient décrite avant la chute du gouvernement républicain s'était transformée en déportations, en travaux forcés, en famine. L'espoir avait cessé d'exister pour tous les otages des Khmers rouges, à Veal Vong ou ailleurs. La liberté, aussi, avait vécu. Bien sûr, il n'y avait plus de corruption, de trafics d'influence. Mais qu'avions-nous à manger ? Mieux vaut supporter l'injustice la bouche pleine que d'exalter l'égalité dans la misère, la famine, les travaux forcés et la mort. C'était cela la réalité de la société sans classe.

Sous les règnes successifs de Sihanouk et de Lon Nol, l'argent corrompait les membres du parlement et du gouvernement. Les Khmers rouges nous infligeaient un autre genre de corruption : les révolutionnaires étaient corrompus par le pouvoir. C'était pire que la corruption par l'argent. L'homme promu par la révolution, rassasié de pouvoir, se permettait tous les excès, transgressait la morale humaniste, le respect de la vie et des simples valeurs humaines. Cette corruption-là n'engendrait que la mort. Elle était plus nuisible que la corruption par l'argent.

La corruption des anciens régimes, au moins, n'étouffait pas la liberté d'expression. Nous pouvions critiquer le gouvernement, nous procurer n'importe quoi – même si l'inflation, attisée par la corruption, doublait quelquefois le prix des produits, des denrées – pour nous nourrir et nous habiller. Les Khmers rouges nous avaient dépossédés de tout, même de notre identité. Ils avaient acquis un droit de vie et de mort sur nos familles...

Dans ses discours politiques, Saloth Sâr alias Pol Pot parlait toujours d'autosuffisance. Il refusait l'aide extérieure. A propos du Viêt-nam, il avait déclaré : « Qu'est-ce que le Viêt-nam ? C'est un tout petit pays qui a combattu les Américains pendant vingt ans. Nous nous sommes battus contre les Américains pendant cinq ans et nous les avons vaincus le 17 avril, une dizaine de jours avant que Saigon tombe. Quelle est la vraie nature de cet orgueilleux petit pays, de ce Viêt-nam que nous avons devancé ? »

Les Khmers rouges étaient très fiers de leurs prouesses, de leurs exploits militaires. Ils avaient vaincu les Américains, disaient-ils, grâce à la conscience politique – *Kol Chomhor Noyobay.* Au cours des réunions politiques, ils nous rappelaient l'importance des convictions politiques : « Conservez votre conscience politique; la conscience politique suffit pour vaincre un ennemi. » Cet argument favori des Khmers rouges se justifiait peut-être pendant la guerre.

L'idéal, dans cette période troublée, alimentait la conscience politique. Notre idéal, c'était l'espérance d'un avenir meilleur et c'était aussi un programme politique généreux, ambitieux : la liberté, la religion, l'abolition de la corruption, la justice sociale, etc. Tout cela était très beau. On pouvait y croire sincèrement, combattre sans penser à la famille, aux enfants ou à l'estomac. Les combattants acceptaient de mourir pour un idéal. Ils toléraient aussi la discipline, l'encadrement. Il était normal, au fond, de supporter toutes ces contraintes pour contribuer à l'établissement de l'idéal, pour vaincre les Américains et chasser les Lonoliens. Tous ces arguments sommaires, manichéens, pouvaient sans doute impressionner des soldats mais il était difficile de les utiliser en temps de paix pour reconstruire le pays. Curieusement, l'idéal s'était volatilisé au moment même où la paix commençait à poindre. L'idéal avait fui la propagande des Khmers rouges.

Les Khmers rouges prétendaient pouvoir gagner la bataille du développement grâce à la conscience politique. Ils présumaient de leurs forces... Des paysans convertis à la cause révolutionnaire avaient su battre, sur les champs de bataille, des officiers sortis de Saint-Cyr et de West Point. Ils avaient mis en déroute des blindés et des armes sophistiquées. Le courage et l'éducation politique, selon les Khmers rouges, avaient submergé la science militaire. Les Khmers rouges avaient ainsi acquis la conviction que l'idéologie surpassait la technique. Ils voulaient se passer d'ingénieurs, de techniciens. « Vous n'avez pas besoin d'autre chose que d'éducation politique pour construire des barrages ! » affirmaient-ils. Malgré le ciment idéologique, le barrage ne tenait pas. Les premières crues de la mousson faisaient craquer la digue.

Un barrage construit à la saison sèche, selon le procédé des Khmers rouges, s'était rompu durant mon séjour à Veal Vong, vers le début du mois de décembre 1975. Le bilan de la rupture du barrage était catastrophique : une centaine de morts et de disparus, des vieillards et des enfants surtout. Toutes les paillotes et les huttes, les abris construits au bord de la rivière, avaient été emportés. Ces campements étaient situés en aval de la rivière à quelques kilomètres de notre village heureusement installé en amont du barrage. Les Khmers rouges qui avaient dirigé le chantier n'avaient jamais eu recours à la technique élémentaire des barrages.

Les cadres khmers rouges, des paysans illettrés pour la plupart, improvisaient au fur à mesure que les problèmes se posaient.

Dans ces conditions d'injustice, d'iniquité et d'incompétence, nous n'avions qu'un devoir, qu'une seule aspiration : nous maintenir en vie. Cela n'était pas facile. Veal Vong avait été ravagé par les décès au cours des quatre premiers mois. Vers la fin décembre, il ne restait plus que les deux tiers de la population. Plus d'un millier de personnes étaient mortes. Ma famille était la moins endeuillée. Nous avions eu quatre morts.

Mes parents étaient vieux mais ils restaient en vie. Nous pouvions leur donner du riz. Je les ravitaillais régulièrement. Après ma première tentative d'évasion, j'étais allé les voir. Mes parents m'avaient recommandé de ne pas perdre patience et d'être, à l'avenir, plus prudent. Ils avaient les larmes aux yeux en écoutant le récit de mon échec. Mon père me conseilla de ne jamais désespérer, d'être déterminé à réussir, coûte que coûte, mon évasion. Il m'assura que d'autres occasions se présenteraient. L'encouragement de mon père m'avait incité à ne pas céder à la résignation.

Il fallait survivre et, ensuite, envisager la fuite. J'avais gardé mes trois mille dollars. Les échanges, jusque-là, m'avaient coûté la moitié de nos bijoux et une partie de nos vêtements. Mes frères, mes sœurs et mes parents avaient aussi partiellement échangé leurs affaires. Nous nous étions partagé ce marché du troc de manière assez équitable. Chacun d'entre nous offrait volontiers sa part de bijoux, de vêtements. Nous ne mangions pas à notre faim mais nous arrivions à conserver notre santé. C'était l'essentiel...

Je voulais vivre le plus longtemps possible pour trouver un moyen de m'enfuir. Je reculais devant l'échéance à la seule pensée de voir ma famille abandonnée aux mains des Khmers rouges. Je ne pouvais rien faire sans leur accord. Sinon je les trahissais. Je ne pouvais pas mettre la vie des miens en danger. Ma famille était la plus unie du village. Il y avait bien parfois quelques querelles parmi nous mais ça n'était pas trop grave. Nos disputes tournaient toujours autour des rations. Il n'y avait pas d'autre motif de discorde. Certaines familles se divisaient et se disloquaient autour du problème de la nourriture. Les familles, souvent, étaient en proie à d'atroces crises de jalousie, de convoitise.

Les maris, en cachette, se chicanaient avec leurs femmes et grondaient les enfants. Les pères et les maris ne pouvaient plus sévir au grand jour. La révolution veillait à l'harmonie de la cellule familiale. Les maris ne battaient plus leurs femmes; il leur était même interdit de les insulter. Les enfants, quotidiennement incités par les Khmers rouges à dénoncer leurs parents, étaient à l'abri de la mauvaise humeur paternelle.

Avant la révolution, il était courant de voir des couples se disputer, des hommes et des femmes se couvrir d'insultes. Les maris violents brutalisaient quelquefois leurs femmes. Les Khmers rouges avaient tiré un trait sur ces vilains affrontements conjugaux. Ils avaient imposé l'égalité absolue. Cette égalité n'était point contestée.

Dans mon village, il y avait un vieux soldat – âgé de cinquante-cinq ans environ – qui se heurtait constamment avec sa femme. Leurs rapports, de mois en mois, se dégradaient. A deux reprises, l'Angkar vint l'avertir que son comportement conjugal violait les principes égalitaires de la révolution. L'ancien militaire républicain négligea l'avertissement. Il se prit de bec une troisième fois avec sa femme pour des histoires de rations. Exaspéré, il gifla sa femme. En vain, nous avions essayé de le retenir. L'homme n'avait rien voulu entendre. Il n'avait pas su se calmer. Le lendemain, les Khmers rouges lui ordonnèrent de les suivre dans la forêt. Il n'en revint pas.

Tout le monde était très tendu dans le village. Nous vivions tous sur nos nerfs. Il fallait contenir les colères et les poussées légitimes de mauvaise humeur sous peine d'être sévèrement châtié. La tension nerveuse était vive à l'intérieur même des familles. Par bonheur, nous échappions aux disputes graves. Une solidarité profonde nous liait au même sort : nous pouvions échanger et nous nourrir. Les accrochages, toutefois, étaient nombreux. Je grondais mes enfants : « Pourquoi manges-tu avant les autres ? » Le petit, une fois, avait chipé la ration que ma femme avait mise de côté pour moi. Souvent, les enfants volaient les poissons séchés et les mangeaient en cachette. Ces petits larcins étaient fréquents quand j'arrivais en retard. Ils ne méritaient pas un blâme bien sévère mais ils détérioraient l'atmosphère familiale.

J'étais toujours préoccupé par le meilleur usage que je pouvais tirer de mon modeste capital en dollars. Comment écouler ces dollars que j'avais emportés en quittant Phnom Penh ? En mettant à l'épreuve ma faculté d'adaptation et mon habileté commerciale, j'entrevoyais une solution.

Je pouvais constituer un stock d'environ cinquante boîtes de riz en échangeant des vêtements et des bijoux. Nous étions quatre chez nous : mes deux enfants, ma femme et moi. Nous recevions une demi-boîte par jour. La ration quotidienne, à l'époque, se résumait à une boîte pour huit personnes. C'était dérisoire. Il y avait – pour huit personnes – tout juste assez de riz dans une boîte pour faire une soupe claire. Grâce aux boîtes récupérées au cours des échanges, nous pouvions épaissir cette soupe, lui donner plus de consistance. Il fallait, en réalité, deux boîtes pour faire une soupe épaisse. C'était le minimum de nourriture que l'on devait absolument absorber si nous ne voulions pas mourir de faim.

Je connaissais les filières du troc et je me flattais de pouvoir établir facilement ce genre de contacts clandestins. Pour écouler mes dollars, j'entrai d'abord en relation avec un Chinois. Les Chinois et les Vietnamiens étaient nombreux parmi nous. L'épineuse question de la nationalité d'origine n'avait plus de sens pour nous. Dans la société des Khmers rouges, il n'y avait que deux classes d'hommes : les nouveaux et les anciens.

Les Cambodgiens des villes, les Chinois et les Vietnamiens étaient rassemblés, pêle-mêle, sous l'infamante appellation de « peuple nouveau ». Nous étions tous frères. Nous avions oublié les rivalités nationalistes et les rancœurs anciennes. Il n'existait même plus de distinction sociale. Tous les signes d'appartenance à un rang social avaient été abolis, détruits. L'ingénieur et l'ouvrier, au sein du peuple nouveau, cohabitaient fraternellement. Il s'était établi entre nous une réelle solidarité interne. Les Cambodgiens étaient probablement les plus déprimés. Ils étaient écœurés par les agissements de leurs compatriotes et de leurs bourreaux : les Khmers rouges. Nous étions douloureusement honteux du comportement criminel des révolutionnaires. Nous étions révoltés par l'idée que nos tortionnaires avaient notre nationalité.

Afin de trouver un débouché à mes dollars, j'avais rendu visite à un courtier clandestin chinois – spécialiste des échanges prompts – et je lui avais suggéré de me procurer des dollars.

– Mon vieux, est-ce que tu possèdes des dollars ? Quelqu'un m'en a demandé...

Ma question l'avait troublé.

– Ah oui ? Pourquoi des dollars ?

– Je ne sais pas, moi... Mais si tu peux me trouver ça, je te donnerai des boîtes de riz.

– Mais pourquoi ? Explique-moi !

– Parce que les dollars c'est important, tu sais. Si un jour le régime évolue favorablement, nous retournerons peut-être à Phnom Penh. Il y a des ambassades là-bas. Malgré l'absence de monnaie dans le pays, les personnels des ambassades utilisent et acceptent les dollars. C'est une devise forte. A l'étranger, il n'y a que les dollars qui comptent... Qui peut affirmer que la monnaie ne sera pas réintroduite un jour au Cambodge par ce régime ou un autre... Ce jour-là, le dollar retrouverait sa valeur par rapport à la nouvelle monnaie mise en circulation. Tu le sais bien : le dollar, c'est comme l'or. L'or, c'est tout de même plus difficile à écouler. Si on aime le bijou, on le prend. Mais si on n'en aime pas la forme, on ne le prend pas. Et puis, la valeur d'un bijou peut varier selon les goûts. Cent dollars, par contre, ça vaudra toujours cent dollars. Si tu peux en trouver, ce n'est pas moi qui les prendrai, c'est un autre... Je crois qu'il a raison.

– Ah bon ! Je veux bien te croire.

Le Chinois avait été sensible à mes arguments. Je savais que son influence sur ses compatriotes était importante. C'était un courtier estimé dans le village. Il contacta immédiatement les Chinois et les Cambodgiens qui possédaient de l'argent. Il m'apporta deux cents dollars. Nous n'utilisions plus que les billets de cinquante et de cent dollars. Les coupures de vingt dollars, c'était trop peu. Je n'avais que des billets de cent dollars.

Une boîte de riz valait dix dollars. Je donnai donc au Chinois vingt boîtes de riz et il me remit les deux cents dollars promis. Je conservai cet argent sur moi. C'était un risque à courir. Le bruit de notre échange se propagea très vite dans les deux ou trois villages du voisinage. Les gens, grâce à la rumeur répandue par le Chinois, prenaient conscience de la valeur des dollars. La cote de l'or – sur le marché de ces échanges – était assez élevée.

Deux cents dollars valaient un tael d'or mais un tael d'or valait quarante boîtes de riz, soit deux fois plus de riz, en théorie, qu'on en obtenait avec l'équivalent en dollars. L'ennui, dans ces transactions fondées sur l'or, c'était le prix variable du métal précieux. La qualité esthétique de l'objet entrait en jeu dans l'estimation du courtier. La valeur des colliers, par exemple, était d'un tiers plus élevée que celle des bracelets. En fait, il n'y avait pas de valeur fixe de l'or.

Les dollars étaient plus fiables. Avec eux, pas de mauvaise surprise... Un tael d'or = 200 dollars = 20 boîtes de riz. « Par conséquent, pensaient les gens, il vaut mieux dépenser l'or et économiser les dollars... » Je me disais que les gens étaient bêtes et je me demandais pourquoi ils se précipitaient sur cette spéculation. Les dollars, dans tous les cas, étaient plus faciles à écouler. De l'autre côté, en Thaïlande, ils étaient appréciés. Les étrangers qui avaient vécu au Cambodge, avant le 17 avril 1975, n'avaient jamais utilisé d'autre monnaie. De plus, il était aisé de cacher sur soi des billets de banque.

Mon opération financière, si j'ose dire, avait eu, dès le début, un excellent écho. Ce succès me paraissait presque normal. La plupart d'entre nous avaient dissimulé des dollars ou de l'or. Les riches avaient mieux survécu aux mauvais traitements des Khmers rouges que les pauvres. Les pauvres avaient été les premières victimes des épidémies et de la famine. Il leur était impossible de se procurer de la nourriture ou des médicaments sans argent.

Lentement, en prenant mille précautions, les gens commencèrent à sortir leur or, leurs dollars. Mon courtier réapparut au bout de quelques jours. Il semblait mécontent. D'emblée, il me reprocha le marché que nous avions conclu : « Tu m'as roulé, Thay ! Maintenant, on me donne quinze boîtes de riz pour cent dollars. Toi, tu m'en as donné dix. » Je le calmai en lui promettant quinze boîtes de riz contre cent dollars. Ma parole fut tenue. Il me fournit cent dollars et je lui donnai quinze boîtes de riz.

Tout se réalisait, en fait, selon mes prévisions. Mon stock de boîtes de riz diminuait mais le cours du dollar montait. Les dollars étaient de plus en plus convoités. Il y avait, à ma connaissance, trois ou quatre riches Chinois, quelques Cambodgiens et un Vietnamien qui échangeaient beaucoup d'or contre du riz. Quand ils eurent converti leur or en riz, ils échangèrent le riz contre les dollars. Ainsi, je changeais mes dollars, de temps en temps, contre du riz par l'intermédiaire du même courtier.

J'avais dépensé mille dollars et obtenu cent cinquante boîtes de riz. En réalité, j'avais introduit les dollars dans les cours du riz au même titre que l'or ou les vêtements. Avec la complicité involontaire du Chinois, mon plan s'était réalisé. Nous avions créé un marché artificiel et clos du dollar.

Ce marché était complètement abstrait. Il ne débouchait sur rien. Il fonctionnait en vase clos. Nous vivions dans une économie de troc, fermée et clandestine. Chacun nourrissait l'espoir secret d'un avenir meilleur. Avant mon initiative, les dollars ne valaient rien. J'avais parié sur l'espérance commune pour attribuer aux dollars une valeur fictive. Grâce à cette fiction monétaire, j'avais acheté du riz pour nourrir ma famille. Les francs et les marks ne valaient rien.

D'une manière générale, dans le village, les hommes mouraient les premiers. Ils mouraient de faim et d'épuisement, la plupart du temps. Cela m'avait frappé. Le taux de mortalité, au sein de la population nouvelle, était nettement plus élevé chez les hommes que chez les femmes. Ce phénomène était probablement lié, aussi, aux disparitions. Les familles qui disparaissaient avaient tenté de s'évader. Les hommes portés disparus avaient souvent échoué et les Khmers rouges les avaient exécutés. Un vingtième, au moins, de la population essayait de s'évader. On ne retrouvait jamais les fuyards. On n'entendait plus parler d'eux.

A cette époque, les paysans, les habitants de base, commençaient eux-mêmes à être las des Khmers rouges. Ils appartenaient au peuple ancien mais ils manifestaient certaines réticences à l'égard des méthodes employées par les Khmers rouges. La vie quotidienne des paysans devenait un véritable esclavage. La rigueur des Khmers rouges s'exerçait aussi à leurs dépens. Avant la victoire des Khmers rouges, le paysan vivait tranquillement entouré des siens. Il possédait deux ou quatre bœufs, des buffles, des rizières, une charrue, des bananiers et des cocotiers. Il avait de quoi vivre. Il travaillait pendant six mois, se reposait le reste de l'année et allait quelquefois se distraire en ville. Le travail d'un semestre suffisait à le nourrir – avec sa famille – toute l'année.

Les Khmers rouges avaient, du jour au lendemain, imposé un nouveau mode de vie aux paysans cambodgiens. Tout appartenait désormais à la communauté. La propriété privée était abolie. Les paysans pouvaient manger en famille mais ils devaient mettre en commun leurs charrettes, leurs charrues et leurs bœufs. Même les arbres fruitiers des vergers privés dépendaient de la communauté. Ainsi, personne, dans le village, n'avait conscience d'entretenir son arbre, son outil ou son bœuf. L'organisation des Khmers rouges fonctionnait mal. Les paysans souffraient également de cette confusion.

Les Khmers rouges nous faisaient endurer ce régime implacable pour nous isoler et nous éliminer les uns après les autres. Nous étions brutalement soumis à la loi de la sélection naturelle : les hommes bien portants survivaient, les autres y laissaient leur peau.

Notre village était divisé en différents groupes d'environ douze personnes. J'avais été nommé chef de groupe. Cette promotion imprévue récompensait mon zèle au travail. Mes ruses, en l'occurrence, avaient abusé les Khmers rouges. Il fallait montrer que l'on travaillait dur. Dans ce cas, les Khmers rouges acceptaient de nous accorder un peu de repos lorsque nous étions visiblement fatigués. Nous pouvions dire que nous étions malades; ils nous croyaient sur parole. Cette mansuétude ne devait pas durer...

Les gardes qui surveillaient les chantiers voulaient s'assurer de notre bonne volonté, de notre sincérité. Le travail devait être accompli convenablement. Les gens qui réclamaient trop souvent des jours de repos étaient mis à l'index et épiés. Les gardes voulaient savoir s'il ne s'agissait pas de malades imaginaires. Les pleurnicheurs et les geignards étaient mal vus. Malheureusement, il y avait des gens qui se plaignaient tout le temps. Je n'étais pas habitué à couper les arbres, à défricher, mais je faisais de mon mieux et je me taisais.

Lorsque j'avais été nommé chef de groupe, j'avais emmené une douzaine d'hommes dans la forêt pour couper des bambous. Nous avions l'intention d'améliorer et de renforcer nos paillotes. La situation de chef de groupe, contrairement à ce que je pensais, n'était même pas enviable. Le chef devait montrer qu'il était plus fort que les autres. Tous les matins, nous allions travailler à quatre kilomètres et nous rentrions le soir, très tard. Nous nous étions attribué des chantiers de coupe. On pouvait ainsi se répartir la tâche. Du matin au soir, nous coupions les bambous sans relâche. Et je montrais l'exemple : je coupais, je coupais... Je disais même à mes camarades : « Attention ! Il faut travailler dur, il faut bien travailler. » J'étais chef de groupe et l'on avait jugé favorablement mes efforts et mes bonnes dispositions idéologiques. J'étais censé incarner de solides vertus révolutionnaires. Quand un garde khmer rouge passait près du chantier, je criais des ordres : « Ne traînez pas ! Travaillez dur ! » Puis, plus bas, j'ajoutais : « Ne te fatigue pas trop... Donne-moi autant de bambous que tu peux. »

Nous n'osions pas prononcer de gros mots dans la forêt et nous vivions dans la terreur d'en entendre un. Selon la tradition orale cambodgienne, les gros mots étaient tabous dans la forêt. On nous avait toujours raconté que les génies de la forêt écoutaient les hommes et leur jetaient des sorts quand ils disaient des grossièretés. Nous avions l'habitude de rire de ces interdits mais, en réalité, nous n'étions pas rassurés. Les Cambodgiens, dans l'ensemble, croient aux génies de la forêt.

Un jour, je plaisantai avec mes camarades en évoquant ces génies malins et omniprésents : « Travaillez bien et faites attention de ne pas recevoir le bambou sur la tête. Méfiez-vous du bambou ! Il peut vous piquer ou vous foutre dehors... » Je n'eus pas le temps d'achever ma phrase. Je fus brutalement interrompu par un bambou qui me fouetta le visage. Il s'était tout à coup détendu comme un ressort, comme une catapulte. J'avais commencé à le tailler mais il n'était pas encore tranché. Il s'était détaché tout seul. La partie vive du bois coupé avait atteint et déchiré ma lèvre inférieure.

La violence du choc m'avait projeté à un mètre de l'endroit où je discutais avec mes camarades. Elle m'avait laissé évanoui. J'étais resté sans connaissance pendant trois à quatre minutes. Par chance, au lieu de tomber sur un tas de bambous, je m'étais affalé sur le sol. Je n'avais pas pu éviter la baguette qui m'avait frappé mais je n'avais pas été blessé, en tombant, par les bambous déjà coupés. En retrouvant mes esprits, je m'aperçus que mon visage et ma poitrine étaient couverts de sang. J'avais perdu une dent et ma lèvre inférieure était écrasée, percée. J'avais la bouche enflée et déchirée. Un de mes compagnons de travail me releva. Il me fit remarquer que le coup aurait pu être fatal, plus dramatique en tous les cas, si le bambou avait atteint la tempe ou les yeux. La dent arrachée avait amorti le choc.

Immédiatement prévenu de l'accident, les Khmers rouges m'entourèrent. Au lieu de me soigner, ils me réprimandèrent : « Camarade, vous n'avez pas été attentif pendant votre travail. Vous souffrez mais êtes-vous conscient que vous faites perdre de la main-d'œuvre à l'Angkar, que vous devez vous reposer et abandonner le chantier pour plusieurs jours... »

J'étais chef de groupe. Aussi, je ne pouvais pas rentrer au village sans mon équipe. Je dus attendre la fin de la journée pour retrouver ma famille. J'étais angoissé. Je ne pensais pas pouvoir guérir. Je craignais que ma plaie s'infecte et il n'existait plus d'antibiotiques pour prévenir une septicémie. Les Khmers rouges m'avaient accordé trois jours de repos pour reprendre des forces et panser mes blessures.

J'étais vraiment dans un fichu état. Ma plaie gonflait et je ne pouvais rien manger, rien avaler. Je sentais que ça allait mal. Mon organisme s'affaiblissait. J'étais à la merci d'une vilaine blessure qui pouvait s'envenimer. Nous n'avions rien pour nettoyer une plaie, pour la désinfecter. Nous n'avions même pas de quoi faire un pansement. Quelques jours après l'accident, j'avais réussi à échanger du riz contre quatre comprimés d'antibiotiques. Une semaine d'incertitude s'était écoulée et, enfin, j'étais sur pied. Ma plaie s'était cicatrisée. Décidément, j'avais de la chance...

Nous vivions sous l'empire de la mort et de la peur. Peur de tomber malade, d'avoir froid, de souffrir de la faim et de mourir dans l'indifférence générale. Que dire d'autre ? Nous étions accablés. Nous étions très malheureux.

Nous fûmes soumis, au cours de cet hiver 1975, à une véritable torture mentale. Le bruit courait que la population devait être bientôt déplacée. Cette rumeur persistante perturbait les esprits. A cet égard, le démenti du chef du village fut catégorique : « Vous resterez ici toute votre vie ! » L'Angkar l'avait décidé. Nous devions rester là. Dans cette perspective d'établissement à long terme, nous avions reçu la consigne d'améliorer et de réparer nos paillotes. Les intentions des autorités devenaient claires. Nous regrettions cette décision. La vie était pénible et difficile dans la région de Veal Vong, froide en novembre et en décembre. Nos couvertures n'étaient pas assez épaisses et nos literies ne nous protégeaient pas de l'humidité. Nous brûlions des bûches, la nuit, pour pouvoir dormir.

Curieusement, on nous permettait de cultiver des légumes autour de nos paillotes. Chaque famille pouvait ainsi posséder son potager. Cela nous laissait penser que les Khmers rouges souhaitaient réellement nous voir attachés à cette région. On essayait, tant bien que mal, de faire pousser des légumes mais ça ne donnait pas grand-chose. Nous n'avions pas l'habitude de ces travaux de jardinage et le terrain ne s'y prêtait pas. Nous n'avions même pas de semence, de graines. On plantait des patates douces, du manioc et quelques légumes.

A la fin du mois de décembre, nous fûmes convoqués par le chef du village. Ces séances de propagande étaient fréquentes. Nous n'étions pas surpris par la convocation du chef. A cette occasion, les Khmers rouges réaffirmèrent qu'il n'était pas question de partir. Le lendemain, nouveau meeting. Nous ne connaissions pas l'orateur. Nous ne l'avions jamais vu avant cette réunion. Sans détour, ce Khmer rouge étranger à notre village nous annonça une nouvelle déportation : « Est-ce qu'il y a des volontaires pour partir ? Préparez donc vos bagages... » Certains de mes amis s'étonnaient autour de moi : « Pourquoi l'Angkar a-t-elle changé d'avis ? » Le cadre khmer rouge n'avait pas l'air dérouté par la question. En vérité, je me demandais pourquoi mes amis s'interrogeaient sur les desseins de l'Angkar. L'Angkar ne changeait pas d'avis. L'Angkar, on nous l'avait dit, était imprévisible. George Orwell l'a écrit : « Le langage politique a pour but de faire paraître vrai le mensonge et respectable le meurtre. »

Pourquoi remettre le principe de l'infaillibilité de l'Angkar en cause ? L'Angkar, nous étions censés le savoir, était infaillible. Elle ne pouvait pas faire fausse route, se fourvoyer. Les volontaires pour le nouvel exode devaient se manifester.

Les responsables du village voulaient que nous restions et le nouveau venu ordonnait aux volontaires de s'en aller. Il recensait déjà les candidats au départ. Les Khmers rouges qui résidaient au village tenaient absolument à nous montrer l'erreur que nous commettions en partant. Ils essayaient de nous intoxiquer : « Restez ici ! Là-bas, c'est encore pire... »

Le cadre inconnu tenait un langage complètement différent : « L'Angkar a besoin de vous pour travailler sur un autre chantier. C'est un chantier meilleur. Il n'est pas situé en pleine forêt; les conditions de vie y sont plus agréables. Vous serez bien traités là-bas. » Certains habitants du village craignaient encore de nouvelles calamités. Ils refusaient de bouger.

Moi, j'hésitais. Je discutais avec ma femme, mes parents. Notre situation n'était pas bonne. Les rations étaient maigres et cette région forestière était imprégnée d'eau. Le Khmer rouge qui vantait les mérites de son chantier ne parlait pas des rations. Notre lieu de destination, non plus, n'était pas indiqué. Nous espérions qu'ailleurs nos conditions de vie allaient se révéler décentes. Avant de partir pour Battambang, on nous avait beaucoup parlé des rations. A Veal Vong, il n'en était plus question. Le Khmer rouge escamotait notre avenir. Il ne nous disait rien...

J'avais de bonnes raisons pour partir, cependant. Je ne devais pas rester trop longtemps à la même place. Je risquais d'être reconnu. D'autre part, je voulais me rapprocher de la frontière. Je n'avais pas renoncé à mes projets d'évasion. Dans un autre village, il m'était possible de trouver des circonstances meilleures pour m'évader. Je vivais toujours avec cette détermination, cette volonté de m'enfuir, de quitter le Cambodge. Il me fallait à tout prix trouver une issue !

Les Khmers rouges ne se souciaient point de notre sort quand ils nous conseillaient de rester sur place. En fait, ils n'étaient préoccupés que par le problème des rations excédentaires. Les rations étaient attribuées aux villages en fonction du nombre d'habitants. Si la population était dense, les rations étaient nombreuses. Les Khmers rouges locaux avaient intérêt, par conséquent, à dissimuler les décès afin de récupérer à leur profit les rations fantômes.

Des dizaines d'hommes et de femmes, d'enfants aussi, mouraient tous les jours. Les Khmers rouges gardaient, pour alimenter le marché noir, ces rations volées aux morts.

Notre départ modifiait cette économie parasitaire. Il la déséquilibrait. C'était la vraie raison de la réticence exprimée par certains Khmers rouges. Leurs privilèges étaient ainsi rognés. Cet incident, créé par notre départ, m'avait troublé. Je me demandais comment les Khmers rouges s'entendaient entre eux, comment ils s'organisaient. Si, vraiment, ils pensaient que leurs ordres étaient infaillibles... Ils ne s'apercevaient pas que leurs cadres pouvaient être à ce point corrompus. Ils croyaient aveuglément à la pureté de leur idéal. Ils ne savaient certainement pas que certains d'entre eux refusaient de nous laisser partir pour continuer à détourner des rations.

Outre cet avantage, nous formions une main-d'œuvre gratuite

très utile dans les travaux agricoles. Les habitants de base nous voyaient partir à contrecœur. Ils devaient nous remplacer et travailler fort... Enfin, les Khmers rouges mettaient de côté des rations pour se nourrir. Mais ils songeaient aussi au marché noir. Ils avaient besoin de partenaires pour échanger du riz, de l'or. En nous voyant partir, les Khmers rouges et les habitants de base perdaient leur clientèle. On leur confisquait le moyen de réaliser de bonnes affaires.

Petit à petit, nous étions dépouillés de nos biens, de tout ce que nous possédions. Les représentants de l'Angkar et les habitants de base, le peuple ancien, nous avaient littéralement détroussés. Il ne nous restait plus rien. Les plus astucieux, comme moi, avaient mis de côté quelques bijoux pour se procurer des vivres et des médicaments. Les Khmers rouges l'avaient sans doute deviné et ils voulaient tout empocher.

Mon dernier filet était perdu. J'avais encore deux mille dollars sur moi et des bijoux. J'essayais de conserver la plupart de mes vêtements surtout. Je ne voulais pas m'en défaire. C'était notre protection la plus efficace contre le froid. J'avais échangé ma montre, ma radio. Autrement dit, nous étions allégés du superflu et, parfois, de l'essentiel.

Les quatorze survivants de notre famille avaient été répartis en deux groupes. Dans notre village, nous étions environ un millier de volontaires pour partir dans une autre région, un peu moins que la moitié des rescapés. Nous n'avions pas le droit, en quittant le village, de cueillir les légumes que nous avions plantés. Selon les Khmers rouges, les habitants du village devaient prendre soin de nos plantations. C'était la troisième fois que cette mésaventure nous arrivait. Nous plantions des légumes et nous ne pouvions pas en profiter.

Je ne savais pas, à ce moment-là, que je repasserais à Veal Vong, un an plus tard, dans des circonstances plus pathétiques. Je devais découvrir un village abandonné, envahi par la forêt. Les paillotes étaient effondrées et les potagers en friche. On remarquait à peine les traces de notre passage.

Nous reprîmes la direction des grandes routes. Au lieu de nous enfoncer dans cette région montagneuse, nous rebroussâmes chemin. Nous avions atteint, à cinq kilomètres de Veal Vong, une pagode destinée à accueillir les réfugiés. Nous formions un cortège d'une centaine de familles, de douze cents personnes environ. Nous attendions les camions dans la pagode. L'attente dura deux semaines.

Le régime alimentaire de la pagode était meilleur que celui du village. Comme par enchantement, les rations avaient augmenté. On nous distribuait une boîte de riz pour quatre personnes. J'ignorais les raisons de cette amélioration soudaine. La récolte, peut-être, avait été bonne... Ou les Khmers rouges voulaient nous encourager à croire leurs promesses. En nous débrouillant, nous arrivions à obtenir une demi-boîte de riz par personne. Cela nous semblait beaucoup et nous rassurait presque. Nous étions sur le point de reprendre espoir.

Autour de la pagode, il y avait un village bâti sur pilotis. Le village était déjà occupé par des réfugiés de Phnom Penh. J'y avais retrouvé des connaissances, des amis.

Dans la pagode, j'avais pu échanger deux billets de cent dollars contre des poulets. C'était une aubaine. Nous en profitions. Nous mangions vraiment à notre faim. Comment décrire cette douce euphorie qui nous envahissait ? La discipline n'était pas impitoyable.

C'est un sentiment curieux que de renaître avec une ration sensiblement améliorée. Nous avions l'impression d'être des rescapés, des élus...

L'attitude des Khmers rouges m'étonnait. Sans cesser d'afficher leur sévérité, leur cruauté parfois, les Khmers rouges nous observaient d'un œil presque admiratif. Ils ne comprenaient pas par quel miracle nous avions pu survivre aux déportations, au travail forcé, aux épidémies. Ils s'étaient appliqués à nous détruire méthodiquement et nous résistions, stoïques. Il leur paraissait impossible de tenir bon, de faire face aux épreuves de la révolution. Bien sûr, ils nous méprisaient. Mais il y avait dans leur mépris une nuance d'étonnement. Notre invincibilité des premiers mois les médusait. Ils avaient sans doute pensé que nous disparaîtrions rapidement. A leurs yeux, nous étions des être inférieurs, indignes de vivre dans la nouvelle société qu'ils bâtissaient.

Les hommes et les femmes du peuple nouveau étaient définitivement classés comme des êtres vils. Nous n'avions rien de commun avec les Khmers rouges. Le peuple nouveau ne pouvait pas accéder aux responsabilités des Khmers rouges. Il était condamné à subir le joug de l'autorité. Les Khmers rouges étaient les seuls maîtres. Eux seuls avaient le droit de prendre des initiatives.

A Veal Vong, des buffles étaient morts de maladie. Par superstition, les paysans de base, les familles du peuple ancien, avaient refusé de les manger. Nous n'avions pas refusé cette viande providentielle. Nous n'étions pas en mesure de faire la fine bouche.

Les paysans, avec la complicité tacite des Khmers rouges, ne nous avaient pas donné la viande avariée. Ils nous l'avaient échangée contre de l'or et des vêtements. Les Khmers rouges avaient feint d'ignorer ce trafic. Pendant les quatre premiers mois de notre déportation, l'Angkar ne nous avait jamais distribué le moindre morceau de viande. Chacun devait se débrouiller.

Dans la pagode, j'avais pu dénicher, grâce aux échanges, du sucre. C'était une friandise qui semblait tout droit venue du paradis. Un morceau de sucre qui fondait sur la langue, c'était comme aller au cinéma quatre fois. Un bonheur incroyable... De peur de laisser échapper ce bonheur fugace, nous sucions notre sucre lentement sans perdre une goutte de salive.

La boîte de lait Guigoz, populaire au Cambodge, nous servait à la fois de mesure et d'ustensile de cuisine. C'était l'objet indispensable à la vie. Ces boîtes étaient légères et nous pouvions les fermer hermétiquement. Je possédais deux boîtes Guigoz en aluminium. Les Khmers rouges s'en servaient aussi. Nous y faisions cuire notre riz. Sur les chantiers, dans les champs et en famille, nous utilisions ces boîtes comme des récipients de cuisson. Quand, dans les champs, nous apercevions un crabe de terre filer vers son terrier, nous l'attrapions et l'enfermions dans la boîte de lait Guigoz. C'était vraiment l'ustensile quotidien le plus courant dans le Kampuchéa Démocratique. Nous avions deux façons de porter la boîte. Les uns faisaient deux trous et nouaient un fil électrique. Les autres fabriquaient une espèce de petit filet dans lequel ils plaçaient la boîte. Personne, sur les chantiers, n'oubliait le précieux ustensile. Tout le monde, pour éviter les vols, portait sa gamelle à la ceinture au cours de la journée.

Parfois, nous avions l'impression, dans les actes anodins de notre vie quotidienne, que les Khmers rouges nous jouaient la cynique comédie de la révolution. Jusque-là, la plupart des Khmers rouges que j'avais rencontrés étaient ignorants, incultes, illettrés quelquefois. Mais ils s'exprimaient tous avec une éloquence révolutionnaire assez brillante. Cette exceptionnelle maîtrise du discours idéologique m'intriguait un peu. Je me demandais comment ces paysans frustes pouvaient avoir acquis de telles qualités d'orateur. Ils savaient incontestablement s'adresser à une foule.

Ils nous infligeaient leurs sermons plusieurs fois par semaine : « Vous savez, le Kampuchéa fut d'abord exploité par les rois, puis par les impérialistes français, japonais et américains. Les temples d'Angkor, sachez-le, n'ont pas été construits par les rois mais par le peuple. Des milliers d'hommes et de femmes ont construit les temples. Notre grandeur et notre civilisation ont été créées par le peuple cambodgien. Et notre histoire mérite d'être célébrée parce que le peuple y a participé. Aujourd'hui, nous entrons dans une ère encore plus glorieuse et heureuse que celle d'Angkor. »

Les Khmers rouges étaient de beaux parleurs mais je décelais, derrière les professions de foi, les penchants individualistes cachés, comme la corruption, par exemple. Naturellement, ils travaillaient avec ardeur devant nous mais, au fond, ils n'appliquaient pas les dogmes sacrés de la révolution. Ils participaient volontiers aux trafics clandestins, au marché noir. Leur conduite n'était pas tirée d'un ouvrage idéologique. Ils parlaient comme un livre mais ils ne se comportaient pas comme les héros des récits révolutionnaires. Leur vie n'était pas exemplaire.

J'avais lu que les cadres communistes étaient vraiment sincères quand ils tentaient de rééduquer leurs compatriotes. Ils souhaitaient voir les citadins se réhabiliter et se conduire en vrais révolutionnaires. De bonne foi, ces cadres communistes désintéressés pensaient contribuer au bonheur du peuple, à l'élévation de leur idéal. Ils étaient dévoués à une cause qu'ils estimaient juste. Mao Zedong avait parfaitement défini cette mission du cadre révolutionnaire : « Il faut critiquer les défauts du peuple, mais il faut le faire en partant véritablement de la position du peuple; notre critique doit être inspirée par le désir ardent de le défendre et de l'éduquer. Traiter ses camarades comme on traite l'ennemi, c'est adopter la position de ce dernier. »

L'attitude des cadres de l'Angkar était différente. Ils parlaient comme d'authentiques révolutionnaires parce que l'Angkar voulait qu'ils parlent de cette façon. La conviction communiste n'était pas leur principal motif de violence révolutionnaire. Leur but était plutôt de nous faire mourir. Le ressentiment leur tenait lieu d'idéologie. Nous étions condamnés à périr : travaux forcés, rations médiocres, misérables conditions d'existence. La politique des Khmers rouges à l'égard du peuple nouveau était sommaire : elle consistait à éliminer tous les suspects – c'est-à-dire tous les hommes capables de fomenter un complot ou de diriger une révolte – et récupérer par l'éloquence politique les hommes et les femmes qui s'obstinaient à ne pas mourir.

Ces cadres pouvaient réciter et ânonner la théorie mais ils n'avaient pas été formés moralement. Appliquant leurs principes en dépit du bon sens, sans discernement, ils n'étaient pas d'authentiques révolutionnaires. Ils répétaient machinalement leurs slogans. La radio diffusait constamment des chants révolutionnaires écrits sur des airs traditionnels. Ces chants exaltaient l'effort national, la vigilance idéologique et la vengeance de classe.

Ces chansons militantes étaient également enseignées aux enfants pendant l'heure de classe quotidienne. Les thèmes des chansons étaient identiques aux thèmes développés dans les réunions politiques. Les chansons de l'Angkar faisaient l'éloge du sacrifice des combattants de la révolution et incitaient surtout la population à la vengeance de classe. Les berceuses d'inspiration révolutionnaire n'échappaient pas à cette règle :

« Fils, rappelle-toi ! Ton père n'est plus. C'était un pur révolutionnaire. Les impérialistes et la classe bourgeoise exploitante l'ont pris dans leur filet. Il fut tué, les bras liés et accrochés à une branche, les pieds suspendus au-dessus du sol. Souviens-toi de son sang, ce sang qui coulait à flots. C'était ton sang qui coulait à flots sous les coups de nos ennemis de classe, ces ennemis qui nous oppressaient, qui nous pourchassaient sans répit. Ton père, sans un mot, résista jusqu'à la dernière goutte de son sang pour libérer notre classe, la classe des pauvres, des paysans sans défense. Tu ne dois jamais oublier le sacrifice de ton père et de tous ses camarades dans leur lutte de libération. Tu dois garder dans ton cœur la haine des oppresseurs bourgeois, capitalistes, impérialistes, féodaux. A toi de venger ton père. C'est à toi de te venger désormais pour protéger ta classe. Tu ne dois jamais oublier la vengeance de classe. »

La plupart des cadres illettrés et ignorants prenaient ces « recommandations » au pied de la lettre. Ils interprétaient ces hymnes vengeurs comme des ordres. Et ils pensaient qu'ils avaient le droit de massacrer des gens de la ville puisqu'ils appartenaient à la classe exploitante, la classe des capitalistes et des oppresseurs. Tout était simple à leurs yeux. L'esprit d'initiative incitait les cadres de l'Angkar à prendre les devants et à se venger des exactions commises par l'ennemi de classe.

On pourrait trouver l'origine de nombreuses tueries dans ce malentendu. Les paysans illettrés élevés au rang de chefs par l'Angkar ignoraient les subtilités du langage révolutionnaire. Ils ne distinguaient pas le propre du figuré. On leur disait : « Vengez-vous ! » et ils se vengeaient en supprimant sauvagement leurs ennemis. Ce langage équivoque était l'une des trouvailles imaginées par l'Organisation supérieure, l'Angkar, pour qu'on lui obéisse aveuglément. L'Angkar était infaillible. Elle savait tout. Elle entendait tout. Elle voyait tout. Elle incarnait la perfection.

Un thème révolutionnaire avait particulièrement retenu mon attention : « Tu dois abattre toutes les classes ! La classe unique, c'est la classe des paysans pauvres. » Entre les lignes, il fallait comprendre qu'il y avait même des riches et des pauvres chez les paysans, ou les pauvres des pauvres si l'on veut...

Curieusement, les paysans de base tentaient de concilier la rigueur révolutionnaire et l'élémentaire prévoyance économique. Les paysans de base croyaient que le régime sévère auquel ils étaient soumis n'allait pas durer longtemps. Ils restaient très croyants. Cette foi naïve des paysans était renforcée par les prédictions de Puth, un sage ermite qui avait vécu au XIXᵉ siècle. Le nom de Puth, en cambodgien, se confondait avec celui de Bouddha : *Preah Puth.*

On ne pouvait s'empêcher de relever, dans les prédictions de Puth, d'étranges coïncidences avec la calamité que nous subissions. Puth avait annoncé : « Les corbeaux noirs répandront les fruits de Lovea dans tout le pays. » Le fruit de Lovea est vert; de forme sphérique, plus petit qu'une prune, il luit et offre un aspect appétissant. Mais, quand on l'ouvre pour le manger, on découvre qu'il est rempli de pucerons. Malgré son apparence, le fruit de Lovea est toujours pourri à l'intérieur. Aussi, les paysans et, même, les citadins analysaient les prédictions de Puth à la lumière des événements. Les « corbeaux noirs » étaient les hommes de l'Angkar tous vêtus de l'uniforme sombre. Le fruit de Lovea illustrait le caractère utopique de l'idéologie communiste. Les beaux principes et les promesses alléchantes ne recouvraient que le meurtre, la famine et la misère étendue à tous les Cambodgiens.

La propagande masquait des drames et des tragédies sans précédent dans l'histoire du Cambodge. Puth avait décrit cette période de malheurs : « Durant cette ère maudite, les gens sont tellement affamés et dépourvus de tout qu'ils courent après un chien pour se disputer un grain de riz collé à sa queue. »

Avant l'arrivée au pouvoir des Khmers rouges, personne ne croyait à ces prédictions qui se transmettaient oralement. Les vieux, surtout, se souvenaient des prédictions de Puth. Nous ricanions et nous les plaisantions lorsqu'ils y faisaient allusion. Qui pouvait imaginer que la famine s'abattrait sur un pays aussi riche que le Cambodge, exportateur de riz. Les rieurs, sous la férule des Khmers rouges, avaient cessé de tourner en dérision les visions de Puth.

Les terribles prédictions étaient en train de s'accomplir sous leurs yeux. Ils étaient les victimes du cauchemar prédit par Puth et auquel ils n'avaient pas cru. Par un élan tardif, tout le monde s'était mis à croire à la clairvoyance de l'ermite. Cette rencontre de l'horreur quotidienne et des visions surnaturelles d'un vieillard religieux avait accentué la résignation et le fatalisme des déportés. Puth l'avait proclamé : « Le sang coulera et atteindra le ventre de l'éléphant avant que la paix ne revienne. »

Heureusement, la malédiction était limitée dans le temps. Les prédictions affirmaient : « Le règne des Thmils (c'est-à-dire les hommes impies ou les Khmers athées) ne durera que *sept* ans, *sept* mois, *sept* jours. »

Cette prévision laissait libre cours aux spéculations sur la proximité de la chute des Khmers rouges. Ces derniers étaient les impies, les Thmils désignés par Puth. Les plus optimistes parmi nous pensaient que ce délai de sept années, sept mois, sept jours commençait en 1970, date du début des hostilités entre les forces armées khmères rouges et les troupes loyalistes. Les plus pessimistes croyaient au contraire que notre pénitence commençait en avril 1975, date de l'accession au pouvoir des Khmers rouges.

Avions-nous raison, en vérité, de nous fier aux prédictions de Puth ? C'était vrai : toutes les valeurs étaient renversées et les profanateurs régnaient. Puth prévoyait aussi que les hommes en noir, à leur tour, seraient exterminés. Cela était presque devenu une certitude parmi le peuple nouveau et le peuple ancien. Tout le monde misait, à plus ou moins long terme, sur la défaite des Khmers rouges. Les anciens s'accaparaient les bijoux des citadins dans cette perspective.

Les paysans de base stockaient des vêtements et de l'or en prévision de l'avenir. Ils connaissaient les risques qu'ils couraient. Ces risques leur importaient peu en comparaison des richesses qu'ils pouvaient amasser. Ils ne prenaient pas les dollars. Les dollars constituaient le marché exclusif du peuple nouveau. Le peuple nouveau n'avait qu'une idée : fuir. Pour fuir, l'argent était nécessaire.

Chaque famille essayait d'échanger des bijoux contre cent ou deux cents dollars pour parer à toute éventualité. Le trésor familial était la seule chance de survie. Les familles acceptaient de l'entamer à condition de trouver des dollars. Mon opération financière était allée bien au-delà de mes espérances. Les gens se ruaient sur les dollars. Ils rêvaient tous de rejoindre la Thaïlande.

Un jour, enfin, les camions arrivèrent à la pagode où nous étions en transit, où nous avions séjourné deux semaines. Notre appréhension, en les voyant, disparut. Il y avait de la place pour tout le monde dans les camions. Nous n'étions pas entassés comme au cours de notre précédent voyage. Nous étions une trentaine de personnes à nous installer sur la plate-forme de chaque camion; ça n'était pas intolérable. Nous n'avions pas beaucoup de bagages à transporter non plus. Mes parents étaient partis avec un autre groupe. Lorsque nous fûmes installés, les camions prirent la route de Pursat. Ils se dirigeaient vers la route nationale.

Certains passagers prétendaient que nous allions à Battambang. D'autres pensaient que nous allions à Phnom Penh. Quelques-uns, dans mon camion, croyaient que nous allions au Grand Lac pour remplacer les paysans déplacés et les pêcheurs musulmans également déportés dans les rizières. Tout le monde était systématiquement déraciné, arraché à sa région d'origine. Il était possible que les

Khmers rouges aient décidé de nous emmener au Grand Lac. Les camions prenaient cette direction.

La route nationale, qui menait à Battambang, était à plus de trente kilomètres de la pagode. Nous avions à peine parcouru quinze kilomètres quand les camions obliquèrent brutalement à gauche et empruntèrent une piste dans la forêt. Les arbres étaient clairsemés; ça n'était pas tout à fait la forêt mais un paysage où les rizières et les bois se succédaient. La piste était inondée. Nous étions en Décembre et les importantes chutes de pluie avaient cessé. Il pleuvait moins mais l'eau stagnait dans les rizières et dans les mares. Le camion glissait et s'enfonçait dans les ornières. Il s'était même enlisé. Nous étions descendus du plateau et nous avions poussé le camion. Nous étions couverts de boue.

En chemin, nous tentions d'interpeller des paysans qui marchaient le long de la route. Nous essayions de connaître notre destination. « Savez-vous où on va ? » Les paysans n'en savaient rien ou bien ils ne voulaient pas répondre. Nous les abordions autrement : « Comment mange-t-on dans cette région ? » C'était la question principale que nous avions en tête : manger à notre faim. Les paysans paraissaient satisfaits. « Ici, c'est bien. On mange correctement... » Les paysans nous avaient également appris qu'il y avait de nombreux villages dans le coin. D'autres camions nous avaient rejoints entre-temps. Ils étaient chargés d'autres déportés.

Nous roulions toujours sur la piste défoncée par les passages répétés des poids lourds. De loin, nous avions aperçu un village habité. La région était riche. Il y avait beaucoup d'arbres fruitiers, de cocotiers. Les rizières étaient bien entretenues. Il s'agissait d'une région agricole, exploitée depuis longtemps. Ce n'était pas une zone vierge comme celle d'où nous venions. La forêt, ici, était habitée. Les gens vivaient dans les clairières où ils avaient bâti leurs paillotes. Lorsque la rivière de Pursat fut atteinte, les camions longèrent ce cours d'eau qui traversait également la bourgade de Leach. Puis, nous nous arrêtâmes.

Les champs de manioc et les arbres fruitiers étaient nombreux. Cette région ne semblait pas ravagée par la guerre. La preuve : les arbres n'étaient pas décapités et nous n'avions pas relevé de trous d'obus. Quand tous les déportés furent descendus des camions, les Khmers rouges nous ordonnèrent de préparer nos couches. La nuit tombait. Certains d'entre nous s'enhardissaient à poser des questions. Les Khmers rouges paraissaient agacés : « Vous verrez plus tard. Dépêchez-vous de vous installer pour la nuit. »

Nous étions au village de Chamcar Trâsâk, exactement pendant la première semaine du mois de janvier 1976. L'accueil avait sensiblement changé par rapport aux autres villages. L'Angkar nous avait prévenus : nous devions être bien reçus.

Le soir même de notre arrivée, les Khmers rouges nous réunirent et nous donnèrent leurs premières consignes : « Camarades respectés et bien-aimés, prenez vos places... Vous allez camper ici pour la nuit. Demain, nous verrons comment nous allons diviser le village et vous répartir. Vous êtes chanceux d'être ici. Vous serez bien. Vous n'avez plus besoin des ustensiles de cuisine, vous n'avez même plus besoin de faire la cuisine. L'Angkar s'occupe de vous. Ceux qui possèdent des ustensiles de cuisine doivent les remettre à l'Organisation. Que chacun conserve seulement sa cuillère... Nous ne distribuerons plus de rations. C'est la preuve, s'il en fallait une, de notre bonne foi. »

Nous avions surmonté les épreuves du premier, du second et du troisième villages. Nous étions en quelque sorte des héros, des rescapés. Nous pensions que l'Angkar allait nous récompenser au terme de notre pénitence. Ceux qui restaient dans les villages et qui ne se portaient pas volontaires pour une autre région, estimions-nous, étaient maudits. Ils n'avaient pas une seule chance de survie. Nous regrettions leur apathie. Ils avaient fait le mauvais choix. Qui ne risque rien n'a rien ! Nous avions, enfin, de quoi manger. La table commune était vaste et rectangulaire. Nous étions assis sur des bancs. Il y avait une chaise à chaque extrémité de la table. « Désormais, vous allez tous manger à la table commune. Vous ne manquerez de rien. Grâce à la bienveillance de l'Angkar, vous allez bien manger. » Plusieurs cuisines et tables communes avaient été installées dans le village. Nous étions contents de manger à notre faim. Nous avions laissé nos affaires dans le campement. Les enfants mangèrent d'abord. Lorsqu'ils eurent fini, ils nous cédèrent leurs places.

Pour la première fois depuis six mois, nous avions du riz dur – *bay*. Nous en avions mangé quelquefois en cachette. Notre ration officielle était tellement minime qu'on ne pouvait faire cuire le riz qu'en soupe. Les rations supplémentaires échangées nous permettaient parfois de nous préparer des repas de riz dur. Ce riz dur qu'on nous offrait pour la première fois depuis six mois était donc une véritable aubaine. Nous avions presque l'impression de manger à notre faim. Il faut imaginer l'émotion de certaines familles, démunies de monnaie d'échange, qui, pendant des mois, s'étaient contentées de soupe de riz et d'herbes sauvages. Ces familles n'avaient jamais connu le répit et le bonheur des rations supplémentaires. Elles avaient miraculeusement survécu à la disette, à la sous-alimentation chronique.

L'étape de Chamcar Trâsâk, imprévue, leur faisait découvrir du vrai riz, et de la soupe de poisson. Les Khmers rouges avaient mis des légumes dans la soupe de poisson déjà copieuse. Nous n'en revenions pas. Nous étions pressés d'en reprendre. Avant de nous mettre à table, nous avions interrogé les enfants : « Qu'est-ce qu'il y a à manger ? » Les enfants paraissaient enchantés. Ils s'étaient caressé le ventre en signe de satisfaction : « C'est bon ! »

Les Khmers rouges nous servaient. Ils nous surveillaient avec bonhomie et grondaient, paternels : « Mangez lentement. Nous savons que vous avez manqué de beaucoup de choses mais, cette fois-ci, vous ne manquerez de rien. Alors mangez bien, c'est-à-dire en prenant votre temps. Pensez à votre santé pour mieux servir l'Angkar. Ne vous chicanez pas autour des plats. Restez calmes ! »

Des jeunes filles et des jeunes garçons nous passaient les plats. Les vieux Khmers rouges faisaient la cuisine. Les femmes frappaient sur un gong pour nous rassembler à table. Les écuelles étaient disposées avant notre arrivée. Tout semblait rigoureusement organisé. Il y avait, tout autour de nous, des champs de manioc à perte de vue. C'était incontestablement une région riche et fertile.

Deux hommes, dans mon groupe, étaient tombés malades en mangeant. Affamés, ils s'étaient précipités sur la nourriture et s'étaient gavés. L'un d'eux était mort d'étouffement dans d'atroces douleurs. Affaibli par la famine, il n'avait pas résisté à un vrai repas. Nous mangions tous goulûment. J'essayais aussi de tout avaler : le riz, la soupe de poisson et les légumes. Si nous avions encore faim, les Khmers rouges acceptaient de nous servir un peu plus de riz. Il n'y avait pas de limite, pas de ration. Chacun pouvait manger à sa faim.

Depuis longtemps, nous n'avions pas savouré une soupe aussi copieuse, garnie de légumes. Nous ne savions pas comment exprimer notre joie et notre gratitude à l'égard des Khmers rouges qui nous recevaient. Nous pouvions respirer. Ils étaient généreux en riz et en soupe. L'ère des malheurs semblait achevée.

Moi, je n'étais pas difficile. Pourvu que l'on nourrisse mes enfants et ma femme, que l'on me donne à manger, j'acceptais de faire n'importe quoi. Tous les hommes étaient dans le même cas. Ils étaient prêts à travailler, à rester fidèles à l'Angkar, à condition de manger correctement. Nous ne voulions pas mourir de faim, c'est tout. Nous avions enduré, pendant six mois, les tortures de la famine, de la maladie et de la séparation. Notre seule volonté, après cette douloureuse expérience, était de manger à notre faim. Nous étions même prêts à nous sacrifier pour l'Angkar. L'Angkar, bienfaitrice à Chamcar Trâsâk, fut alors l'objet d'un véritable culte.

Notre vie, il est vrai, avait été complètement bouleversée par le régime que les Khmers rouges nous imposaient. Depuis le départ de Phnom Penh, j'avais cessé de faire l'amour avec ma femme. Nous n'avions plus de rapports. Pourtant, autrefois, j'aimais cultiver, passionnément et discrètement, l'art érotique. Ma femme et moi, nous étions comme frère et sœur. Asexués, nous n'éprouvions, l'un pour l'autre, aucun désir. Notre seule préoccupation, c'était la nourriture.

La présence de nos enfants et nos sentiments réciproques nous consolaient de cette détresse. Le séjour dans ce nouveau village de Chamcar Trâsâk nous apportait une sorte de paix inhabituelle. Nous étions heureux pour les enfants, pour nous... Nos parents souriaient. Ils semblaient contents. Le lendemain de notre arrivée, nous fûmes envoyés au travail. Nous étions répartis selon les groupes formés la veille. Mon père se trouvait dans un autre village, à deux kilomètres de là. Je ne me faisais pas de souci pour lui. Je savais qu'il mangeait à sa faim.

Notre première tâche fut de construire nos maisons. Il ne s'agissait pas de bâtir des cabanes fragiles, mais des maisons sur pilotis, solides et bien abritées. L'Angkar nous donnait toute latitude pour chercher du bois, creuser les trous pour les poteaux. Nous préparions aussi les toitures. Chaque groupe était spécialisé dans une partie de la construction, dans le traitement d'un certain matériau. Nous travaillions à la chaîne, collectivement. Chaque habitation faisait quatre mètres sur cinq. Il n'y avait pas de cloison intérieure. Mais nous revenions de si loin... Nous n'étions pas à un détail près.

Nous avions tellement souffert dans le dernier village. Nous avions mangé, par exemple, tous les animaux que nous avions trouvés. Il n'y avait plus d'animaux domestiques. Les chiens et les chats mouraient comme les hommes. Les animaux domestiques des habitants de base disparaissaient souvent quand ils étaient mal gardés. Les nouveaux résidents les tuaient et les mangeaient à l'insu des villageois.

A Chamcar Trâsâk, nous n'avions pas recours à ce braconnage. Nous mangions à notre faim. Le soir, après le travail, nous avions la possibilité de pêcher. J'avais gardé les hameçons échangés dans le premier village. Cela nous permettait de pêcher la nuit clandestinement. Nous n'avions pas le droit de pêcher pour notre compte. Tout appartenait à la communauté. Tout devait être mis en commun. Grâce à nos boîtes de lait Guigoz, nous pouvions stocker un peu de riz. Nous faisions également sécher les poissons que nous avions pêchés en cachette. Comme nous mangions correctement, le cours de l'or montait. Au lieu d'avoir quarante boîtes pour un tael d'or, nous avions désormais cent ou cent vingt boîtes de riz. Les échanges étaient rares. Le riz n'avait presque plus de valeur. Nous nous souciions moins du riz que par le passé. Les légumes et la viande devenaient l'objet de nos recherches quotidiennes.

Un jour, mon groupe avait été désigné pour couper des troncs afin de tailler des pilotis. Nous étions six affectés à la taille des pilotis. L'un des hommes de mon groupe avait repéré une chatte et ses chatons dans une paillote abandonnée non loin du village, à un kilomètre environ. C'était notre première journée de travail. Nous étions heureux de trouver cette proie. La pêche était plus aléatoire.

A Phnom Penh, nous avions l'habitude de rire quand nous entendions parler des Vietnamiens qui mangeaient du chien. Cette coutume – réelle ou non – nous paraissait barbare. Le régime des Khmers rouges avait tué en nous cette notion de péché. Le chat était un animal familier mais nous n'hésitions pas à nous le partager pour nourrir notre famille. Nous avions mangé du chien et du chat. Et nous nous en félicitions. C'était peut-être ce qui nous avait permis de vivre. L'homme qui avait déniché la chatte et ses chatons tua les animaux proprement en les noyant. Puis, nous divisâmes notre prise en six parts. Le soir même, nous nous régalions sans arrière-pensée, sans crise de conscience. On ne croyait plus au péché. Toutes les viandes étaient bonnes sauf la viande des morts...

Au début de notre séjour à Chamcar Trâsâk, la radio avait annoncé la proclamation solennelle de la nouvelle constitution. Selon la nouvelle constitution en vigueur, tous les moyens de production appartenaient à l'Etat, à la collectivité. Seuls les objets personnels, usuels, restaient en possession de l'individu.

Nous avions longuement commenté cet article de la constitution : comment définir les objets usuels ? Les vêtements étaient considérés comme des objets usuels. Et les ustensiles de cuisine ? Nous n'en avions plus puisque les repas étaient communautaires... Nous nous posions une autre question. Nous voulions savoir si nous pouvions planter des légumes. De toutes les façons, nous étions piégés. Si nous récoltions des légumes, il fallait les remettre à la communauté. Cela n'encourageait personne à entretenir un jardin, un potager. Même chose pour la volaille. Celui qui élevait un poulet ou un canard devait le donner à l'Angkar. Dans le langage des Khmers rouges, cela s'appelait *Ekpheap Hop*; cela voulait dire unité d'alimentation. Cette expression révolutionnaire signifiait que tout le monde devait manger la même chose. C'était l'un des aspects de l'égalitarisme promu par la révolution. Pas de différence dans les repas ou dans le travail.

Malheureusement, les choses allaient rapidement se dégrader. La période rose ne devait pas durer; ça n'était qu'un entracte.

Au bout de trois semaines, un grand meeting fut organisé à une quinzaine de kilomètres de Chamcar Trâsâk. Tout le monde devait assister au meeting. On nous avait avertis que le chef de région – *Kanak Pheak* – devait prendre la parole. C'était une manière de faire sa connaissance.

A chaque fois que nous nous déplacions, nous changions de chefs khmers rouges. Nous avions également appris que les villages que nous occupions avaient appartenu aux Vietnamiens. Tous les Vietnamiens de cette région avaient été rapatriés dans leur pays. Ils avaient traversé le Grand Lac à bord de barques et de chaloupes et ils avaient été acheminés jusqu'au Viêt-nam par le fleuve. Nous ne savions pas dans quelles conditions ils avaient été transportés. Nous nous étions installés dans leur village abandonné. Les villages voisins étaient cambodgiens. Les habitants de base n'avaient pas bougé. Ils vivaient de l'autre côté du fleuve. Ainsi, ils dépendaient d'une autre région administrative, d'une autre autorité.

De notre côté, il y avait cinq villages du peuple nouveau et deux villages du peuple ancien. Dans ces deux villages, des résidents nouveaux vivaient là depuis plusieurs mois avec les anciens. Ils mangeaient à leur faim et paraissaient satisfaits de leur sort. Ils n'avaient pas connu nos déboires, nos douleurs.

Nous étions des milliers d'hommes et de femmes à assister au meeting. C'était un spectacle impressionnant, inimaginable. Des colonnes venues de tous les villages rejoignaient le lieu du meeting. J'étais parti avec ma femme et mes enfants. Nous avions préparé un peu de riz que nous avions emporté, chacun d'entre nous, dans une boîte de lait Guigoz. On nous avait pourtant assuré que des rations seraient distribuées au cours du meeting. Les circonstances de la vie nous avaient enseigné à être prévoyants, à ne rien négliger. On nous avait pourtant dit : « Ne vous en faites pas, tout est prêt là-bas pour vous accueillir. »

Chaque village avait un emplacement attribué à l'avance. Devant un micro, l'orateur commença à développer les thèmes favoris de l'Angkar. Le chef khmer rouge nous parla de l'idéologie, de l'Angkar, de la société sans classe, de la société capitaliste défunte :

« Pères, mères, camarades respectés et bien-aimés, maintenant, vous êtes libres. Il n'y a plus de classes. Une ère nouvelle s'ouvre à nous. Il faut être un bon révolutionnaire. Construire et défendre le pays : c'est travailler fort et ne compter que sur soi-même. C'est défendre la révolution; c'est dénoncer les ennemis de la révolution.

Vous avez déjà traversé, avec succès, deux grands déserts – *Veal Thom*. Il s'agit de la révolution populaire – *Pakdevat pracheachun* – et de la révolution démocratique – *Pakdevat pracheathiptay*. Il vous faut persévérer dans cette voie pour surmonter les derniers obstacles. L'Angkar est clairvoyante et elle vous guide. » Les deux grands déserts – *Veal Thom* – dont le chef nous parlait étaient probablement la guerre et Veal Vong. A aucun instant nous ne pensions qu'un autre désert nous attendait, plus vaste et plus meurtrier : l'étape de la révolution socialiste – *Pakdevat Sangkum Niyum*.

Après sa déclaration enflammée, l'orateur demanda si des volontaires voulaient monter à la tribune pour approuver la politique de l'Angkar. Des gens levèrent la main. Ils répétaient les slogans qu'ils avaient entendus depuis neuf mois. On passa alors au tour des suggestions. Les mains étaient plus timides. Deux personnes seulement se manifestèrent. Une femme, d'abord. Elle raconta simplement son histoire :

« Cela fait presque neuf mois que j'ai quitté Phnom Penh. Je n'ai qu'un petit sac et je vois que nos compatriotes manquent de vêtements. Je ne suis peut-être pas la seule à ne pas en avoir emporté. Beaucoup de familles sont dans le même cas. Je demande à l'Angkar de retourner à Phnom Penh afin de distribuer des vêtements à nos camarades. »

Un homme monta à la tribune : « Je vois que j'ai été bien nourri et que l'Angkar prend soin de moi. Naturellement, j'ai vécu des épreuves, des famines. Mais j'ai constaté une chose. Les rations n'étaient pas toujours identiques. Pas toujours égales... Certains se nourrissaient tandis que d'autres mouraient de faim. Les punitions étaient différentes d'un village à l'autre. Je voudrais connaître la raison de ces inégalités. Pourquoi devons-nous en pâtir alors que nous vivons dans une société sans classe ? »

Deux personnes, seulement, avaient osé exposer leurs griefs. L'Angkar ne répondit pas aux doléances exprimées. Le discours de clôture fut formel, académique : « Nous vous remercions de votre attention, nous voyons que vous faites confiance à l'Angkar, à sa clairvoyance... » Nous pensions que l'orateur allait nous demander de nous disperser. Brutalement, il s'en prit aux deux contestataires : « Cette femme a parlé de l'Angkar comme si l'organisation avait failli à sa tâche, à son devoir de vous vêtir. Vous avez encore de quoi vous habiller. Les vêtements viendront en temps utile. Celui qui a parlé des inégalités a voulu attaquer l'Angkar. »

Les Khmers rouges avaient une sensibilité paranoïaque pour tout ce qui concernait l'Angkar. Ils ne toléraient aucune critique, aucun avis contraire ou divergent. Ils traitaient les esprits courageux comme de la vermine qui venait les critiquer et qui commettait ainsi un crime de lèse-majesté. Ils avaient mal digéré l'intrusion des contestataires.

D'après les ouï-dire, les deux déportés téméraires qui avaient pris la parole n'étaient pas réapparus dans leur village. Ils avaient disparu après le meeting. Avec les Khmers rouges, la vigilance et la prudence étaient de rigueur. Je le savais depuis le début. Il valait mieux être sourd et muet que de disparaître dans la forêt... Les gens qui s'étaient exprimés librement avaient été victimes de leur naïveté, de leur crédulité. L'Angkar avait invité les hommes et les femmes du peuple nouveau à dire ce qu'ils pensaient, sans détour. Tout devait être avoué à l'Angkar. L'Organisation nous interdisait de dissimuler les mauvaises pensées et les commentaires individuels. Les deux personnes étaient tombées dans le piège.

A côté de ces désagréments, la vie nous semblait plus facile. A l'occasion du meeting, nous mangions très bien. Toujours servis par les Khmers rouges, nous avions même du jus de palme. C'était de l'eau sucrée. Depuis longtemps, nous ne buvions que de l'eau. Il n'y avait pas d'autre boisson. Pour la première fois, nous avions du jus de palme conservé dans des jarres. Tout le monde pouvait en prendre. Privilège incroyable : nous avions même droit à un dessert. C'était un gâteau de riz gluant confectionné avec du sucre et du lait de coco. Quelle délicieuse friandise ! Nous étions heureux comme des enfants... Naguère, sous la république, nous n'aurions jamais apprécié ce dessert. Il nous aurait paru trop fade. Nous en redemandions, cette fois. Nous avions même la possibilité de remplir nos boîtes de lait Guigoz de ces gâteaux de riz et de les emporter chez nous.

Nous commencions à voir le bout du tunnel. Nous pensions que l'on entrait dans l'ère nouvelle, promise par l'Angkar.

quatrième partie

« Ma pensée a voyagé dans toutes les directions à travers le monde. Je n'ai jamais rencontré quelque chose qui fût plus cher à l'individu que son propre soi. Etant donné que leur soi est cher aux autres, qu'à chacun l'est son propre soi, eh bien, que celui qui désire son propre bonheur ne fasse pas violence à un autre. »

BOUDDHA

8

LA VENGEANCE DES CLASSES

L'ère nouvelle commençait à se dessiner. Notre alimentation s'était améliorée et nous retrouvions même des gens que nous avions perdus de vue. J'avais rencontré, à l'occasion du meeting, une cousine éloignée de ma femme. Elle s'était renseignée sur nos conditions de logement et avait demandé à ma femme où nous habitions. Nous lui expliquâmes comment nous étions installés. Elle nous proposa alors de vivre chez elle. Elle était seule, séparée de son mari. Avant la chute du régime républicain, son mari fonctionnaire travaillait dans un service financier de l'État à Pursat-Ville. Il avait été emmené pour rééducation. Elle ne l'avait pas revu.

Cette femme avait deux enfants. Elle occupait une grande paillote dans le village voisin de Chamcar Trâsâk. Elle s'était installée là après la prise du pouvoir par les Khmers rouges. Son village, Don Ey, se trouvait à vingt kilomètres de la ville de Pursat. Elle nous disait qu'elle n'avait pas de souci et que tous les villageois lui étaient familiers. Elle était en terrain de connaissance. Les paysans, les habitants de base, avaient connu son mari. Ils l'estimaient. Sa femme, par conséquent, jouissait d'un certain respect. Les Khmers rouges la traitaient bien.

De notre côté, il fallait inventer un subterfuge pour convaincre les Khmers rouges de nous autoriser à déménager, à changer de lieu de résidence. Je trouvai un moyen : « Dites que vous êtes la sœur de ma femme... » Elle accepta ma proposition : « Je vais demander la permission de vous recevoir au chef de mon village. » Je ne pouvais pas faire cette démarche moi-même. Je risquais d'être taxé d'individualisme. C'était un motif de rééducation. La femme me fit la promesse d'agir. Nous nous séparâmes et tout le monde rentra à la maison.

Le meeting était terminé. Les familles, marchant à la queue leu leu, retournaient dans leurs villages respectifs. Nous étions satisfaits de repartir avec des provisions de nourriture. Nous avions fait bouillir, dans les boîtes de lait Guigoz, nos gâteaux de riz pour les conserver. Nous les grignotâmes le lendemain. C'était un plaisir inconnu que de manger toute la journée.

Après le meeting, nous restâmes deux semaines à Chamcar Trâsâk. Le temps, en somme, de construire une quarantaine de paillotes sur pilotis. Le régime n'avait pas changé. Nous mangions toujours bien. J'entretenais d'excellents rapports avec le responsable de la culture. Je lui donnais quelquefois des vêtements. Je me souviens lui avoir remis un pantalon noir. En tant que chef khmer rouge chargé des travaux agricoles, il pouvait mettre du manioc de côté. Parfois, il m'invitait chez lui à manger quelques morceaux de manioc. J'en gardais pour ma femme et mes enfants. J'agissais clandestinement, bien entendu.

Mes parents, mes frères et mes sœurs vivaient à deux kilomètres de notre village. Nous les rencontrions pendant les heures de travail. Nous traversions leur village pour couper du bois. Leur village était différent des autres. Il y avait un hôpital tout proche.

Deux semaines après le meeting politique, la cousine de ma femme nous visita. Elle avait pu parler au chef de son village. Celui-ci avait accepté le principe de notre déplacement. Notre chef, à Chamcar Trâsâk, était plus réticent. Il s'en tenait au strict règlement de l'Angkar : « Cela ne se fait pas d'habitude. C'est impossible... »

Pour le persuader de nous laisser partir, la cousine de ma femme lui avait soumis une lettre où il était établi, par les autorités, qu'Any était sa sœur et qu'elle pouvait se rendre auprès d'elle, à Don Ey. Le chef de Don Ey avait signé la lettre. Il approuvait officiellement notre déplacement. Notre chef était irrité par ce document. Il s'indignait : « Comment un chef de village peut-il prendre une telle décision ! Cela ne relève pas de sa compétence. » C'était surtout, je m'en aperçus vite, une question de protocole qui l'agaçait. J'essayai d'atténuer son mécontentement : « Moi, vous savez, je m'en moque. Etre ici ou ailleurs... Je suis tranquille ici. C'est plutôt ma femme qui voudrait vivre avec sa sœur. Elles ont perdu leurs parents et elles voudraient bien rester ensemble. »

Je faisais l'innocent. Mine de rien, j'insistais : « Cela ne leur paraissait pas impossible puisque le chef de Don Ey n'y était pas opposé.

Cela ne dépend que de vous, maintenant. Si vous acceptez, vous me rédigerez un ordre de mission et j'irai à Don Ey. Sinon, je n'irai pas là-bas. Cela ne me fait ni chaud ni froid de m'en aller. Ici, je suis bien traité, je mange bien et nous allons bientôt finir les paillotes. »

Je jouais vraiment l'imbécile. Le chef hésitait à prendre sa décision. Il paraissait troublé par nos arguments. La cousine de ma femme, courageuse et obstinée, ne voulait pas céder : « Il faut qu'ils viennent avec moi. Le chef du village a signé ce papier. Il est d'accord pour que ma sœur et sa famille s'installent à Don Ey. Vous n'êtes qu'un chef de camp et vous ne pouvez pas prendre de décision. Ceci n'est pas de votre ressort. »

Elle parlait bien. Elle savait qu'en cas de litige son chef du village la soutiendrait. Enfin, le chef de Don Ey occupait une place importante dans la hiérarchie khmère rouge, au-dessus du chef de camp. Notre chef craignait sans doute la colère de son supérieur hiérarchique. Il nous laissa aller à Don Ey.

Don Ey était à cinq kilomètres de Chamcar Trâsâk. L'hôpital n'était pas éloigné de ce village et ma mère vivait à trois kilomètres. Cela m'écartait un peu de mes parents mais nous étions mieux installés qu'à Chamcar Trâsâk. Nous vivions avec cette dame et ses deux enfants. La fille avait l'âge de mon aîné Sudath. Le garçon était plus grand que Nawath.

La paillote de la cousine de ma femme était assez vaste pour abriter nos deux familles. La toiture avait souffert – elle était percée en plusieurs endroits – mais nous pouvions la réparer. C'était un habitat ancien, solide. Jusqu'à la fin du mois de février, les jours s'écoulèrent sans incident notable. Nous mangions toujours à notre faim.

Mon premier travail, à Don Ey, consistait à battre le riz. Je conduisais les bœufs qui piétinaient le paddy encore attaché à la tige. Lorsque les bœufs avaient piétiné le riz, nous retirions les tiges et balayions le paddy. Les femmes, alors, ramassaient les grains. C'était un moment idéal pour cacher des grains de riz, pour en glisser dans nos vêtements. Personne, pourtant, ne songeait à voler. Nous n'en avions pas envie. Nous n'étions plus affamés. Nous pensions devenir des citoyens à part entière, grâce à la promulgation de la nouvelle constitution et à l'institution du repas communautaire.

Ce changement était interprété comme un signe favorable. Malgré l'absence de liberté, nous étions près d'accepter les conditions de vie que les Khmers rouges nous imposaient. Nous souffrions surtout de ne pas pouvoir nous déplacer librement d'un village à l'autre. Nous pouvions toutefois vivre en famille au terme de chaque mission temporaire. J'avais participé à de nombreuses missions. Ces missions temporaires duraient en moyenne deux ou trois semaines. Hélas! Cette paix devait être de courte durée. Le pire des cauchemars allait succéder à ce répit. J'étais loin de penser que ma famille allait être décimée dans cette tourmente.

A la fin de février, j'avais été envoyé à Tonlé Sap, l'ensemble des Grands Lacs réputés poissonneux. Ma femme était restée seule, avec ses enfants, à travailler autour de Don Ey. La brigade à laquelle j'appartenais comptait trente personnes. Nous étions partis pêcher aux Grands Lacs sous les ordres du chef de groupe khmer rouge. J'avais été enrôlé par hasard dans l'équipe de pêche. Mes compagnons, je crois, étaient volontaires. J'avais été désigné dans mon camp en raison de l'absence d'autres hommes déplacés ailleurs. Don Ey était principalement composé d'anciens. Les déportés vivaient là depuis le début des événements, depuis les migrations d'avril 1975. J'étais le nouveau venu parmi ces hommes.

Pour atteindre le lieu de pêche – à pied – nous avions longé la rivière, en colonne. Nous nous étions rapprochés de Pursat-Ville. Je n'étais pas dépaysé. Les nombreux villages que nous traversions se ressemblaient tous. Sur la route de Pursat, j'avais rencontré d'anciennes connaissances, des amis évacués de Phnom Penh. Nous avions marché trois heures, il est vrai, pour atteindre la périphérie de Pursat, en bordure de la route nationale 5. Un pont, seulement, nous séparait de l'agglomération. Nous n'avions pas le droit de le franchir.

Il y avait encore, dans la banlieue de Pursat, de grandes villas en bois, de belles demeures et une mosquée saccagée. On avait coutume, au Cambodge, de vanter les qualités du bois précieux de Pursat. Sous nos yeux, des équipes spécialisées démontaient ces maisons pour récupérer les matériaux de construction. Les Khmers rouges affirmaient que ce bois devait être utilisé pour la construction de ponts et de salles communautaires. Ils démantelaient tout. Les portes, la toiture, les charpentes, les cloisons... Toutefois, ils ne touchaient pas aux arbres fruitiers. Ils ne cueillaient pas les fruits. Personne ne prenait soin des vergers. Seuls les Khmers rouges avaient le droit de cueillir les fruits.

Les gens, dans cette région, semblaient très actifs, à l'instar des hommes qui démontaient les maisons. Nous nous étions installés pour la nuit au bord de la route, à l'entrée de Pursat où nous attendions des camions militaires. Le lendemain matin, nous embarquâmes dans ces véhicules conduits par les Khmers rouges. La direction que nous avions prise, en roulant vers le sud sur la route nationale 5, était celle de Krakor, une petite bourgade située à trente kilomètres de Pursat. Krakor était à dix kilomètres de Tonlé Sap, « les Grands Lacs ».

Au cours du voyage, nos camions furent soumis à un seul contrôle militaire. Nous dûmes nous arrêter, faire étape, pendant que les Khmers rouges vérifiaient les papiers du chef de groupe. Cette pause me donna l'occasion de voir des milliers de jeunes au travail. Ils creusaient des digues, élevaient des talus, dessinaient des rizières. Des jeunes filles et des jeunes gens, même des enfants, étaient mobilisés. Ces grands chantiers collectifs correspondaient à la planification définie par l'Angkar. Le tracé des rizières était systématiquement modifié. Soucieux d'égalitarisme, les Khmers rouges avaient aboli la propriété privée et remis à l'Etat tous les moyens de production. Aussi, les différences de tailles des rizières choquaient leur manie de répartition égalitaire et leur goût de l'ordre. Comme les cultures appartenaient à tout le monde, toutes les rizières devaient avoir la même longueur, la même largeur. C'était un travail de fourmis : les Khmers rouges avaient ordonné la destruction des anciennes digues et mis en chantier une nouvelle disposition des rizières. Les rizières de vingt mètres ou de quarante mètres étaient balayées, rayées du cadastre. Désormais, il fallait bâtir les digues tous les cent mètres. Au pire, les Khmers rouges acceptaient une digue tous les cinquante mètres.

Le contrôle officiel achevé, nous reprîmes la route. Les camions nous laissèrent près des Grands Lacs dans un ancien village de pêcheurs appelé Kompong Luong. Nos groupes se rassemblèrent. Chacun de nous avait apporté un hamac, un sac à dos, une couverture, une écharpe, un pantalon et une veste de rechange. J'avais confectionné mon sac à dos avec une jambe de pantalon. Le hamac était fabriqué à partir d'un sac de jute. Par précaution, j'avais emporté ma boîte de lait Guigoz. A notre descente des camions, les Khmers rouges nous avaient conduits dans notre campement. Il s'agissait d'une vaste pièce commune, en bois et couverte de roseaux, relativement isolée.

Les Khmers rouges nous laissèrent nous installer en paix puis, le soir, ils nous infligèrent, avant de nous autoriser à dormir, une réunion politique. L'orateur, là non plus, ne badinait pas avec la discipline. Son discours de bienvenue était un véritable énoncé de sentences : « Camarades respectés et bien-aimés, vous allez vivre ensemble au milieu d'une population nombreuse. Vous n'avez pas le droit de vous déplacer hors du campement. Vous n'avez pas le droit d'adresser la parole à un travailleur originaire d'un autre village. Vous devez accomplir consciencieusement le travail que l'Angkar vous confie. Votre groupe sera divisé en deux équipes. La première ramera et lancera les filets. La seconde préparera et fera sécher les poissons. »

J'appartenais à l'équipe de préparation des poissons. Huit hommes, seulement, lançaient les filets de pêche. Nous avions dû déchanter dès notre premier repas à Kompong Luong. Les Khmers rouges, ce soir-là, nous avaient servi de la soupe de riz. Nous ne comprenions plus rien. Pourquoi de la soupe de riz sur le lieu de travail alors que nous mangions du riz dur à Don Ey, dans notre village ? Devant nos protestations, le chef d'équipe éleva la voix, nous fit taire et affirma qu'on ne mangeait plus de riz dur au village. Nos familles aussi devaient se contenter de soupe de riz.

Les soupes de riz étaient les nouvelles rations prévues par l'Angkar. Le chef de Kompong Luong nous fournit l'explication officielle de ce changement alimentaire : en raison des difficultés de transport les Khmers rouges n'avaient pas pu réapprovisionner les stocks. Nous savions que ça n'était pas vrai. Nous avions déjà entendu cette fable. A partir de ce jour-là, nous dûmes nous contenter de deux bols de soupe de riz par repas.

Nous étions sous-alimentés et le travail était très dur. Les pêcheurs, le premier jour, avaient attrapé beaucoup de poissons. L'effort qu'on exigeait de nous était considérable. Souvent, quand la prise était bonne, notre besogne se poursuivait très tard la nuit. Nous préparions alors les poissons à la lueur des bûchers. Furtivement, quand le garde avait le dos tourné, nous cachions un poisson dans nos vêtements. Le soir, avec la soupe de riz, on nous distribuait un peu de poisson. Nous nous consolions de cette misère alimentaire en volant les meilleurs morceaux pendant le travail. Nos poissons séchaient au soleil, séparément des autres.

Le Khmer rouge qui nous surveillait s'était aperçu de notre manège. Il avait compris que nous subtilisions des poissons quand son attention se relâchait. Il était devenu extrêmement sévère au fil des jours et comptait toutes les grosses pièces qui avaient été prises dans la journée. Heureusement pour nous, il ne pouvait pas compter tous les petits poissons. Cela nous laissait un peu de champ pour le berner.

J'avais eu la chance, à Kompong Luong, de rencontrer, dans le camp voisin, un ancien conducteur de bulldozer qui travaillait avec moi au ministère des Travaux publics. Je l'avais retrouvé – le monde était petit – autour d'un puits. L'eau du Grand Lac était malsaine et boueuse. Il n'était pas sage de la boire. Nous avions nous-mêmes creusé ces puits qui étaient utilisés par les habitants des différents campements. Ils nous fournissaient l'eau pour préparer les repas. Nous ne gâchions pas beaucoup d'eau pour nous laver.

Théoriquement, nous n'avions pas le droit de parler aux habitants des autres villages. Les rencontres, toutefois, étaient inévitables.

L'ancien conducteur de bulldozer m'avait adressé la parole avec respect et déférence. Sa politesse m'avait étonné. Il s'appelait Kloeung. Il m'avait d'abord demandé si j'étais arrivé depuis longtemps. A voix basse, je lui avais répondu : « Attention ! Je m'appelle Thay, maintenant. Je suis un camarade comme vous. On ne sait pas ici que je suis ingénieur. N'en parlez pas surtout. Sinon, ils m'arrêteront et je serai foutu. Que fais-tu, toi, aux Grands Lacs ? »

Kloeung me révéla qu'il était cuisinier. Il avait eu de la veine d'être désigné à ce poste. C'était sans doute l'emploi le plus convoité depuis l'institution des repas communautaires. Les cuisiniers avaient la confiance des chefs khmers rouges. Kloeung était d'origine paysanne. Cela justifiait son privilège : sa nomination au grade de chef cuisinier. Après notre rencontre, Kloeung m'apportait tous les soirs un bol de soupe de riz très épaisse. J'appelais un ami de mon groupe et nous dégustions ensemble cette ration supplémentaire. Ce supplément de soupe nous donnait un peu de force. Nous avions bien besoin.

A mon corps défendant, j'avais également eu quelques contacts avec un surveillant khmer rouge, un paysan. J'étais resté seul, par hasard, avec lui. J'avais vite compris qu'il appartenait au peuple ancien. Il m'avait, lui aussi, rapidement jugé. Il savait que j'étais un nouveau. Je me tenais sur mes gardes. On m'avait prévenu qu'il ne fallait pas nouer de relations avec les anciens. Je restais muet afin de ne pas avoir d'histoires. Mon comportement était dicté par l'instinct de conservation : j'essayais de paraître le plus stupide possible tout en n'épargnant pas les ruses pour me maintenir en bonne santé et, malgré nos tribulations, en vie.

Visiblement, l'habitant de base voulait lier conversation avec moi : « On voit que vous venez d'un autre village. Vous n'avez pas l'habitude de notre vie. Vous n'aimez pas les anciens. Cela se voit. Camarade, je vais vous dire une chose : tous les anciens ne sont pas pareils. Moi-même, ici, j'ai participé à la révolution khmère rouge. Depuis le début de la guerre, mon village a été libéré et encadré par les Khmers rouges. Je les connais un peu. Leurs paroles sont douces mais leurs actes et leurs décisions sont sévères, impitoyables. Il faut faire attention ! Rappelez-vous : être sourd et muet. Tous les anciens, ne l'oubliez jamais, ne pensent pas de la même façon. Nous croyons dans notre village que les Khmers rouges nous ont roulés. Mais il faut prendre son mal en patience et rester en vie. L'essentiel, vraiment, est de rester en vie. Vous allez voir : beaucoup de choses peuvent arriver... »

Je n'osai pas répondre au paysan. C'était peut-être un provocateur. Je me demandai si l'homme était sincère. Parlait-il sur le coup d'un accès de cafard passager ou tentait-il de me convaincre...

Je fis la sourde oreille à ses lamentations. Il avait probablement besoin de se confier à quelqu'un. Je ne pouvais pas approuver, pour lui faire plaisir, les vérités qu'il venait de m'exposer. Le chef d'équipe nous avait avertis que l'Angkar veillait.

Partout, les campements et les chantiers étaient truffés d'agents khmers rouges, d'espions venus de l'extérieur. Nous pouvions être surpris par des chlops, par des Khmers rouges à n'importe quel moment de la journée. Les délits d'opinion ou les actes illégaux qui menaçaient la sécurité de l'Etat étaient aussitôt dénoncés par ces espions insaisissables. Au nom de la sécurité de l'Etat, les agents spéciaux, c'est-à-dire la police secrète, pouvaient arrêter n'importe qui. Ils étaient autorisés à arrêter les cadres khmers rouges. Ils agissaient comme une véritable milice politique. Ce n'était pas des chlops locaux, ils relevaient du gouvernement central. La région fourmillait d'espions de cette détestable espèce.

L'Angkar voulait tenir en main toutes les équipes de pêche. Nous étions très nombreux. Certaines équipes venaient même de Phnom Penh. Les Grands Lacs comptaient parmi les principales ressources alimentaires du pays. Tous les villages avaient besoin de poissons frais ou séchés. Dans cette expédition de pêche plutôt improvisée, les chlops « spéciaux » avaient droit de vie et de mort. Ils pouvaient emmener n'importe qui. Leurs décisions étaient sans appel.

Deux semaines après notre arrivée à Kompong Luong, deux hommes de notre groupe furent enlevés par la police d'Etat. Je les connaissais très bien. L'un était un ancien footballeur et l'autre instituteur. L'Angkar les suspectait d'avoir appartenu à une organisation clandestine antigouvernementale. Les suspects, sans être traduits devant un tribunal, étaient considérés commes des coupables... Surtout, s'il s'agissait d'hommes du peuple nouveau. Il suffisait toujours d'un soupçon, d'une calomnie, pour que les Khmers rouges prononcent leur arrêt de mort. C'était le triomphe de l'arbitraire et de la justice expéditive.

Nous n'avions pas assisté à l'arrestation des deux hommes. Le chef d'équipe, afin de décourager les velléités de contestation, nous l'avait décrite. Il nous avait confirmé que la police d'Etat avait bel et bien enlevé les deux hommes. Leurs familles, restées au village, n'avaient pas été informées de cette arrestation.

Un jour, une équipe médicale débarqua dans le campement. Nous étions déjà en mars. Depuis près d'un an que nous subissions la dictature des Khmers rouges, c'était la première fois que je voyais une équipe médicale itinérante. Jusque-là, il n'y avait pas eu d'inspection sanitaire. C'était une nouveauté. L'information avait été diffusée dans le campement : les gens qui souffraient d'un mal quelconque pouvaient consulter l'équipe médicale. Tout le monde, immédiatement, essaya de se faire passer pour malade dans l'intention de recevoir des médicaments.

Nous étions tous exténués par les travaux. Notre vie n'était pas en péril mais nous étions tous plus ou moins victimes de la fatigue, de la sous-alimentation. Un ami m'avait poussé à me rendre à la consultation : « Pourquoi n'irais-tu pas ? Tout le monde y va... Ils donnent du sérum. C'est un mélange de plantes médicinales et de lait de coco; ça ne peut pas faire de mal. »

Rassuré par les explication de mon ami, je décidai de l'accompagner auprès de l'équipe sanitaire. Le personnel de l'infirmerie était très juvénile. Il y avait des jeunes filles et des garçons. Leurs questions étaient lapidaires : « Vous avez mal quelque part ? » Je répondis que je me sentais fatigué et que j'avais un peu mal à la tête.

Il n'existait que deux remèdes dans la trousse à pharmacie des Khmers rouges. Le premier, d'une couleur marron assez répugnante, était administré aux gens qui souffraient de douleurs localisées. Le second était plutôt blanc, clair et transparent. C'était un fortifiant destiné aux travailleurs éreintés. J'optai donc pour le second médicament. Je répétai aux infirmières chargées des piqûres que je me sentais fatigué. Une jeune fille plongea sa seringue dans une bouteille de Pepsi-Cola. Elle n'avait pas désinfecté l'aiguille, ni l'endroit du bras où elle avait l'intention de me piquer. L'aiguille avait déjà servi une dizaine de fois, sous mes yeux. Soudain, je me demandai pourquoi j'avais réclamé l'assistance des apprentis infirmiers et cet inquiétant fortifiant. Je n'eus pas le temps de changer d'avis. La jeune infirmière khmère rouge enfonça sa seringue dans mon bras et injecta le sérum...

Le lendemain, tout allait bien. Les choses se gâtèrent deux jours après la piqûre. Ma fièvre avait brutalement monté. Je ressentais cet état fébrile d'une manière peu ordinaire. Je passais d'une température élevée à une impression de froid, aux frissons. Agité par la fièvre, je tremblais sans arrêt. Par moments, je croyais que j'étais en train de brûler. C'était une sensation désagréable de passer d'un extrême à l'autre. Je transpirais beaucoup après ces brutales poussées de fièvre. Curieusement, mon ami, qui avait reçu la même injection que moi, n'était pas tombé malade.

Le troisième jour fut identique à la journée précédente. Mêmes crises, mêmes maux... Le lendemain de l'injection du sérum, j'avais pu travailler comme d'habitude. Je m'étais alimenté normalement. Cela avait commencé à se détériorer pendant la nuit.

Mes camarades prétendaient que j'avais attrapé la malaria ou le paludisme. Déjà, dans le camp de Veal Vong, il y avait eu de nombreux cas de malaria. J'ignorais par quel miracle j'avais été épargné. On m'avait dit que j'étais de constitution forte et que je pouvais résister à l'épidémie. C'était un diagnostic optimiste qui se révélait faux. La preuve : j'étais malade comme un chien et je n'osais pas dire que cela m'était arrivé à la suite de la piqûre. Les Khmers rouges auraient interprété ma démarche comme une critique contre l'Angkar.

Mon mal empirait de jour en jour. Les crises de paludisme me harcelaient sans cesse. Je ne connaissais pas de répit. Tant bien que mal, j'avais réussi à travailler au cours de la première semaine. La seconde semaine, j'avais dû m'aliter. Je ne pouvais plus faire le moindre effort. Parfois, j'avais des malaises, je chancelais et un ami me relevait. J'étais tombé plusieurs fois. Le chef khmer rouge m'avait vu. Je lui demandai donc l'autorisation de rentrer. Il n'accepta pas : « Repose-toi et nous prendrons une décision ! » J'étais contrarié. En guise de consolation, on me donna des pilules blanches contre la fièvre. Elles n'avaient eu aucun effet. Nous n'avions rien pour nous défendre contre le paludisme. Nos médicaments étaient des préparations locales faites à partir de plantes. Mon ancien conducteur de bulldozer essayait bien de m'apporter du riz et d'enrichir mes repas. Mais je n'avais pas d'appétit. J'étais tellement affaibli que je ne voulais plus manger. Mon état, vraiment, ne s'améliorait pas. Kloeung avait tenté, en vain, de se procurer des médicaments occidentaux.

La situation politique, à l'époque, était assez instable. Les rumeurs les plus folles circulaient. Le bruit courait que la moitié du Grand Lac était occupée par les maquisards du bouddhisme et de la liberté, ceux qu'on appelait les Khmers Sârs. Au sens littéral, Sâr signifie blanc. Mais Sâr est aussi une consonne cambodgienne qui peut être l'initiale, à la fois, de Sasnar – religion – et de Séreipheap – liberté. Certaines observations confirmaient les rumeurs de troubles.

A diverses reprises, nous avions entendu des coups de feu. Des milliers de barques, sans motif, avaient été rassemblées dans le port de pêche. On racontait, dans les campements, qu'il s'agissait des populations des villages qui n'étaient pas en sécurité à cause de l'activité des maquisards. Personne, en réalité, n'avait recueilli d'information sérieuse à ce sujet. Nous avions tiré un peu d'espoir de vagues rumeurs. Les détonations dans la forêt avaient retenti, parmi les hommes et les femmes du peuple nouveau, comme l'annonce d'un soulèvement possible.

Je pensais aux paroles du paysan : « Il faut être patient... » Tout cela concordait. Encore une fois, il n'était pas question de se battre derrière un parti ou une idéologie. Nous n'avions pas besoin de bannière pour rêver de renverser les Khmers rouges.

Les étudiants, les ouvriers et les techniciens n'avaient jamais éprouvé la tentation de la politique avant ces événements. Les intellectuels et les universitaires, dans notre pays, ne faisaient pas de politique, en général. Voilà la raison de notre malheur. Les meilleurs éléments du pays se fichaient des affaires de l'Etat. Après l'échec de l'expérience républicaine, ils durent supporter et subir, avec tout le peuple innocent, les conséquences tragiques de l'incompétence d'un groupe de politiciens et d'officiers. Nous avions eu tort de dédaigner la politique. Les Khmers rouges avaient au moins obtenu un résultat : ils avaient vaincu l'indifférence du peuple cambodgien à l'égard de la politique.

Souvent, lorsque les Occidentaux veulent nous dépeindre, ils évoquent notre indolence, notre laisser-aller. C'est une définition injuste et ces prétendus caractères nationaux sont inexacts. Malgré les luttes courtisanes, la corruption, les trafics d'influence, les entorses à la justice, le peuple était relativement heureux sous la monarchie constitutionnelle puis, au moins pendant les premiers mois, sous le gouvernement de la République. Les troubles insurrectionnels n'avaient pas encore ébranlé la confiance du peuple.

Le roi du Cambodge, ou l'Etat, estimait traditionnellement que tout lui appartenait : l'eau, la forêt, la terre et les hommes... En réalité, ce qui n'appartenait pas aux particuliers appartenait au roi ou à l'Etat. L'Etat pouvait disposer de ces biens comme il l'entendait pour le bonheur du peuple. Ils étaient à sa disposition. Il n'y avait aucune restriction. L'Etat pouvait aussi distribuer les terres aux plus déshérités. Dans les faits, les terres, au Cambodge, appartenaient à tout le monde. Les grandes propriétés, les *latifundia,* n'existaient pas dans notre pays. Ainsi, nous vivions heureux dans la liberté.

La fameuse paresse des Cambodgiens n'était due qu'à la clémence du climat et de la nature. Nous étions favorisés par le ciel et nous nous laissions aller, c'était vrai.

Nous nous moquions de la politique et des conflits internationaux. Dans les dernières années de son règne, Sihanouk exerça un pouvoir personnel excessif, sans partage. Cela accentua notre attitude méfiante vis-à-vis de la politique. L'éphémère république de Lon Nol finit par tout gâter. Les maux chroniques de la classe politique cambodgienne s'amplifièrent et l'on connaît la suite. Les Khmers rouges s'emparèrent du pouvoir sous l'apparence trompeuse de nationalistes authentiques et de vrais réformateurs. L'arrivée des Khmers rouges constitua un choc terrible pour la population. Nos habitudes et nos certitudes étaient tout à coup détruites. Il était trop tard pour revenir en arrière ; nous étions pris dans la gueule du loup.

A Kompong Luong, près du lac, nous avions essayé de localiser le maquis. Les présumés maquisards se déplaçaient sans cesse pour échapper aux patrouilles des Khmers rouges. Nous ne pouvions pas savoir où ils se terraient. Il ne faisait aucun doute, toutefois, que ce maquis existait. Nous avions décelé de nombreux indices qui étayaient cette thèse. Malheureusement, il était prématuré de localiser, d'une manière certaine, les Khmers Sârs.

Nous étions tellement surveillés que la moindre tentative de réunion était considérée comme une conspiration.

Tous les hommes des villes avaient été envoyés dans la forêt. Or, ils n'avaient aucune défense contre une nature hostile qu'ils ne connaissaient pas. Ils étaient affaiblis par les travaux forcés, par les rations et par l'absence de médicaments. Avant la terreur de l'Angkar, nous avions de la nivaquine, de la flavoquine et de la quinine, traitement préventif des maladies tropicales, telles que la malaria ou le paludisme.

En moins de quatre mois, notre ancien campement dans la forêt, à Veal Vong, avait été décimé d'un tiers de sa population par ces maladies. Cela montre comment on peut détruire l'homme quand on lui ôte ses défenses naturelles. Les Khmers rouges voulaient conquérir la forêt mais c'était la forêt qui dévorait l'homme... Ils devaient le savoir. Les Khmers rouges nous avaient lâché là pour nous faire mourir, pour livrer les déportés les plus faibles à la cruauté de la sélection naturelle.

Les survivants avaient surmonté leur première épreuve. Les Khmers rouges méprisaient l'ampleur des pertes humaines. Ils considéraient comme un ennemi irréductible la population qui avait vécu sous le régime défunt. C'était un calcul machiavélique. Il nous avaient éloignés des villes pour nous désorganiser et nous exterminer. Ils appelaient purification cette logique glacée et criminelle.

Seuls les habitants de base trouvaient grâce à leurs yeux. Ils pouvaient être purifiés. Les autres – les ingénieurs, les médecins, les techniciens – étaient irrécupérables. Quand ils ne mouraient pas de mort naturelle, ils étaient dénoncés par les chlops et abattus dans la forêt. A ma connaissance les arrestations et les purges étaient rarement massives. Les Khmers rouges supprimaient ponctuellement tous ceux qui les gênaient. Autour du puits, on m'avait rapporté que les hauts fonctionnaires de plusieurs villages avaient été convoqués pour recevoir Sihanouk. Il existait aussi un autre motif de déportation : l'Angkar prétendait qu'elle avait besoin d'une certaine catégorie de techniciens ou d'ingénieurs. Avec ordre et méthode, respectueux de l'appareil bureaucratique, les Khmers rouges procédaient à l'élimination des suspects. Ils tenaient, à dessein, un langage rassurant et mensonger.

Les Khmers rouges voulaient attirer dans leurs pièges des hommes de bonne volonté, prêts à reconstruire le pays. Il suffisait que les Khmers rouges agitent le prétexte fallacieux de la reconstruction pour que les esprits généreux se manifestent et se livrent, inconsciemment, aux tueurs de l'Angkar. On ne revoyait jamais ceux qui étaient emmenés : les ingénieurs, les intellectuels, les hauts fonctionnaires. La peine de mort frappait à la sauvette.

Nous avions entendu parler de l'existence de charniers. Mais, moi-même, je n'en avais pas découvert. Nous commençâmes à parler des charniers à Don Ey, en vérité.

Rien n'est comparable à cette barbarie d'Etat, cette barbarie institutionnalisée. Ces observations personnelles me permettent de démontrer que les Khmers rouges ont, en toute lucidité, massacré la population cambodgienne. J'étais aux première loges... Il est facile de démonter le mécanisme du génocide et d'en éclairer l'étendue. A cette époque, il suffisait de compter, dans les villages que nous traversions, la population. Il y avait dix femmes pour un homme. Où étaient passés les hommes ?

Les cadavres des gens morts de faim étaient jetés dans une fosse commune. Les exécutions étaient plus discrètes que les décès naturels. Les corps des suppliciés gisaient quelque part dans la forêt. Je pourrais aujourd'hui retourner à Don Ey et désigner l'emplacement où nous avions creusé une fosse commune. Là, dans ce trou, il y a des milliers de cadavres. Parmi ces trépassés, on trouvera sûrement des gens exécutés par l'Angkar. Sur les millions d'hommes, de femmes et d'enfants morts au Cambodge, plus de la moitié, presque les trois quarts, se sont éteints de mort lente : ils sont morts de faim, morts d'épuisement, de maladie... Les autres avaient été exécutés par les Khmers rouges. Le nombre exact des victimes ne peut être définitivement établi. Le règne des ténèbres n'est pas terminé. Le chiffre de trois millions de morts, avancé au début de l'année 1979, serait dépassé...

Les gens purifiables mouraient de la famine et les irrécupérables avaient le soulagement d'être systématiquement exécutés. Parmi les citoyens purifiables, il y avait les enfants et les vieillards... Ils mouraient les premiers.

Ceux qui ont survécu à toutes les épreuves ont vu mourir de faim et des mauvais traitements leurs enfants, leurs parents. Ils ont vu leurs filles, leurs fils, leurs frères succomber sous le travail. Comment pouvaient-ils devenir de bons Khmers rouges après avoir assisté à la disparition de leurs familles ? Ils haïssaient, légitimement, les Khmers rouges.

Unanimement, à Kompong Luong, nous avions caressé l'espoir de rejoindre le maquis. Notre crainte des Khmers rouges s'était estompée à la seule idée que des maquisards se cachaient dans la forêt. Nous étions prêts à nous allier avec quiconque nous soutiendrait dans une lutte armée contre ces Thmils athées, ces blasphémateurs. J'en veux pour preuve les centaines de milliers de Cambodgiens qui tentaient, au mépris du danger, d'atteindre la Thaïlande ou le Viêt-nam. Il y avait même, parmi ces désespérés qui défiaient les obstacles naturels, des paysans du peuple ancien. Lorsqu'on recensera la population cambodgienne rescapée, on sera atterré par les vraies dimensions, l'évaluation statistique, de ce drame.

Les églises, les mosquées et les pagodes avaient été pillées et détournées de leurs fins. Désacralisés, ces lieux du culte étaient devenus des bâtiments ou des entreprôts révolutionnaires ordinaires. Les Khmers rouges avaient tenté de déraciner l'esprit religieux. Ils profanaient et souillaient les lieux saints afin de nous choquer, de nous montrer qu'une page était tournée.

La fièvre, dans ce campement de pêcheurs près du Grand Lac à Kompong Luong – ne me quittait plus. Les Khmers rouges s'étaient rendu compte que j'étais souffrant et que je ne simulais pas une maladie imaginaire. A deux ou trois reprises, déjà, j'avais essayé de convaincre le chef de me laisser partir. Il s'obstinait à me refuser un congé. Puis, il céda. J'étais trop mal en point pour lui fournir une main-d'œuvre efficace. Je fis une dernière requête :

– Camarade, cet ami, mon voisin dans le campement, peut-il m'accompagner ? Il a le même âge que moi...

– Non ! Non ! Qui fera votre travail, ici, si vous êtes malade ?

– Mais camarade, je suis faible. Je peux m'évanouir, tomber en route.

– Non ! C'est exclu. Vous êtes malade et vous partez seul. C'est un grand privilège que de partir seul. Je vous fais une faveur, n'abusez pas de ma patience.

Je me demandai vraiment si j'allais pouvoir partir, marcher, me déplacer. Je passais mes journées à dormir, à somnoler. La fièvre m'assaillait tous les jours. Elle devenait de plus en plus forte. Les crises fébriles me laissaient anéanti. J'étais un somnanbule. Je n'avais plus d'appétit, plus envie de rien. Je sombrais en songeant que la mort mettrait un terme à ces malheurs. J'étais résigné à l'idée de la mort.

Mon ami Kloeung se démenait pour trouver des médicaments dans le camp. Nous n'avions rien à échanger. Sa tâche n'était pas facile. Mais cela ne m'inquiétait pas outre mesure de mourir. J'avais entendu dire par Kloeung que mes amis ingénieurs Hau Thay, diplômé en France, et Seng Kang, diplômé aux Etats-Unis, étaient morts... Je me disais que j'allais les rejoindre. Je ne valais pas mieux qu'eux mais j'avais réussi à survivre pendant un an.

A ce moment, j'imaginai mes deux enfants et ma femme restés seuls au village. Moi parti, que deviendraient-ils ? Cette pensée me donna un sursaut d'énergie. Et je m'accrochai à la vision de ma famille pour reprendre conscience des réalités et me forcer à vivre. Il fallait que je vive pour mes enfants. Cela me décida à tenter de partir, même seul...

La fièvre a son cycle. On grelotte, on suffoque de chaleur puis on transpire. On connaît alors quelques heures de répit. J'attendis, couché, la fin de l'orage, c'est-à-dire de la fièvre, et, couvert de sueur, je préparai mes bagages.

Pour partir, je devais d'abord trouver un camion ; ça n'était pas une mince entreprise. Le chef d'équipe avait rédigé un ordre de permission où il était précisé que, malade, j'étais autorisé à rejoindre Don Ey, mon village. Il y avait, autour de notre campement, des villages lacustres que nous n'avions pas le droit de fréquenter. J'étais à dix kilomètres de la route nationale 5 et à trente kilomètres de Pursat-Ville. Après, entre Pursat et Don Ey, il me restait une vingtaine de kilomètres à parcourir. Éventuellement, j'aurais aimé, dans mon état pitoyable, trouver un camion pour aller à Pursat-Ville, quitte à marcher jusqu'à Don Ey. Je marchais lentement, d'un pas incertain. Je m'arrêtai un instant pour reprendre mon souffle, à cinq cents mètres de mon campement, devant une paillote élevée sur pilotis.

C'était une grande maison, construite au bord des Grands Lacs. Sa taille était inhabituelle pour nous. Il s'agissait vraisemblablement d'une maison d'habitants de base. Je m'adossai à un pilotis en soupirant. Un vieil homme apparut. Il était très âgé et sortit prudemment de sa maison. « Que faites-vous là ? » interrogea-t-il en me regardant d'un air effaré. Il avait compris que j'étais malade et que je souffrais. Je lui répondis que j'avais des crises de paludisme. Il y a un mot cambodgien – *Krun Chanh* – qui veut dire paludisme. Le vieil homme me demanda où j'habitais. Je lui expliquai que je rentrais chez moi pour me soigner. Je lui révélai aussi mon intention de trouver un camion qui me déposerait à Pursat-Ville. « Vous ne pouvez pas rentrer chez vous dans cet état... » Il comprenait que j'étais au bord de la mort. J'étais pâle, maigre à faire peur, tellement affaibli que j'avais du mal à porter mon sac à dos. L'homme me dit : « Il faut manger si vous voulez tenir le coup. »

C'était un village du peuple ancien. L'homme m'invita à entrer dans sa maison. Trois personnes se tenaient à l'intérieur : un de ses fils, une jeune fille et sa femme. Il était 1 heure de l'après-midi, environ. « Montez vite dans la maison; ne traînez pas sur le seuil... Il faut éviter d'être vu ! »

Le fils du vieil homme me fit une piqûre. C'était un médicament occidental. La seringue était cachée dans un placard. Le fils de mon hôte était sans doute un infirmier. Il m'avait fait la piqûre avec beaucoup de dextérité. En regardant autour de moi, je m'apercevais que cette famille était, parmi le peuple ancien, plutôt aisée. Les Khmers rouges appelaient cette catégorie sociale « les petits capitalistes ». La femme, après la piqûre, me tendit un bol de riz sec. Cela n'était pas de la soupe. Je n'en revenais pas. Elle m'avait aussi donné du poisson séché. Je faisais de mon mieux pour manger mais, dans mon état, j'éprouvais beaucoup de difficultés à avaler la nourriture. J'avais gardé dans mon sac les deux poissons séchés que m'avait donné le chef de camp pour la route ainsi qu'un lot que j'avais mis de côté...

Dans la paillote de mes hôtes imprévus, je pouvais enfin me reposer. Tout à coup, la jeune fille s'adressa à moi : « Je connais un moyen pour aller à Pursat. Mon oncle conduit une voiture de l'Angkar et il doit s'y rendre. Je vais lui demander de venir vous chercher. » La jeune fille s'éclipsa. Elle m'avait assuré que l'oncle viendrait. Elle m'avait même décrit la voiture de son oncle. Quelques minutes après qu'elle eût disparu, je vis passer la voiture de l'oncle devant la maison. Il ne s'était pas arrêté. Je pensai immédiatement qu'il y avait quelque chose d'anormal. J'avais toujours un étrange pressentiment dans ces cas-là. Comment dire ? J'anticipais sur les probabilités d'un incident...

Je pensai qu'il ne fallait pas traîner dans cette paillote et que les Khmers rouges pouvaient venir m'arrêter. Mon chef m'avait fait un ordre de mission pour rentrer dans mon village, pas pour faire étape à ma guise. Je me mis en quête d'un camion. Un camion militaire khmer rouge s'arrêta près de la paillote. Le chauffeur m'interpella :

– Où vas-tu, camarade ?

– Voici mon papier pour rentrer à Don Ey.

Je remerciai discrètement le vieil homme pour la piqûre et le repas qu'il m'avait offert. La piqûre avait eu beaucoup d'effet. J'avais retrouvé un peu d'énergie et de force. Je récupérais. Depuis longtemps, on ne m'avait pas administré de vrai médicament. Celui-ci n'avait pas aboli la fièvre mais il m'avait soulagé. Sur la route nationale 5, plus tard, je devais découvrir, au milieu de la route, le véhicule de l'oncle qui était tombé en panne. J'avais eu l'opportunité d'embarquer dans le camion militaire. Contrairement au voyage aller, de nombreux barrages, des postes de contrôle, étaient dressés sur la route. A chaque fois, les Khmers rouges nous demandaient nos papiers, nos laissez-passer. Voyager en camion militaire n'assurait pas l'impunité, surtout quand on se dirigeait vers un chef-lieu de province.

Le camion me déposa à Pursat-Ville et je continuai ma route à pied. Par la suite, au retour de notre groupe de pêche, je devais apprendre que la famille qui m'avait hébergé avait été arrêtée par les Khmers rouges et déportée dans une autre province. Cette famille avait été dénoncée par l'oncle lorsque la jeune fille était allée lui demander un service. On m'avait raconté le détail de cette affaire. L'oncle était alors en compagnie d'un Khmer rouge. Imprudemment, la jeune fille avait parlé à son oncle sans détour. L'oncle s'était allié au Khmer rouge pour lui reprocher sa bonté, ses sentiments contre-révolutionnaires. Les Khmers rouges avaient surtout accusé la jeune fille de déroger au règlement en demandant à son oncle de transporter un étranger à Pursat.

C'était une faute impardonnable aux yeux des Khmers rouges. La jeune fille et sa famille étaient coupables d'avoir manifesté des sentiments humanitaires à l'égard d'un inconnu, d'un étranger. Cette attitude généreuse, pour les Khmers rouges, était déjà condamnable à l'égard d'un membre de la famille ou d'un voisin. Vis-à-vis d'un étranger, d'un homme du peuple nouveau, ce geste constituait, pour l'Angkar, un véritable défi.

De Pursat-Ville à Don Ey, je ne pouvais pas m'égarer. Je connaissais la route que j'avais empruntée en sens inverse et la géographie de cette région m'était familière. Je suivais le cours de la rivière Pursat. Mon retour dura deux jours. Quand il pleuvait ou quand la faim me tenaillait, je m'arrêtais dans un village et j'exhibais mon laissez-passer. On me donnait ma ration.

La pratique du repas communautaire avait été définitivement instituée. J'avais droit, partout, à la même ration : un bol de soupe de riz. Au cours de ce voyage, toutefois, j'avais établi quelques contacts avec des gens du peuple nouveau.

Dans tous les villages où je faisais étape, je demandais aux déportés s'ils avaient des médicaments. Je cherchais de la quinine ou ses dérivés. Dans le premier village, je n'en avais pas trouvé. Dans le second, on m'avait assuré que je pouvais m'en procurer. Il fallait, cependant, trouver une monnaie d'échange. Je n'avais rien de précieux à troquer contre des médicaments. Rien, à l'exception des poissons séchés. Les villageois acceptèrent ma proposition. Tout ce qui pouvait enrichir la nourriture était très convoité. Un villageois me remit deux comprimés de flavoquine et je lui donnai tous mes poissons. J'avalai immédiatement un comprimé afin de poursuivre mon voyage.

Je consommai l'autre le lendemain, avant d'atteindre mon camp.

En arrivant à Don Ey, je présentai mon ordre de mission au chef du village. Il voyait que je ne mentais pas. J'avais vraiment l'air malade. Il me suggéra d'aller à l'hôpital. Je lui expliquai que je préférais, au contraire, me reposer dans ma famille en attendant d'être remis sur pied. La piqûre de mes hôtes charitables et les deux comprimés de flavoquine avaient, comme par enchantement, dissipé les crises de paludisme les plus violentes. Bien sûr, je souffrais encore de poussées de fièvre, mais les crises étaient plus espacées. Ma vie n'était plus en danger.

Les rations diminuaient. Les soupes de riz qu'on nous servait étaient claires et insipides. Nous n'avions plus le droit d'avoir du riz chez nous et d'en faire cuire. Ma femme, pour améliorer nos repas, essayait d'échanger des bijoux. Un tael d'or valait trois boîtes de riz. On pouvait obtenir, naguère, quarante ou cinquante boîtes de riz pour un tael d'or.

La discrétion était la règle de nos transactions clandestines. Il était évident, à Don Ey, que la moindre faute se traduisait par une exécution. La moindre faute, nous le savions, était fatale.

Ma mère était tombée malade. Elle avait été hospitalisée. Mon père, malade également, n'avait pas été hospitalisé. Personne, à l'hôpital, ne prenait soin de ma mère. J'avais demandé la permission d'aller à l'hôpital pour me procurer des médicaments. Cela n'était qu'un prétexte. En fait, je voulais voir ma mère et savoir exactement quelle était la nature de son mal.

J'avais poursuivi mon chemin, de l'autre côté de l'hôpital, afin de revoir mon père. Il était content de me retrouver. Ma visite lui avait fait plaisir. Sa solitude était bouleversante. Il me parla de sa mort avec beaucoup de dignité : « Je croyais que j'allais mourir sans te revoir. Je vais mourir, tu sais. » Tout en me parlant, il me montra trois mangues qu'il avait pu ramasser la nuit précédente. Les manguiers étaient proches de sa paillote. Je savais que ces trois mangues lui étaient très précieuses. Comme il ne travaillait plus et qu'il était vieux, sa ration avait été diminuée de moitié. Malgré la peur d'être vu par un voisin et d'être dénoncé, mon père me donna une mangue.

J'aurais préféré la lui laisser mais je ne pouvais pas m'empêcher de la manger. J'étais moi-même exténué et j'avais besoin de vitamines. La mangue était mûre et sucrée. Je ne pouvais pas résister à l'envie de la déguster. Par la suite, j'ai beaucoup regretté cette gourmandise. Mon père était malade. Il était bien plus faible que moi. Personne ne pouvait l'aider à échanger des vêtements ou des fruits. Je ne pouvais même pas me déplacer. Ces visites étaient interdites. Il ne fallait pas se faire prendre. C'était dangereux de venir à la sauvette, comme ça... Un voisin zélé et j'étais fichu. J'avais l'impression de voir mon père pour la dernière fois. Mon père m'avait pris la main. Il me prodigua quelques conseils : « Il faut que tu restes en vie. Tu dois essayer de sortir de ce guêpier. Fais l'ignorant, ne parle pas, ne rouspète pas, ne discute pas... »

Mon père, à la fois ému et serein, me faisait toutes sortes de recommandations : « Surtout, ne t'en fais pas pour moi. Ma mort est une délivrance... » Je le quittai et le laissai seul.

Trois jours après ma visite, on m'annonça que mon père était mort. Il s'était éteint en dormant. L'on aurait dit que je n'avais pas de chagrin. C'était une délivrance comme il l'avait prédit. Il n'avait pas souffert. Il était parti dans son sommeil.

A l'hôpital, j'avais découvert ma mère amaigrie. Elle souffrait beaucoup. Elle avait la diarrhée. Ma sœur aînée – qui était mariée – était restée avec son enfant auprès de ma mère. Elle avait prétendu qu'elle était malade. Cela lui permettait de soigner ma mère. Ma sœur Keng avait un travail dans le camp. En passant pour malade, elle renonçait à sa ration entière (les malades ne touchaient que la moitié de la ration normale) et courait le risque d'être dénoncée comme simulatrice. Son mari – Sarun – avait été exécuté par les Khmers rouges à Veal Vong. N'ayant plus d'attache familiale, elle avait préféré aller à l'hôpital avec sa fille et se consacrer à la santé de notre mère.

Deux jours après son admission à l'hôpital, elle était tombée malade, elle aussi. Elle avait attrapé cette fièvre qui décimait toute la population. C'était une véritable épidémie qui frappait les hommes, les femmes et les enfants sans distinction. Quel que fût l'âge des malades, tout le monde était logé à la même enseigne. Toutes les rations de l'hôpital étaient réduites. Et elles étaient réduites par rapport aux soupes déjà diluées que les Khmers rouges nous distribuaient au cours des repas communautaires. Cela signifiait qu'à l'hôpital les malades ne recevaient qu'un peu d'eau claire avec quelques grains de riz.

Comme je l'avais prévu, les infirmiers de l'hôpital m'avaient donné quelques médicaments. La maladie de ma sœur avait créé de nouvelles difficultés. Je ne pouvais pas laisser ces deux femmes sans aide, sans soin. J'avais, à mes risques et périls, imaginé une fable. Le chef du village ne comprenait plus pourquoi je souhaitais être hospitalisé, après avoir refusé quelques jours plus tôt.

Je lui avais exposé, innocemment, mes raisons : « Je ne peux pas être hospitalisé. Il y a trop de malades. Il est préférable que je dorme à la maison et que je passe mes journées à l'hôpital pour y recevoir des soins... »

Le chef du village avait jugé ma proposition raisonnable. Toutefois, je ne lui avais pas dit que je devais rejoindre l'hôpital aux heures des repas. Sans lui en parler, je m'absentais et je m'allongeais sur un sommier en fer auprès de ma sœur et de ma mère. La soupe de l'hôpital vite engloutie, je me dépêchais de rentrer au village et de participer au repas communautaire. Je touchais ainsi double ration. Personne ne le savait. Je courais ce risque pour me maintenir en vie. Je voulais garder intacte mon énergie vitale... Je ne voulais pas mourir de faim sans tenter de résister au funeste destin, à cette fatalité qui nous guettait tous.

Seule difficulté : il fallait courir vite pour ne pas être repéré entre l'hôpital et le village. Il était utile de s'organiser et de bien connaître les horaires des différentes communautés. Comme les malades ne travaillaient pas, on leur servait leurs rations plus tôt qu'aux villageois. L'hôpital et le village étaient cloisonnés. Ce cloisonnement était le principe de base de la sécurité des Khmers rouges. Aussi, les villageois et les infirmiers ne pouvaient pas s'apercevoir de mon manège, à moins d'une indiscrétion. A l'hôpital, les Khmers rouges savaient seulement que j'étais hospitalisé et que je dormais chez moi. J'allais de Don Ey à l'hôpital tous les jours sans être inquiété.

Ma sœur mourut une semaine après que l'on eût décelé les premiers symptômes de la fièvre. Mourante, elle laissa sa fille malade à ma mère. L'état de ma mère s'aggravait. Elle possédait encore des boucles d'oreilles en diamant, une broche en diamant, un diamant monté en pendentif et un collier en or. Elle me supplia d'échanger ses bijoux : « Fais quelque chose... J'ai besoin de manger. Tu dois tout échanger. »

Les diamants, dans cette région, n'avaient presque pas de valeur. Les habitants de base ignoraient la valeur négociable des diamants. Ils n'avaient pas entendu parler des dollars non plus. Ils ne voulaient pas recevoir de diamants, ni de dollars, en échange de quelques centaines de grammes de riz. L'or demeurait la seule valeur convoitée. Ma mère me donna son collier et me révéla l'endroit où elle avait caché ses pierres précieuses. « S'il m'arrive quelque chose, me confia-t-elle, tu peux prendre mes bijoux. » Le surlendemain, ma seconde sœur, ayant appris le décès de sa sœur aînée, demanda à être hospitalisée pour prendre la relève auprès de ma mère.

Elle faisait un grand sacrifice. Elle avait travaillé dans une équipe avec d'autres femmes et elle mangeait correctement. Par amour filial, elle avait renoncé à ces avantages tangibles et s'était déclarée malade. Il fallait être prudent et avisé quand on se déclarait malade. Les Khmers rouges, plutôt soupçonneux, cherchaient à nous surprendre en flagrant délit de mensonge. On pouvait dire, sans se faire de mauvais sang, que l'on avait mal à l'estomac ou à la poitrine. Les Khmers rouges ne pouvaient pas le vérifier. Ils n'étaient pas assez compétents pour nous ausculter et ne possédaient pas de matériel médical.

Les Khmers rouges nous regardaient d'un mauvais œil. Ils pensaient que nous étions des simulateurs mais ils ne pouvaient pas le prouver. C'était pour cette raison, aussi, qu'ils diminuaient, à l'hôpital, la ration de moitié. Ils voulaient, par ce moyen, nous dissuader de feindre la maladie. Surtout, il ne fallait pas dire que l'on avait la diarrhée si ça n'était pas vrai. Les Khmers rouges examinaient les selles. Les menteurs étaient emmenés en forêt...

Ma sœur cadette, Vuoch, fut également victime de la fièvre une semaine après qu'elle eût rejoint ma mère à l'hôpital. Elle mourut avant sa nièce qu'elle avait recueillie. La fillette décéda en quelques jours. Ma mère ne survécut que peu de temps à la disparition de ses filles et de sa petite-fille. Je lui avais trouvé du sucre. Avant de mourir, elle mangea tout le sucre que je lui avais apporté. Cette friandise avait peut-être précipité sa mort mais elle l'avait rendue heureuse. J'avais vu ma mère heureuse... Elle avait goûté une quantité dérisoire de sucre avant de s'éteindre.

Je restai là, seul. Je pris tous les objets de valeur de ma mère et de mes sœurs. Leurs vêtements aussi. C'est ainsi que j'avais pu cacher, en prévision de notre évasion des bijoux en or et en diamant : des pendulettes, des bagues, des colliers. Nous enterrâmes ma mère et mes sœurs dans la fosse commune. J'avais obtenu l'autorisation de les accompagner parce que ma mère était morte.

Nous enregistrions jusqu'à quinze décès par jour. Les malades ne ressortaient en général jamais de l'hôpital. Mon frère était installé dans le même camp que mes parents. Il était robuste et zélé. Il ne reculait pas devant le travail. Les Khmers rouges avaient récompensé ses efforts en le nommant chef de groupe. Il était fier de son titre. Sa ration, cependant, n'avait pas varié. Un jour, la fièvre maligne s'empara de lui et le tua rapidement. Il laissait une femme et deux enfants. Un de ses enfants, une petite fille, était déjà morte. Ses deux enfants et sa femme étaient malades. Ils avaient tous des œdèmes. J'avais eu de leurs nouvelles à l'hôpital. J'étais toujours semi-hospitalisé, toujours malade. Les Khmers rouges, qui ne me croyaient pas sur parole, étaient venus vérifier mon état un soir, chez moi, au moment où j'étais saisi par une crise aiguë de paludisme. Ils avaient prolongé mon hospitalisation. Cette trêve me permettait de me reposer.

Ma femme essayait de son côté d'échanger des bijoux. Elle y parvenait en se donnant beaucoup de mal. Nous nous partagions, avec les enfants, les boîtes de riz qu'elle se procurait ainsi.

Mes deux neveux et ma belle-sœur moururent vite. Les gens ne traînaient pas longtemps à l'hôpital s'ils n'avaient pas de rations supplémentaires. Le séjour hospitalier hâtait leur mort.

Il était difficile de trouver du riz pour se nourrir. Les prix, au marché noir, étaient prohibitifs. J'avais essayé, comme à Veal Vong, d'écouler mes dollars. Ma tentative n'avait guère été couronnée de succès. J'avais également tenté de troquer les diamants. J'avais obtenu deux boîtes de riz avec les boucles d'oreilles de ma mère. Chaque boucle d'oreille était estimée, au moins, à un carat. Soit un carat la boîte de riz...

Je n'avais rien pu faire contre la destruction de ma famille. J'étais impuissant. Mes protestations, mes larmes, auraient été inutiles. Les drames étaient quotidiens à l'hôpital. Les malades se répétaient en cachette des récits horribles et tragiques.

L'ensemble hospitalier comprenait plusieurs salles. Il y avait une infirmerie principale et des bâtiments secondaires. C'était un hopital neuf. Sa construction avait coïncidé avec notre implantation. L'hôpital était bâti sur le même modèle que nos paillotes; c'était un assemblage de bois et de bambous. Chaque malade, en guise de literie, apportait sa propre couverture. Il était couché sur un bat-flanc ou sur un sommier de fer. Malheur à celui qui n'avait pas de couverture. Les cloisons étaient confectionnées en joncs tressés. Elles laissaient passer le vent et l'humidité. Nous étions tellement nombreux que certains malades couchaient sur le sol, dans la cour. A heures fixes, les Khmers rouges distribuaient les rations et les médicaments. Nous n'absorbions jamais de médicaments occidentaux. Il s'agissait toujours de plantes pilées, d'obscures décoctions. Je prenais garde aux piqûres. J'acceptais les médicaments oraux mais je rejetais toutes les suggestions d'injection. J'étais payé pour savoir que ces traitements accéléraient le processus de la mort. Contre l'œdème, les Khmers rouges me donnaient des comprimés sucrés. Je ne savais pas ce qu'ils contenaient, j'ignorais leur composition, mais je m'étais assuré de leur innocuité. Je n'avalais que ces comprimés sucrés. C'était bon.

Un jour que je prenais mon repas dans la salle où l'on distribuait les rations, je vis poindre des Khmers rouges armés. Ce genre de visites impromptues n'était pas courant. Les Khmers rouges ordonnèrent aux quarante malades qui vivaient dans cette salle de se lever et de les suivre. Les quarante personnes, sans que l'on nous ait donné d'explication, sortirent de l'hôpital, encadrées par les Khmers rouges. Ces malades, très atteints, pouvaient à peine marcher. Ils étaient tous couverts d'œdèmes. Les plus valides portaient les infirmes. Trois soldats armés escortaient cette procession d'éclopés.

Pourquoi déplacer ces agonisants ? Je ne comprenais pas l'intervention brutale des Khmers rouges. Un homme me dit que ces quarante malades avaient dissimulé un mort. Ils n'avaient pas parlé du décès d'un jeune garçon aux infirmiers. Ils avaient caché le cadavre et l'avaient mangé. Peut-être n'étaient-ils pas tous anthropophages... Une dizaine d'hommes avaient sans doute consommé de la chair humaine. Ils avaient trop faim pour résister à ce désir tabou. Les infirmiers avaient découvert les restes du cadavre. Les autres occupants de la salle s'étaient tus pour ne pas dénoncer leurs voisins. Malgré leurs explications, ils avaient été accusés de complicité avec les malades anthropophages.

Les quarante suspects avaient été emmenés dans un camp spécial par les Khmers rouges. « Ce sont des ogres... » avaient déclaré, à la cantonade, les infirmiers. Le camp spécial où les malades accusés de cannibalisme avaient été internés était un enfer. On y distribuait, chaque jour, une boîte de riz pour quarante personnes et il fallait travailler sans relâche. Les prisonniers y mouraient en moins d'un mois.

Les histoires macabres se multipliaient dans tous les coins du village. Notre détresse était complète. Mon inactivité avait duré un mois, environ. Théoriquement, les malades ne devaient rien faire, ne pas bouger de l'hôpital ou de la maison et se résigner à la prostration. Je transgressais tous les jours cet interdit. Le soir, à l'heure où l'on ne pouvait pas me voir, j'allais chercher toutes les bestioles comestibles : sauterelles, grillons, têtards, escargots, lézards, serpents... Tous ces petits animaux que je ramassais étaient destinés à nourrir mon fils aîné, mal en point.

Il avait une grosse plaie à la jambe qui s'était infectée. Victimes de la malnutrition, les deux enfants ressemblaient à ces photographies des enfants du Biafra. Ils pouvaient à peine se tenir debout. Leurs ventres étaient gonflés et leurs membres amaigris, ratatinés, parcheminés. Cela ne les empêchait pas de se disputer de temps en temps pour un grain de riz resté collé au fond de la marmite. L'Angkar avait réussi cette prouesse : faire comprendre à tous les Cambodgien, même aux enfants, la valeur d'un grain de riz. L'aîné était resté avec moi, à la maison pour soigner sa plaie. Normalement, à son âge, il aurait dû être enrôlé dans la brigade des enfants.

Un soir, j'avais trouvé un crapaud. Ce n'était pas la première fois que je mangeais des crapauds. On m'avait prévenu qu'il fallait faire attention à la bile de ces batraciens. C'était un poison vénéneux. Tous les crapauds n'étaient pas aussi dangereux. Cette incertitude m'incitait à l'inconscience. A chaque fois que je trouvais un crapaud, je retirais la bile avec beaucoup de soin. Je savais tout de même que cela pouvait être un poison fatal. Le gros crapaud que j'avais attrapé ce soir-là était plein d'œufs noirs et blancs. Sachant que la bile était dangereuse, je l'avais retirée du crapaud. Ensuite, l'ayant convenablement préparé, je mangeai le crapaud. Tout le crapaud. Ma femme s'était méfiée. Elle n'en avait pas voulu. On lui avait dit que les œufs de crapaud étaient aussi dangereux que la bile. Je ne l'avais pas cru et, allègrement, j'avais mangé le crapaud entier. C'était très bon. Je ne regrettais pas d'avoir négligé les conseils de ma femme.

Dans la nuit, je fus saisi de douleurs terribles au ventre. J'avais la diarrhée. J'étais déjà malade, maigre, et j'avais le corps dilaté par les œdèmes. Il ne manquait plus que la diarrhée pour terrasser mon organisme. Je vomissais et j'étais pris de coliques. Je croyais que j'allais trépasser. Sans s'émouvoir, ma femme me dit : « Si cela continue ainsi, tu vas mourir dans trois jours. » Nous nous étions résignés à l'idée de la mort. Il était devenu normal de partir comme ça, comme un chien.

Bon! Mourir pour mourir, je ne voulais tout de même pas mourir comme cela. Je voulais manger quelque chose de sucré avant de mourir. Ma maison était bâtie sur pilotis. Il fallait descendre pour toucher le sol. Les maisons voisines étaient identiques. Ces paillotes avaient appartenu, autrefois, aux anciens. Non loin de là, il y avait un palmier et, le long de la piste, des bananiers. Enfin, nous étions à une centaine de mètres de la cantine où nous prenions nos rations en commun.

J'avais remarqué qu'un ancien faisait tous les matins l'ascension du palmier à sucre et recueillait le jus de palme – *Tuk Thnot* – qui s'égouttait dans des gobelets cylindriques en bambou. Chaque jour, il montait avec des gobelets vides et redescendait avec les gobelets pleins. Un gobelet contenait l'équivalent de deux boîtes de lait Guigoz.

J'aimais beaucoup le jus de palme mais on m'avait averti que c'était dangereux pour les œdèmes. Je dis à ma femme : « Avant de mourir, je veux encore goûter au jus de palme. Donne-moi ton dernier bracelet. Nous avons encore les diamants de notre mère et de nos sœurs. Donne-moi ton bracelet. Je veux boire du jus de palme. C'est le seul moyen d'en obtenir. » Ma femme me tendit son bracelet et alla travailler. Je n'osais pas aborder le paysan du peuple ancien. J'avais peur qu'il me dénonce. Le désespoir fit taire mes préventions. Coûte que coûte, je devais essayer de convaincre l'ancien de me donner du jus de palme.

J'avais fait semblant d'aller aux toilettes pour l'intercepter et je surgis de la forêt quand je le vis apparaître. Sans préambule, je lui demandai de me procurer l'eau sucrée. Il restait méfiant. Il m'avait affirmé que le jus de palme appartenait à l'Angkar. Je savais que c'était inexact. L'homme prétendait aussi être un paysan du peuple ancien. Il mentait. En réalité, il appartenait au peuple nouveau mais il avait des parents parmi les anciens. Il était forgeron et le sucre de palme était réservé à son équipe de forgerons. Tous les autres forgerons étaient des anciens. Leurs rations étaient meilleures, plus copieuses que les nôtres. Les anciens, d'une manière générale, ne connaissaient aucune restriction alimentaire. Leur toute-puissance et leur mépris des nouveaux étaient également sensibles dans ce domaine.

Je courus le risque d'avouer à mon interlocuteur dubitatif que j'avais de l'or. En fait, je n'avais plus peur de rien, ni de personne. Je craignais seulement de mourir trop vite sans avoir rien tenté pour m'en sortir. Bien sûr, il aurait pu me flanquer par terre, me battre et me voler mon or. Je m'en moquais. Je risquais le tout pour le tout. La prudence n'était pas de mise. Il me restait peu de jours à vivre. Ma femme s'en était rendu compte. Elle me l'avait dit. Le forgeron n'en revenait pas de l'audace de ma proposition :

– C'est vrai, tu as de l'or ?

– Oui, j'ai de l'or !

Je lui montrai le bracelet.

– Et combien tu veux pour ce bracelet ?

L'aube se levait. L'homme passait toujours de bon matin, de très bonne heure. Personne, autour de nous, n'était réveillé. Personne ne pouvait nous voir ou nous écouter.

– Combien tu me donnes ?

Il ne savait pas quoi me répondre. Le forgeron était incapable de faire une estimation. Il n'avait jamais rien échangé. Je lui répondis avec beaucoup d'assurance comme si nous avions été libres :

– Vingt-cinq gobelets, ça va...

Il était surpris par le marché que je lui mettais en main :

– Vingt-cinq, ça n'est pas trop ?

J'étais soulagé. J'avais beaucoup progressé. Il acceptait le principe de l'échange. Vingt-cinq boîtes n'était pas le chiffre habituel. En fait, si j'avais respecté les règles de l'échange de notre village, le bracelet valait une boîte de riz seulement. La valeur du bracelet n'excédait pas un demi-tael d'or. Au mieux, j'aurais pu obtenir du bracelet une boîte et demie de riz. La valeur du riz était plus élevée que celle du sucre de palme. La boîte de riz valait le double d'une boîte de sucre de palme. J'avais avancé le chiffre de vingt-cinq gobelets pour apprécier sa réaction. Finalement, il accepta de me donner l'équivalent de vingt gobelets de jus de palme :

– D'accord, mais tu me donnes le bracelet avant...

Il me versa son sirop de palme dans deux grandes boîtes Guigoz. Je remontai chez moi heureux. Je pensais que l'homme n'allait pas me dénoncer. Il était, au fond, aussi coupable que moi. Il ne pouvait pas se vanter de son échange.

Je dégustai le sirop de palme avec délectation. On m'avait dit que c'était dangereux pour moi. Mon forgeron ponctuel n'en honorait pas moins notre marché à tempérament... Tous les matins, il passait et me donnait un peu de jus de palme. Pendant vingt jours, je me levai à l'aube et je bus du jus de palme chaque matin.

Contrairement à ce que l'on m'avait prédit, je me sentais mieux, je me portais mieux. Je n'étais pas encore guéri mais le jus de palme m'avait retapé, m'avait mis sur la voie de la guérison. Les médicaments des Khmers rouges m'avaient aussi aidé à me remettre. Les comprimés contre la diarrhée étaient les seuls remèdes efficaces de l'Angkar. Je reconnais qu'ils avaient été utiles dans mon cas. Au bout d'un mois, je n'avais plus de diarrhée. Il restait l'œdème, tenace.

Toutefois, le sucre de palme m'avait fortifié. Je me sentais assez costaud pour gravir l'escalier de ma maison. Au petit matin, je feignais d'aller aux toilettes et l'homme me remettait sa précieuse livraison. Je le rencontrais toujours derrière la maison. Je donnais une boîte à ma femme et à mes enfants. Et j'en gardais une pour moi.

Tout le monde avait cru que j'allais mourir. Dans notre village, nous n'étions que cinq malades. Les autres déportés travaillaient dans les champs; ils creusaient les canaux d'irrigation ou débroussaillaient. Les quatre autres malades de Don Ey étaient respectivement : Dom Savin, un médecin spécialiste en O.R.L. qui s'était fait passer pour infirmier, Sek Kly, un lieutenant-colonel qui prétendait avoir été commerçant, Lom, un professeur des Beaux Arts et un secrétaire des Travaux publics dont j'ai oublié le nom.

Ils étaient tous dans un état critique. Les Khmers rouges leur laissaient peu de chances de s'en tirer. Dom Savin souffrait de la dysenterie. Au cours de la première crise de dysenterie importante, il avait pu se procurer des médicaments occidentaux. Médecin, il connaissait les remèdes qu'il devait employer pour combattre son mal. La première fois, il avait pu guérir. Puis il mangea une plante contre-indiquée et fit une rechute. Cette fois fut la bonne. La dysenterie l'emporta. Sek Kly connut le même sort. Les diarrhées l'avaient abattu. Lom avait des œdèmes. Il ne survécut pas. Le secrétaire des Travaux publics eut une mort analogue. J'étais le dernier malade. On s'attendait, d'un jour à l'autre, à me voir mourir.

Le courage de Sudath, mon fils aîné, m'aidait à vivre, à faire face aux épreuves quotidiennes. Il restait avec moi toute la journée. En dépit de sa plaie sérieuse à la jambe, il se faufilait partout, essayait d'attraper des insectes, des fruits ou des petits animaux que nous mangions ensemble. Comme moi, le petit, âgé de cinq ans, souffrait de l'œdème.

Sudath et moi, nous nous étions organisés pour voler des fruits. Pendant que je détachais les fruits de l'arbre, il faisait le guet. S'il appréhendait un danger, il me prévenait de son imminence en lançant des pierres, en sifflant ou en se glissant dans les arbustes. Ainsi, nous maraudions et volions les fruits réservés aux Khmers rouges et aux anciens : les mangues vertes, les oranges, les pommes cannelles, les goyaves, les citrons. Sudath trouvait aussi des grenades.

Avec un peu de chance, au cours de ces expéditions, nous attrapions cinq ou six fruits que nous laissions mûrir pendant quatre jours. La nuit, quand notre famille était réunie, nous nous partagions les fruits. Ces moments délicieux étaient de courte durée ; c'était nos seuls instants de plaisirs, de douceur. En tant que chef de famille, je prenais d'autorité la part qui me revenait. Je dois avouer que j'abusais innocemment de ma famille à l'époque. Naturellement, ma femme et mes enfants acceptaient cette situation. Ils se rendaient compte que j'étais au bout du rouleau.

Le comportement plutôt agressif des enfants m'avait bouleversé. Ils se chamaillaient souvent pour quelques grains de riz lorsque j'en faisais cuire en cachette. Ces disputes me choquaient mais je ne pouvais rien faire pour les combattre.

Sudath, mon fils aîné, rentra un jour du déjeuner communautaire, avec son petit frère, l'air contrarié. Sudath me raconta que son petit frère, à voix haute, lui avait demandé, au milieu du repas : « Est-ce que papa t'a donné son riz à manger ? » Cette distraction, cet écart de langage, pouvait avoir des conséquences incalculables. D'autres enfants auraient pu rapporter le fait aux Khmers rouges. Les Khmers rouges eux-mêmes auraient pu entendre le petit prononcer cette phrase.

Les cadres khmers rouges surveillaient les enfants pendant le repas. Le petit frère, peiné et repentant, ne savait pas trop quoi dire pour sa défense. Il essaya de nous expliquer qu'il avait chuchoté sa question, qu'il ne risquait pas d'avoir été entendu par les Khmers rouges. Ce soir-là, pour le punir de son imprudence, nous lui donnâmes moins de riz qu'à l'aîné. C'était une punition sévère mais il devait comprendre qu'une parole irresponsable pouvait tous nous conduire à la mort.

Au fil des jours, à Don Ey, nous assistions à notre propre destruction. Nous pleurions souvent, le soir, quand nous n'avions rien à nous mettre sous la dent. On se regardait et on laissait couler nos larmes. Après avoir pleuré, nous nous endormions soulagés.

Un jour, un Khmer rouge entra brutalement dans notre maison. Mon enfant, l'aîné, mû par un réflexe de peur, se mit à courir en apercevant le soldat khmer rouge. Il cherchait à se cacher. Le Khmer rouge l'avait rattrapé. Il commençait à interroger Sudath : « Que fais-tu ? » Je l'interrompis : « Il a mal au ventre. Ce n'est rien. Il courait aux toilettes. » Le Khmer rouge était agressif. Mes explications ne semblaient pas le convaincre. Il se remit à interroger mon fils : « Où vas-tu travailler ? » Mon fils paraissait effrayé. Je répondis à l'intrus : « Mon fils a une plaie à la jambe... » Le Khmer rouge, je le voyais, voulait me prendre en défaut : « S'il a une plaie à la jambe, pourquoi court-il si vite ? Vous avez encore des penchants individualistes. Vous êtes malade et vous voulez garder votre enfant auprès de vous. C'est cela la vérité. Restez seul si vous êtes malade. Votre enfant n'a pas mal. Il a peut-être une plaie mais il peut courir. Il peut donc travailler. Il doit rejoindre la brigade des enfants. Vous savez qu'on mange bien là-bas. On travaille beaucoup mais on mange bien. Il faut y aller... »

Il regardait l'enfant et insistait : « Tu dois y aller. » J'essayai de le dissuader et je lui montrai la plaie de l'enfant : « Vous voyez bien qu'il est malade. Il a encore besoin de quelques jours de repos. Pourriez-vous lui accorder quelques jours de repos ? » Le Khmer rouge refusait catégoriquement de céder : « Non ! Non ! Tu as des penchants individualistes. Tu as traversé toutes les épreuves jusque-là. Tu dois cependant te purifier, te libérer des sentiments. L'enfant appartient à l'Angkar. Tu ne dois pas vouloir le garder pour toi. Ton fils est fort physiquement. Il peut travailler. Ne me dis pas le contraire : il peut courir. De toutes les façons, il doit aller travailler... »

J'étais consterné, atterré. Mon fils s'inclina devant cet ordre : « Père, je vais travailler. Je suis obligé de partir. J'aurai peut-être ainsi une meilleure ration. » Il nous quitta le lendemain. J'avais pitié de lui. Il était maigre et portait cette large plaie à la jambe. Mon fils aîné avait presque dix ans. Cinq jours après son départ, un de ses camarades de travail vint m'annoncer qu'il était mort.

Cette terrible nouvelle m'avait bouleversé. J'avais beaucoup de chagrin. Mon fils, depuis le début de notre tragédie, m'avait apporté une aide considérable. Malgré son âge, dans ces circonstances difficiles, il avait su me seconder. Sa présence était pour nous un grand réconfort moral. Sudath, mon fils aîné, était l'enfant de ma première femme. Il avait toujours souffert de l'absence de sa mère. C'était un enfant grave et courageux.

J'étais effondré, complètement abattu. Je courus partout dans le village, affolé. Ma femme n'était pas à la maison. Elle travaillait. J'étais seul avec le petit qui était paralysé par son œdème. Il demeurait assis, sans bouger. Je décidai d'aller trouver le chef du village : « Je voudrais voir le corps de mon fils ! »

Le Khmer rouge était insensible à mon émotion pourtant visible : « Tu n'es pas malade alors... Comment peux-tu aller voir ton fils si tu es malade. » Je résistai à ses insinuations : « En marchant lentement, je peux aller voir le corps de mon fils. Il vaut mieux que j'y aille, je vous assure. Essayez de comprendre. Je suis malade, je vais mourir. Je ne gaspille pas mes forces au détriment de l'Angkar. »

Il rédigea un mot sur un morceau de papier. Il m'autorisait ainsi à aller voir le corps de mon enfant, à trois kilomètres de mon village. Je marchai lentement, m'accordant de fréquentes étapes. J'arrivai au campement de la brigade des enfants vers 2 heures de l'après-midi. Je demandai immédiatement au chef de campement de voir le corps de mon fils. Le papier que le chef de village m'avait donné prouvait que j'étais le père...

Mon fils était déjà enterré. Je connaissais quelques-uns de ses camarades. J'essayai de savoir dans quelles conditions il était mort. Les enfants ne voulaient pas répondre. Ils restaient cois. Ils s'obstinaient à se taire. Le chef de campement, sur un ton froid et détaché, m'avait fourni la version officielle du décès de mon fils. Il m'avait dit que Sudath était tombé la veille, qu'il s'était évanoui pendant son travail. Ses camarades l'avaient couché et il ne s'était pas réveillé le matin. Je reconnus ses vêtements, son sac à dos et le hamac que je lui avais fabriqué. J'ignorais la vérité. Le chef de campement n'avait pas répondu à ma question. Je ne savais pas du tout s'il était mort d'épuisement ou des mauvais traitements. Je savais seulement qu'il était mort cinq jours après son départ de la maison.

9

« L'OGRESSE »

Deux ou trois jours après la mort de mon fils aîné, mon dernier enfant se trouva mal. Il avait perdu connaissance. Ignorant les causes de ce malaise – la fatigue ou une syncope – je le frictionnai très fort. Avec de l'eau et une cuillère, je traçai des sillons sur son dos et sur sa poitrine. C'était un massage traditionnel cambodgien – *Kos Kchâl*. Cette antique recette de bonne femme eut un effet foudroyant. L'enfant, grâce à ce massage, reprit ses esprits. Mes voisins, en rentrant du travail, avaient trouvé, à une semaine d'intervalle, leurs deux enfants, un garçon et une fille, morts. Nous n'avions pas entendu de plaintes ou de cris. J'ai pensé qu'ils avaient eu un malaise identique à celui de mon fils. Sans ma présence, mon fils ne se serait jamais réveillé.

Nous étions si faibles, en réalité, que nous pouvions à peine marcher. Gauches, nous nous déplacions lentement et nous faisions attention à chaque mouvement pour ne pas trébucher. Tomber, dans notre état, était dangereux. Ma femme, à son retour du travail, faisait tout à la maison. La rivière se trouvait à trois cents mètres de la paillote. Ma femme, avec notre seau, faisait plusieurs voyages pour rapporter de l'eau. Puis elle allait chercher du bois de chauffe. Elle faisait bouillir de l'eau et lavait quelquefois nos vêtements. Dire qu'Any était la fille d'un haut fonctionnaire de Phnom Penh et qu'elle n'avait jamais été habituée à cette vie pénible...

A Don Ey, nous n'étions jamais à l'abri des brimades. Les

fouilles étaient fréquentes, par exemple. Les Khmers rouges intervenaient brutalement, à l'improviste. Ils fouillaient de fond en comble les cabanes sous prétexte de chercher des documents compromettants, des armes. Ils désignaient deux ou trois cabanes à la fois et retournaient, à l'intérieur, tout ce qu'ils trouvaient. Personne ne pouvait échapper à ces descentes des Khmers rouges. Au cours de ces visites impromptues, les Khmers rouges confisquaient les objets précieux, les montres et les bijoux surtout.

Il leur suffisait de dire, pour saisir les bijoux, : « L'Angkar propose... » Les gens n'osaient jamais refuser. Nous avions pris la précaution de cacher les bijoux qui nous restaient dans une boîte hermétiquement close. La boîte avait été enterrée sous la tuile qui servait de foyer. Nous étions sûrs que les Khmers rouges ne songeraient pas à chercher des bijoux sous la cendre. Le jour où ils étaient descendus chez nous, nous avions fait bouillir de l'eau. Il ne leur était pas venu à l'idée de regarder sous la tuile.

De l'ensemble de ma famille, il ne restait que trois personnes. Ma femme ne se sentait pas bien mais elle continuait à travailler pour avoir une ration meilleure. L'état de mon dernier fils, âgé de cinq ans, empirait et, moi-même, j'étais toujours malade. Ma détresse n'était pas exceptionnelle. Chaque famille pouvait raconter sa tragédie.

L'histoire de Sek Kly est aussi exemplaire que la mienne. C'était un officier supérieur. Il s'était fait passer pour un commerçant. Personne, dans le village, ne le savait. Il travailla normalement, sans faire de bruit, sans se manifester, jusqu'à ce qu'il tombe malade et meure... Sa femme, Vann, travaillait à la Banque khmère pour le Commerce à Phnom Penh. Le couple n'avait jamais travaillé aux champs avant les événements. Ils avaient deux enfants. Le beau-frère de Sek Kly et sa belle-mère les accompagnaient.

A partir du mois de février 1976, Sek Kly avait vu sa belle-mère mourir, puis son beau-frère. Lui-même ne leur survécut pas longtemps. Je connaissais bien cette famille à Phnom Penh. Nous nous étions rencontrés souvent. Nous avions vu les enfants grandir. La femme de Sek Kly était restée seule avec ses deux enfants. Un jour, elle eut la diarrhée. Elle ne pouvait pas se déplacer. C'était, en fait, la condamner à mort à court terme. Elle ne pouvait plus se chauffer car elle était incapable d'aller ramasser du bois. Elle était privée d'eau, aussi.

Chaque jour, je lui apportais un peu d'eau. Personne n'avait songé à le faire... Personne, non plus, ne pouvait lui apporter sa ration. Les malades isolés, sans famille, n'avaient qu'un recours pour se nourrir, même médiocrement : l'hôpital. Vann refusait d'aller à l'hôpital. La femme de Sek Kly voulait rester avec ses enfants. Ils étaient trop jeunes. L'aîné avait trois ans. Le plus jeune était né quelques mois avant la chute de Phnom Penh. Eux aussi étaient malades. Ils restaient assis toute la journée, comme mon fils.

Tous les jours, lorsque j'allais à la cantine, ma femme passait voir Vann. Any lui donnait un peu d'eau et du bois pour se chauffer. Un matin, elle la découvrit gravement malade, incapable de faire un geste, de s'occuper de ses enfants. Nous avions alors décidé, avec ma femme, de nous relayer auprès de Vann. Nous lui donnions de l'eau et tentions de trouver des plantes qui pouvaient la soulager. Pourtant, nous ne pouvions pas la laisser seule. Un soir sur deux, j'y allais. Ma femme lui tenait compagnie la soirée où je gardais mon fils.

Au cours de la seconde soirée que je passais chez la femme de Sek Kly, un Khmer rouge fit irruption dans la maison et commença à m'interroger : « Que fais-tu ici, camarade ? Tu n'es pas chez toi... » Je lui décrivis la situation de la jeune femme malade : « Regardez ! Elle est vraiment malade, elle a deux enfants et ne peut même pas aller chercher de l'eau ou du bois de chauffe. Elle est incapable de faire bouillir de l'eau. Je viens l'aider et donner la ration qui revient à ses enfants. » Le Khmer rouge se fâcha : « L'Angkar peut l'entretenir. Il y a l'hôpital. Pourquoi ne veut-elle pas y aller ? Ce n'est pas votre devoir de l'aider, au contraire, cela prouve que vous avez encore de la pitié, des sentiments d'amitié. Il faut renoncer à ces sentiments et extirper de votre esprit les penchants individualistes. Rentrez chez vous, maintenant. »

Deux jours après cet incident, la jeune femme mourut. Les deux enfants furent emmenés par l'Angkar. Nous n'avons jamais su où... Nous ne les avons jamais revus non plus.

Ma maladie stagnait. Mon état ne s'améliorait guère. De temps en temps, j'étais enrôlé pour enterrer les morts. Notre village était ancien et les maisons assez dispersées. A deux cents mètres de chez nous, une femme était morte. Cette famille, à son arrivée, comptait six personnes. Trois étaient déjà décédées. La femme qui venait de mourir était la sœur d'une institutrice. L'institutrice restait seule avec sa fillette de quatre ans.

J'avais été désigné avec un autre malade pour prendre le corps et l'enterrer. A tour de rôle, les malades étaient chargés de cette tâche funèbre. Vers 4 heures de l'après-midi, j'arrivai avec mon compagnon pour déposer le corps en terre. Quelque chose me frappa. le cadavre était couvert, enveloppé dans des chiffons et des vêtements usagés. On aurait dit une momie. Seule la tête émergeait. Pas un pouce de chair n'était visible. Nous n'interrogeâmes pas la famille. Mon compagnon s'en fichait. Moi aussi. Nous voulions achever notre besogne rapidement et retourner à la maison pour nous reposer. Tant bien que mal, nous transportâmes le cadavre à cinq cents mètres du village. Nous creusâmes un trou, puis nous enterrâmes la dépouille.

Je croyais que c'était fini. Cet emploi de fossoyeur ne me dérangeait pas trop. L'essentiel, c'était d'être chez soi le plus tôt possible. Le lendemain, à l'heure où nous recevions notre ration, je vis qu'il se passait quelque chose d'insolite. Il y avait un attroupement près de la cantine. Je m'approchai et découvris un spectacle lamentable.

La sœur de la morte, que j'avais vue la veille, pleurait face contre terre. Il pleuvait. L'institutrice, presque déshabillée, sanglotait et son visage portait des traces de coups. Ses bras, ses jambes étaient couverts de bleus, de marques. J'appris que les Khmers rouges frappaient la femme depuis le matin. Bientôt, l'institutrice perdit connaissance. La petite de quatre ans pleurait à côté d'elle sous la pluie. Il est difficile, aujourd'hui, de décrire un tableau aussi odieux. C'était une scène vraiment insupportable. La femme gisait près de l'enfant apeurée. Les gens les contemplaient puis passaient leur chemin...

Les Khmers rouges qui montaient la garde nous avaient dit : « N'ayez pas pitié de cette ogresse. » Les Khmers rouges, en utilisant ces mots d'ogre et d'ogresse pour accabler les déportés coupables d'anthropophagie, faisaient allusion à une légende cambodgienne où l'ogre était le principal esprit malveillant. Les révolutionnaires méprisaient ce qu'ils appelaient nos « superstitions » mais ils savaient les utiliser au profit de leur propagande. La femme, ici, était désignée comme un monstre : « C'est une ogresse. Elle a mangé la chair du cadavre de sa sœur. »

Le matin même, l'institutrice avait été prise en flagrant délit par les Khmers rouges. Un morceau de chair humaine était resté dans sa marmite. Les Khmers rouges l'avaient trouvé et ils avaient arrêté la femme. C'était certainement la vérité. Cette version expliquait pourquoi le cadavre était enroulé dans les chiffons. La femme avait voulu dissimuler le corps mutilé de sa sœur. Je ne restai pas longtemps à la cantine. Juste le temps d'avaler ma ration. Ce soir-là, l'accusée mourut. La fillette de quatre ans, emmenée par l'Angkar, disparut.

Notre existence s'était transformée en cauchemar. Même les repas communautaires étaient devenus le prétexte d'humiliations intolérables. Les Khmers rouges sonnaient le gong pour annoncer le repas. Les enfants mangeaient d'abord. Quand ils avaient fini, un autre coup de gong appelait les parents à table. C'était alors le repas des nouveaux. Lorsque les nouveaux avaient mangé, enfants et parents, les anciens se mettaient à table. Les anciens, évidemment, mangeaient à leur faim tandis que nous n'avions rien à nous mettre sous la dent.

L'Angkar avait édicté un principe sacré : « On sert le peuple d'abord; les enfants puis les autres. » C'était, en fait, la désolation. Les gens tombaient comme des mouches. Il ne restait plus que les oiseaux dans le ciel. Les oiseaux chantaient encore. Même les petits rongeurs, même les insectes se faisaient rares. Je n'étais pas, dans ce village, le plus malheureux. Ma mère et mes sœurs m'avaient laissé des bijoux, des objets précieux et leurs vêtements que je pouvais tenter d'échanger. Quelquefois, j'allais chercher des petites grenouilles que l'on trouvait à côté des excréments de bœuf. Il y avait aussi, dans la forêt, toutes sortes de légumes, de champignons et d'arbustes. Faute de trouver des bananes, nous mangions les racines des bananiers. C'était une grosse racine que l'on coupait en morceaux. Nous mélangions ces morceaux à la soupe de riz.

Nous mangions aussi les cœurs des palmiers à sucre, ces feuilles tendres qui poussent à l'intérieur des jeunes palmiers à sucre. J'en avais moi-même coupé pas mal. Nous pouvions le faire. C'était officiel. Une équipe avait été formée pour aller ramasser des pousses de bambous. Les feuilles de palmiers et les pousses de bambous étaient destinées à la soupe commune. Nous avions, je crois, cueilli et attrapé tout ce qu'il était possible de manger.

Un jour, les Khmers rouges m'avaient demandé d'aller arracher du Prâng dans la forêt. C'est une grosse racine que l'on trouvait à l'intérieur de la forêt. Nous mélangions le Prâng avec le riz après l'avoir découpé en lamelles que nous laissions tremper dans l'eau pendant une semaine afin d'en extraire les substances nocives. Nous formions une équipe de quarante personnes pour aller chercher ces racines. La plupart d'entre nous étaient malades. La forêt était à quinze kilomètres du village. Il n'y avait pas assez de charrettes. Il fallait aller à pied à travers la forêt. Nous ne pouvions pas faire autrement. Il n'existait pas de piste pour aller jusque-là. Nous devions traverser la route qui venait de Leach et atteindre la région montagneuse. L'équipe de travail restait deux ou trois semaines dans cette région. A la fin du séjour, on nous envoyait des charrettes que nous chargions des racines que nous avions ramassées. Les racines étaient ainsi transportées au village où les Khmers rouges les faisaient bouillir avant de les mélanger à la soupe de riz. Ces racines rendaient la soupe de riz plus grasse et plus épaisse.

Nous devions emporter nos rations sur le chantier de coupe. C'était un gros sac de cent kilos contenant l'équivalent de quatre cents boîtes de riz. Nous ne pouvions pas le transporter à dos d'homme. La charge était trop lourde. Il était convenu que nous nous partagions le contenu du sac de riz en une quarantaine de petits sacs. Tous les gens valides – c'est-à-dire qui n'étaient pas en train de mourir à l'hôpital – avaient été recrutés. Dans ma situation, à la fois hospitalisé et vivant dans ma paillote, j'avais été désigné d'office. La main-d'œuvre commençait à manquer.

Les Khmers rouges, avant notre départ, nous avaient rassemblés. Nous présentions notre sac pour le riz, chacun à notre tour, et le soldat le remplissait. Il mesurait avec exactitude la quantité de riz qu'il nous remettait. Nous rangions ensuite ce sac de riz dans notre sac à dos. Nous partîmes après la distribution du riz. On m'avait remis dix boîtes. Quinze kilomètres, c'est un long parcours pour des hommes malades. Les haltes étaient fréquentes. A chaque fois que nous nous arrêtions, je faisais semblant de m'absenter pour faire mes besoins naturels. C'était le seul moment où j'échappais à toute surveillance. Je plongeais alors la main dans mon sac à dos et je vidais d'une modeste quantité de riz le sac que les Khmers rouges m'avaient remis. Je plaçais ce riz volé dans mon écharpe dont les deux coins étaient liés entre eux.

J'avais transvasé l'équivalent de trois boîtes de riz dans mon écharpe. Je dissimulais l'écharpe alourdie par le riz volé dans la jambe d'un pantalon de rechange. J'avais quelques chances, ainsi, de passer à travers les contrôles éventuels des Khmers rouges. J'étais conscient que je prenais un risque grave. Cela, toutefois, ne m'inquiétait pas trop. C'était le moment ou jamais de détourner du riz. A chaque étape, je grappillais quelques grains de riz.

Ma conduite était dictée par un calcul simple. Arrivés à destination, les Khmers rouges pouvaient très bien ne pas mesurer les parts de riz qu'ils nous avaient remises. J'avais fait ce pari audacieux car le calcul de tous les sacs de riz me semblait fastidieux. C'était une perte de temps que les Khmers rouges, je l'espérais, tenteraient d'éviter... Sinon, rien n'était plus facile que de reverser le riz volé dans mon sac.

Notre marche dura toute la journée. A la fin de l'après-midi, à notre arrivée, le Khmer rouge nous demanda de rendre à l'Angkar le riz que nous avions transporté. Je regardai mes compagnons de route pour adopter une attitude à peu près plausible... Chaque homme reversait son chargement dans le grand sac que les Khmers rouges avaient emporté. Le Khmer rouge comptait les mesures de riz à l'aide d'une boîte de lait condensé. Invariablement, les sacs individuels recelaient dix boîtes de riz. Le premier travailleur se présenta : « Dix ! » Le Khmer rouge compta, pour le second, dix boîtes de riz également. Je me demandai si les Khmers rouges allaient ainsi continuer à vérifier le contenu de tous les sacs. Dans ce cas, je devais m'apprêter à transvaser le riz que j'avais volé dans le sac. J'attendis un instant avant de me décider à agir.

Le cinquième homme s'était avancé pour verser son riz lorsqu'un autre Khmer rouge arriva. Il interrompit son camarade qui commençait à compter les mesures de riz : « Pourquoi comptes-tu ? Qui pourrait oser voler l'Angkar ? Cela nous fait perdre du temps. » Le Khmer rouge cessa de compter. Je respirai. Immédiatement, je me rangeai dans la file et versai le contenu de mon sac. Il ne restait que l'équivalent de sept boîtes. Le Khmer rouge ne prêta même pas attention à moi. Un déporté me succéda. J'avais provisoirement réussi. Il fallait désormais cacher le riz. Je fis un sac d'un mouchoir et j'y versai le riz. Bien entendu, j'accomplissais tous ces gestes à l'insu des Khmers rouges, les mains dissimulées dans le sac à dos. Et je n'étais pas préparé à ces tours de passe-passe, dignes d'un illusionniste...

Prétextant d'une envie urgente, je m'éloignai dans la forêt et je glissai le mouchoir rempli de riz dans le tronc d'un arbre creux. Je ne pouvais pas garder le riz dans mon sac à dos. Il aurait pu être fouillé durant mon absence, au moment où nous étions au travail, loin du campement. Par prudence, dans l'arbre creux, je disposai quelques feuilles sur le mouchoir. Je m'étais dit que cela me mettait à l'abri d'une dénonciation si quelqu'un découvrait le riz. Qui pouvait prétendre qu'il m'appartenait ? Nous étions quarante. Tout le monde pouvait être soupçonné. Si rien ne s'était passé à la fin du séjour, j'avais une bonne chance de récupérer mon trésor.

Le travail dans la forêt était dur et ingrat. Il fallait localiser les racines, les extraire et les couper. Quand nous en avions assez recueilli, nous rassemblions les racines en petits monticules dans l'attente des charrettes. L'eau était rare dans la forêt. Notre seul point d'eau était une petite mare. L'eau y était croupie; elle avait une couleur terreuse. Nous étions obligés de cuire notre riz avec cette eau malsaine.

Nos conditions d'hygiène et notre régime alimentaire étaient effrayants, inimaginables. Par chance, personne n'était mort pendant cette période. C'était miraculeux. Le chantier dura deux semaines. J'avais soigneusement dissimulé, pour le retour, l'équivalent des trois boîtes de riz dans mon sac à dos. Les Khmers rouges ne s'étaient aperçus de rien.

Retour au village, je prenais chaque jour une demi-boîte de riz et je préparais une soupe supplémentaire pour ma femme et mon fils. Je survivais ainsi, en chapardant à gauche et à droite. Tout était permis, rien n'était perdu, à mes yeux, pourvu que nous gardions la vie sauve. Je ne regrettais pas les objets que nous échangions.

Le sort de la famille de Sek Kly avait valeur d'exemple. Ils possédaient beaucoup d'objets précieux qu'ils auraient pu échanger. De peur d'être dénoncés, ils avaient voulu dissimuler leurs biens. Ils étaient tous morts. Aucun d'eux n'avait osé procéder à un échange.

D'autres ne voulaient pas se défaire de leur richesse par cupidité et avarice. Ils attendaient que le taux d'échange de l'or corresponde enfin à sa valeur d'antan. Chez certaines familles chinoises complètement décimées, les Khmers rouges avaient retrouvé des lingots d'or. La famille s'était éteinte, affamée, hébétée, sur ses kilos d'or fin... L'Angkar confisquait systématiquement les biens des morts.

Il était périlleux d'enfreindre les lois de l'Angkar. Les Khmers rouges étaient impitoyables envers les délinquants qu'ils surprenaient en flagrant délit de vol. Les voleurs de fruits étaient envoyés dans un camp spécial à cinq kilomètres du village. Au delà des travaux forcés, le principal châtiment était la famine. Les prisonniers de ce camp infernal recevaient des rations dérisoires : une boîte de riz pour quarante personnes. Deux cent cinquante grammes de riz pour nourrir quarante personnes !

Une femme avait été attrapée pour la deuxième fois par les Khmers rouges au moment où elle cueillait un fruit dans un verger. Elle avait été déportée dans le camp spécial avec ses enfants. La punition était collective. Toute la famille était responsable de la faute d'un de ses membres. L'un des principes essentiels énoncés par les Khmers rouges prônait l'éradication du mal : « Quand l'herbe nuisible pousse, il faut, pour la détruire, la déraciner complètement. »

J'étais informé, par des amis, de ce curieux usage carcéral. Je faisais toujours la même recommandation à mon fils : « Fais bien attention, ne vole rien à mon insu. Si tu es pris, nous tomberons tous. Laisse-moi faire. » J'avais peur qu'une maladresse de mon fils nous entraîne dans un sale pétrin. Le vol était très répandu dans notre village. Quatre-vingts personnes, pour ce motif, avaient été internées dans le camp spécial. Il était impossible de s'évader de ce camp. Les sentinelles khmères rouges tiraient à vue. Sur les quatre-vingts personnes déportées pour des raisons bénignes, trois seulement sortirent vivantes du camp. La « justice » des Khmers rouges ne faisait pas de quartier.

En réalité, tout le monde volait. Quatre-vingts personnes, dans mon village, avaient joué de malchance mais des milliers continuaient de voler. Les arrestations ne nous décourageaient pas. Moi-même, je m'arrangeais pour cueillir des fruits sans être vu. Ce qui nous révoltait, surtout, c'était l'existence de ce privilège intolérable : les habitants de base pouvaient cueillir n'importe quoi tandis que nous crevions de faim... « Cela appartient à la communauté, cela leur appartient donc », répétaient les Khmers rouges afin de nous rappeler la supériorité des habitants de base.

Nous n'avions qu'un rôle à jouer : nous taire et nous soumettre. Les nouveaux n'allaient jamais couper les épis de maïs mûrs. C'était un travail avantageux réservé aux anciens. Les anciens gardaient la moitié de la récolte pour eux. Ils donnaient le reste à l'Angkar. Les Khmers musulmans – cibles favorites du sadisme des Khmers rouges – s'étaient organisés en bande pour piller les champs de maïs. Leur communauté de pêcheurs (ils vivaient autour des Grands Lacs) avait été disloquée par le nouveau régime. Pour cette raison, ils vouaient une haine farouche aux Khmers rouges. Malgré la dispersion imposée par les nouveaux maîtres du pays, les Khmers musulmans avaient réussi à établir un véritable réseau clandestin. Ils allaient voler les épis de maïs par petits groupes dans les champs.

Ce genre de conspiration villageoise était difficile à monter. Les familles étaient isolées et elles se rencontraient seulement en présence des Khmers rouges, soit aux repas, soit au travail. Nous ne pouvions même pas parler à un voisin à voix basse. Les chuchotements étaient interdits. Il fallait absolument parler à haute voix. Sinon, nous pouvions éveiller les soupçons des Khmers rouges et nous devenions vulnérables. Nous n'étions même pas à l'abri d'une indiscrétion chez nous. Les mouchards pullulaient. Il s'agissait souvent des enfants des habitants de base. Ils traînaient autour d'une paillote, écoutaient les conversations et prévenaient les soldats quand ils entendaient parler de troc, de vol ou de trafic.

Le peuple nouveau était littéralement cerné par les tortionnaires et par les mouchards. Les actes de désespoir étaient rares. Les héros avaient la vie brève. J'avais entendu parler, dans un village voisin, de deux jeunes gens qui s'étaient emparés du fusil d'un Khmer rouge et qui l'avaient abattu. Ils s'étaient enfuis dans la jungle après leur acte insensé de bravoure. Les Khmers rouges s'étaient lancés à leur poursuite. Ils avaient retrouvé l'un des garçons. Il avait été fusillé. Nous n'avons jamais su ce qu'il était advenu de l'autre...

Des actes aussi courageux ne menaient, hélas ! nulle part. Nous étions éloignés les uns des autres. Il existait certainement des maquis qui tentaient de résister. Pour notre malheur, nous ne savions pas où ils se réfugiaient. Les maquis se déplaçaient sans cesse. Cette mobilité, rendue nécessaire par la fréquence des patrouilles khmères rouges, nous gênait plus qu'elle ne nous aidait. Elle tuait dans l'œuf les velléités de révolte. Nous ne pouvions compter, en cas de rébellion, sur aucun soutien.

Dans ces conditions, le combat des maquisards restait sans écho; nous étions tellement affaiblis que nous ne pouvions pas envisager de révolte collective. Chacun pensait à sa propre famille. Nous vivions avec cette obsession en tête : sauver notre peau. La peur d'entrer en contact avec autrui était devenue une terreur constante. Nous vivions dans la hantise, même si nous n'avions pas l'impression de commettre une faute, d'être pris sur le fait. C'était une angoisse collective irrépressible.

Comment nourrir des maquisards et des résistants dans ce pays où toute la nourriture était entre les mains de l'Organisation suprême, l'Angkar ? Les réserves de riz étaient solidement défendues par les Khmers rouges. Les rations nous étaient distribuées au compte-gouttes. Nous ne pouvions pas constituer de stocks. Les fuyards, les évadés, étaient pratiquement condamnés à mourir de faim dans la jungle. L'instauration des repas communautaires resserra un peu plus l'étau de l'Organisation. Les militaires patrouillaient constamment autour des villages. Dès la tombée de la nuit, ils tiraient sur tout ce qui bougeait.

Nous étions écœurés d'être khmers. On se fichait bien du patriotisme. Nous étions opprimés et piétinés par nos propres compatriotes. Les Thmils, les athées, s'acharnaient contre nous, les bouddhistes. Ils détruisaient tout ce qui rappelait notre foi. Les lieux sacrés étaient saccagés. Les livres religieux étaient foulés au pied. L'Angkar voulait faire table rase de l'enseignement de Bouddha. Bouddha qui avait dit : « Ma pensée a voyagé dans toutes les directions à travers le monde. Je n'ai jamais rencontré quelque chose qui fût plus cher à l'individu que son propre soi. Etant donné que leur soi est cher aux autres, qu'à chacun l'est son propre soi, eh bien, que celui qui désire son propre bonheur ne fasse pas violence à un autre. » Les Khmers rouges humiliaient et brimaient méthodiquement l'individu. Ils pratiquaient l'antibouddhisme à outrance. Ils disloquaient la famille. Ils détruisaient les valeurs humaines. Les Khmers rouges ne connaissaient ni la compassion ni la pitié. Ils semaient la désolation et la haine. Ils emmenaient dans la forêt les auteurs des fautes et des délits. La forêt leur servait d'abattoir, de chambre de torture...

La maladresse tuait dans nos villages. Un ancien haut fonctionnaire avait été l'acteur involontaire d'un de ces drames qui émaillaient notre existence. Cet homme n'avait cessé d'être attentif à tous ses gestes, à ses propos. Il ne voulait pas que sa véritable identité soit découverte. Il exécutait les ordres des Khmers rouges sans broncher. Son zèle lui avait valu l'estime de certains Khmers rouges. Au bout d'un certain temps, il avait bénéficié d'une relative indulgence. Les Khmers rouges évitaient de lui confier les tâches pénibles.

Il n'accomplissait plus que les travaux faciles : couper le bois pour la cuisine, essuyer la table de la cantine. Un jour, il eut le malheur de refuser d'exécuter l'ordre d'un Khmer rouge qui n'était pas son chef : « Camarade, je ne peux pas porter ce seau d'eau pour vous. Je dois d'abord finir mon travail ici. » Cette petite phrase lui coûta cher. Le Khmer rouge lui répliqua vivement : « Vous n'avez pas encore abandonné vos penchants anarchistes. Votre refus relève de l'insubordination. » Le haut fonctionnaire fut transféré dans un autre camp de travail. Il n'en revint pas. Ces arrestations n'étaient pas isolées. Elles étaient presque quotidiennes. Les prisons n'existaient pas; du moins, pas à ma connaissance. Toute arrestation était fatale. Nous vivions vraiment dans la crainte d'être enlevé pour n'importe quel prétexte futile.

Une affaire semblable était arrivée à un ancien directeur des Douanes, M. Uch Sam Sem. Il avait dirigé les douanes sous le règne de Sihanouk. Tout le monde, dans le village, le savait. C'était un homme instruit qui s'exprimait souvent en français. Il avait vécu en France, je crois. Séparé de sa famille, il vivait seul, ne ménageant pas sa peine. Il travaillait bien, il était robuste et ne rechignait pas devant des travaux difficiles. Un an était passé depuis la chute de Phnom Penh et la nouvelle constitution était promulguée. Il avait vu des Khmers rouges porter des montres. Cela l'avait rassuré et incité à porter la sienne. Mal lui en prit ! Les Khmers rouges du village remarquèrent vite sa montre. Un nouveau avec une montre, ça ne passait pas inaperçu.

Les Khmers rouges proposèrent d'emprunter sa montre pour l'Angkar, disaient-ils. Uch Sam Sem, poliment, se rebiffa et refusa ce marché de dupes : « Camarades, je ne peux pas vous la prêter. J'en ai besoin pour travailler, pour arriver à l'heure au travail. » Tous les Khmers rouges, tous les révolutionnaires, employaient le même mot quand ils voulaient s'approprier un objet : proposer.

Les Khmers rouges semblaient fâchés de constater que l'homme leur résistait courtoisement. Le chef de groupe s'avança : « Moi, je suis le chef de groupe. Je n'ai pas l'heure et je dois indiquer l'heure à des centaines de travailleurs. Vous avez porté votre montre pendant des années. Vous pouvez me la laisser quelque temps. » Uch Sam Sem tenait bon. Il ne voulait pas que les Khmers rouges lui confisquent sa montre : « Excusez-moi, camarade. Je ne peux vraiment pas vous donner ma montre. »

Selon les termes de la constitution nouvelle, chacun pouvait garder ce qu'il possédait comme objets personnels. Cet article de la constitution de l'Angkar avait été longuement commenté au cours des réunions politiques et les Khmers rouges ne pouvaient pas, sur-le-champ, se contredire. Dix jours après l'incident de la montre, Uch Sam Sem fut envoyé dans la forêt pour couper du bois. Lui non plus ne revint jamais de cette expédition.

Une semaine s'était écoulée depuis sa disparition quand nous découvrîmes qu'un Khmer rouge portait au poignet la montre de notre ami. Le soldat qui portait la montre se vantait de son sinistre larcin. Il discutait avec des camarades et exhibait la montre : « C'est la montre d'Uch Sam Sem, le traître qui utilisait souvent des mots impérialistes français. » Et le soldat, sans vergogne, racontait comment le drame s'était déroulé. Se sachant menacé, M. Uch Sam Sem avait tenté de fuir. Le soldat lui avait tiré dans les jambes. Uch Sam Sem, touché, s'était écroulé. Le Khmer rouge s'était approché d'Uch et lui avait donné le coup de grâce.

A ce moment, je mesurai réellement l'ampleur de notre désespoir. Je n'avais pas succombé à la maladie mais notre survie ne tenait qu'à un fil. Je décidai de m'organiser et d'établir des contacts. L'évasion était notre seule chance de nous en tirer. J'avais évoqué cette possibilité de fuite avec deux hommes sûrs. Le premier était un professeur licencié ès lettres, M. Roeun, et le second était commandant de blindés. Roeun connaissait une Chinoise qui possédait une boussole. Je rencontrai le commandant et le professeur à l'hôpital. La première fois, je les avais vus en rentrant des Grands Lacs. Nous avions échangé quelques propos et nous nous étions promis de nous revoir.

Ils habitaient dans un village situé sur la piste qui menait à Pursat, à environ quatre kilomètres de l'hôpital. Je leur avais expliqué que je connaissais la topographie de la région par cœur. Je savais surtout où se trouvait la frontière. Je contactais l'un ou l'autre à l'hôpital. Ils s'y rendaient à tour de rôle pour prendre des médicaments. Quelquefois, l'un d'eux passait près de la maison. Si j'étais absent, il laissait un mot à mon fils ou à ma femme. Nous savions qu'il existait un maquis dans la région de Kompong Chhnang. Ce maquis avait été localisé vers le sud de Pursat, en pleine forêt. Le bruit courait qu'un ancien colonel républicain, le colonel Bun Sâng, le commandait. Une autre rumeur prétendait que le colonel avait été arrêté mais que ses troupes continuaient la lutte. Nous avions décidé de partir et de rejoindre ce maquis. En attendant le moment idéal, il fallait mettre tous les atouts de notre côté. C'était la seule issue raisonnable : nous enfuir en Thaïlande ou rejoindre un maquis.

Depuis quelques mois, d'angoissantes incertitudes pesaient sur nous, sur les rares survivants... La situation politique s'était nettement dégradée. Les décisions de l'Angkar variaient d'un village à l'autre. Par exemple, pendant mon séjour aux Grands Lacs, la radio des chefs khmers rouges – ils étaient les seuls à l'écouter régulièrement – avait fait allusion aux élections de l'Assemblée du Peuple. Ces élections avaient eu lieu en mars 1976. Nous nous attendions à être consultés. En vain. Personne, dans notre région, n'avait participé aux élections; dans certains villages, des candidats uniques avaient été présentés au suffrage de la population. Les résultats avaient été proclamés dans l'indifférence générale.

Les Khmers rouges avaient justifié l'absence de consultation électorale dans certaines régions par la mobilisation des travailleurs dans les rizières. Ils prétendaient que nous étions trop occupés dans les rizières ou sur les bateaux de pêche pour aller voter. En fait, nos voix ne comptaient pas. Nous n'avions aucune importance. Nous n'avions peut-être pas voté parce que nous étions du peuple nouveau. Au mois de janvier 1976, nous avions été informés de la proclamation officielle de la Constitution. En mars, les élections avaient eu lieu. Enfin, selon les allégations de l'administration révolutionnaire, avant la fête de la victoire de la révolution, au début d'avril, le prince Sihanouk avait remis sa démission au gouvernement. C'était au moins la chronologie officielle qui nous était proposée.

Sihanouk avait fait sa déclaration, sur les antennes de la radio nationale, en khmer et en français. Ce choix de la langue française pour présenter sa démission nous avait déroutés. Le gouvernement avait promis d'élever un monument à la gloire du prince Sihanouk. L'Assemblée du peuple, qui comprenait le sens du geste de Sihanouk, était prête à coopérer avec le gouvernement pour bâtir ce monument qui exalterait la grande œuvre du prince et sa contribution à la révolution. L'Assemblée du peuple lui allouait une pension de huit mille dollars par an. Sihanouk avait remercié la « très clairvoyante Angkar » de l'avoir lavé de toutes calomnies et des humiliations des traîtres, de l'avoir ainsi réhabilité aux yeux du monde et de l'histoire. Il avait évoqué des raisons familiales pour justifier sa démission.

Après ces déclarations officielles, nous ne devions plus entendre parler du prince.

Aussitôt, je pensai aux cinq conditions de Sihanouk dont tout le monde, sauf les Khmers rouges, s'était gargarisé quelques mois plus tôt. En réfléchissant un peu, je m'aperçus que les Khmers rouges avaient jeté ces principes et ces conditions aux oubliettes. A aucun moment de cette révolution radicale, les Khmers rouges n'avaient essayé de remplir au moins l'une des conditions que l'on prêtait au prince Sihanouk.

Une partie du programme politique avait été réalisée. Il s'agissait de la collectivisation à outrance. Nous ne pensions pas que l'égalitarisme allait s'étendre jusqu'à l'établissement de repas communautaires. La propagande des Khmers rouges laissait supposer que Sihanouk, délié de ses engagements, avait l'intention de partir à l'étranger avec sa pension de huit mille dollars. Pourquoi aurait-on donné huit mille dollars au prince pour vivre dans un pays où la monnaie était abolie, bannie même ? Il était évident que l'on donnait huit mille dollars au prince pour qu'il les dépense à l'étranger. Je pensais que Sihanouk avait repris la route de l'exil. Peut-être vivait-il à Paris, en Suisse ou à Pékin... J'étais loin d'imaginer qu'il était resté au Cambodge. J'ai cru, jusqu'à mon évasion du Cambodge, qu'il s'était installé avec toute famille dans un pays ami.

Tout au long de nos malheurs et de nos errances, nous avions constaté que nous n'étions pas tous logés à la même enseigne. Les conditions de vie et l'application de la constitution étaient variables d'un village à l'autre. Le régime auquel nous étions soumis dépendait de la mentalité des responsables des villages. Certains étaient durs, d'autres stricts ou corrompus. Il y avait quelquefois des chefs humains, aussi. La tendance, au fur et à mesure que le temps passait, était au durcissement.

Au cours des réunions politiques, les Khmers rouges voilaient à peine leurs menaces : « Il faut travailler dur pour être un bon révolutionnaire. Si vous restez au milieu du chemin, la roue de la révolution vous écrasera. Dans le Cambodge nouveau, un million de personnes suffisent pour continuer la révolution. Il suffit d'un million de bons révolutionnaires pour le pays que nous construisons. Nous n'avons pas besoin du reste. Nous préférons abattre dix amis plutôt que de garder un ennemi en vie. » L'avertissement était clair. Les Khmers rouges n'avaient pas besoin de preuves pour arrêter un suspect, même s'il s'agissait d'un ami du nouveau régime.

Chaque chef de village pouvait prendre la décision d'exécuter n'importe qui. Ils ne se privaient pas de régler ainsi des comptes personnels ou de voler les gens. Ils camouflaient leurs crimes sous les discours idéologiques. Nous n'avions aucun recours contre l'idéologie. Les Khmers rouges nous avaient promis des larmes, du sang et du désespoir. Leurs déclarations officielles ne dissimulaient pas la rigueur de leur projet politique : « Les Khmers rouges ont combattu pendant dix ans les impérialistes. Leur lutte a commencé sous le règne du prince Sihanouk. Ils se sont séparés de leurs familles et ont consenti de nombreux sacrifices pour que la révolution triomphe. Grâce à cette victoire, vous êtes aussi libérés des impérialistes, vous êtes dans ce village et l'Angkar vous nourrit. Désormais, c'est à vous de faire preuve d'esprit de sacrifice. Vous devez montrer à l'Angkar que vous n'hésitez pas à faire certains sacrifices. Il faut travailler fort. Si vous tombez, relevez-vous et recommencez à travailler... »

Cette exaltation de l'effort et du sacrifice coïncidait avec l'intensification du travail sur les chantiers de construction et de production. Le ton sévère des Khmers rouges nous avait convaincus d'agir vite. En rejoignant le maquis, nous pouvions trouver le moyen d'atteindre la Thaïlande. C'était un gros risque à courir. Nous avions quatre-vingt-quinze pour cent de chances de rater. Nous voulions d'abord rencontrer les maquisards et passer, plus tard, en Thaïlande.

Pursat était située au centre du pays. Il était impossible de faire d'une traite l'itinéraire de Pursat à la frontière. C'était au-dessus de nos forces et de nos capacités. Un tel projet aurait relevé de l'inconscience. Il fallait à tout prix retrouver les maquisards et faire étape dans leur campement. Le commandant de blindés et le professeur de lettres étaient résolus. Ils avaient vécu des heures difficiles, aussi. Le commandant avait perdu trois de ses cinq enfants. Sa femme souffrait d'une dépression nerveuse chronique. Le professeur avait perdu sa femme et deux de ses trois enfants. Il vivait seul avec sa petite fille. La jeune Chinoise vivait avec sa mère. Les huit autres membres de la famille étaient décédés. La jeune fille était prête à abandonner sa vieille mère pour participer à notre expédition.

Nous aussi nous devions sacrifier notre famille. Je devais abandonner ma femme et mon petit dernier. Le professeur devait abandonner sa fille. Il était très attaché à son enfant mais il ne pouvait pas faire autrement s'il voulait réellement s'évader. L'ancien commandant n'avait pas le choix non plus. Il devait laisser sa famille derrière lui. Nous étions tous tombés d'accord sur ce point.

Première tâche, si nous voulions réussir : il fallait reconnaître le terrain, savoir où passaient les colonnes khmères rouges. D'autre part, nous devions songer à préparer des vivres. Ces préparatifs exigeaient beaucoup de discrétion. Chacun, de son côté, faisait son possible pour échanger des objets précieux, des bijoux, contre du riz, du poisson séché.

Nous nous étions accordé trois semaines pour préparer l'expédition. Nous ne nous rencontrions jamais tous ensemble. Nous avions pris l'habitude de nous voir séparément. Mon principal contact était le professeur. J'avais rencontré le commandant une fois seulement. J'étais sûr de son courage. C'était un type bien. Les autres me paraissaient moralement solides. Le professeur était audacieux. Il me l'avait prouvé en venant me voir chez moi. J'étais malade et je ne pouvais pas, à ce moment-là, quitter la maison. Avant de passer à l'hôpital, il était venu chez moi. Tandis que je demeurais étendu dans ma paillote, il s'enfonçait dans la forêt derrière la maison. Nous pouvions ainsi parler sans être repérés.

Il y avait un passage, devant chez moi, que les soldats empruntaient souvent. Quand j'apercevais un Khmer rouge approcher de la maison, je faisais signe au professeur de se taire. Il cessait de parler et je feignais de dormir. Le Khmer rouge continuait son chemin sans prendre garde à moi. Plusieurs fois, grâce à ce stratagème, nous avions pu échanger des informations. Nous ne nous étions pas souvent rencontrés dans ces conditions. Trois ou quatre fois... Nous avions eu beaucoup de chance de ne pas être pris. Au cours de ces rencontres, nous faisions le point des préparatifs.

Nous nous étions réparti nos responsabilités respectives dans la préparation de l'expédition. Pour prévenir et décourager toute entreprise de dénonciation, nous avions prévu de fixer l'heure du départ et le lieu de rendez-vous au dernier moment. Malheureusement, tous les contacts que nous avions pris entamaient notre détermination. Notre principal écueil était la difficulté de faire des provisions. Les vivres manquaient. Nous avions beau chercher, il semblait impossible d'augmenter nos réserves. C'était difficile de partir en groupe durant cette période. Tout le monde devait se tenir prêt et remplir son rôle.

En réalité, je m'étais fait beaucoup de souci pour rien. Notre expédition fut annulée une semaine avant la date prévue pour notre départ. Le commandant de blindés fut envoyé par les Khmers rouges dans la forêt, à trente kilomètres de son village, pour couper du bois. La forêt de Bactra, près de Pursat, était trop éloignée de nos campements pour que l'on maintienne notre projet d'évasion.

Vers la seconde semaine de mai, quelques jours après avoir reçu cette mauvaise nouvelle, je devais moi-même être envoyé à Lolok Sâr, dans la périphérie de Pursat-Ville. Les Khmers rouges avaient considéré que j'étais remis de ma maladie et que je pouvais faire les labours dans les rizières. Les rizières étaient inondées. Je n'avais pas l'habitude de ce travail malgré mon expérience de Takéo. A Takéo, nous n'avions pas pu faire grand-chose en raison de la sécheresse. La terre était trop sèche pour pouvoir être labourée convenablement. A Lolok Sâr, il s'agissait de travaux sérieux et non pas d'une agriculture improvisée.

Des bruits étranges, entre-temps, avaient couru sur mes compagnons d'évasions empêchés... J'avais rencontré, à Lolok Sâr, des voisins du professeur. Je n'avais pas vu le professeur en personne. Les hommes de son village avaient été séparés en différentes équipes. Certaines équipes allaient pêcher aux Grands Lacs. D'autres se consacraient à la culture dans les rizières communautaires. Chaque village envoyait son équipe. On m'avait révélé que l'identité du commandant avait été découverte par les Khmers rouges. Ces derniers l'avaient envoyé dans la forêt pour l'exécuter. Il n'était jamais revenu de ce chantier de Bactra.

Les Khmers rouges avaient raconté la fable habituelle : selon eux, il avait tenté de s'enfuir et ils avaient dû l'abattre. C'était une hypothèse invraisemblable. Pourquoi aurait-il compromis notre projet pour s'égarer dans une forêt qu'il ne connaissait pas, sans nourriture ? Notre ami avait été emmené dans la forêt de Bactra pour y être fusillé. Les Khmers rouges avaient maquillé cette exécution. Ils agissaient toujours ainsi.

Nous ne vivions pas très loin de Pursat-Ville. Nous n'étions pas autorisés à sortir du campement. Les Khmers rouges étaient les seuls à occuper Pursat-Ville. Il y avait une scierie d'Etat qui était directement dirigée par le gouvernement central. Aucun village ne participait à l'exploitation de cette scierie. Nous étions juste associés – si j'ose dire – aux chantiers forestiers, aux travaux rizicoles. Les rizières étaient communautaires. Chaque village devait envoyer une équipe. La récolte était prise en charge par l'Angkar qui devait la partager ensuite. Tous les villages concernés appartenaient au même district.

Tous les villages devaient accomplir leur part de labours. Il était important, pour moi, d'éviter les faux pas, désormais. Je savais que les Khmers rouges étaient circonspects à mon égard. Ma maladie leur avait paru plus ou moins suspecte. Je voulais m'appliquer à labourer consciencieusement. Je jouais les ignorants. Je prenais toutes les précautions pour ne pas être dénoncé.

Dans la situation qui me préoccupait, la prudence consistait à rester mentalement stable, à garder mon calme, à ne pas me mettre hors de moi, surtout. Cela paraît facile mais je jure qu'il fallait une grande maîtrise de soi pour ne pas s'exciter, ne pas répondre, ne pas parler, ne pas céder à la panique, ne pas céder à la colère... Il fallait être de pierre, rester sourd, muet et exécuter aveuglément les ordres.

Aucun repos, dans la journée, ne nous était octroyé. Le repos impliquait la ruse, l'habileté. Nous n'avions pas d'autre moyen que nous reposer en cachette. J'essayais de me reposer pour conserver ma santé. Je n'avais pas envie de me sacrifier pour une révolution qui avait détruit nos familles. Je ne voulais pas succomber au travail dans les rizières. Je haïssais cette révolution.

Le travail était vraiment implacable. La sous-alimentation aggravait notre fatigue. Tant bien que mal, j'essayais de tenir le coup. Je n'étais pas habitué au labourage. Toute la journée, je marchais les pieds nus dans la boue. Un jour, je m'étais effondré dans la rizière, sans connaissance. Il me restait une paire de sandales japonaises mais je ne pouvais pas les utiliser dans la boue.

Je gardais toujours ma boîte de lait Guigoz à la ceinture. Dès que j'apercevais un crabe ou une grenouille courir sous les talus, j'essayais de l'attraper et de mettre ma prise dans la boîte. Ce jeu était notre unique distraction.

Nous marchions de 6 heures du matin à midi avec une seule interruption d'environ quinze minutes vers 9 heures. Je n'avais pas le temps de m'arrêter. Il fallait suivre les bœufs. Je m'étais évanoui en suivant l'animal. Mes camarades, avec l'autorisation des Khmers rouges, m'avaient ramené au dortoir. J'étais à bout de force. Pendant une journée, je m'étais reposé. Mon répit avait été de courte durée. Le lendemain, je reprenais les labours dans la rizière.

Le principe d'autosuffisance revenait souvent dans les discours à ce moment-là. C'était d'ailleurs plus un avertissement qu'un conseil. Nous devions avoir l'esprit d'initiative – *Kol Chomhor Chnay Prâdith Kumnit Phdaam* – comme d'authentiques « révolutionnaires ». Si la charrue cassait, il fallait la réparer soi-même. C'était le principe d'autosuffisance.

Prendre soin des bœufs était aussi capital que le respect du matériel. Lorsque nous nous arrêtions tout l'après-midi, nous avions le devoir de garder et de surveiller les bœufs. Pour nous, c'était une espèce de repos. Nous pouvions nous asseoir et les surveiller pendant qu'ils paissaient. Les bœufs se nourrissaient des herbes des talus. Je ne savais pas comment faire pour mener les bœufs. Et je n'avais pas le droit de ne pas savoir.

Mon allure et mon visage trahissaient mes origines citadines. Nous étions quelques-uns dans ce cas. A la moindre faute, les Khmers rouges pouvaient nous arrêter et nous emmener dans la forêt. J'essayais de faire un minimum de fautes pour ne pas attirer l'attention des Khmers rouges, pour ne pas déplaire à mes gardiens. J'avais fait une sérieuse gaffe en gardant les bœufs. C'était une responsabilité plus grave que je ne le pensais. Un révolutionnaire consciencieux laissait paître les bœufs en liberté. Il se contentait de les suivre afin qu'ils ne s'égarent pas et qu'ils ne mangent pas les pousses dans la rizière. Les bœufs mangeaient mieux l'herbe des talus et des digues en liberté qu'attachés.

Quelquefois, les bouviers étaient fatigués. Nous ne pouvions pas marcher sans arrêt derrière les bœufs. Je profitais de ces instants pour me reposer. Quand j'avais marché toute la matinée, je faisais une pause en promenant les bœufs. J'emmenais les bœufs loin de la rizière et je les attachais à un pieu. Pendant qu'ils broutaient, je m'endormais. Je dormais d'un sommeil léger, toutefois. D'un œil, je vérifiais, de temps en temps, si les bœufs se nourrissaient. Quand les bœufs avaient bien mangé, ils avaient la panse gonflée. Si la panse était creuse, il fallait aussitôt changer de pacage et trouver un endroit plus fertile en herbe.

Les Khmers rouges n'aimaient guère que l'on attache les bœufs. Ils pensaient qu'ils broutaient moins, ainsi. Je devais donc veiller à nourrir mes bœufs. La moitié du temps, je les laissais paître en liberté. Et je profitais de l'autre moitié pour dormir...

Un jour, sûr de ne pas être dérangé, je m'étais assoupi après avoir promené les bœufs. A mon réveil, je me trouvai en fâcheuse posture. La corde avec laquelle j'avais l'habitude d'attacher les bœufs était courte. Grâce à cette astucieuse trouvaille, je m'assurais que les bœufs ne s'écartaient pas de l'endroit où je les avais laissés et qu'ils broutaient le carré d'herbe que je leur avais assigné... Cette fois, l'un des bœufs m'avait joué un vilain tour : il avait filé à l'anglaise. Il avait dû tirer sur la corde en cherchant sa nourriture. Il était possible, aussi, qu'il se soit battu avec son congénère.

Le résultat de cette fugue était bien embarrassant pour moi. Je m'étais endormi et j'étais incapable de dire dans quelle direction le bœuf était parti. C'était la fin de la journée. Les Khmers rouges ne me pardonneraient jamais, me disais-je, une faute pareille. Je me mis en quête de mon bœuf absent, craignant d'abord qu'il ait dévasté les potagers des villageois, des habitants de base. Impossible de le trouver...

Le soir tombait et mes recherches avaient été vaines. J'étais atterré. Comment faire pour calmer le courroux de l'Angkar ? L'heure du repas du soir approchait. Comme nous n'avions pas de montre, le dîner collectif coïncidait avec le crépuscule. J'avais ramené un seul bœuf et je n'avais osé dire au chef khmer rouge que j'avais perdu la trace de l'autre. La peur me paralysait. Je mangeai en silence. Je songeais à la réunion politique qui allait se dérouler après le repas. Je broyais du noir.

Pendant la réunion politique, comme à l'accoutumée, les Khmers rouges répétèrent leurs thèmes idéologiques favoris puis ils nous invitèrent à faire notre autocritique. Chacun devait juger, en présence des autres travailleurs, ses actes de la journée et sa façon de travailler. Les Khmers rouges nous interrogeaient à tour de rôle : « Comment avez-vous conçu votre travail ? Etes-vous satisfait de votre travail ou non ? Avez-vous fait des fautes ? Avez-vous vu certains de vos camarades commettre des fautes ? » Nous devions répondre à toutes ces questions.

Mon tour arriva. J'étais acculé. Je ne pouvais plus faire marche arrière. Je fis le récit de ma journée : « J'ai bien travaillé et, par mégarde, je me suis endormi en gardant les bœufs. Au bout de cinq minutes, je me suis réveillé et je me suis aperçu qu'un bœuf avait disparu. » Je m'étais bien gardé de raconter que j'avais attaché les bœufs. Les Khmers rouges nous avaient recommandé de ne pas le faire. Là, je devais mentir : « J'ai cherché le bœuf toute la soirée et je ne l'ai pas retrouvé. »

A la fin de ma déclaration, je demandai à l'assistance de me juger. Je m'inclinai d'avance devant la sentence de l'Angkar et de l'assistance. J'acceptai qu'ils me critiquent, qu'ils me conseillent et qu'ils me corrigent.

Le chef de campement, qui menait les débats, s'adressa à moi : « Camarade, vous avez bien fait d'avouer votre faute. Mais vous auriez dû le faire avant cette séance. Il fait déjà nuit; il est tard. A l'heure qu'il est, on ne peut plus circuler. Si vous nous aviez prévenu avant la tombée de la nuit, j'aurais pu envoyer des gens à la recherche du bœuf. »

Le chef du campement, sur ce point précis, avait raison. Il m'accablait : « Pourquoi avez-vous attendu pour le dire ? Pourquoi avez-vous pris le temps de manger ? Il est nuit et nous sommes déjà en réunion de travail. Dites-nous si vous avez intentionnellement voulu saboter les travaux et perdre le bœuf ? Dites-nous ce que vous aviez l'intention de faire... » La dernière phrase contenait à la fois un ordre et une menace à peine voilée. Je ne savais pas quoi répondre. Je tentai de m'abaisser, de reconnaître ma faute, d'avouer ma stupidité de m'être tu.

J'attendis le verdict et je rappelai que j'étais prêt à accepter les corrections utiles. Tous les hommes présents devaient critiquer mon attitude et émettre un jugement. Ils étaient obligés de le faire. Sinon, ils étaient accusés de complicité. Mes camarades « nouveaux », même s'ils comprenaient ma défaillance, devaient, pour leur propre sécurité, se montrer sévères à mon égard. Je ne leur en voulais pas. Je m'attendais plutôt à une série de sévices, de châtiments corporels.

Lorsque la séance d'autocritique fut achevée, les hommes s'en allèrent. Trois, seulement, étaient restés avec le chef. Le chef du campement m'avait ordonné de ne pas bouger. Il revint vers moi. Sur un ton magistral, il débita son réquisitoire : « Vous savez que l'Angkar a utilisé des paroles douces – des paroles révolutionnaires – pour vous réformer dans le travail, dans vos actes et votre comportement quotidiens. L'Angkar a tenté de vous aider pendant un an. »

Nous étions en mai 1976. Le chef du village me reprochait ma paresse idéologique : « Cela fait un an que l'Angkar vous a pris en charge et vous n'êtes toujours pas réformé. Vous gardez l'attitude déplorable des bourgeois ! Votre comportement porte atteinte à la révolution. L'Angkar a essayé de vous forger un caractère nouveau par la manière douce. Mais vous restez réfractaire à nos enseignements. Vous nous obligez à employer la manière forte – *Selthor*

Khlang –, l'éducation « chaude » – *Selthor Kdav.* L'Angkar doit agir. Je vais demander à vos trois camarades de vous forger. »

Le chef se retira. Je restai seul avec mes trois tortionnaires. Ceux-ci se consultaient dans leur coin pour savoir ce qu'ils allaient me faire subir. Ils étaient plus agressifs que le chef du campement et rivalisaient de zèle. Il y a toujours des gens, au cours des drames, qui volent au secours de la victoire et qui, non contents de chanter les louanges des vainqueurs, leur prêtent main-forte pour torturer leurs compatriotes. Mes trois bourreaux ne manquaient pas d'ardeur. Ils me corrigèrent avec autant d'enthousiasme que les Khmers rouges les plus résolus.

Visiblement, il s'agissait d'une démonstration de bonne volonté à l'égard de l'Angkar. Les trois hommes me rouèrent de coups de pied, de gifles, de coups de poing. Le chef était revenu voir comment ils exécutaient ses ordres. Les trois hommes s'en donnaient à cœur joie. Les coups redoublaient. Les nouveaux ne pouvaient pas faire autrement. Le chef, qui n'était pas fou, abusait de leur zèle. Il en profitait et insistait pour que le châtiment soit exemplaire. Et rude... Et douloureux...

J'étais étendu sur le sol. Je ne pouvais rien faire. Je ne pouvais pas me défendre, ni hurler. Le chef khmer rouge n'attendait qu'une chose : que je réagisse. A partir du moment où je me manifestais, d'une façon ou d'une autre, il pouvait utiliser ce prétexte pour aggraver ma situation. Les attitudes geignardes ou révoltées étaient condamnables aux yeux des Khmers rouges. Si l'on criait de douleur ou si l'on injuriait ses bourreaux, on était passible, alors, d'un châtiment encore plus sévère. Il ne fallait pas protester contre l'arbitraire, il fallait se taire pour rester en vie. Les victimes trop douillettes et les héros étaient ramenés au même plan. Habiles à pervertir les bons sentiments, les Khmers rouges confondaient pêle-mêle les rebelles et les lâches.

Pour survivre, pour ne pas être emmené dans la forêt, il suffisait de se taire, de subir sans broncher. Je subis passivement mon châtiment. Je m'étais tu. Au fond, je n'étais pas mécontent de la peine qui m'avait été infligée. Je pensais que cela aurait pu être pire. Ma faute méritait plus... Il fallait toujours penser que la faute commise était beaucoup plus grave que le châtiment qu'elle avait entraîné. Il était impossible de dire le contraire, de toutes les façons. Il valait mieux accepter le châtiment et se soumettre sans rien dire. A ce moment, la dignité n'avait aucun sens. J'étais resté de pierre. Je n'avais pas bronché. Le Khmer rouge, défoulé, me laissa aller...

Le lendemain, j'avais été chargé de retrouver le bœuf. L'attelage comprenait forcément deux bœufs. Je ne pouvais pas continuer les labours sans retrouver le second bœuf. En me punissant, on m'avait bien fait comprendre que j'avais commis un acte de sabotage. Un acte répréhensible et grave qui mettait en cause le processus révolutionnaire. J'ai débusqué mon bœuf, sans trop de difficultés, près d'une paillote. Les habitants de la maison avaient découvert l'animal en train de ravager le potager. Il avait mangé les légumes que la famille avait plantés là. Pour prévenir d'autres désastres, les gens l'avaient attaché à l'un des pilotis de la paillote. Le bœuf, docile, me suivit sans créer d'autres problèmes.

J'avais obtenu une permission pour la journée afin de retrouver mon bœuf. C'était tout à fait exceptionnel. J'étais décidé à en profiter. Les coups que mes trois tortionnaires avaient fait pleuvoir sur moi n'avaient pas réellement porté. J'étais couvert de sang mais rien n'était cassé. Aussi, je me dis qu'en rentrant immédiatement, je risquais de reprendre les labours. Il était plus judicieux de me reposer dans une clairière, à l'abri des regards indiscrets. C'est ce que je fis. J'attachai soigneusement le bœuf à un tronc d'arbre et je dormis jusqu'à midi. A l'heure du déjeuner, je ramenai mon animal. Il n'y avait pas de véritables pauses dans notre travail. Si nous voulions rester en vie, il fallait voler des instants de tranquillité. Le zèle était l'un des principaux ennemis de la santé, de la survie. Les travailleurs trop zélés couraient le risque de succomber de fatigue dans la rizière. C'était une éventualité que je voulais repousser. Rentré à midi, je mangeai avec mon équipe et je repris le travail.

Lolok Sâr était un village ancien. Nos campements étaient bâtis autour du village, au milieu des rizières, près d'une pagode transformée en hôpital. J'avais rencontré dans ce village un type débrouillard mais qui n'était pas recommandable. C'était un nouveau. Il se faufilait partout et avait noué de nombreux contacts avec les Khmers rouges. Il se livrait discrètement à de fréquents échanges avec les Khmers rouges. Mes amis étaient sceptiques à son sujet. Ils ne lui faisaient pas confiance. On racontait que l'homme n'était pas régulier en affaires, que sa moralité était plutôt douteuse. Je ne pouvais pas m'arrêter à ces considérations superflues dont j'ignorais le bien-fondé. J'avais besoin de rations supplémentaires et je ne connaissais personne d'autre à Lolok Sâr. Lui seul pouvait me procurer ces rations. Le reste, c'est-à-dire les commentaires de mes amis, ne m'intéressait pas.

J'avais encore sur moi la gourmette de mon fils. Je décidai de l'échanger. Le courtier était d'accord pour conclure le marché :

– Ne vous en faites pas, tout ira bien. Donnez-moi la gourmette et, dans deux jours, je vous apporterai le riz...

J'acceptai ses conditions. Deux jours après, j'allai le retrouver pendant la demi-heure de repos du déjeuner. Il semblait gêné. A peine osai-je l'interroger qu'il me coupa la parole :

– Vous ne savez pas ce qui est arrivé à votre gourmette ? On me l'a volée. Je ne peux rien faire. On m'a volé la gourmette.

Je repensai alors aux conseils de mes camarades. Sa réputation d'individu retors se confirmait. J'étais hors de moi :

– Pourquoi as-tu fait ça ? Tu es un nouveau comme nous. Pourquoi tu te conduis comme ça ? Tu sais que tu es un beau salaud !

Il essaya de calmer ma mauvaise humeur, de m'apaiser :

– Je te jure qu'on m'a volé le bracelet. J'ai été complètement pillé. Il ne me reste plus que cette montre qu'un chef khmer rouge m'a donné à réparer.

Il me montra la montre. Ses lamentations, vraies ou fausses, continuaient :

– On m'a tout volé. J'ai tout perdu, même mes colliers. C'est arrivé pendant que j'étais au travail.

J'enrageais. Il était allé trop loin dans la tartufferie. Pour une fois je ne pouvais plus me contenir. Cet imposteur m'avait mis en colère. Je ne pouvais pas l'insulter violemment, en principe, car c'était un mouchard. A n'importe quel moment, il était en mesure de me dénoncer et de me faire arrêter. Mais je n'y tins plus. Je lui arrachai la montre des mains. Il parut effrayé :

– Tu ne peux pas faire ça. Cette montre ne m'appartient pas. Elle appartient au chef khmer rouge.

J'avais la ferme volonté de ne pas céder, de ne pas me faire rouler une seconde fois.

– Bon ! Va raconter cette histoire à ton chef khmer rouge, lui dis-je, et nous verrons ce qu'il en pense...

Je n'avais pas cru à son histoire de vol. Elle paraissait tout à fait rocambolesque. Je rentrai au camp, résolu à résister à son chantage. Il me poursuivit en m'apostrophant mais je fis mine, pour me débarrasser de lui, de ne pas l'entendre. Chemin faisant, je me demandai toutefois si la montre appartenait vraiment au chef khmer rouge... Dans ce cas, je ne donnais pas cher de mes jours.

La montre, en réalité, appartenait bel et bien au chef khmer rouge. Mon receleur, dans l'embarras, était allé le trouver. Il lui avait narré l'incident. Le Khmer rouge et le trafiquant étaient complices. Le chef khmer rouge avait besoin, pour s'approprier à bon compte les biens des « nouveaux », d'un courtier parmi les « nouveaux ». Ces échanges devaient rester clandestins. Ils étaient officiellement condamnés par l'Angkar et pouvaient, surtout, exciter l'envie et la cupidité des autres Khmers rouges.

Le chef khmer rouge ne souhaitait pas que tout le monde sache qu'il était un trafiquant. J'y avais songé en revenant dans mon campement. C'était un argument qui jouait en ma faveur. Le souci de discrétion du chef khmer rouge m'était favorable. Si j'ébruitais l'affaire, il était fichu. Il avait intérêt à forcer le courtier à me rendre ma gourmette en échange de sa montre... Je n'avais pas eu tort, au fond, d'emporter la montre du chef khmer rouge.

Le soir même, après le repas collectif, je vis arriver mon receleur. Il était nerveux. Il fallait que la situation fût grave pour qu'il ait couru le risque de venir me voir dans mon campement. Ce genre de démarche, de la part d'un courtier prudent, était inhabituel. Il s'avança vers moi et me parla à voix basse :

– Il faut que tu rendes la montre au chef khmer rouge ! Je lui ai dit la vérité.

Je n'en revenais pas :

– Je ne te crois pas. Cela n'est pas possible.

Il me désigna un Khmer rouge qui se tenait à moins de deux cents mètres de nous. Le Khmer rouge avait préféré rester à l'écart. C'était un bon point pour moi. Il n'avait pas osé suivre le receleur. Il attendait que j'aille le trouver. J'hésitai... Je me demandai si ça n'était pas trop intrépide de faire chanter un chef khmer rouge.

Mon courtier insistait pour que j'accomplisse le premier pas :

– Si tu ne lui rends pas la montre, il risque de se mettre en colère et de te punir. Va le voir ! Je t'en prie... Va discuter avec lui si tu ne me crois pas !

Battre en retraite me condamnait à coup sûr. J'allai à la rencontre du chef khmer rouge. Je l'avais reconnu. C'était un type trapu, bien bâti. Il avait la peau très foncée. Il était responsable de l'hôpital mais n'était pas médecin. Sans détour, il me sermonna :

– Camarade, cette montre est à moi. C'était une erreur de la prendre...

A mon tour, je lui racontai ma version des faits, pensant qu'il pouvait comprendre mon ulcération. Secrètement, j'espérais qu'il allait pencher en ma faveur. J'ornai mon récit de quelques mensonges pieux pour le mettre devant le fait accompli :

– Je pensais, en prenant la montre, qu'elle lui appartenait. Je ne peux pas la rendre. Je l'ai donnée à ma sœur.

Je mentais. Ma sœur était morte. La présence d'un groupe de femmes à côté de notre campement m'avait suggéré ce mensonge. Calmement, j'avais expliqué au Khmer rouge que la gourmette appartenait à ma sœur et, pour la dédommager de la perte du bijou, je lui avais donné la montre. J'avais ajouté que ma sœur rendrait probablement la montre si on lui donnait sa gourmette. J'étais sûr, aussi, que ma sœur accepterait des boîtes de riz à la place du bracelet.

– En général, remarquai-je sur un ton accommodant, un bracelet vaut sept boîtes de riz. Trois boîtes de riz lui feront plaisir...

Le Khmer rouge n'osait pas discuter ainsi en plein village. Il craignait d'être écouté. Il avait apparemment gobé l'histoire de la sœur. Il ne me demanda aucun détail. Il était pressé d'en finir :

– Il faut que vous me rendiez la montre immédiatement. Si cette histoire se répand dans le village, vous risquez d'être arrêté. Et ce sera fatal pour vous deux... Je ne veux pas être au courant de votre marché. Tout ce que je veux, c'est ma montre. Réfléchissez bien ! Si vous ne me donnez pas ma montre, je peux sévir. Je suis le chef de ce quartier, faites attention ! Vous êtes ici provisoirement pour faire les labours. Je connais votre chef de campement. Je peux lui parler de cette affaire. Pour votre sécurité, réglons cette histoire à l'amiable. Rendez-moi la montre !

Il me posait un ultimatum. Toutefois, je ne m'attendais pas à ce qu'il cède à mon chantage. Il voulait conclure rapidement. Il parlait doucement pour ne pas éveiller l'attention des autres Khmers rouges. Il me fit, enfin, cette proposition :

– Rendez-moi la montre et le nouveau, dans les jours qui viennent, trouvera vos boîtes de riz. Il vous dédommagera ainsi...

Je ne l'entendais pas de la même oreille. J'avais déjà été floué par ce receleur peu scrupuleux. Je ne voulais pas tomber deux fois dans le même piège. Je refusai ce marché de dupes :

– C'est impossible. Je ne fais plus confiance à cet homme.

Le Khmer rouge pensait qu'il était épié. Il ne pouvait pas parler trop fort, ni me menacer. La présence de notre petit groupe intriguait les hommes du campement. Tout le monde pouvait nous voir discuter. Cela gênait le chef khmer rouge. Je sentais qu'il n'était pas à son aise.

Comme la nuit tombait, il me proposa d'aller discuter chez lui à l'hôpital :

– Camarade, on ne peut pas parler librement ici. Viens à l'intérieur de l'hôpital. J'ai, peut-être, encore quelques boîtes de riz. Nous réglerons cette histoire au calme.

– Vraiment ! m'exclamai-je étonné par son amabilité soudaine.

Je ne m'étais pas méfié des deux hommes. Inconscient du danger qui me guettait, je les suivis à l'intérieur de l'hôpital. Il s'agissait d'une ancienne pagode transformée en infirmerie. Il y avait de nombreuses salles et un logement réservé à l'administration, au personnel sanitaire, où les médicaments étaient entreposés. Le chef de l'hôpital travaillait là. Je croyais qu'il était honnête et qu'il voulait me remettre mes trois boîtes de riz.

La rudesse de la réception me surprit. Une fois à l'intérieur, les deux hommes se jetèrent sur moi et se mirent à me battre comme plâtre. C'était un passage à tabac en règle. Ils étaient furieux. Le voisinage des malades n'émoussait pas leur rage, leur frénésie de coups. Personne, au-dehors, ne pouvait m'entendre. J'étais pris au piège. Je m'étais livré à eux sottement, par témérité. J'avais beau hurler, je savais que personne ne me viendrait en aide. Le chef de l'hôpital était tout-puissant chez lui. Il était le maître dans son domaine. Ma parole ne valait plus rien. Il pouvait dire que j'avais volé. Les autres Khmers rouges l'auraient cru. Sa bonne foi ne pouvait pas être mise en doute.

Tandis qu'il m'accablait de coups, qu'il m'enfonçait les côtes, il criait : « Dis que tu as volé ! » Mes plaintes étaient étouffées. J'essayais cependant de protester, de nier : « Qu'est-ce que j'ai volé ? » Tous les malades entendaient mes hurlements. Ils entendaient aussi l'accusation proférée par le chef khmer rouge. Dans ces circonstances, on aurait pu croire que j'avais volé des médicaments. Cela n'était pas invraisemblable. Les Khmers rouges rossaient les voleurs. La correction que je subissais n'étonnait pas les spectateurs passifs qui pensaient que j'avais été pris la main dans le sac.

Sans cesse, les deux hommes qui me frappaient répétaient : « Vas-tu le rendre oui ou non ? » Ils voulaient m'accuser d'un vol fictif. J'avais perdu tout mon courage, toute mon énergie. Je croyais que ma fin était venue. J'étais soumis à leur bon plaisir sadique et je ne pouvais pas tenter de me défendre. Intérieurement la colère m'étreignait. Je haïssais ces deux hommes, le nouveau et le Khmer rouge. J'avais du mal à me retenir, à ne pas crier...

J'avais le sentiment d'avoir perdu la face dans cette affaire. J'étais blessé dans mon amour-propre et, physiquement, réduit à l'état d'animal. Le fond... Je touchais le fond de la détresse. Je rampais sous les coups en suppliant les deux hommes. Et ils cognaient... J'implorais leur pitié. Il n'y avait pas d'autre solution. La seule manière de s'en tirer, c'était de s'abaisser, de se soumettre, de les supplier de me laisser en paix.

L'amour-propre devait être oublié. Ils voulaient m'infliger une mémorable volée et une humiliation bien sentie. Ma seule chance d'en sortir vivant, c'était de leur offrir le spectacle de ma propre déchéance. Sans cette ultime concession de ma part, ils m'auraient mis à mort.

Je leur rendis la montre. « Va-t'en vite ! » Le Khmer rouge, satisfait de revoir sa montre, me laissa partir. J'étais couvert de plaies et de bosses mais je n'osai rien dire. Je n'avais même pas osé en parler à mes amis. La raclée avait eu lieu une semaine après la fugue du bœuf. J'étais très déprimé.

J'avais vu, à Lolok Sâr, beaucoup de gens mourir dans les rizières. Trois personnes étaient tombées pendant leur travail. Les Khmers rouges les avaient emmenées à l'hôpital. Elles ne s'étaient jamais rétablies. Vers la mi-juin, nous commencions tous à gonfler. Au mois de juillet, la première vague des labours était terminée. Nous pouvions enfin rentrer chez nous, c'est-à-dire auprès de nos femmes et de nos enfants. J'avais le corps dilaté par les œdèmes. Malgré tout, je n'éprouvais pas de malaises réels. Je ne me sentais pas malade. Les œdèmes ne nous faisaient pas souffrir. C'est un détail curieux : j'avais un peu mal sur quelques endroits du corps où j'avais reçu des coups. Ce n'était pas trop douloureux.

J'avais, cependant, vu mourir beaucoup de gens à l'hôpital. Je connaissais les symptômes de la maladie. Je pouvais en estimer la gravité. Aussi, je ne me faisais aucune illusion sur mon sort. Je me disais que j'allais mourir. Les signes ne trompaient guère. D'une part, les malades gravement atteints gonflaient rapidement. D'autre part, leurs jambes devenaient lourdes. Plus les jours passaient, moins ils se déplaçaient.

Mon diagnostic personnel n'était pas encourageant : le bas du dos et les jambes – les fesses et les cuisses – s'alourdissaient de jour en jour. Je ne pouvais plus grimper aux arbres et cueillir des fruits. Mes jambes ne répondaient plus. Je ne pouvais plus soulever mon derrière. J'avais même des difficultés à gravir les deux ou trois marches d'un escalier.

A la fin de mon séjour à Lolok Sâr, j'avais les membres tellement enflés que mon chef d'équipe m'avait autorisé à rentrer chez moi sans me tracasser, sans me questionner. Il m'avait cru lorsque je lui avais dit que je ne pouvais plus labourer, que j'étais incapable d'avancer dans la boue. Il m'avait ramené au village, à Don Ey, avec quelques équipes. D'autres avaient été retenues à Lolok Sâr pour poursuivre la seconde vague des labours.

Sur le chemin du retour, j'avais traversé le village de mon ami le professeur. D'après les habitants, celui-ci avait été emmené par les Khmers rouges. Personne ne savait où il était parti. La disparition du professeur et l'exécution du commandant rendait notre plan d'évasion caduc.

Dans notre village, à Don Ey, on commençait à parler de nouvelles disparitions. Nous étions de plus en plus désarmés. Les Khmers rouges contemplaient notre détresse et notre agonie. Notre état de délabrement matériel et physique. Nos vêtements étaient déchirés, les étoffes des pantalons et des vestes abîmées par les teintures. Il ne me restait que deux pantalons de rechange.

A Don Ey, j'estime que quatre-vingts pour cent de la population, pendant toute la durée de notre séjour, avaient succombé à ce régime infernal de brimades, de sous-alimentation et de travaux forcés. Selon la doctrine des Khmers rouges, seuls les survivants pouvaient être purifiés. Huit personnes sur dix étaient mortes au nom de ce décret barbare. La famine était le plus sûr allié des Khmers rouges.

Il y avait eu tellement de décès à Don Ey qu'il ne restait plus que deux camps occupés sur les sept existant depuis le début. Cinq camps avaient été fondés au moment de notre installation dans le village. Ces cinq camps avaient été abandonnés au fur et à mesure qu'ils se vidaient. La plus grande partie de la population des cinq camps avait été décimée. Les survivants étaient venus grossir les deux anciens camps plus ou moins épargnés par les épidémies, par le paludisme. Ces deux camps avaient mieux résisté à la disette : ils étaient surtout composés d'hommes et de femmes du peuple ancien qui recevaient des rations de riz décentes.

Les camps désertés n'étaient pas détruits. Ils étaient laissés dans cet état d'abandon, à l'image de notre désolation. Ils symbolisaient le génocide systématique dont nous étions victimes. Nous avons vécu, je crois, le pire des cauchemars à Don Ey. Tous les gens, même les anciens, étaient victimes de la barbarie des Khmers rouges. Les habitants de base, à un degré moindre, et le peuple nouveau succombaient aux mêmes maux.

A l'époque où nous étions arrivés à Don Ey, les gens parvenaient à vivre. Ils survivaient plus ou moins bien, je veux dire. Rapidement, les décès se sont multipliés.

Au troisième trimestre, après mon retour de Lolok Sâr, rien n'avait changé. Les gens continuaient de mourir. Même les anciens mouraient. Les habitants de base qui restaient sensibles et sensés, surtout, hochaient la tête en signe d'incrédulité, de désarroi, de révolte. La détresse nous avait tous envahis. Pourtant, en tant qu'anciens, les habitants de base étaient mieux nourris. Malgré ce privilège, la plupart d'entre eux avaient pitié de nous. Ils disaient que l'Angkar ne manquait pas de riz mais qu'elle voulait nous affamer, nous tourmenter, faire mourir le peuple nouveau... Les chefs khmers rouges, pour ne pas s'exposer aux critiques de leurs pairs, devaient se montrer sous le jour le plus féroce. Toutefois, parmi le peuple ancien, certains habitants de base manifestaient leur désaccord avec l'intransigeance des cadres khmers rouges. La compassion de ces gens sensibles était souvent une aide précieuse. C'était le seul élément qui rendait notre sort variable d'un camp à l'autre.

La majeure partie des anciens, en dépit de la virulente propagande antireligieuse de l'Angkar, devenait, comme tous les nouveaux, plus fervente envers le bouddhisme que jamais. Ils étaient convaincus que les prophéties redoutées de Puth étaient en train de s'accomplir. Si les interprétations sur les délais de l'accomplissement des prédictions de Puth variaient, la promesse d'un salut proche, inscrit dans les prophéties, nous donnait du courage à tous et alimentait notre espoir. La question essentielle, pour nous, était de nous maintenir en vie pour entrevoir le salut... Une autre prédiction de Puth disait : « Le salut viendra de l'ouest et, quand la paix s'établira, après la disparition des Thmils, une ère nouvelle commencera où un homme aura quarante femmes. » Le déséquilibre démographique entre les populations masculine et féminine ressemblait de plus en plus à la prédiction...

Nous n'avions assisté à aucune naissance parmi les nouveaux. Des enfants naissaient chez les Khmers rouges et dans les familles du peuple ancien. Il n'y avait pas de mariages mixtes librement consentis ou approuvés par l'Angkar. L'Organisation suprême affirmait que les anciens ne devaient pas être souillés par les nouveaux.

Au cours des mois qui avaient succédé à l'évacuation de Phnom-Penh, dans le premier et le second village, j'avais entendu dire que les filles de Phnom Penh étaient obligées d'épouser des handicapés khmers rouges. Ces handicapés pouvaient choisir qui ils voulaient. Pendant le troisième trimestre de l'année 1975, il y avait eu de nombreux suicides.

L'Angkar avait divisé la société en deux classes. D'un côté, les gens des villes impurs et souillés, les esclaves, le peuple nouveau. De l'autre, les hommes purs, les anciens qui supervisaient les travaux et qui recevaient les meilleures parts dans toutes les distributions collectives. Délibérément, les Khmers rouges nous tenaient à l'écart. Et nous leur rendions, au centuple, leur mépris... Grâce à leur système répressif, les Khmers rouges avaient pratiquement supprimé toute délinquance. Mais ils n'avaient pas, toutefois, réussi à abolir le vol.

Entre nous, nous avions une certaine admiration pour les hommes qui volaient. Nous ne les dénoncions pas. Nous leur disions : « Ah ! Tu es courageux de pouvoir voler. » Nous n'osions pas dérober de la nourriture nous-mêmes mais nous admirions les voleurs ambitieux. Le vol avait pris, à nos yeux, le sens et la valeur d'un acte de bravoure incomparable. On enviait le courage et l'adresse des voleurs. Les voleurs vivaient plus longtemps que les gens honnêtes et timorés qui n'osaient jamais enfreindre la loi de l'Angkar, ni voler ni échanger. Malgré l'encadrement politique et l'espionnage constant de l'Angkar, c'était toujours les plus malins, les plus dégourdis et les plus riches qui survivaient.

Moi, j'ai volé...

Lorsque l'estomac est vide, lorsqu'on a faim, aucun sentiment, aucun amour, aucune sensualité ne peut exister. Ces émotions et ces élans n'existent qu'avec le ventre plein. Moi-même, je l'avais constaté. Pourtant au Cambodge, avant la chute, c'était fantastique... Nous avions, comme les Thaïlandais, une réputation peut-être exagérée de douceur, de sensualité, de raffinement. Nous n'étions pas pudibonds et l'amour était un élément capital dans notre vie.

A Don Ey, tout le monde était chaste. Nous n'éprouvions plus aucun désir et la beauté était une donnée absente de notre existence. La beauté... Quelle beauté ? Il n'y avait plus rien... Les anciennes prostituées avaient une vie identique à celle des autres femmes. Nous avions reconnu quelques prostituées de Phnom Penh. Elles étaient devenues pures comme les autres femmes. Personne n'avait plus besoin de prostituées. Les couples coupables d'actes charnels illégaux étaient fusillés. Les couples illicites, bien entendu... Dans l'autre village, je devais assister à deux mariages, c'est tout. Notre seule préoccupation, c'était de survivre. A partir de là, tout le monde peut comprendre notre hantise de nous voir débarrassés des Khmers rouges. Nous nous serions mis sous la protection de n'importe qui, si cela avait pu nous sauver. Même d'un chien qui aurait fait fuir les Khmers rouges en aboyant... Nous l'aurions traité comme un allié sans discuter.

Nous nous moquions de la nature ou de la nationalité de notre éventuel protecteur. A ce moment-là, nous aurions acclamé n'importe qui : Japonais, Américains, Français, Chinois et même Vietnamiens s'ils étaient venus nous libérer. Un homme en train de se noyer vérifie-t-il la nationalité et les intentions de celui qui lui tend une perche ?

A Don Ey, nous étions des esclaves affamés. Le drapeau de l'armée qui nous tirerait de là nous importait peu. Parmi le peuple nouveau, il y avait de tout. Les persécutés étaient de toutes origines. Il y avait des Chams ou Khmers Islams, des Chinois, des Vietnamiens, enfin, qui n'avaient pas rejoint leur pays. Nous n'avions plus aucun sentiment de différence. Nous étions le peuple nouveau face aux anciens. Nous partagions la misère et la complicité tacite. Nous ne nous dénoncions pas.

Sauf, bien sûr, lorsque les Khmers rouges nous frappaient ou nous torturaient. Quelquefois, des hommes cédaient à la peur. Tels ces nouveaux trop zélés, par exemple, qui m'avaient corrigé. Je ne leur en voulais pas.

Les Khmers rouges, au lieu de nous purifier et d'extirper nos « penchants individualistes », nous rendaient plus que jamais hostiles à leur idéologie. Ils faisaient l'unanimité contre eux. N'importe qui, j'insiste, aurait pu intervenir militairement au Cambodge et cueillir le Cambodge comme un fruit mûr.

La propagande des Khmers rouges nous avait appris à nous défier des idéologies. Dans les réunions politiques, où la réflexion était totalement absente, on nous abreuvait de slogans révolutionnaires. Il y avait plusieurs types de réunions politiques. Le meeting était un grand rassemblement peu fréquent au cours duquel les représentants khmers rouges du district venaient faire leur discours.

Certaines personnes, pendant les meetings, venaient soutenir l'action de l'Angkar en témoignant de leur ardeur révolutionnaire. Ces protégés des Khmers rouges racontaient comment ils se tenaient constamment disponibles pour accomplir les missions que l'Angkar leur confiait. Grâce à leur travail, clamaient-ils, ils aidaient l'Angkar et l'Angkar leur permettait de se réformer. Dialectique limpide, éblouissante !

Le meeting, c'était le spectacle édifiant et grandiose de la révolution. Un apparat guindé marquait tous ces meetings. En général, nous mangions mieux les jours de meeting : on nous donnait du dessert. Tous les trois jours, à Don Ey en dehors des meetings, nous avions droit à la rituelle réunion nocturne. Cette réunion était dirigée par le chef de village ou le chef de camp. Là, on nous rabâchait éternellement le même discours.

Le discours du chef commençait par l'historique de l'impérialisme. Puis, rapidement, on en venait aux questions capitales : qu'est-ce que la révolution ? Qu'apporte la révolution ? Notre prédicateur local essayait de nous montrer les bienfaits de la vie communautaire, du collectivisme – *Chomhor Samouhakpheap* – de la société sans classe. Il parlait de l'égalitarisme, de l'union autour de l'Angkar. Il tentait, sans grand succès il est vrai, de nous convertir à ses thèses, de nous dépersonnaliser.

Ces réunions avaient un aspect éducatif, également. On nous expliquait la manière d'introduire la révolution dans nos paroles et dans nos actes. C'était un cathéchisme qu'il fallait savoir par cœur. A Don Ey, tous les dix jours, c'est-à-dire les jours de congé, nous écoutions, du matin au soir, les recommandations idéologiques des Khmers rouges. Nous étions exemptés, les jours de congé, de travaux physiques. Nous n'échappions pas, cependant, à la corvée de la leçon politique. Celle-ci avait lieu, suivant les circonstances, dans notre camp ou dans un camp voisin.

La réunion la plus fréquente, celle qui nous réunissait tous les trois jours, était exclusivement réservée aux « nouveaux ». La barrière entre les nouveaux et les anciens n'était pas fictive. Il existait bel et bien une ligne de démarcation idéologique instituée par l'Angkar.

Théoriquement, les nouveaux ne pouvaient pas devenir chefs de groupes. Entre nous, quand le nombre des anciens était insuffisant et que le groupe n'était constitué que de nouveaux, un nouveau était parfois nommé chef de groupe. Cela demeurait rare et ne concernait que les équipes de travail. Un nouveau ne participait jamais à l'organisation des réunions ou des meetings. Nous étions tenus à l'écart des responsabilités communautaires alors qu'on nous prêchait le sacrifice, le dévouement et la solidarité.

Cette mise à l'écart était pratiquée sur les grands chantiers. Dans toutes ces circonstances, les anciens dirigeaient les équipes des nouveaux. Une seule fois à Veal Vong, j'ai vu un nouveau accéder au rang d'ancien. Sa bonne volonté à l'égard des dirigeants khmers rouges lui avait permis d'être gratifié de ce privilège. A cette époque, l'organisation manquait de cadres khmers rouges. Elle avait enrôlé le nouveau en tant que chef de camp. C'était la seule fois que j'assistais à la promotion d'un nouveau.

Toutefois, moi-même, j'avais été nommé chef de groupe sur un chantier de défrichage pour remplacer les Khmers rouges sollicités ailleurs, par d'autres tâches. Il y avait aussi, quelquefois, des nouveaux qui se faisaient passer pour des habitants de base avec la complicité de leurs parents du peuple ancien et du chef de village. Les nouveaux qui évoluaient ainsi parmi les anciens – et qui bénéficiaient de leur indulgence – étaient des auxiliaires de l'Angkar encore plus zélés que les habitants de base. J'en avais surtout rencontré à Don Ey, dans la région de Pursat. Ils portaient aussi l'uniforme noir mais leur tenue était plus élégante que celle des paysans.

Les séances d'autocritique furent inaugurées en 1976. Elles se déroulaient dans les groupes de travail. A Don Ey, nous étions dix, environ, à participer aux séances d'autocritique. Au maximum, ces séances rassemblaient vingt personnes. Il pouvait arriver, quand les équipes de travail étaient scindées, qu'on se retrouve à cinq ou six pour se livrer à notre autocritique.

Nous étions huit lorsqu'on m'avait désigné pour battre les gerbes de riz. Le chef khmer rouge, solennellement, ouvrait la séance en énonçant les principes fondateurs de la révolution. Il nous rappelait la nécessité de nous appliquer au travail puis nous invitait, à tour de rôle, à faire notre autocritique. Plus nous étions nombreux, plus l'autocritique prenait de l'importance. Nous devions avouer et expier nos fautes devant nos camarades.

Mon tour arrivait. Poliment et les yeux baissés, je récitais mon acte de contrition : « Je m'abaisse devant l'organisation de l'Angkar Suprême. Je m'abaisse devant l'assistance pour qu'elle puisse me voir. Devant moi, je peux voir la boue qui me tache mais derrière je suis incapable de deviner la boue qui me souille. Seuls mes camarades peuvent voir cette boue et peuvent me corriger. Ils peuvent me blanchir, me laver de ces souillures, me critiquer, me suggérer les utiles corrections et les remontrances si j'ai fait fausse route. Camarades, je ne peux pas voir derrière moi. J'ai donc besoin de votre aide pour prendre conscience de mes fautes et de mes erreurs. Je m'abaisse devant l'Angkar. »

Je répétais un discours que j'avais entendu. Nous réutilisions toujours les mêmes formules. Machinalement, je récitais mon mea culpa : « Je dois être un bon révolutionnaire. Je suis très bien avec l'Angkar. Je mange à ma faim grâce à l'Angkar qui me nourrit. Je remercie l'Angkar. »

Cette déclaration avait été sensiblement modifiée, avec l'assentiment de l'Angkar, lorsque nous n'avions plus à manger que de la soupe de riz très claire. Nous avions transformé notre profession de foi : « Je ne mange pas très bien. L'Angkar n'a pas assez de provisions mais cela me permet de m'habituer à la famine et de devenir plus résistant pour la révolution. L'Angkar m'aide à m'endurcir et je remercie l'Angkar. Je suis toujours prêt à recevoir les ordres de l'Angkar et je ne prononce aucune parole mauvaise contre l'Organisation hors de l'enceinte de cette réunion. Je suis détaché de mes "penchants individualistes". Si l'Angkar me confie une mission, je ne dois pas penser à ma femme ou à mes enfants. L'Angkar s'occupe déjà de ma famille, de mes enfants. Je fais tout ce que me dit l'Angkar. »

L'Angkar devait tout connaître de notre vie. Aucun détail de notre vie privée – ce qu'il en restait – ne pouvait être omis ou escamoté. Nous devions raconter nos journées par le menu. Il fallait exposer toutes ses fautes, dire si l'on avait été plusieurs fois à la selle ou pas du tout, si l'on avait été ardent au travail... Il valait mieux avouer ses fautes au cours de la réunion et demander la critique de l'Angkar plutôt que de les dissimuler.

Il était également recommandé de faire allusion au travail accompli et de s'en vanter : « J'ai fait ce qu'il faut, aujourd'hui; j'ai rempli sans protestation et sans discussion la mission que l'Angkar m'avait donnée. Je respecte les nominations de l'Angkar – *Korob Angkar Chat Taing.* Je fais confiance à mes chefs et je suis fidèle à l'Angkar dans mes paroles comme dans mes actes. »

Ayant conclu, je demandais enfin à l'assistance de me juger et de vérifier si je cachais des fautes, volontairement ou non. Une formule de soumission accompagnait cette dernière révérence : « Je m'abaisse pour que l'Angkar me purifie, me critique, m'éduque et me dise ce qu'il faut que je fasse dans l'avenir pour être encore plus docile. »

A cet instant, le chef de groupe se tournait vers les autres « nouveaux » présents pour leur demander leur avis : « Le camarade Thay est-il un bon révolutionnaire ? » Les hommes, en majorité, répondaient « oui ! » Il n'y en avait qu'un pour jouer les trouble-fête quand la faute était trop flagrante et que le chef avait déjà été mis au courant. L'homme avait pris la parole, par exemple, décrivait alors mon délit : « Je t'ai vu ce matin, Thay. Tu as ficelé ton bœuf. Est-ce que tu te rends compte que le bœuf ne mange pas à sa faim s'il est attaché pendant que tu dors. Ton acte est contraire aux recommandations de l'Angkar. C'est un acte subversif parce qu'un bœuf affamé ne peut plus tirer la charrue. »

Le chef reprenait la discussion en main et m'admonestait : « Tu as eu tort, Thay, de ne pas nous en parler. Fais attention ! La prochaine fois, nous ne te pardonnerons pas ton étourderie. » Pour avoir la paix, il fallait avouer sans protester. Même si l'accusation du chef de village était fausse, il ne servait à rien de la contester : « Ah ! Ce matin, je vous ai vu, vous aussi, vous reposer et abandonner la charrue... » En aucun cas, surtout, il ne fallait se rebiffer ou se justifier : « Je me suis assis parce qu'une bête m'a piqué. »

Les justifications indisposaient le chef de village : « Ah ! Voilà, vous protestez ! Vous ne voulez pas accepter votre faute. » Le plus simple, c'était de rester coi et d'accepter sa culpabilité. On passait la parole à un autre citadin et on se taisait. L'épreuve était terminée. Au voisin de prendre le relais des formules toutes faites et des aveux humiliants.

Le chef, qui nous avait interrogés un par un, mettait un terme à la séance d'autocritique. Ses conclusions, mot pour mot, étaient toujours les mêmes : « Vous avez bien fait de confier vos fautes à l'Angkar. Soyez fidèles à l'Angkar et loyaux envers la collectivité. » Les séances d'autocritique duraient une ou deux heures selon le nombre de participants mais l'ordre des questions était invariable : premier point, deuxième point et description de la vie quotidienne... Notre vie quotidienne, en vérité, c'était de grappiller, au jour le jour, de quoi vivre.

Nous mangions les escargots, les mille pattes. Nous ne pouvions pas attraper les singes. Nous n'avions pas de fusil. Les Khmers rouges, par contre, tuaient les singes.

Même lorsque nous nous procurions des rations supplémentaires, nous prenions quantité de précautions pour faire cuire le riz. Un parent, la femme ou l'enfant, faisait le guet pendant que le chef de famille s'occupait de la cuisson du riz. Si les Khmers rouges traînaient autour de la maison, nous remplacions, le riz par de l'eau. En effet, il était recommandé de faire bouillir l'eau que nous recueillions.

Nous n'avions pas d'autre hygiène. Quelques types vernis, toutefois, avaient obtenu ce que nous appelions des travaux de « faveur », des travaux priviligiés. Ils avaient eu de la veine. Ils bénéficiaient des meilleurs emplois, des tâches les plus convoitées.

Dans cette hiérarchie des travaux de faveur, l'emploi de cuisinier était sans doute le plus apprécié. Il venait en tête. Rares étaient les élus. Il restait la possibilité de travailler à la cantine, de nettoyer les tables et de balayer le sol. Au cours de ma maladie, les Khmers rouges m'avaient confié ce travail pendant une semaine. Nous pouvions ainsi traîner près de la cuisine et avaler, en cachette, une bouchée de riz de temps en temps.

Tous les emplois liés à l'alimentation étaient très recherchés, disputés. Il était bon d'appartenir, par exemple, à l'équipe qui ramassait le jus de palme. Le travail consistait à recueillir le jus et à le faire bouillir pour obtenir du sucre de palme. Un homme adroit pouvait en profiter pour mettre de côté quelques litres du délicieux sirop. Le pêcheur occupait également un rôle important dans le village.

L'institution des repas communautaires avait sensiblement modifié l'organisation villageoise. Chaque village devait constituer sa propre équipe de pêcheurs pour nourrir la communauté. Le partage du produit de la pêche était l'une des prérogatives choquantes des Khmers rouges. Ils distribuaient le poisson, après en avoir donné une bonne moitié à la cuisine communautaire, à leurs favoris, à leurs protégés. Ils récompensaient ainsi leurs mouchards, leurs pourvoyeurs de bijoux ou de vêtements. Nous savions qu'une partie de la pêche était directement destinée au chef khmer rouge.

Nous ne pouvions pas nous défendre contre un tel détournement. Le seul moyen de réparer cette injustice, c'était de se faire enrôler dans l'équipe de pêche et de voler, à notre tour, quelques poissons. Tous les pêcheurs le faisaient. Ils nourrissaient ainsi leur famille et pouvaient échanger, en prévision de l'avenir, certaines quantités d'or. Enfin, il était utile de participer à la cueillette des fruits et des légumes...

Tous ces emplois, sous le régime républicain, étaient dédaignés ou méprisés. Ils étaient à la base de la pyramide sociale. La révolution avait tout renversé. Les emplois traditionnellement rejetés étaient devenus les places les plus convoitées. Plus nous nous enlisions dans la misère, plus ces emplois étaient disputés.

Notre dénuement tournait à la catastrophe. Don Ey n'était plus qu'un immense champ de morts et de malades. J'avais beaucoup souffert des œdèmes après mon retour des labours. Je me sentais profondément déprimé. Ma seconde tentative d'évasion avait échoué et je me demandais si une occasion aussi favorable allait se présenter.

Par bonheur, j'avais gardé les rations de riz prévues pour l'évasion. Ces rations nous permettaient de rester en vie. Ma femme et mon fils de cinq ans étaient malades. Nous avions tous besoin de rations supplémentaires.

Malgré sa fatigue, ma femme n'avait pas cessé de travailler. La détresse nous asphyxiait peu à peu. Nous avions, ma femme et moi, le corps gonflé par les œdèmes. Nos gestes étaient lents, pataudes. Nous nous déplacions à grand-peine.

L'état précaire de mon fils me préoccupait beaucoup. Son pied était clair, presque translucide. Il était rempli d'eau. Quand on appuyait sur le pied de mon fils, de l'eau en sortait. Nous avions, faute de mieux, accompagné notre enfant à l'hôpital. Les Khmers rouges lui avaient fait une ponction, une piqûre, et de l'eau – ou du pus – s'était écoulé de la plaie.

Sur le coup, l'enfant avait pleuré...

cinquième partie

« Les habitants du monde enchanté font généralement peu de livres, et ne s'arrangent point pour en faire; ce n'est jamais un métier pour eux. Quand ils en font il faut qu'ils y soient forcés par un stimulant plus fort que l'intérêt et même que la gloire. Ce stimulant, difficile à contenir, impossible à contrefaire, se fait sentir dans tout ce qu'il produit. Quelque heureuse découverte à publier, quelque belle et grande vérité à répandre, quelque erreur générale et pernicieuse à combattre, enfin quelque point d'utilité publique à établir : voilà les seuls motifs qui puissent leur mettre la plume à la main... »

JEAN-JACQUES ROUSSEAU

« ... La liberté c'est l'esclavage
L'ignorance c'est la force...
Le pouvoir n'est pas un moyen, il est une fin. On n'établit pas une dictacture pour sauvegarder une révolution. On fait une révolution pour établir une dictature... »

Slogans du Parti Angsoc extraits de
1984, de GEORGE ORWELL,

10

« LA SOCIÉTÉ SANS CLASSES »

L'état de mon fils Nawath s'améliora dans les jours qui suivirent la ponction que les Khmers rouges lui avaient faite au pied. Il souffrait moins et s'était remis à marcher un peu. Il avait retrouvé le sommeil, aussi. Nawath semblait prendre le chemin de la guérison. Cela nous donna du courage. Tout n'était pas perdu, pensions-nous... Ma femme était seule à travailler. Ma ration avait été diminuée de moitié parce que je ne travaillais pas. Mes rations supplémentaires étaient bienvenues à cette époque. Le riz, alors, avait atteint des prix astronomiques. Contre cent dollars, nous récupérions une boîte de riz.

Il était devenu difficile d'établir des contacts avec des courtiers honnêtes. Les Khmers rouges, en instituant le repas communautaire, nous avaient interdit de posséder des ustensiles de cuisine et de cacher des rations de riz. Nous vivions dans la crainte perpétuelle d'être dénoncés et d'être arrêtés en possession de riz clandestin. Je savais ce qu'il en coûtait, depuis mes mésaventures de Lolok Sâr, de transgresser les ordres de l'Angkar.

La femme qui vivait avec nous, qui nous avait suggéré d'habiter chez elle, avait perdu son fils. Elle était continuellement déprimée. Elle n'arrivait pas à surmonter son chagrin et son désarroi. Elle avait été réquisitionnée, à bout de nerfs et de résistance mentale, pour faire la cuisine dans une équipe mobile de laboureurs. Sa fille de dix ans l'avait suivie. Ainsi, nous étions restés seuls dans la paillote.

Ma femme avait la chance de travailler près du village. Le soir, elle pouvait encore nous rejoindre.

Un jour, au début du mois de novembre 1976, l'incident que j'appréhendais arriva. Un Khmer rouge me reconnut. Etait-ce un mauvais jour ou un beau jour pour moi ? A la réflexion, je n'en sais rien; je crois que j'étais plutôt veinard. Même dans les pires moments, je parvenais à tirer mon épingle du jeu. Le Khmer rouge qui m'avait reconnu en tant qu'ancien ingénieur des travaux publics n'était pas de Don Ey. C'était le ciel ou le diable qui me l'envoyait. Ce Khmer rouge avait fait un détour dans mon village pour voir des camarades qu'il connaissait de longue date.

Il m'avait repéré pendant le repas communautaire, tandis que je mangeais. En me fixant des yeux, il s'adressa à moi :

– Eh ! Ce visage m'est familier...

J'étais surpris et gêné :

– A bon, vous me connaissez ?

Le Khmer rouge, exaspéré, devint pressant et agressif :

– Comment vous appelez-vous ?

– Thay, je m'appelle Thay.

– Vous n'êtes pas Pin Yathay ?

Je regardais mes voisins. Beaucoup d'entre eux connaissaient mon nom. Ils m'avaient rencontré à Phnom Penh ou ailleurs. Nous étions tous complices dans ce jeu de cache-cache avec les Khmers rouges. Nous n'ignorions pas nos véritables identités respectives. Je répondis par une pirouette à la question du Khmer rouge :

– Oui ! Thay et Pin Yathay, c'est la même chose. J'ai seulement abrégé mon nom.

Aussitôt, il m'attaqua :

– Vous étiez directeur des travaux publics. Vous êtes un ingénieur formé par l'Amérique impérialiste...

J'étais surpris :

– Comment me connaissez-vous ?

– Je vous connais bien, camarade. Vous ne savez pas qui je suis ? J'ai travaillé sur la route de Pursat-Leach.

J'avais visité ce chantier avant la guerre avec son responsable Sun Y. L'homme insistait et précisait les circonstances de notre rencontre forfuite :

– Ah, vous me reconnaissez ! J'ai effectivement travaillé sur ce chantier sous les ordres de Sun Y. Savez-vous où se trouve Sun Y maintenant ?

– Non, je ne sais pas ce qu'il est devenu. Je n'ai jamais eu de ses nouvelles. Depuis que j'ai quitté Phnom Penh, je ne l'ai jamais revu.

Le Khmer rouge continuait à me harceler.

– Je vous connais peu. Vous veniez rarement sur le chantier. Je vous connais seulement de vue. Bien sûr, vos ouvriers vous connaissaient mais vous ne vous souvenez pas d'eux. Vous étiez trop haut et moi trop bas !

Je me défendis comme un beau diable :

– Camarade, je ne pouvais pas connaître tout le monde. Vous avez bien vu que j'ai toujours agi loyalement avec mes employés. J'ai honnêtement rempli mon devoir de directeur. Mes ouvriers m'aimaient bien.

Le Khmer rouge s'était calmé mais il paraissait aigri :

– Camarade, je n'ai pas dit que vous aviez commis des fautes. Vous supervisiez le travail de ce Sun Y qui m'avait chassé du chantier. Il m'avait renvoyé parce que j'avais volé un bidon de gas-oil. Je ne pouvais pas nourrir ma famille avec le salaire dérisoire que me versait le gouvernement de Lon Nol. J'avais eu l'audace de prendre ce bidon de gas-oil pour donner à manger à mes enfants. Je voulais le vendre. Un policier m'arrêta et Sun Y, votre chef de chantier, témoigna contre moi. Il m'avait dénoncé, aussi. Combien Sun Y avait-il volé de bidons de gas-oil ? Voilà l'inégalité de votre ancien régime !

J'essayai de lui apporter la preuve de mon innocence dans cette sordide affaire et de lui démontrer, surtout, que je n'en avais rien su :

– Ce n'est pas ma faute... Je ne pouvais pas être constamment sur le dos de mon chef de chantier. Mais je suis d'accord avec vous : Sun Y a eu tort de vous faire du mal.

Le Khmer rouge s'impatientait devant mes esquives :

– Mais vous étiez pourtant le directeur des travaux publics, son supérieur... Sun Y, votre subordonné, m'a chassé du chantier et j'ai ainsi été obligé de rejoindre le maquis. Voilà ! Je ne vous reproche pas d'avoir été le chef de Sun Y, je vous reproche d'avoir caché votre identité. Il ne fallait pas dissimuler votre ancienne fonction à l'Angkar.

Jamais, je ne m'étais trouvé en aussi mauvais posture.

– Camarade, je n'ai pas caché mon identité. Je m'appelle Thay. J'ai seulement abrégé mon nom. Je suis ingénieur mais j'ai volontairement choisi l'humilité parce que nous sommes tous égaux dans la révolution. J'ai simplement dit que j'étais un technicien des travaux publics pour rendre service à l'Angkar. Je me suis abaissé parce que la fonction de directeur ne signifie plus rien maintenant. La preuve : on ne m'a pas demandé de faire des routes. Par contre, l'Angkar m'a demandé de labourer, de débroussailler ou de pêcher. J'ai toujours fait mon travail avec ferveur. J'ai rempli tous mes devoirs de révolutionnaire avec conscience...

Il maugréa et s'éloigna. Tous mes voisins avaient écouté notre conversation. Ils paraissaient inquiets. Ils avaient tous le nez dans leur soupe et chuchotaient des mots furtifs : « Cela va mal pour lui... »

Ma femme avait pris peur mais elle n'osait pas parler. Elle se sentait menacée.

Deux jours après la rencontre du Khmer rouge, un nouveau, qui travaillait à la cuisine, vint me trouver dans ma paillote. Le personnel de la cuisine entendait toutes les conversations. Il servait les repas aux enfants, aux nouveaux, aux anciens et aux Khmers rouges. Le cuisinier avait l'air affolé : « Thay, tu es en danger. J'ai entendu le Khmer rouge – celui qui t'a reconnu – parler de toi. Il a évoqué ton sort avec ses camarades. Ils pensent que tu es très malade. Quatre autres nouveaux sont morts de maladie, récemment. Les Khmers rouges sont trop occupés pour l'instant par les travaux de culture. Ils attendent une semaine avant de prendre une décision. Dans une semaine, si tu n'es pas mort, ils t'emmèneront, c'est sûr. »

Mon premier réflexe fut de m'abandonner, de me laisser aller, de céder à la fatalité. Je pensais que tout était joué, que j'allais mourir. Mon corps gonflait. La fin était inéluctable. On gonflait et on mourait. Nous mourions tous les uns après les autres. Mourir c'était dormir... Je n'avais qu'un désir : rester le plus longtemps possible avec ma femme et mon enfant. Je voulais mourir à la maison à côté d'eux.

Puis, tout de même, j'éprouvai une autre sensation, plus valeureuse, plus tonique. J'eus un sursaut d'énergie. L'instinct de conservation avait pris le dessus. Je voulais rester en vie. Une volonté de résister m'anima. Je m'étais dit : « Reprends-toi ! Aiguise ton esprit pour sortir de ce mauvais pas ! Tu as toujours réussi dans la vie. C'est ta dernière chance. Fais quelque chose ! »

Comme je ne travaillais pas, j'avais le temps de réfléchir, de mesurer mes chances de survie. Elles étaient minces si je ne m'évadais pas. Nous avions, ma femme et moi, traversé l'enfer. Au bout du voyage, les Khmers rouges voulaient notre mort. A Veal Vong, puis à Don Ey, les maladies tropicales et les troubles dus à la malnutrition avaient été nos premiers ennemis. Les Khmers rouges comptaient sur ces fléaux pour éclaircir les rangs des nouveaux, pour tuer les plus faibles parmi nous. Les maux mortels étaient nombreux : l'épuisement, les œdèmes, la diarrhée, la dysenterie, les plaies qui s'infectaient, les empoisonnements et diverses fièvres dont le paludisme... Les œdèmes commençaient, généralement, à apparaître sur les pieds. Les pieds et les jambes gonflaient d'abord. Progressivement, tous les membres enflaient : les cuisses, le ventre, les bras, le visage. Arrivé à ce stade du mal, le malade qui se couchait et qui cessait de bouger ses membres mourait dans son sommeil, sans douleur. Sachant cela, malgré mon œdème, je ne cessais jamais de marcher, de faire des mouvements.

La plupart des vieillards souhaitaient mourir de cette maladie pour échapper, de manière douce, sans souffrance, ni brutalités, à notre cauchemar. La maladie paralysante touchait surtout les hommes. Elle était moins répandue chez les femmes.

Tout le monde – hommes et femmes – pouvait succomber aux diarrhées. Il y avait deux sortes de diarrhée. Sous sa forme bénigne, la diarrhée faisait beaucoup uriner les malades. Un malade qui urinait normalement avait quelque chance d'être guéri. La maladie s'aggravait et devenait fatale quand le malade éprouvait des difficultés à uriner. Ses jours étaient comptés...

La dysenterie faisait de terribles ravages parmi nous. Signe d'une mort prochaine : les traces de sang dans les excréments. Les victimes du paludisme souffraient pendant des semaines avant de périr. Les fièvres périodiques tourmentaient les malades jusqu'à l'agonie. Certaines fièvres s'achevaient par un empoisonnement général. La fièvre augmentait sans répit jusqu'à la mort...

A Don Ey, tout s'était ligué contre nous. Les maladies torturaient nos corps affaiblis et les Khmers rouges s'acharnaient à rendre la vie insupportable. A force d'humiliations, ils voulaient nous dégoûter de l'existence, nous forcer à nous mépriser les uns les autres. Les Khmers rouges, pour nous éliminer, avaient fait un calcul diabolique. L'espoir de retrouver Sihanouk s'était envolé. Le prince avait démissionné et les Khmers rouges, au cours des réunions politiques, le décrivaient comme un féodal. Ils commençaient, ouvertement, à évoquer les bienfaits du parti communiste khmer (P.C.K.). Je ne voyais guère d'autre issue à notre malheur que l'évasion.

Après une longue et sage réflexion, je décidai donc de partir. Je ne pouvais pas accepter l'idée de mourir bêtement au terme de toutes ces épreuves. Cette éventualité me semblait intolérable. Que fallait-il faire ? Partir seul ? J'imaginais mal une évasion avec ma femme. Je lui parlai, le soir même, de ma décision : « Tu étais avec moi au cours du déjeuner il y a deux jours. Tu as entendu ce que disait cet homme. Mon sort est scellé. Tu dois comprendre. Regarde combien d'hommes ont été emmenés dans ces conditions ! Tous les hauts fonctionnaires ont disparu. Je suis un haut fonctionnaire et s'ils m'arrêtent, je ne reviendrai pas. Circonstance accablante : j'ai été formé au Canada, dans un pays capitaliste. Je ne peux pas être sauvé aux yeux des Khmers rouges. Tu sais qu'il ne faut pas mourir exécuté. C'est la pire des choses qui peut arriver. Je ne veux pas mourir de cette façon. Je préfère mourir dans la forêt. Toi, tu es une femme. Ils te laisseront tranquille. Tu peux vivre ici avec notre enfant. Moi, je m'en vais dans la forêt. Cela me laisse une chance... Si je réussis, nous nous reverrons. Naturellement, je ne peux pas savoir quel sera mon sort. Personne ne connaîtra la direction que j'aurais prise. Il faut encore que j'échange un peu de riz avant de partir. Il ne me reste qu'une boîte. Le temps presse. Dans une semaine, il sera trop tard. »

C'était vrai. Il ne me restait presque plus de riz. Les boîtes de riz constituaient ma seule assurance contre la mort. Mes réserves étaient presque épuisées. Je devais absolument trouver plusieurs boîtes pour me nourrir dans la jungle. Cela représentait un nouveau sacrifice pour ma femme. J'attendais son consentement.

Mon intention de partir seul l'avait bouleversée. Elle éclata en sanglots : « C'est impossible. Je ne veux pas être séparée de toi. Je préfère mourir avec toi plutôt que de rester ici. Mourons ensemble... A quoi bon essayer de survivre dans ce camp ? Toute notre famille est morte. Je ne pourrai pas vivre seule avec notre enfant. Je préfère mourir vite et bien. Ensemble... Comment allons-nous faire pour l'enfant si nous partons ? Nous ne pourrons pas le porter et il est incapable de marcher longtemps. Qu'allons-nous faire de lui ? »

Il fallait penser d'abord à notre enfant. C'était un acte lamentable d'abandonner un enfant malade. Ma femme l'éprouvait comme un déchirement. C'était un douloureux dilemme : rester ou partir ? Elle était pourtant résolue à m'accompagner. Finalement, j'entrevis une solution : je demandai au chef du village d'emmener mon enfant à l'hôpital. Il était très malade et ma bonne foi ne pouvait être mise en doute. A l'hôpital, j'installai mon fils dans un lit. Je lui avais apporté toutes sortes de choses pour qu'il puisse vivre seul à l'hôpital. Je lui avais remis des couvertures, des vêtements. Tout ce que nous possédions...

Mon fils Nawath avait cinq ans. Il raisonnait déjà et comprenait parfaitement notre situation. Il avait compris que je ne pouvais plus rien faire pour lui.

La nouvelle société nous avait ôté toute tutelle, tout droit d'éducation. Nous n'avions plus la possibilité d'élever ou d'aider nos enfants. Mis à part le repas complémentaire que nous mangions en cachette lorsque nous trouvions du riz, nous n'apportions rien à notre enfant. Mes réserves de riz une fois épuisées, l'enfant appartenait entièrement à l'Angkar. Sa vie dépendait de l'Angkar. Tout dépendait de la volonté de l'Angkar. Je pouvais simplement lui apporter un réconfort moral. En retour, il me donnait son affection. C'était notre seul échange. Je ne pouvais rien pour lui, en vérité. Si l'enfant guérissait, l'Angkar l'emmenait et le déplaçait dans un autre chantier.

Mon avis de père ne valait rien. L'Angkar, comme nous le rappelaient les Khmers rouges, veillait sur nos enfants. L'enfant était nourri par l'Angkar, pas par ses parents... Il allait seul aux réunions politiques. L'Angkar modelait son esprit. Autrement dit, cet enfant n'était plus le mien. Il ne nous restait que l'amour familial... Avant de songer à mon évasion, je m'étais dit que l'enfant repartirait, une fois guéri. Il repartirait comme était parti mon fils aîné, arbitrairement déporté dans un camp de travail, décédé cinq jours après notre séparation.

Tandis que j'installais mon fils sur la paillasse de l'hôpital, un ami m'interpella :

– Pourquoi amènes-tu ton fils ici ? Il va mourir. Il ne pourra pas sortir de là. Tu devrais le garder chez toi le plus longtemps possible.

Je ne savais pas quoi répondre. Si je lui donnais une réponse logique, je lui révélais la vérité. Je ne pouvais pas commettre une faute pareille. Je lui mentis :

– Le chef du village souhaitait que je confie mon fils à l'hôpital afin qu'il guérisse.

L'enfant n'avait pas protesté lorsque je l'avais conduit à l'hôpital. Il était fataliste, lui aussi. Il disait toujours oui sans m'interrompre. Il m'avait demandé de lui apporter des rations supplémentaires : « Père, tu me donneras à manger ? » Ces paroles étaient les seules qu'il avait prononcées. Je lui avais promis de lui apporter des poissons séchés. La nourriture, il est vrai, était notre unique sujet de préoccupation.

Une femme âgée de moins de quarante ans occupait le lit voisin de celui de mon fils. D'origine sino-khmère probablement, elle paraissait en bonne santé malgré sa maigreur. Elle avait suivi attentivement notre conversation. Sans s'entourer de précautions oratoires, elle m'adressa la parole :

– Cet enfant ressemble beaucoup à l'un des miens. C'est frappant !

Je ne savais pas quoi lui répondre et je voyais mal où elle voulait en venir. La femme m'interrogeait. J'étais bien embarrassé. La femme insistait pour connaître les raisons de l'hospitalisation de mon fils :

– Savez-vous que ça n'est pas raisonnable de laisser un enfant seul à l'hôpital...

Je reconnus que l'enfant était malheureux de rester à l'hôpital et je lui fis cette suggestion :

– Vous pourriez vous en occuper un peu s'il ressemble à vos enfants...

La femme m'expliqua qu'elle avait eu six enfants et qu'ils étaient morts. Son mari aussi était mort. Sa solitude l'avait conduite à l'hôpital. Elle avait survécu grâce aux échanges qu'elle organisait avec les Khmers rouges. Elle préférait rester à l'hôpital et obtenir ainsi des Khmers rouges de meilleures rations. Elle était bien traitée par les jeunes infirmières responsables de l'hôpital car, de temps en temps, ces dernières venaient lui apporter leurs vêtements à raccommoder, à rapiécer. La femme savait bien coudre. En utilisant ce don, elle avait pu survivre dans un hôpital réputé malsain.

La ressemblance de mon fils avec l'un de ses propres enfants l'avait troublée. Je profitai de cette émotion pour lui suggérer de prendre soin du petit. De bonne grâce, elle avait accepté de veiller sur Nawath. Je lui expliquai notre situation sans évoquer, bien sûr, l'éventualité de l'évasion :

– Je ne peux pas le garder chez moi. Regardez-moi : je suis vraiment malade. Voulez-vous me rendre service et vous occuper un peu de mon fils ?

Ma demande, timidement présentée, avait été bien accueillie. La femme semblait satisfaite par ma prière. Je lui avais dit qu'elle pouvait considérer Nawath comme son enfant, qu'il était possible, enfin, que nous ne revoyions jamais notre fils, ma femme et moi. Je lui avais laissé entendre que Nawath lui appartenait déjà, qu'elle pouvait l'adopter, dans son cœur...

Pendant trois jours, après avoir laissé l'enfant à l'hôpital, j'avais hésité à le quitter définitivement, à m'enfuir. Mon sursis diminuait et je n'arrivais pas à me résoudre à l'abandon de notre enfant. Il me restait quelques jours à vivre. J'avais à choisir entre la peste et le choléra : confier l'enfant à cette femme ou renoncer... Ma femme n'osait même plus aller voir son fils à l'hôpital. Elle craignait que ses visites lui donnent trop de remords, trop de chagrin, et l'empêchent de partir. Elle essayait de l'oublier et, sans cesse, elle pleurait. Mais comment faire ? Nous étions acculés. Dans les délais les plus courts, les Khmers rouges m'avaient promis la mort, la mort dégradante, la mort violente...

Toutefois, je ne pouvais pas me détacher de la pensée de Nawath, seul à l'hôpital. De jour en jour, nous reportions notre départ au lendemain. Trois jours durant, j'avais ressassé mes craintes, mes appréhensions et ce qu'il faut bien appeler mes scrupules. Tout était prêt. Nous avions fait nos préparatifs et nous disposions de faux papiers. Le désarroi de Nawath nous plongeait dans l'incertitude. Nous n'avions pas le courage de le quitter.

Le dernier jour où je lui rendis visite à l'hôpital, la femme qui s'occupait de lui me demanda d'aller le laver dans un ruisseau, à cent mètres de là. Nawath, il est vrai, était sale et sa chemise était un peu déchirée. La femme éprouvait déjà pour l'enfant une affection mêlée de pitié. Son comportement à l'égard de Nawath révélait sa douceur, sa bonté. Elle souhaitait que l'enfant soit propre pour lui changer ses vêtements et lui donner les affaires de son fils décédé. Son attitude chaleureuse me réconfortait. Ainsi, Nawath n'avait plus le sentiment d'être délaissé. La générosité sincère de la femme m'avait ému. Cela m'avait rassuré. Je m'étais dit que l'enfant, dans ces circonstances douloureuses, avait trouvé une tutrice affectueuse.

L'enfant m'interrogea tandis que je le déshabillais près du ruisseau :

– *Pouk,* où est *Mé* ? Comment va-t-elle ?

Pouk signifiait père et *Mé* mère, selon le nouveau vocabulaire de la « révolution ». Ces termes étaient employés par les enfants des paysans.

Papa, maman, dont les équivalents en khmer sont *papa* et *mak,* n'étaient plus tolérés. Ces expressions familières avaient une résonance bourgeoise. Elles étaient bannies. Bien des mots, accablés par les foudres idéologiques, étaient ainsi rayés du vocabulaire courant. Par exemple, il existe, dans la langue cambodgienne, plusieurs verbes pour définir l'acte de manger. Notre langue était riche en nuances. *Sôy* veut dire manger pour la famille royale, *Chhann* pour les bonzes, *Pisar* pour les vieux, *Gnam* pour les enfants, *Sy* pour les domestiques... L'Angkar, dans sa fureur égalitaire, avait aboli l'usage de tous ces mots. Ils symbolisaient la discrimation sociale et l'inégalité des classes. Seul restait en vigueur le verbe *Hop* qui signifiait manger pour les paysans. Il en allait de même pour tous les mots exprimant une nuance d'inégalité.

Nawath m'avait demandé des nouvelles de sa mère. Avait-il deviné qu'il ne devait plus la revoir ? J'avais du mal à retenir mes larmes, à rester debout, à ne pas m'effondrer de chagrin, de douleur. A grand-peine, je trouvai quelques mots pour lui répondre :

– Ta mère ne se porte pas bien. Elle se repose dans notre cabane. Elle est trop fatiguée pour venir. Si elle n'était pas malade, elle serait déjà venue avec moi.

Normalement, j'aurais essayé de le rassurer sur notre sort, sur notre santé. J'étais dans une position intolérable. Au contraire, je devais préparer l'enfant à la solitude, à notre séparation, lui montrer, en quelque sorte, la détresse qui le guettait, qui nous attendait. Nous nous acclimations, réciproquement, au malheur, à cette rupture tragique.

Je lavais Nawath avec douceur et application. Pendant qu'il se baignait dans le ruisseau, je lui parlai :

– Mon petit, tu as vécu tout notre drame. Une malédiction s'est abattue sur nous : rien de pire ne pouvait nous arriver que de traverser cette période de misère, de désespoir. Tu as ressenti ce malheur. Tes grands-parents, tes oncles, tes tantes, tes cousins, tes cousines, ton petit frère et Sudath, ton frère aîné, sont morts. Ils sont passés dans l'autre monde. Ils sont délivrés du cauchemar, de la famine, des travaux forcés. Ils sont déjà au paradis. Nawath, tu es à l'hôpital pour te soigner. On va te donner des médicaments. Tu as eu de la chance de rencontrer ta nouvelle tante. Elle t'aime comme son enfant.

– Oui, père. Hier, elle m'a donné du sucre de palme. C'était bon...

– Tu vois, elle t'aime. Sois respectueux et sage envers elle. Elle a perdu tous ses enfants. Elle peut bien remplacer tes parents. Tu le vois, nous sommes très malades, ta mère et moi. Nous ne vivrons pas longtemps...

– Tu as très mal, père ?

– Oui, mon petit. Le jour est proche où nous disparaîtrons. Toi, tu es le plus résistant de notre famille. Tu dois survivre pour perpétuer notre lignée, pour garder notre sang vivant. Ta nouvelle tante a des vêtements et, peut-être, de l'or. Elle rend des services aux Khmers rouges. Elle pourra certainement trouver des rations de riz supplémentaires, du poisson, du sucre. Tu es devenu son unique enfant. Tu dois l'aimer comme tu nous aimes. Le jour où tu ne nous verras plus venir, c'est que nous ne pourrons plus... Peut-être, nous ne serons plus de ce monde. Retiens bien le nom de ton père, Yathay, et celui de ta mère, Ny. N'oublie jamais ces deux noms : Yathay et Ny. Garde toujours cette bague sur toi. Tu la porteras quand tu seras plus grand.

J'enlevai mon alliance et je la glissai dans la poche de son pantalon. Il ne pouvait pas la porter. Il n'avait pas de chaîne au cou et ses doigts étaient trop petits. Les petits bijoux en alliage ou en métal blanc, considérés comme sans valeur, n'étaient pas convoités par les Khmers rouges.

– Si tu survis à cette épreuve, prend bien soin de cette alliance et, surtout, ne la perds pas. C'est le seul souvenir que tu conserveras de ta famille. Si tu cesses de nous voir, ne bouge pas, ne nous cherche pas. Suis les directives de l'Angkar. Fais ce qu'on t'ordonne de faire, sans rouspéter, sans protester. Surtout, fais attention à tes paroles à tes actes. N'émets aucune opinion. Méfie-toi des commentaires... Fais l'ignorant, le sourd, le muet. C'est la seule façon de t'en sortir. Sois prudent.

A mon tour, je léguai à mon fils les recommandations que mes parents m'avaient faites. Nawath m'écoutait en silence. Il acquiesçait de la tête. Il n'avait pas versé de larmes. Il était demeuré grave, triste. Trop grave pour un enfant de cinq ans. En fait, j'étais assez fier de lui, du courage qu'il manifestait. Moi, en lui parlant, je pleurais.

– Tu dois rester en vie, mon enfant. Que Bouddha et tous les génies bienveillants veillent sur toi...

Après le bain, nous retournâmes à l'hôpital. Je dis à la femme que j'avais remis mon alliance à mon fils. Elle me rassura et me jura de maintenir Nawath en vie coûte que coûte. Je lui répétai les propos que j'avais déjà tenus à l'enfant :

– Prenez soin de lui. Considérez cet enfant comme le vôtre. Faites attention à sa santé. Regardez : nous gonflons. Nous ne reviendrons peut-être jamais... Un jour, il est possible que l'on se revoie, dans ce monde ou dans l'autre monde.

J'étais désespéré et je me soumettais à la fatalité de notre malheur. La femme prit l'enfant auprès d'elle. Elle lui caressait la tête doucement et peignait ses cheveux humides. Elle me consola :

– Ne vous en faites pas pour lui et soignez-vous bien.

J'étais heureux de voir ainsi mon fils dorloté par cette dame. Cela avait atténué ma peine. Je rentrai à la maison et racontai tous ces événements à ma femme. Désormais, notre voie était tracée. Il fallait d'abord échanger tous les objets dont nous n'avions plus besoin pour nous procurer du riz. Nous devions agir discrètement. J'avais trouvé des poissons séchés et obtenu deux boîtes de riz. C'était une quantité insuffisante pour prendre la route. J'avais donné une partie des poissons séchés à mon fils et nous avions mangé le reste avec ma femme.

Pendant plusieurs jours, nous avions hésité à partir et nous avions consommé la moitié de notre riz. A mon retour de l'hôpital, le jour où je confiai mon alliance à mon fils, nous décidâmes de partir le lendemain matin, de très bonne heure. Mon fils se trouvait dans de bonnes mains et ses chances de survie étaient comparables aux nôtres. Notre situation n'était pas brillante. Nous avions laissé en suspens de nombreux problèmes soulevés par notre projet d'évasion.

Ma femme connaissait une jeune orpheline. Cette jeune fille était sa voisine dans la cantine communautaire. Elle travaillait dans un chantier de percement des canaux d'irrigation au sud-ouest du district. Elle connaissait bien la route du sud-ouest. Elle l'avait souvent empruntée. Quelquefois, elle revenait à Don Ey. Ma femme l'avait connue au cours de ces permissions. Pendant son travail, la jeune fille avait entendu dire qu'à Leach, dans tous les villages du district de Leach, on mangeait mieux. La ration moyenne était d'une boîte pour trois personnes dans le district de Leach, affirmait-elle.

Any m'avait souvent rapporté ses entretiens avec la jeune fille mais je n'y avais pas prêté attention jusqu'au jour où le Khmer rouge me reconnut. Ses connaissances, tout à coup, devenaient précieuses pour nous. Je me souvenais avoir recueilli des renseignements sur cette région à l'occasion de mon passage dans la pagode Watt Kandal, près de Leach, à mon départ de Veal Vong. J'avais demandé à ma femme d'aller voir la jeune fille pour prendre des précisions sur le chemin à suivre et relever le nom de son chantier afin de forger des faux papiers pour le voyage. Ma femme lui parla sans détour de notre projet. Elle ne déguisa rien. Toutefois, elle lui assura que nous avions des amis sûrs à Leach qui se débrouilleraient pour nous trouver une coopérative. C'était un mensonge véniel. En vérité, nous nous avancions de manière un peu téméraire sur ce terrain... Il nous importait d'échapper à la mort.

Nous avions hâte, en somme, de devancer la réalité, la sinistre réalité. Par tous les moyens, il fallait tenter de nous évader, de fuir, quitte à nous débrouiller ensuite avec les autorités de Leach. Sans hésiter, Mom – la jeune orpheline – avait décidé de se joindre à nous. C'était une alliée de qualité. Elle était intelligente et en bonne santé. Nous connaissions sa famille. Il n'y avait pas de malentendu possible. La jeune fille était résolue à s'évader. Elle venait de perdre ses parents. Son unique frère était affecté dans une autre équipe mobile de jeunes. Sa sœur rencontrait d'immenses difficultés pour le voir. Elle-même appartenait à une équipe mobile très active. C'est ainsi qu'elle avait repéré la région et la piste de Leach.

Plusieurs fois, la jeune fille s'était rendu de notre village à un campement situé près d'une carrière où les jeunes cassaient des cailloux, comme des forçats. Les jeunes gens travaillaient là pour produire des cailloutis nécessaires à la réparation ou à la construction des routes, des ponts, des chemins de fer. A cette époque, le chemin de fer fonctionnait encore dans le pays.

Pour éviter d'éventuels contretemps en cours de route, j'avais signé un faux laissez-passer en imitant la signature du chef de village. C'était un risque à courir. J'avais utilisé plusieurs fois ce genre de documents pour aller pêcher ou labourer. Je connaissais la manière dont ils étaient rédigés. Il me restait du papier et un stylo à bille que j'avais échangé. Le mien – conservé depuis mon départ de Phnom Penh – était inutilisable. C'était un phénomène rare de trouver du papier quadrillé et un stylo. Personne ne songeait à écrire. On n'en éprouvait pas le besoin et la poste n'existait plus.

J'avais rédigé un billet où notre destination était précisée. Cela nous mettait à l'abri des tracas officiels, des contrôles de patrouilles et nous permettait de nous alimenter dans tous les grands villages. Depuis un an et demi, je n'avais pas écrit une seule ligne. Nous n'avions rien à lire et il était formellement interdit d'écrire. J'avais troqué la pointe Bic contre une chemise.

Longtemps, je l'avais dissimulé dans mes affaires. Je craignais que les Khmers rouges me confisquent le stylo. Comme tous les illettrés, ils adoraient parader avec une quantité de stylos accrochés à leurs poches. A leur yeux, l'abondance de stylos était un signe d'intelligence. Plus ils possédaient de crayons, plus ils étaient persuadés d'être savants.

Par contre, les Khmers rouges méprisaient le papier. A Lolok Sâr, pendant les labours, j'étais entré dans une pagode dévastée. Une partie de la pagode avait été transformée en hôpital. Les écrits bouddhiques étaient éparpillés par terre. J'avais découvert, souillé et détérioré, l'un des tomes de la Bible bouddhique. La Bible bouddhique s'appelait *Preach Tray Beydâk*. Elle venait d'être traduite du sanscrit en khmer par les bonzes. Ce travail immense et admirable avait été ruiné par les Khmers rouges. J'avais pris la moitié de l'un des tomes pour fumer. Nous pouvions échanger du tabac. Ce tabac était mélangé avec d'autres feuilles, quelquefois des poils de maïs. Nous mélangions les herbes séchées et le tabac quand les Khmers rouges ne nous distribuaient pas de cigarettes.

Le jour de notre évasion, nous avions quitté le village à l'aube. A ce moment-là, sincèrement, je ne pensais pas m'en sortir. Je croyais plutôt que la chance était du côté de mon fils. Nous étions pourchassés et nous avions fabriqué des faux papiers. Le voyage était dangereux : nous n'avions qu'une journée de provisions devant nous. Notre destination, Leach, n'était pas tout à fait sûre en dépit des renseignements que nous avions grappillés ici et là... Nous n'avions pas pu partir dans l'obscurité, avant le lever du soleil. C'était trop dangereux. La nuit, les sentinelles tiraient sur tout ce qui bougeait. Avec notre sac à dos, nous aurions pu nous faire repérer. Et impossible, cette fois, de prétendre que nous allions dans la forêt pour faire nos besoins naturels !

La forêt, dans cette région, était clairsemée. C'était une succession d'arbustes, d'étangs et de rizières. Il n'y avait pas beaucoup de grands arbres. Cette végétation n'était pas hostile. Les gens, dans des conditions normales d'existence, pouvaient y vivre.

Avant de partir, j'avais pensé qu'un seul laissez-passer ne serait probablement pas suffisant. Nous n'étions pas censés, tous les trois, voyager ensemble. Une femme, d'ailleurs, ne devait jamais voyager seule avec un homme. L'Angkar veillait à éliminer ces comportements bourgeois. Les femmes voyageaient ensemble et les hommes marchaient de leur côté. Cette règle m'avait incité à rédiger quatre billet officiels : deux billets pour les deux femmes et deux billets pour moi. J'avais prévu deux billets parce qu'il y avait deux étapes à franchir. Le premier billet nous autorisait à nous rendre à la carrière, sur le chemin de Leach. Le second billet devait nous permettre d'atteindre Leach. Sur le mien, j'avais précisé le travail qui m'attendait à Veal Vong : couper des bambous. Veal Vong, où j'avais déjà séjourné, était un peu plus loin que Leach. Les équipes des différents villages venaient s'approvisionner en bambous dans ce coin.

J'avais donné un autre motif aux deux femmes. Elles étaient autorisées à se rendre à l'hôpital de Leach. Je savais que cet hôpital de district était aussi important que celui de Pursat. Le motif de déplacement que les femmes pouvaient invoquer, en cas de contrôle, n'était pas invraisemblable. L'hôpital de Don Ey n'était qu'une infirmerie de village. Les hôpitaux de district centralisaient tous les médicaments. Venant de la carrière, les deux femmes pouvaient, sans risquer d'être inquiétées par les Khmers rouges, se diriger vers l'hôpital de Leach. Nous avions ainsi la possibilité de franchir la seconde étape de notre voyage. Nous espérions bien éviter les contrôles des patrouilles khmères rouges mais il fallait penser à tout...

J'avais eu raison de prendre quelques précautions. A peine étions nous sortis du village qu'un Khmer rouge m'aperçut et m'interpella :

– Où vas-tu, Thay ?

Je pouvais raconter n'importe quoi; ça n'était pas le chef du village :

– Je vais casser les pierres, camarade. Je vais mieux maintenant. Le chef m'a envoyé à la carrière.

Nous ne marchions pas ensemble. J'avais devancé ma femme pour sortir du village. Le Khmer rouge me crut. Je pensai que je pouvais continuer mon chemin sans ennui.

Le sol était très humide. Il avait beaucoup plu et la terre était gorgée d'eau. L'abondance des chutes de pluie avait formé de nombreux ruisseaux dans la forêt. Nous avions l'impression de marcher dans l'eau. Notre intention était de couvrir les quinze kilomètres qui nous séparaient de la carrière en une seule journée. Nous avions présumé de nos forces. Cette marche, dans un terrain alourdi par la pluie, était harassante. J'avais fait cuire l'équivalent d'une boîte de riz pour la route. Nous nous apercevions qu'il ne fallait pas traîner en chemin pour respecter le plan prévu.

Nous étions tellement faibles et fatigués que nous avancions lentement. Souvent, nous nous arrêtions pour reprendre des forces, pour retrouver notre souffle. Nous évitions, à chaque étape, les regards indiscrets des anciens ou des nouveaux. J'allais m'asseoir un peu à l'écart dans la forêt. Si quelqu'un me surprenait là, je pouvais avancer l'excuse légitime des besoins naturels... Les deux femmes s'asseyaient au bord de la route. Lorsqu'elles se sentaient assez fortes pour se lever, elles faisaient un signe et nous repartions.

A la nuit tombée, le premier jour de notre évasion, nous n'avions même pas atteint la route provinciale. Nous étions arrivés à mi-chemin. Au loin, nous apercevions quelques villages. Nous nous demandions ce que nous allions faire. Nous avions faim, surtout. Il était interdit de traîner, de vagabonder, après l'heure des repas communautaires. C'était une faute grave d'être surpris par les Khmers rouges aux alentours d'un village lorsque tous les habitants avaient regagné leurs paillotes. Aller au village signifiait aussi que nous devions nous soumettre à un contrôle. C'était un risque sérieux. Mais le jeu en valait la chandelle : si le chef khmer rouge acceptait nos faux papiers, nous pouvions être admis au repas communautaire. Tous les travailleurs qui voyageaient avec un ordre de mission étaient nourris, le soir, dans les villages d'étapes qui les recueillaient.

Nous nous présentâmes au chef khmer rouge. Le village était composé de nouveaux et d'anciens. Méfiant, le chef nous toisa :

– Où allez-vous, camarades ?

– Nous sommes envoyés à la carrière.

Il connaissait l'existence de la carrière. Elle n'était pas très éloignée du village. Il lut attentivement nos papiers et nous les rendit.

– Bon ! Reposez-vous ici. Avez-vous mangé ?

L'homme nous observait avec méfiance. J'étais nerveux mais j'essayais de me contenir :

– Non, nous n'avons pas mangé. Nous aurions dû atteindre la carrière ce soir même. Nous marchons lentement; nous sommes en retard. Nous n'avons pas pu marcher régulièrement. En chemin, nous avons rencontré beaucoup d'obtacles. L'eau, surtout, nous a gênés. L'autre fille est mal en point...

Il avait vu que nous étions tous malades. Malgré notre faiblesse, il nous jaugeait avec suspicion. Nous faisions semblant de ne pas nous rendre compte de ses soupçons. Nous insistions pour coucher dans le village :

– Pouvez-vous nous donner à manger et nous garder pour la nuit ?

Il accepta. Nous reçûmes un bol de riz très clair. Nous étions trois. C'était une maigre ration. Les responsables de la cuisine collective semblèrent s'excuser :

– Vous arrivez mal. On vient de manger. Nous n'avons plus que les restes des repas des habitants de base.

Nous remerciâmes le chef du village pour son hospitalité et nous fûmes confiés, pour la nuit, à une famille. Cette rencontre nous donna l'occasion d'échanger quelques mots. La vie, dans ce village, était identique à celle que nous avions connue. Il y avait beaucoup de décès et les malades étaient nombreux.

La femme qui nous avait reçus appartenait au peuple nouveau. Elle nous avait décrit les conditions pénibles d'existence dans ce village. Le travail était accablant, paraît-il. Rien, en fait, ne distinguait la détresse de ces villageois de notre malheur. Le spectacle désolant des familles séparées et décimées était le même partout. Nous hésitions à nous confier. Nous demeurions prudents. Nous étions à la merci d'une indiscrétion. Le lendemain matin, au petit jour, nous nous éclipsâmes avant que le village s'éveille. Nous n'avions même pas pris le temps de dire au revoir à notre hôtesse.

La peur de subir un autre contrôle nous avait poussés à prendre la route à l'aube. Sur la piste, les femmes marchaient à environ deux cents mètres de moi, en avant. Quand je prenais un peu de retard, elles s'asseyaient et attendaient de me voir apparaître pour continuer leur chemin. Une bonne distance nous séparait. C'était une précaution bien utile dans cette zone parcourue par de nombreuses patrouilles khmères rouges. La zone était réputée dangereuse.

Nous redoutions particulièrement l'accès à la route provinciale. C'était un obstacle délicat à franchir. Nous étions heureux de l'avoir surmonté sans trop de mal. La circulation était importante sur la route latéritée. Des Khmers rouges à bicyclette allaient et venaient. Des gens marchaient comme nous, sac au dos. Quelques camions nous dépassaient de temps en temps. Ils étaient chargés de caisses et de sacs. Ils approvisionnaient les entrepôts des Khmers rouges.

La route était encore plus fréquentée à proximité du village. Nous nous trouvions à deux kilomètres de l'agglomération qui constituait notre destination provisoire : la carrière. Nous n'étions pas trop désemparés dans cette région. Certains habitants du peuple nouveau nous avaient connus au cours d'autres chantiers. Cela nous rassurait. Il n'y avait qu'un point noir : ma femme était extrêmement lasse. Elle ne pouvait plus porter son sac. Qu'allions-nous faire ? Ralentir, perdre du temps et chercher des familles déjà rencontrées dans des précédents séjours ? Il fallait, de toutes les façons, trouver un asile avant la nuit... On ne pouvait pas se permettre, en cours de route, des arrêts prolongés. C'était nous exposer aux contrôles des patrouilles. Je décidai de porter le sac de ma femme.

Nous étions à la périphérie du village de Leach. C'était un avantage, dans ces conditions, de ne pas porter de sac à dos. Les Khmers rouges ne prêtaient pas attention aux personnes qui se déplaçaient sans bagage. Elles semblaient appartenir au village, sans doute. J'étais vêtu, pour marcher, à la manière des Khmers rouges. J'avais une casquette chinoise sombre, des sandales Hô Chi Minh. J'avais échangé la casquettte et les sandales avant de partir. Mon pantalon était noir. Serré à la taille par un élastique, il n'avait pas de poche. Ma chemise était sombre, aussi. Je l'avais trempée dans cette teinture d'écorce que les Khmers rouges nous recommandaient d'utiliser. Vu de loin, je devais ressembler à un habitant de base. Il était difficile de se faire une opinion en apercevant ma silhouette. Ma peau, tannée par le soleil, était pourtant un peu claire...

Nous étions presque arrivés dans le village lorsqu'un chlop à bicyclette m'accosta. Il portait un fusil. L'air menaçant, il était descendu de vélo. Son ton n'était guère engageant :

– Camarade, où allez-vous avec ces deux sacs à dos ?

Je n'aurais pas eu de problème si j'avais abandonné les sacs. Je n'étais pas un mauvais acteur. Je pouvais tenter de récupérer la situation. Je bougonnai :

– Ah ! Le gars est en retard. Il est toujours en retard...

Je feignais la mauvaise humeur. Le chlop m'interrompit et exigea des explications :

– Mais dites-moi où vous allez, camarade ?

Je voulais donner l'impression d'un homme sûr de lui :

– Je vais couper des bambous à Veal Vong. Vous connaissez Veal Vong, camarade ?

Les deux femmes s'étaient retournées. Elles avaient vu que je discutais avec le chlop. Heureusement, elles ne s'étaient pas arrêtées. Elles avaient continué leur route. Le Khmer rouge semblait gober mon explication :

– Nous étions en groupe mais un de mes camarades s'est attardé. Il est malade et il n'avance pas vite. Avez-vous vu passer un groupe hier soir ou ce matin ?

Le chlop était surpris par mon calme. Il m'avait répondu sans acrimonie :

– Bien sûr, il y en a tellement qui sont passés. Je ne sais pas lesquels appartiennent à votre groupe...

Je continuai le détachement :

– Vous voyez dans quel pétrin je me trouve maintenant. Je reste là avec mes deux sacs à dos et je suis en retard. Je sais pourquoi l'autre n'avance pas. Il y a un corniaud qui porte son sac...

Le chlop m'écoutait sans broncher. Il paraissait très intéressé par ma casquette. Bien plus intéressé par ma casquette, d'ailleurs, que par l'explication que j'essayais d'élaborer.

– Votre casquette est belle, répétait-il, rêveur.

J'avais une chance inouïe. Le chlop me suggérait une diversion.

– Ah oui ! C'est une belle casquette. Vous voulez l'échanger avec moi ?

Il se méfiait un peu et n'osait pas me répondre. Je lui renouvelai ma proposition :

– Si vous voulez, on peut faire un échange. C'est un plaisir pour moi d'avoir votre casquette.

Il essaya la casquette. Elle ne lui allait pas. La déception se lisait dans ses yeux.

– La casquette est trop petite pour moi. Cela ne fait rien. Au revoir et merci, camarade.

Le chlop s'éloigna. J'étais libéré d'une oppressante angoisse. Ma femme m'attendait plus loin. Je lui racontai ce qui s'était passé. Elle fut soulagée en apprenant qu'il s'agissait d'une histoire sans suite. Nous continuâmes notre route tranquillement jusqu'à Leach. Arrivés dans le village, nous restâmes à l'écart des habitations tandis que la jeune fille retrouvait des gens qu'elle avait connus là. Nous nous demandions, ma femme et moi, ce qu'il convenait de faire pour nous intégrer à la population de Leach.

Il y avait plusieurs camps dans ce village. Nous savions que le régime disciplinaire et le système de travail variaient d'un camp à l'autre. Nous avions peu de temps pour nous informer et choisir un camp. Nous voulions savoir deux choses en priorité : l'identité du chef de camp et son caractère.

Les contacts n'avaient pas été difficiles avec la population du village. Nous avions lié conversation aisément. Rapidement, nous avions appris que le camp numéro un était décent. Son chef aussi était indulgent. Seulement, le problème principal demeurait : comment réclamer l'hospitalité ?

J'avais entendu parler de certaines pratiques plus ou moins tolérées. Les chefs pouvaient accepter, à leur gré, de loger des hôtes de passage. Pour une installation définitive, il suffisait de soudoyer le chef afin d'obtenir son accord. Cela coûtait un tael d'or par personne. Nous étions entrés en pourparlers, par l'entremise d'un nouveau, avec la femme du chef du camp numéro un. Nous avions dû donner, la jeune fille et moi, un collier et un bracelet. Nos transactions avaient été facilitées par le fait que nous formions une famille sans enfant, sans vieillard.

Il était convenu que nous nous taisions sur ce marché illégal. Dans l'affaire, le silence était notre allié.

Nous avions bénéficié d'une chance inappréciable en dénichant un chef corruptible. S'il en avait été autrement, si nous n'avions pas pu le soudoyer, tout était fichu... Heureusement, certaines personnes, qui nous avaient précédés sur cette route, avaient vécu la même expérience. Le bruit s'était répandu parmi les nouveaux que l'on pouvait rester dans le camp numéro un à condition de donner de l'or au chef, par l'intermédiaire de son épouse.

Nous avions établi un bon contact avec lui et il était ravi, de son côté, de réaliser une fructueuse opération. Sachant que nous possédions de l'or, il nous avait considérés avec une sorte de respect. Mais Ta Hy – c'était le nom du chef – ne se rendait pas compte qu'il était tout à coup vulnérable parce que, précisément, il avait accepté notre or. Il n'était pas conscient de cette menace. En revanche, nous comptions bien faire appel au chantage s'il décidait de changer d'avis. Nous avions envisagé la possibilité d'un marché de dupes et d'une dénonciation de sa part. Dans ce cas, avant de mourir, nous aurions révélé son trafic.

J'étais arrivé à Leach en novembre 1976. Leach était un village ancien entouré de campements récents. De nombreux citadins vivaient encore avec les anciens. En novembre 1976, les Khmers rouges avaient atteint le stade final de leur organisation politique. Ils avaient mis en place, après de nombreux tâtonnements, un système qui correspondait à leurs véritables intentions. C'était leur organisation définitive.

La coopérative – *Sahakâr* – était l'unité de base de cette organisation. Suivant sa taille, une coopérative pouvait comprendre trois ou quatre camps – *Karethann.* Le camp était une unité de vie qui rassemblait cinquante à cent logements, avec une cuisine commune. A l'opposé de cette unité fixe, le camp, il existait le campement, l'unité mobile. Exceptionnellement, certaines coopératives comprenaient sept camps.

Leach était divisé en trois coopératives. Ensemble, les coopératives constituaient le *Khum*, c'est-à-dire le village. Dans le village, il y avait aussi le *Peanich* qui possédait un magasin où l'on entreposait les vivres. C'était l'organisme de ramassage et de distribution de la nourriture. Le *Peanich* assurait la répartition des produits dont nous disposions ou, plutôt, dont les Khmers rouges et les anciens disposaient.

La population de chaque camp était affectée à la culture du riz. Toutes les forces vives du village étaient consacrées à la production du riz. On avait oublié les premières mobilisations massives autour des digues, des barrages et des canaux. Tout tournait désormais autour de la production du riz. L'organisme de ramassage et de distribution recueillait le riz que l'Angkar lui donnait et que nous récoltions afin de le distribuer à chaque coopérative qui le répartissait dans les camps selon le nombre exact de la population. La coopérative comptabilisait tout. Même les rations réduites destinées aux enfants et aux vieillards... Les quantités de riz allouées aux habitants des camps variaient selon les catégories de travailleurs à nourrir. Le peuple ancien était mieux nourri que le peuple nouveau.

Il y avait deux hôpitaux à Leach. L'hôpital de district et l'hôpital de village. Le second était surtout un mouroir et on aurait dû l'appeler hospice. L'hôpital du district recevait, comme son nom l'indique, tous les malades graves de la région.

Le district – *Srok* ou *Damban* dans notre nouveau langage – se composait de plusieurs villages. Les Khmers rouges avaient établi l'hôpital de district à Leach. La réunion de plusieurs districts formait la province *Khet.* Au-dessus de la province, la région – *Phoum Pheak* – était la dernière unité administrative avant l'Etat. La région était également composée de plusieurs provinces. La région du Nord-Ouest – *Phoum Pheak Peayâb* – dont faisait partie Pursat, comptait quatre provinces.

Nous étions très éloignés de ces structures étatiques abstraites. Nous connaissions trois choses : l'unité de vie, le camp; l'unité de base, la coopérative; l'unité de l'administration, le village. Les deux autres organisations auxquelles nous n'avions pas accès étaient l'organisation centrale de santé, dont relevaient les hôpitaux, et le camp militaire. Nous n'avions pas l'habitude de voir des militaires – *Yothear.* Ils restaient aux alentours de Leach et n'entraient jamais en contact avec la population. Pendant que nous préparions notre évasion du Cambodge, nous tentions toujours de situer leur camp afin de les éviter. Même les soldats qui n'habitaient pas strictement le camp militaire se tenaient toujours à l'extérieur du village. Ils pouvaient ainsi discrètement nous surveiller et intercepter les fugitifs.

Le comité de village – *Kanak Khum* –, à Leach, était composé de trois membres : le président ou chef du village, le vice-président et le secrétaire. Cette trinité dirigeante se reproduisait à tous les échelons de l'organisation, dans le camp, dans la coopérative, dans le village et dans le district. Le service de transport était un service annexe du *Peanich* avec le magasin. Le chef de village assurait l'organisation et coiffait, dans son secteur, toutes les activités. Il était entouré des chlops, les flics de la sécurité, et des militaires. Dans chaque coopérative, il y avait un ou deux chlops armés. C'était tout. Jamais plus.

Je ne sais pas exactement comment les différents leviers de l'autorité, chefs de villages, chefs de districts, etc., recevaient leurs ordres. Je n'ai jamais assisté à une cérémonie analogue mais les Khmers rouges, de temps à autre, évoquaient les grandes réunions régionales au cours desquelles leurs missions étaient précisées.

L'Angkar convoquait dans ces réunions tous les chefs de province. Munis des ordres nouveaux, les chefs de province répercutaient les décisions de l'Angkar auprès des chefs de districts. En fin de course, le district réunissait les chefs de villages qui, ensuite, déléguaient leurs ordres aux chefs de coopératives, puis ceux-ci aux chefs de camps. Ainsi, les ordres descendaient, par l'intermédiaire de nombreux Khmers rouges, du gouvernement central à l'unité d'administration de base, le village.

L'application des ordres dépendait de la compréhension et de l'interprétation de chaque chef khmer rouge. Le comportement du chef de village était tributaire de son degré d'instruction et de la capacité de sa mémoire à enregistrer les ordres. En général, rien n'était écrit. Les Khmers rouges évitaient d'écrire leurs ordres.

Le gouvernement central ne publiait qu'un journal mensuel et sa parution était irrégulière. La radio de Phnom Penh constituait la principale source d'information. Le journal ne passait pas entre toutes les mains. Il était réservé au chef de camp. Quelquefois, j'apercevais un Khmer rouge lisant le journal. C'était rare. La plupart des Khmers rouges ne savaient pas lire. Les journaux n'étaient pas accessibles au peuple nouveau. Ils étaient probablement destinés aux anciens et aux Khmers rouges. Il en allait de même pour la radio. Certains chefs de camps avaient leurs propres radios. Ils pouvaient l'écouter. D'autres n'en possédaient pas ou, lorsqu'ils en possédaient une, ils ne l'écoutaient que sur le lieu de travail pour que tout le monde en profite.

Cette diffusion limitée de la maigre information que l'Angkar distillait prouve combien l'application des ordres et du règlement était variable. Une seule chose était certaine : la division des rôles dans l'unité de l'administration, le village. D'un côté, il y avait l'unité civile : les camps, le *Peanich* avec le magasin, l'hôpital, et, de l'autre, l'unité de sécurité : les chlops et les militaires. Tous les villages étaient ainsi organisés.

Dans les coopératives, la gestion du travail et de la main-d'œuvre était conçue en fonction d'un seul objectif : la production du riz. Le riz devenait la préocupation économique de toute la population. Chaque phase de travail, dans la production du riz, faisait l'objet d'une attention particulière et nécessitait la création d'une équipe spécialisée. Aucun stade de la production n'était négligé : les canaux, les digues, les labours, les fertilisants, le repiquage, le ratissage et l'irrigation.

Les Khmers rouges avaient réparti les tâches avec une grande vigilance. L'équipe du canal entretenait les canaux et ouvrait les vannes; l'équipe chargée de l'irrigation régularisait la distribution de l'eau; l'équipe des fertilisants produisait les engrais et les épandait; l'équipe de repiquage, au moment de la moisson, se reconvertissait en équipe de moisson. A côté de ces équipes spécialisées, d'autres équipes se chargeaient des travaux annexes tels que la construction des paillotes. Ces équipes de construction démolissaient parfois de vastes maisons anciennes pour rebâtir, ailleurs, des bungalows destinés à l'usage collectif. L'équipe de construction était divisée en deux groupes : il y avait ceux qui construisaient et ceux qui coupaient du bois. Il y avait aussi une équipe de débroussaillement et de défrichage.

La manie de la spécialisation envahissait toutes les activités du village. Il est vrai que le travail ne manquait pas : il fallait augmenter la superficie des cultures et défricher à tout prix pour nourrir tout le monde. Les jeunes gens et les jeunes filles formaient les équipes mobiles – *Kâng Chalat* – responsables de la réalisation des canaux et des digues. Comme nous étions mariés et que nous avions des enfants, on nous appelait l'équipe des vieux. Les vieillards, les vrais, ne pouvaient pas travailler. Ils gardaient les enfants. La vieillesse était beaucoup plus une question d'aspect physique que d'âge, en réalité.

A quarante ans, les hommes affaiblis par la disette et la maladie avaient l'air usé. De toutes les façons, les hommes mariés étaient affectés à l'équipe des vieux quel que fût leur âge... Là aussi, les Khmers rouges exerçaient leur manie de classer les gens. Les vieilles femmes gardaient les enfants et les vieillards fabriquaient des nattes, tressaient des paniers avec du bambou. L'équipe de construction pouvait fournir également des bambous pour ces vieillards employés aux travaux manuels. Enfin, les anciens supervisaient l'équipe de cuisine, la plus convoitée. L'équipe de pêche dépendait du service alimentaire. Elle approvisionnait la cuisine en poissons. Les jeunes gens malades et les femmes plantaient des légumes dans les potagers du camp. Nous étions, à Leach, réellement soumis au régime communautaire. Nous ne pouvions même plus tricher et élever, en cachette, des poulets ou des canards. Bien sûr, chacun pouvait, s'il désirait ensuite les remettre à la communauté, élever des animaux. Mais on n'en tirait aucun bénéfice, même pas celui de manger l'animal qu'on avait nourri et soigné. Personne, bénévolement, ne voulait élever des animaux ou planter des légumes pour la communauté.

Dans les premières semaines passées à Leach, j'avais été affecté au défrichage et au débroussaillement dans l'équipe de construction. C'était un travail très dur. Nous restions une ou deux semaines loin de notre famille, en pleine forêt, pour tailler des bambous, abattre des arbres ou éclaircir les sous-bois. Le travail était pénible et nous souffrions surtout de l'isolement. Les permissions et les jours de congé étaient trop courts. Je n'avais pas le temps de voir ma femme. Elle était malheureuse, je le savais, et je ne voulais pas la laisser seule.

Ma femme, tandis que je défrichais dans la jungle, repiquait le riz. Plus tard, elle fut mobilisée pour participer aux travaux de moisson. Elle avait appartenu, parmi ses différents emplois dans le camp numéro un, à une équipe de moissonneuses. Il lui arrivait de travailler près du village pendant deux ou trois jours puis de s'éloigner avec son équipe. Elle n'était pas systématiquement absente du village. On me nommait, par contre, souvent pour des missions à l'extérieur. Il est vrai que nous n'avions plus d'enfants avec nous. Il n'y avait pas, à Leach, d'école véritable pour les enfants.

Il existait une sorte de cours élémentaire appelé « école d'alphabétisation ». Les sciences et les mathématiques n'étaient pas enseignées. Elles n'étaient plus utiles pour la révolution. En théorie, les enfants devaient y apprendre à lire et à écrire. En fait, ils apprenaient les chants révolutionnaires. Selon l'Angkar, les enfants allaient à l'école de cinq ans à neuf ans. Cette loi était curieusement interprétée par le chef de village. Les enfants passaient une heure à l'école et se rendaient ensuite dans les rizières pour aider les adultes à creuser des canaux.

Il y avait du travail pour tous dans le Kampuchéa démocratique. Ceux qui ne travaillaient pas ne mangeaient pas. Les Khmers rouges agissaient ainsi pour décourager les malades imaginaires et pour contraindre les malades authentiques à travailler. Naturellement, les malades avaient besoin de repos et de soins. Pour éviter les ennuis, ils se rendaient à l'hôpital. Les infirmiers de l'hôpital intervenaient moins pour soigner que pour vérifier si les gens étaient vraiment malades. Ils avaient un rôle répressif, comme les chlops. Ils épiaient les malades et jugeaient de la vraisemblance de leurs maux. Gare aux simulateurs !

Cette surveillance constante et mutuelle était l'un des thèmes favoris des orateurs dans les réunions politiques. Nous n'étions pas surpris d'entendre des conseils de vigilance et des invitations à la délation. Les cadres khmers rouges, quand ils tenaient ce langage perfide, s'adressaient surtout aux enfants :

– Nous avons tous des penchants individualistes en nous-mêmes. A tout moment, ces penchants peuvent surgir, réapparaître. Il convient de vous surveiller les uns les autres afin de dépister ces penchants individualistes, de nous aider à vous purifier et à soutenir la révolution.

Nous comprenions ce discours et nous avions assez de défense morale pour résister au chantage des Khmers rouges. Les enfants, dans leur majorité, ne comprenaient pas, eux, les menaces que contenaient ces phrases insidieuses. Pour eux, dénoncer les parents parce qu'ils manifestaient des penchants individualistes signifiait les purifier. Ils croyaient agir pour le bien de leurs parents et de l'Angkar. Ils ne dissociaient pas le milieu familial de la vie communautaire. Les cas de dénonciations, où les enfants étaient conduits à mettre leurs parents en accusation, étaient assez fréquents. Cela nous incitait encore plus à la prudence. Nous ne parlions jamais en présence des enfants.

L'organisation villageoise des Khmers rouges était calquée sur le modèle des communes populaires chinoises. La coopérative était l'émanation de la pensée marxiste-léniniste. La révolution cambodgienne reposait sur un principe de base simple : la règle de l'autosuffisance. Chaque camp devait se suffire à lui-même, produire son riz, ses légumes, extraire son eau, construire ou réparer ses paillotes. De la même façon, chaque équipe devait fournir et fabriquer ses propres outils de travail. C'était une application brutale de l'adage : « Aide-toi et le ciel t'aidera... » L'Angkar t'aidera...

Chaque secteur de l'activité villageoise était divisé en équipes. C'était un système, un procédé économique gigogne, qui se reproduisait à l'infini. Dans l'hôpital, il y avait plusieurs équipes : l'équipe qui distribuait les médicaments, l'équipe des piqûres, l'équipe qui faisait la cuisine, l'équipe de pêche. L'hôpital, pratiquement, se suffisait à lui-même. Pour le travail, le personnel de l'hôpital n'avait pas besoin d'aide. Les emplois, toutefois, étaient interchangeables et les affectations tournaient selon un calendrier précis. Aucun travail n'était définitif. Du jour au lendemain, l'équipe d'infirmiers se retrouvait à la cuisine, en train de pêcher ou de cultiver des légumes. Le personnel de l'hôpital devait être polyvalent.

Cette politique d'autosuffisance et de compétence universelle – appelée *Ekreach Mchas Kar* – était appliquée dans la coopérative, l'unité de base de la société révolutionnaire et à l'échelle du pays tout entier. La radio proclamait sans cesse que le Kampuchéa se suffisait à lui-même et n'avait pas besoin d'aide extérieure. En raison de cet orgueil chauvin, le Kampuchéa refusait toutes les aides humanitaires. Il ne voulait même pas établir de contacts avec l'extérieur. L'aide extérieure aurait tué le mythe de l'autosuffisance et ralenti l'œuvre radicale de purification.

Aux yeux des Khmers rouges, accepter l'aide humanitaire

revenait à aider la contre-révolution. Pire que la famine et que l'extermination de leurs compatriotes, les Khmers rouges craignaient une pause dans le processus révolutionnaire et un allègement de la répression politique.

Le camarade khmer rouge que j'avais rencontré à Takéo m'avait dit qu'au bout d'un an tout le monde devait être purifié et accéder au rang des anciens. Mith Pech n'avait certainement pas menti. Il avait exprimé là une prévision qui courait dans les sphères dirigeantes du mouvement khmer rouge. Après un an, malheureusement, les survivants de cette purification ne pouvaient pas devenir de bons Khmers rouges à cause de la misère et de la famine.

Nous étions tous devenus des ennemis farouches de ce système avilissant. Les Khmers rouges avaient compris qu'en nous maltraitant ils sécrétaient des adversaires potentiels. Ils avaient compris que nous les haïssions tous. C'est la raison pour laquelle les nouveaux ne devaient jamais devenir des anciens. Pour toujours, nous représentions, dans l'esprit des Khmers rouges, la race des esclaves. Les Khmers rouges, acculés à la paranoïa, n'avaient d'autre choix que d'affermir leur pouvoir et d'accentuer la terreur. Les Khmers rouges étaient prisonniers de leur propre système. Ils étaient placés devant cette évidence nouvelle : l'instauration d'une société sans classe était devenue impossible. Ils ne pouvaient plus libéraliser leur système comme ils l'avaient souhaité dès le début.

La société cambodgienne était partagée par une ligne de fracture irréparable. Les anciens et les nouveaux étaient face à face. Nous ne pouvions pas imaginer de réconciliation possible. Au lieu de s'être purifiés dans l'épreuve révolutionnaire, les nouveaux avaient appris à haïr leurs tortionnaires, les Khmers rouges. Et les Khmers rouges sentaient cette haine croître.

Les Khmers rouges étaient si méfiants qu'ils n'acceptaient même pas dans leurs rangs les jeunes gens qui se portaient volontaires pour devenir soldats. Ils n'avaient pas confiance : « Vous êtes des nouveaux et vous ne pouvez pas devenir soldats, ni cadre khmer rouge ! » Les Khmers rouges ne contestaient pas les qualités physiques et les capacités idéologiques des candidats. Ils n'avaient pas confiance... Tous les nouveaux, même les plus serviles, étaient suspects.

Au nom de la pureté idéologique, le mariage entre les deux classes de la société révolutionnaire était interdit. Les Khmers rouges ne voulaient pas que se mêlent purs et impurs. Ils protégeaient leur pureté idéologique contre des hommes souillés qu'ils savaient désormais irrécupérables. Il leur semblait que les citadins étaient encore plus souillés qu'à la sortie de Phnom Penh. Non seulement, pensaient les Khmers rouges à notre égard, les citadins n'avaient pas fait de progrès mais ils s'étaient obstinés à résister à l'Angkar.

Les Khmers rouges, en réalité, craignaient de libérer la colère du peuple nouveau en allégeant l'appareil répressif. Hantés par l'idée d'une révolte éventuelle, ils avaient au contraire décidé de nous faire payer cette impassibilité qu'ils nous reprochaient. C'était le règne de la peur permanente. Nous avions peur de leurs persécutions. Ils avaient peur d'une insurrection populaire. Et ils avaient peur, aussi, des manœuvres idéologiques et politiques de leurs camarades de combat...

S'ils faisaient machine arrière, toute la population se soulevait. C'était ce qu'ils pensaient. Peut-être avaient-ils raison de croire à la possibilité d'un soulèvement. De nombreux complots avaient été tués dans l'œuf. Les évasions augmentaient chaque mois. Tout prouvait que les gens ne pouvaient plus supporter ce régime.

Les hommes audacieux, auteurs de complots ou candidats à l'évasion, n'échappaient pas à la vigilance des Khmers rouges. Le moindre geste de révolte ou d'insoumission nous mettait hors la loi et était puni par la mort. D'autre part, les hauts fonctionnaires et les officiers avaient été systématiquement supprimés par les Khmers rouges. Tel ce jeune officier de marine, nommé Vuth, qui habitait le camp numéro deux. Consciencieux dans son travail, honnête et sage dans son comportement quotidien, Vuth avait su cacher son identité véritable. Il servait l'Angkar avec dévouement. Tout le monde l'aimait bien. Un jour, son grade d'officier fut découvert. On l'emmena dans la forêt sans autre forme de procès.

A notre niveau, le véritable responsable des décisions était le chef d'équipe. Il pouvait, à sa guise, nous sanctionner sévèrement ou nous encourager. Les chefs d'équipes, sur les chantiers, dans les rizières, se livraient à une compétition forcenée. Les chefs de labour de campements différents tentaient, par tous les moyens loyaux – et sur le dos des nouveaux – de battre leurs concurrents, de les prendre de vitesse. Le zèle, chez les anciens, était encouragé.

Le riz que produisait la coopérative locale n'était pas nécessairement destiné à la population du village. C'était un accroc dans l'autosuffisance. Les Khmers rouges transféraient le riz récolté sur place dans le magasin central et nous redistribuaient des rations toutes faites, venues d'autres régions et mesurées avec avarice. Aussi, la population n'était pas intéressée par son travail. Les Khmers rouges détournaient sa production et elle s'estimait lésée.

Les meilleurs travailleurs, les plus laborieux, n'étaient pas récompensés de leur effort. Leurs rations n'étaient pas augmentées. Ces déceptions n'encourageaient pas les citadins à faire preuve de bonne volonté. J'avais appartenu à l'équipe des fertilisants. Nous fabriquions des engrais en mélangeant les excréments de bœufs et la terre des termitières. Dans les rizières, nous répandions des excréments humains. En présence des Khmers rouges, nous nous appliquions à accomplir notre tâche convenablement. Dès qu'ils avaient le dos tourné, on se planquait et chacun essayait de prendre un peu de repos. Le rendement souffrait de ce travail irrégulier et du découragement des citadins.

Au moment de la moisson, quand le riz était mûr, les vols étaient fréquents. Le nombre des chapardeurs, des maraudeurs, était élevé dans le peuple nouveau. Nous ne mangions pas à notre faim et il était facile de glaner des grains de riz, de les cacher sous ses vêtements. Les maraudeurs surpris en flagrant délit étaient impitoyablement supprimés sur place. Durant les travaux de débroussaillement, j'avais vu deux cadavres dans un bosquet. A leurs côtés, il y avait des ustensiles pour décortiquer le riz.

Il fallait une certaine adresse pour voler le riz, même si ça n'était pas sorcier. Le voleur devait prendre le paddy avec lui et décortiquer sur-le-champ. Le voleur confectionnait ses outils de décorticage et les cachait sur place. Il était indispensable d'agir ainsi pour se débarasser des fanes de riz. Le voleur n'emportait que les grains de riz chez lui. La multiplication des chapardages irritait les Khmers rouges. Des hommes pris en train de voler avaient été exécutés à coups de manche de pioche. Leurs bourreaux, sadiques et déments, les tuaient sans écouter leurs explications. Certains pères de famille avaient réussi, plusieurs fois, à voler du riz. Ils n'avaient pas été repérés ou attrapés par les chlops. Je n'avais pas osé courir ce risque. Je ne voulais pas mettre ma vie en danger avant d'avoir tenté une ultime évasion.

Malgré les restrictions, la nourriture était plus décente à Leach qu'à Don Ey. Le stade du désespoir était dépassé. Les cours du riz le prouvaient bien. Lorsqu'on s'adressait à un nouveau auquel on pouvait faire confiance pour troquer quelques taels d'or contre des boîtes de riz, invariablement il répondait : « Un tael d'or vaut entre cinquante et soixante boîtes de riz. » Cette réponse nous rassurait. C'était effectivement la preuve que l'on mangeait mieux à Leach. On pouvait aussi échanger des dollars. Il m'en restait mille. J'avais dépensé, environ, quinze cents dollars à Veal Vong et seulement cinq cents à Don Ey. A Don Ey, les échanges étaient très difficiles à réaliser. Le troc était passible de la peine capitale et, surtout, nous n'avions rien à troquer contre les dollars.

J'avais prévu de me délester de sept cents dollars à Leach et d'en garder trois cents pour la Thaïlande. Mon maigre capital ne se limitait pas aux dollars. J'avais trouvé, à l'hôpital de Leach, de l'argent abandonné par des malades décédés. Il y avait cinq cents francs français, de la monnaie vietnamienne, beaucoup de riels et vingt baths thaïlandais. J'avais gardé les francs français et la monnaie thaïlandaise. Les soldats, à l'hôpital, avaient dû fouiller les morts et les dépouiller de l'argent dissimulé. J'avais essayé d'écouler les cinq cents francs mais les francs ne valaient pas grand-chose et j'avais obtenu peu de riz. Décidément, les dollars demeuraient la monnaie étalon de la richesse, même en pleine détresse.

Dès les premiers temps de notre installation, les Khmers rouges m'avaient affecté aux travaux les plus durs, les plus rudes. J'appartenais, au début de mon séjour, à l'équipe de construction. J'abattais les arbres, je sciais et je coupais le bois; je réparais, enfin, les maisons du village. Rien de particulier ne m'était arrivé au cours de ce travail. Je menais ma vie discrètement, évitant les incidents.

Toutefois, un jour que j'accomplissais une mission avec un camarade, j'avais aperçu un camion stationné dans une carrière. Mon camarade et moi, nous cherchions, dans la forêt, des arbustes au tronc droit pour la construction des paillotes. Le camion, capot relevé, était arrêté au milieu d'une piste. Il paraissait en panne. Les portes étaient fermées à clé mais on pouvait monter à l'arrière, sur la plate-forme. Tandis que mon ami faisait le guet, je m'étais hissé à bord du camion et j'avais jeté un coup d'œil sur la plate-forme. Je n'avais rien trouvé. Le camion était vide. Je remarquai un sac solidement attaché sur le toit de la cabine du conducteur. Je dénouai le sac et découvris à l'intérieur environ trente boîtes de riz et plusieurs morceaux de poissons secs – *Trey Pra.* Hâtivement, je détachai le sac et pris trois morceaux de poissons. Il y en avait cinq en tout. Puis, je dissimulai l'équivalent de quinze boîtes de riz dans mon écharpe. Tout à coup, j'entendis mon compagnon me supplier de descendre. Précipitamment, je rangeai le sac et descendis de camion. Mon ami avait crié pour rien, sans raison. Il n'avait rien vu réellement, sinon éprouvé une angoissante appréhension. Je lui en voulais de m'avoir interrompu. Avec diligence, nous coupâmes une dizaine d'arbustes chacun. Nous voulions rattraper le temps perdu. Pendant que nous nous en retournions au village, j'accablai le pauvre garçon de reproches. Un moment, j'avais partagé sa terreur puis je m'étais rendu compte qu'il avait pris peur à tort.

Je regrettai de ne pas avoir tout emporté, tout raflé. Nous aurions dû, normalement, faire main basse sur le riz et sur le poisson. Mon compagnon de travail reçut ce soir-là un tiers du butin, c'est-à-dire le salaire de sa surveillance défaillante. Ce vol m'avait fourni de la nourriture supplémentaire pour deux semaines...

C'était le seul incident qui m'était arrivé et je m'en félicitais. Je ne voulais pas me faire remarquer et rappeler par là ma situation irrégulière aux Khmers rouges.

Une autre fois, j'avais été envoyé dans la forêt pour défricher les sous-bois. Notre chantier était situé à trois ou quatre kilomètres du village. Nous devions rester sur place. Nous ne pouvions pas rentrer le soir.

Nous nous étions installés dans une clairière. Les Khmers rouges, alors, étaient investis d'une mission pour le moins étrange. Ils nous avaient demandé de couper les arbustes dans une rizière parsemée de buissons d'épineux, de petits bouquets d'arbres. Leur intention réelle nous avait surpris : ils voulaient combattre les moineaux qui se nichaient et se réfugiaient dans les arbustes. Les moineaux, disaient-ils, picoraient le riz au moment de la moisson.

Le raisonnement des Khmers rouges était d'une clarté et d'une simplicité stupéfiantes. Sommairement, ils avaient pensé : un, les oiseaux dorment dans les arbres; deux, ils pillent les cultures autour d'eux. Par conséquent, pour abattre les moineaux, il fallait couper tous les bouquets d'arbres, supprimer toutes les petites oasis boisées. Leur pensée, dans tous les domaines, était radicale. Puisqu'il y avait des nids dans les arbres, il suffisait de supprimer les arbres. Plus d'arbres, plus de nids, plus d'oiseaux... C'était la politique de Gribouille. Nous avons donc combattu les moineaux en coupant les arbres.

Cette curieuse approche de la protection de la nature procédait du principe sacré d'autosuffisance. Chacun, même les imbéciles notoires, devait faire preuve d'esprit d'initiative. Notre chef du groupe avait une mission à remplir et l'Angkar lui avait laissé le choix des moyens en lui fixant la finalité de son action. Sur son ordre, nous avions coupé les arbres coupables d'abriter des oiseaux. Cette logique ruineuse, lourde d'incalculables conséquences, échappait au bon sens. Nous avions délibérément abattu des arbres fruitiers. Notre chef d'équipe n'en avait cure. Nous n'avions même pas défriché pour étendre les brûlis, les surfaces cultivables. Les destructions commises par les oiseaux étaient dérisoires en comparaison des ravages que nous avions faits. Alors que tout le monde mourait de faim autour de nous, nous avions transformé les arbres fruitiers, propriété communautaire, en bois de chauffe. Nous étions les auteurs de dégâts irréparables. L'initiative maladroite et stupide du chef de groupe m'avait désespéré.

Au cours de ce chantier, j'avais pu échanger des rations supplémentaires. Nous n'emmenions pas grand-chose quand nous partions en mission. Ceux qui avaient une couverture pouvaient l'emporter. Les autres, les malheureux qui n'avaient rien pour s'abriter, devaient s'en passer. L'Angkar n'avait rien prévu pour eux. Nous rangions un change complet de vêtements et le hamac dans notre sac à dos que nous avions fabriqué nous-mêmes. Nous établissions nos campements dans la forêt. Nous attachions nos hamacs aux troncs d'arbres et la cuisine était faite en commun. Les hamacs n'étaient pas dispersés. Au contraire, la nuit, il fallait dormir et ne pas bouger. Sinon on pouvait être soupçonné de tentative d'évasion. Enfin, nous étions fatigués et nous dormions d'un sommeil lourd.

Le matin, on se levait très tôt. Le chef sifflait et tout le monde se mettait en rang pour aller au travail. Comme d'habitude, nous marchions en colonne. A midi, nous faisions une pause d'une heure pour déjeuner. Le déjeuner achevé, nous nous remettions au travail jusqu'à 6 heures. Les nuits de pleine lune, on travaillait encore le soir jusqu'à 10 ou 11 heures. Les horaires dépendaient surtout de l'humeur du chef d'équipe. Certains soirs, nous brûlions des souches et des arbustes pour rattraper le temps perdu et travailler malgré l'obscurité. Quelquefois, le chef manifestait sa satisfaction en nous laissant nous reposer après le repas du soir. Notre emploi du temps variait d'un jour à l'autre. Toujours le culte de l'imprévisible et l'initiative personnelle; le culte de l'arbitraire, au bout du compte.

Chaque soir, c'était la même cérémonie. On se groupait par deux ou par trois, avec des amis de préférence, et nous disposions nos hamacs parallèlement. Dans tous ces campements provisoires, j'essayais toujours de me tenir à l'écart des autres dans l'espoir d'être tranquille, d'échapper un peu à la surveillance constante. Je restais toutefois dans le périmètre autorisé. Je n'étais pas le seul à tenter de m'écarter, fort prudemment, du groupe. Nous nous tenions à trente ou cinquante mètres, au plus, de nos camarades. Parfois, quand mes camarades et le chef d'équipe étaient profondément endormis, je m'éclipsais et je rentrais chez moi. J'allais voir ma femme, nous faisions à manger ensemble et je retournais au campement vers 4 heures du matin afin qu'au réveil on ne s'aperçoive pas de ma fugue.

C'était un risque à prendre si nous voulions mettre de côté des rations et permettre à nos femmes de survivre. Nous savions, par expérience, ce que signifiait l'abandon et l'éloignement dans cette société qui méprisait la vie et la personne humaine. Avec mes trois amis, nous avions mis au point un système de roulement. A tour de rôle, nous allions au village. Nous partions généralement à deux. Il en restait toujours un dans son hamac pour dire aux Khmers rouges qui nous surveillaient – en cas de contrôle – que les deux autres étaient partis dans la forêt, pressés par un besoin naturel. Les cadres n'insistaient guère.

Nous prenions, avant de nous absenter, quelques précautions élémentaires. On ne quittait jamais le camp avant 9 ou 10 heures du soir. Il fallait être prudent. L'Angkar était imprévisible et les réunions politiques pouvaient avoir lieu à n'importe quelle heure du soir. Après 9 heures, le couvre-feu interdisait de convoquer les hommes pour une séance d'autocritique. Nous quittions alors le camp subrepticement. Nous nous faufilions d'arbre en arbre sans faire de bruit, sans éveiller les soupçons.

Chez nous, nous avalions une ration supplémentaire de riz. Il était plutôt dangereux de s'endormir chez soi. Il valait mieux somnoler un peu et ne pas s'attarder. Nous avions, en général, une heure de marche pour regagner le camp. On nous réveillait tous les jours à 6 heures. Quatre heures était vraiment la dernière limite pour rejoindre, en toute sécurité, le campement. Souvent, je faisais ces allées et venues pour remettre à ma femme les rations que j'avais échangées contre les diamants de ma mère et de mes sœurs défuntes. La valeur des diamants et des pierres précieuses était moins élevée que celle de l'or. Mais on pouvait tout de même les échanger. J'avais toujours sur moi mes deux boîtes de lait Guigoz. Dans ces boîtes, nous cuisions le riz échangé. Il fallait obtenir la complicité active d'un ami sûr pour réaliser cette cuisson clandestine. Quand on voyait arriver le chef khmer rouge, nous interchangions les boîtes. Nous prenions la boîte Guigoz qui contenait de l'eau et nous la mettions sur le feu à la place du riz qui cuisait. Nous cachions la boîte de riz sous des feuillages. Nous avions le droit de faire bouillir de l'eau. Le chef d'équipe faisait de fréquentes inspections pour connaître nos sujets de conversations et savoir si nous nous apprêtions à dormir. Une rapide vérification le contentait. Il n'était jamais surpris de voir de l'eau chauffer et d'entendre nos explications. Dès qu'il s'éloignait, nous remettions le riz à cuire sur le feu. J'avais pu garder ma santé intacte grâce à ce stratagème puéril.

Tous les dix jours, sur ce chantier, nous avions droit à une journée de repos. Nous pouvions retourner au village. Ce congé comportait une restriction. Nous ne rentrions pas chez nous pour nous tourner les pouces. Il fallait assister à la réunion politique. La vraie raison de notre congé, c'était le bourrage de crâne idéologique. Nous assistions à la réunion à Leach mais nous revenions manger sur le chantier aux heures des repas.

Ainsi, un jour, j'avais profité de ce congé exceptionnel pour me reposer dans ma paillote. Je n'étais pas allé à la réunion politique. C'était imprudent mais j'avais besoin de repos. Il suffisait de ne pas se montrer, de ne pas sortir pendant la réunion politique pour ne pas être inquiété. J'étais resté chez moi jusqu'à l'heure du gong des enfants. Le gong appelait les enfants à déjeuner une heure ou une heure et demie avant le repas des adultes. Je me fiais au gong pour arriver à l'heure au campement car il signifiait aussi que la réunion politique était terminée. Tout cela renforçait ma sérénité. Tranquille, je rentrai au campement. J'avais apporté, dans une écharpe, une boîte de riz cru, une ration supplémentaire, que j'avais l'intention de faire cuire le soir même. J'étais insouciant. Je tenais l'écharpe sous mon bras.

Une surprise m'attendait au campement. Mes camarades avaient tous mangé. Je leur demandai des explications : « Pourquoi vous ont-ils fait manger si vite ? » J'avais été pris de vitesse. La réunion avait été plus courte que de coutume. Elle s'était achevée à 10h 30. Mes camarades avaient regagné le campement dès la fin de la réunion. Ils avaient mangé. J'étais pris au dépourvu. Bienveillants, ils avaient mis de côté ma ration. C'était un signe d'amitié authentique. Par principe, on ne devait jamais garder la ration d'autrui.

Mes amis étaient vraiment attachés à moi pour avoir le courage d'outrepasser les commandements de l'Angkar. « Allez, ne t'en fais pas ! Va manger ! » J'avais faim et, dans ma précipitation, je posai mon écharpe – qui contenait la boîte de riz – n'importe où, dans le premier hamac que je trouvai. Ce n'était pas mon hamac. Un ami à moi l'occupait. J'étais en confiance. Seul, je m'étais mis à manger à une vingtaine de mètres du hamac.

Pendant que je mangeais, mon ami vint s'étendre dans son hamac. Il ignorait que j'y avais déposé mon écharpe, avec le riz. Immédiatement, en s'asseyant, il découvrit la boîte de riz. Il prit peur. On pouvait être fusillé pour moins que ça. Le vol de riz faisait partie des délits majeurs. C'était un acte sévèrement réprimé. Mon ami, affolé par la découverte qu'il venait de faire, clamait son innocence :

– Ce n'est pas à moi. Ce riz ne m'appartient pas ! Qui a donc laissé du riz dans mon hamac !

On aurait dit qu'il détenait une bombe. Il criait presque. Alerté par ses violentes protestations, j'essayai, discrètement, de le calmer par des signes de la main et de lui montrer que le riz était à moi. Mais il était trop loin; il était en transes. Il n'avait pas vu mes gestes. Il élevait la voix de plus en plus haut. Et je ne pouvais pas hurler que le riz m'appartenait... Le chef était dans les parages et un aveu aussi brutal m'aurait valu la mort. Mon ami perdait son sang-froid. Au lieu de se calmer, il s'enfiévrait et s'exclamait à en perdre la voix :

– Ce n'est pas mon riz ! Ce n'est pas mon riz !

Il était trop tard. Je vis le chef se lever et se diriger vers mon ami qui, hors de lui, avait l'air d'un forcené. Il répétait comme une prière que le riz ne lui appartenait pas. Le chef prit la parole :

– Montrez-moi ça ! A qui appartiennent cette boîte et cette écharpe ? Tu es sûr qu'elles ne sont pas à toi...

Mon ami se défendait de façon véhémente :

– Non, camarade. Je les ai trouvées sous mes fesses en m'installant tout à l'heure dans mon hamac.

Le chef tourna alors vers nous tous :

– A qui appartient ce riz ?

Son regard s'était posé sur mes camarades, sur moi. Il fallait rapidement prendre une décision. Devais-je me taire ou avouer mon forfait ? Je voyais mon écharpe dans le hamac. Tout le monde savait que j'étais le propriétaire de l'écharpe. Tôt ou tard, mon chef d'équipe allait l'apprendre. Il y avait plusieurs Khmers rouges sur le chantier. Le chef de débroussaillement dirigeait le travail et les chefs de groupes nous surveillaient.

J'appartenais au premier groupe. Nous étions douze dans ce groupe, les plus fonceurs, les plus actifs. Les sept groupes que nous formions sur le chantier étaient classés selon leur mérite et leur ardeur au travail. Travailleur efficace, j'étais plutôt bien noté par mes chefs. Je pensais que je pouvais peut-être compter sur l'indulgence de mes chefs qui, jusque-là, n'avaient eu qu'à se féliciter de ma présence dans la meilleure équipe du chantier. Je décidai d'avouer. De toutes les façons, j'étais fait comme un rat. On aurait fini par savoir la vérité. Je m'avançai :

– Camarade, le riz est à moi.

Tous les yeux se braquèrent sur moi. Le chef du premier groupe se leva à son tour et me fit signe de l'accompagner :

– Thay, suivez-moi !

Je n'étais pas un étranger pour le chef de groupe. Deux semaines avant cet incident qui me mettait en fâcheuse posture, je lui avais rendu un fier service...

11

« CAMARADE BŒUF »

Deux semaines avant ma sotte mésaventure, j'avais rencontré mon chef de groupe, l'air atterré, assis devant chez lui. Il semblait très malheureux. Ses voisins m'avaient appris que sa femme était tombée malade. Elle souffrait du ventre. Comme ma femme, elle n'avait plus de règles. Les femmes du peuple ancien commençaient à souffrir des maux et des fléaux de la malnutrition. La disparition des règles était une conséquence logique de la détérioration physiologique générale.

Faisant mine de ne rien savoir, je m'enquis, auprès du chef de groupe, de la raison de son soudain abattement :

– Camarade, qu'avez-vous ?

Il était visiblement affecté par ce qui lui arrivait :

– C'est ma femme. Elle est très malade, tu sais. Elle souffre tellement qu'elle est obligée de crier pour se soulager. Rien ne peut la calmer. Elle est désespérée.

Je lui demandai s'il avait obtenu des médicaments pour la soigner. Il ne se faisait pas d'illusion sur l'effet des produits locaux :

– J'ai essayé nos médicaments mais ils sont inefficaces.

Le chef de groupe ne savait plus à quel saint se vouer. Il avait tenté, pour guérir sa femme, tout ce qu'un Khmer rouge était en mesure de faire. Je m'entendais bien avec cet homme et je n'avais pas de raison de le maudire. Je ne savais pas si je pouvais lui faire confiance mais, en vérité, ça n'était pas mon problème. Mon intention n'était pas de le sauver ou de sauver sa femme mais de récupérer des rations supplémentaires.

J'avais une certitude : je connaissais quelqu'un qui pouvait se procurer de la tétracycline. C'était un antibiotique recommandé dans ces cas de douleurs extrêmes. Il allégeait la souffrance. Un comprimé de tétracycline valait une boîte de riz. Aussi, mon but était de lui demander deux boîtes par comprimé. Sur deux comprimés, en tant qu'intermédiaire, je gagnais deux boîtes de riz. Je lui rendais service et, en même temps, mon profit n'était pas négligeable. Avant de lui mettre le marché en mains, je tâtai le terrain :

– Camarade, vous n'avez pas oublié les médicaments étrangers. Ils apaisent les tourments des malades, vous le savez.

J'avais pris un ton insidieux. Je jouais les naïfs. J'avais feint la candeur. Au cas où il aurait désapprouvé le recours à un médicament occidental, je n'étais pas piégé. Mais le chef de groupe avait très vite réagi et compris ma proposition :

– Camarade, tu peux avoir des médicaments occidentaux ? Sais-tu où on les trouve...

La main sur le cœur, je protestai doucement :

– Moi, je ne sais pas. Je ne veux pas être mêlé à un trafic illégal. Je ne suis pas un trafiquant. Je n'ai jamais vu ces médicaments mais j'en ai entendu parler dans le camp.

Il se fichait de l'origine des médicaments. Il ne voulait plus voir sa femme souffrir et hurler de douleur. C'était son unique souci :

– Essaie de faire quelque chose pour moi, Thay. Ma femme crie. Je ne sais plus quoi faire. Je suis désespéré.

Je me fis alors plus conciliant :

– Je veux bien essayer d'agir si vous me demandez de vous rendre service. Je ne promets rien... Et si l'Angkar m'attrapait ?

Le chef de groupe balaya cet argument :

– Comment l'Angkar pourrait-elle t'attraper ? Personne n'est au courant de notre échange. Nous sommes les seuls à le savoir. Je serai reconnaissant si tu m'aides.

Je jouais sur ses sentiments. Je lui exposai mes réticences :

– Je ne peux pas vous garantir de trouver ces comprimés. Il faut d'abord que j'aille aux nouvelles, que je me renseigne.

Cette affaire, à condition de la réussir, pouvait tourner à mon avantage. Je pouvais gagner des boîtes de riz.

Le lendemain, je revins rendre compte de mes premières recherches au chef de groupe :

– Camarade, malgré les risques que ce genre de démarche comporte, j'ai fait de mon mieux pour trouver des médicaments. J'ai pu contacter un type qui possédait deux comprimés de tétracycline.

C'est un médicament occidental. Il est très réputé. Beaucoup de femmes l'ont utilisé et elles ont été soulagées. Je ne peux pas vous garantir la guérison mais je suis sûr que votre femme ira mieux après avoir absorbé ce médicament.

Il était impatient de se procurer les comprimés :

– Comment je peux en avoir ? Dis-le-moi !

– L'homme exige deux boîtes de riz contre un comprimé. Je vais arranger cela pour vous.

Le chef khmer rouge ne discuta pas les termes du marché :

– Reviens demain. Je vais tâcher de trouver les boîtes de riz. Ne me laisse pas tomber.

Lui et moi, nous avions scellé un pacte. Nous étions, l'un et l'autre, dépositaires d'un secret. Si l'un de nous trahissait son serment, nous étions tous les deux complices et fautifs aux yeux de l'autorité. La transaction fut menée sans délai. Le lendemain, je lui donnai les deux comprimés et, comme promis, il me remit quatre boîtes de riz. J'en gardai deux et portai les deux autres au pourvoyeur de médicaments. Ce marché s'était déroulé sans histoire. J'étais sûr de ne plus en entendre parler.

Hélas ! l'incident du riz oublié, par étourderie, dans l'écharpe, allait susciter la colère de l'Angkar et de ses sbires. De toutes les façons, je devais me défendre et je n'avais pas l'intention d'abdiquer devant une condamnation formelle, irrémédiable, des Khmers rouges. Le chef de groupe était vulnérable. J'avais le dos au mur. Ma seule ressource était de faire chanter le chef de groupe. Je lui avais servi de courtier dans une transaction illicite, condamnable. C'était un exercice d'équilibrisme. Je marchais sur le fil du rasoir : il ne fallait pas agir maladroitement car les Khmers rouges avaient droit de vie et de mort sur nous. Personne ne lui aurait reproché de m'avoir tué. Le chef de groupe avait, à sa portée, un excellent motif, le vol. Il pouvait même, avec un peu de machiavélisme, faire d'une pierre deux coups : passer pour un chef intransigeant et supprimer un témoin gênant.

Cependant, il me questionnait sans relâche :

– C'est à vous ce riz ? D'où vient-il ? Pourquoi avez-vous laissé cette boîte de riz dans le hamac de votre camarade ? Vous rendez-vous compte que vous êtes un contre-révolutionnaire ? Que vous voulez manger plus que les autres ?

Les Khmers rouges employaient, à leur gré, le tutoiement ou le vouvoiement. Ils étaient courtois mais, quelquefois, ils perdaient leur sang-froid et nous engueulaient en nous tutoyant. Mon calme apparent irritait le chef :

– Tu dois dénoncer celui qui t'a vendu ce riz ! Personne

ne peut en posséder sauf un voleur qui l'a pris dans les champs ou chez un autre contre-révolutionnaire, un cuisinier ou un trafiquant...

Je devais rapidement enregistrer ses attaques, mesurer mes réponses et lui répliquer du tac au tac. La moindre faute, encore une fois, était fatale. Ma vivacité et ma faculté d'adaptation pouvaient me sauver. Je jouai le tout pour le tout. D'abord, je m'étais interdit de révéler l'origine de mon riz. Je ne voulais pas dénoncer l'homme qui me l'avait vendu et détruire, dans l'affolement, une filière précieuse. Nos intérêts, entre négociants, étaient liés... Il aurait été difficile de prouver qu'un ancien m'avait donné les rations de riz. Officiellement, les anciens non plus n'avaient pas le droit de détenir du riz. L'Angkar ne m'aurait pas cru et la faute serait retombée sur moi.

J'adoptai une autre tactique. Au lieu de feindre l'innocence, je reconnus mes torts d'emblée :

– Oui, camarade ! Ce riz est destiné à ma femme.

Il sembla interloqué :

– Comment ? Du riz pour votre femme ? Qu'est-ce que vous voulez dire ? Je ne comprends toujours pas pourquoi vous avez apporté ce riz...

– J'essaie de trouver un médicament pour ma femme.

Je lui avais répondu sans hésiter. C'était une pratique réprouvée mais tellement répandue que l'on ne pouvait pas me reprocher cette démarche. Le chef de groupe avait compris l'allusion. Toutefois, il ne perdait pas la face vis-à-vis de mes camarades. La justification que j'avais fournie ne heurtait pas trop la rigueur révolutionnaire de l'Angkar. Ce marché occulte des médicaments était toléré.

L'Angkar ne pouvait nier son existence. J'essayai de paraître ému, bouleversé :

– La maladie de ma femme s'est aggravée. Je ne peux pas l'abandonner comme ça. Les médicaments de l'Angkar ne l'ont pas guérie. Je dois absolument trouver des comprimés.

Le chef de groupe était intelligent. Il n'était pas tout à fait dupe de mon explication. Il poursuivit son interrogatoire :

– Alors, pourquoi as-tu emporté le riz sur le chantier ?

Je ne me démontai pas :

– C'était pour voir si quelqu'un, parmi nous, avait des médicaments.

– Qui donc ?

– Oh ! Je n'ai contacté personne, camarade. Je vous l'ai dit : je viens juste de récupérer le riz en échangeant un pantalon. J'arrive du camp et je n'ai pas eu le temps de me renseigner, de trouver des comprimés pour ma femme.

Arrivé à ce point de mon récit, le chef se fit plus inquisiteur :

– Avec qui as-tu échangé ce riz ?

– Bien, j'ai donné mon pantalon à un soldat khmer rouge. Il m'a remis, en échange, cette boîte de riz.

– Un soldat, vraiment ?

– Un soldat qui passait à bicyclette, parfaitement. Il a vu mon pantalon. Il l'a « proposé ». Je lui ai dit que ma femme était malade et il m'a donné cette boîte de riz.

Proposer, dans le vocabulaire révolutionnaire, voulait dire confisquer. Ces confiscations n'avaient rien d'exceptionnel. Mon histoire tenait debout. J'avais volontairement parlé du soldat car je connaissais l'importance des militaires dans la hiérarchie khmère rouge. Les soldats étaient mieux considérés, par leurs fonctions, que des cadres civils. Contrairement aux cadres civils, qui n'étaient pas à l'abri d'une disgrâce, les soldats étaient pratiquement intouchables. Il était présomptueux de les mettre en cause. A moins de disposer d'indiscutables pièces à conviction, il était déconseillé d'accuser un soldat à la légère.

Mon chef de groupe avait conscience de ce danger. Machinalement, il m'avait demandé le nom du soldat. Ma réponse le déçut :

– Je ne sais pas son nom. Je ne le connais pas. C'est la première fois que je le vois passer devant le camp. Il n'est pas resté longtemps...

Le chef coupa court. C'était un détail qu'il ne pouvait pas vérifier, ni en amont ni en aval.

Le chef de chantier, qui suivait notre conversation depuis quelques minutes, prononça son verdict :

– Je ne sais pas quelle est ta part exacte de responsabilité. Mais, tout de même, tu dois reconnaître tes fautes. Tu as échangé de la nourriture et tu savais pourtant que c'est interdit. Quelle que soit la gravité de la maladie de ta femme, l'Angkar a assez de médicaments pour la soigner. Tu as eu l'audace d'apporter ici de la nourriture. Tu veux donc manger davantage de riz que tes camarades. Cette faute te coûtera cher. C'est tout ce que je peux dire. Je laisse à ton chef de groupe le choix de ton châtiment. C'est à lui de te juger et de te rééduquer. Après, on verra...

Mon chef de groupe m'entraîna à l'écart et me ligota. Tous mes camarades, terrorisés, me regardaient avec compassion. Ils ne pouvaient plus rien faire. Moi-même, je croyais que j'étais perdu. Je n'avais pas le sentiment d'avoir lésé l'Angkar. On me reprochait d'avoir obtenu *ma* boîte de riz en échangeant *mon* pantalon. Il était impensable d'être exécuté pour une faute aussi bénigne. Je n'en revenais pas. La pitié de mes camarades ne me servait à rien. J'étais foutu...

Je fus poussé par le chef de groupe près de son hamac. Là, il commença son sermon et déroula, pendant une heure, sa liste de reproches :

– Thay, tu es un contre-révolutionnaire parce que tu as gardé le riz pour toi seul. Tu t'es livré aux échanges. Tu n'as pas su te débarrasser de tes penchants individualistes. Tu constitues un mauvais exemple pour tes camarades ici présents. Tu souilles notre groupe, Thay. Tu souilles notre communauté ! Tu répands de mauvaises odeurs ! Je remarque que tu es en rééducation depuis un an et demi. Malgré ton travail, tu es resté un contre-révolutionnaire.

Cette succession d'accusations faisait partie de la rééducation. Je baissais la tête. Je m'inclinais devant la fatalité. L'alternative qui m'était laissée m'attristait plutôt : c'était le peloton d'exécution dans la forêt ou le camp spécial de rééducation, une mort subite ou une agonie lente et douloureuse...

A bout d'argument, je tentai d'intimider mon gardien. Doucement dans l'oreille, je lui chuchotai :

– Camarade, souvenez-vous de votre femme malade. Souvenez-vous de mes efforts pour vous aider. Si vous me faites mal, je vous dénoncerai.

Je l'avais carrément menacé de dénonciation. Je lui avais parlé à voix basse pour éviter d'être entendu par le chef de chantier. J'avais ajouté, pour l'effrayer, :

– Si je meurs, vous mourrez. Avant d'être exécuté, je parlerai au chef et à mes camarades. Vous serez jugé à votre tour.

Les traits de son visage se crispèrent. Il blémit de peur. J'avais touché juste. Il accusa le coup que je lui avais porté puis retrouva son sang-froid. L'alerte passée, il avait repris son visage de chef austère et inflexible, absolument dénué d'expression. Pendant un quart d'heure, il continua son discours hautain. Au fur et à mesure qu'il approchait de la conclusion, sa voix s'enflait. Son sermon s'acheva sur le ton d'une proclamation. Son intention était claire : il voulait qu'on l'entende partout et, surtout, que le chef de chantier prête attention à son verdict.

– Thay, tu es un contre-révolutionnaire mais, heureusement pour toi, tu appartiens à notre groupe. Je vois bien que tu es un bon travailleur, que tu es le premier levé, le premier au travail et que tu as le meilleur rendement. Par conséquent, pour cette fois – et cette fois seulement – je demanderai au chef de te donner un premier avertissement pour qu'il te pardonne, que tu fasses ton autocritique, que tu te corriges, que tu te blanchisses. C'est un avertissement à prendre au sérieux, Thay. La prochaine fois que tu commettras une faute, tu deviendras du fertilisant pour nos rizières.

Mon appel à la clémence avait été entendu. Le chef de groupe ne cessait, dans son réquisitoire, de mettre en évidence la gravité de ma faute. Toutefois, je me disais que j'aurais pu être transformé en fertilisant si j'avais omis de recourir au chantage. La sinistre perspective !

Pour justifier son indulgence exceptionnelle, le chef de groupe avait fait mon éloge en haussant la voix, afin que tout le monde reconnaisse mon mérite et sa sagesse. Jamais un Khmer rouge ne m'avait tressé de telles couronnes de louanges. Je soupirai et je trouvai le compliment bienvenu. J'étais soulagé. Le chef de groupe me conduisit devant le chef de chantier, son supérieur. Il lui répéta son jugement :

– Thay a agi comme un contre-révolutionnaire mais c'est un travailleur actif dont nous ne devons pas nous séparer. Il ne rechigne pas à la tâche. Pour cette raison, je demande au chef de le blâmer et de lui faire prendre la résolution de ne pas recommencer.

Le chef acquiesça et reprit à son tour le jugement :

– Puisque ton chef de groupe me le demande, je me contente de te blâmer pour cette fois et de t'adresser un avertissement. Je te pardonne parce que tu es un bon travailleur. Ne recommence plus ! Fais ton autocritique et tente de te blanchir.

Il ajouta, autant pour moi qu'à l'adresse de mes camarades, :

– La seconde fois, tu deviendras du fertilisant.

J'avais sauvé ma peau.

Tout ce que nous endurions, ce tragique tête-à-tête avec la mort, était inscrit dans l'idéologie des Khmers rouges. J'avais essayé, au cours des réunions politiques et des conversations avec mes différents chefs de groupe, de déchiffrer le langage et l'obscur réseau administratif de l'Angkar. Je désirais comprendre le désir profond des Khmers rouges. Que voulaient-ils exactement ?

Il y avait des mystères, des zones d'ombre dans leur organisation. Par exemple, nous ignorions la véritable direction des magasins et des services d'approvisionnement. Nous ne savions pas qui supervisait la politique de défense et les mouvements de troupes... Les secrets étaient nombreux dans cette organisation. Qui s'occupait des scieries? Qui faisait fonctionner les chemins de fer ? Quel organisme prenait en charge ce qui n'était pas lié à la production du riz ? Je savais seulement que la fabrication des outils et des produits industriels, la production textile, dépendaient du gouvernement central, comme le redoutable réseau des agents spéciaux, chargé de la sûreté de l'Etat. Les ateliers et les petites usines relevaient de l'autorité régionale, non plus du village ou de la coopérative.

En mettant en place cette organisation, le but des Khmers rouges était d'instituer une société parfaite, égalitaire, qui aurait banni l'injustice et toutes les formes d'aliénation. Les Khmers rouges traquaient l'inégalité, les inégalités, comme on chasse un animal nuisible. Ils gommaient les différences. Nous mangions tous la même quantité de riz. Qu'importe si mon voisin avait plus faim que moi, il devait manger la même quantité de riz.

Même chose pour les cigarettes : on distribuait une cigarette par mois aux fumeurs. Avant la chute de Phnom Penh, je n'avais jamais fumé. Je m'étais mis à fumer quand les Khmers rouges avaient commencé leurs distributions. Il était stupide de ne pas fumer une cigarette qu'on nous donnait. Les Khmers rouges n'avaient pas l'habitude de nous faire des cadeaux et nous n'avions aucune distraction. Fumer nous détendait un peu. Les distributions avaient commencé vers le mois d'avril, aux alentours de l'anniversaire de la révolution, le 17 avril. Le tabac, il faut être lucide, n'était pas la seule récompense dans la société khmère rouge. La vraie récompense du travail bien fait, c'était la ration de riz.

La quantité de la ration de riz – de riz exclusivement – était proportionnelle à l'effort que l'on devait produire. Si, quotidiennement, notre santé nous permettait de travailler douze ou quatorze heures – suivant les jours – nous mangions comme les autres la ration ordinaire. Par contre, dès que l'on tombait malade, que l'on cessait de travailler, la ration diminuait de moitié. Certaines équipes mobiles, les équipes de choc, mangeaient un peu plus que les autres travailleurs.

Selon le principe égalitaire, les enfants devaient travailler pour recevoir leur ration. Les enfants de dix à treize ans, soi-disant lettrés, n'allaient plus à l'école. Ils se groupaient dans la brigade des enfants. Ils travaillaient aussi longtemps que les adultes. La classe durait, pour les petits, de 11 heures à midi. Le reste du temps, ils travaillaient comme leurs parents.

La notion d'âge, réellement, avait disparu. Il n'y avait plus d'état civil et plus de possibilité d'établir des extraits de naissance. L'âge des enfants était estimé à vue d'œil. On les rangeait, en jugeant leur aspect physique, dans différentes catégories d'âges. Arbitrairement, les Khmers rouges désignaient les enfants qui, d'après leur jugement, avaient entre cinq et neuf ans. Ces enfants étaient exemptés de travail manuel, entre 11 heures et midi. Souvent, les enfants de onze ans prétendaient qu'ils n'avaient que neuf ans pour pouvoir étudier et se reposer pendant une heure.

A l'école, les enfants trouvaient un vrai répit : ils restaient assis, ils écoutaient les leçons et reprenaient en chœur les chants de la révolution au lieu de repiquer le riz ou de défricher. La plupart des enfants, au Cambodge, savaient lire et écrire avant la chute de Phnom

Penh. Ils avaient appris à lire, à écrire et à compter à l'école. L'école était laïque et obligatoire dans notre pays. Comme en France, il y avait des écoles primaires, des établissements de l'enseignement secondaire et universitaire. Après le cours préparatoire et le cours élémentaire, les enfants savaient lire et écrire le cambodgien. Ils n'avaient pas de difficulté pour apprendre leur langue maternelle. Ces enfants racontaient aux Khmers rouges qu'ils étaient illettrés pour obtenir une heure de repos supplémentaire.

Les Khmers rouges étaient persévérants. Obstinément, ils voulaient instituer une société sans classe, sans différence, sans contradiction, dans un laps de temps très court. Toute leur organisation était conçue en fonction de cet objectif utopique. A la base, ils désiraient réformer l'individu afin qu'il devienne un artisan parfait de la révolution, un militant irréprochable. Comment définissaient-ils un parfait révolutionnaire ? Premier point : le parfait révolutionnaire devait être docile vis-à-vis de l'Angkar. L'Angkar fut seulement proclamé « parti communiste khmer » en 1977 à l'occasion des séances d'éducation politique. Jusqu'en 1977, l'Angkar demeura « l'Organisation » anonyme et imprévisible. Les Khmers rouges savaient que toute la population cambodgienne était allergique au communisme. Ils ne pouvaient donc proclamer le vrai visage de l'Angkar qu'après avoir bien consolidé leur pouvoir.

L'Organisation, en fait, cela voulait dire l'organisation infaillible, l'intelligence suprême, la suprême clairvoyance. L'Angkar avait des yeux et des oreilles partout. Elle pouvait à tout moment nous condamner. Sa colère pouvait nous atteindre à n'importe quel endroit du pays, à n'importe quel instant de notre vie.

L'Angkar était le symbole de la force, de l'omnipotence, de la toute-puissance. Un chef de village punissait toujours un contrevenant au nom de l'Angkar. Ainsi, en l'absence de tribunal, c'était l'Angkar qui prononçait la condamnation. Le bon révolutionnaire – le révolutionnaire idéal que l'Angkar souhaitait forger – ne devait éprouver aucun sentiment. Il lui était interdit de penser à ses enfants et à sa femme. L'amour était aboli.

Outre l'amour, l'homme nouveau – fondu dans le moule de la révolution – devait rejeter et combattre les croyances réactionnaires. Cette haine de la religion était stipulée dans la constitution promulguée au mois de janvier 1976. Selon la constitution, on pouvait croire à n'importe quelle religion sauf aux religions réactionnaires. Toutes les religions étaient considérées comme réactionnaires... Enfin, il fallait déraciner tous les penchants individualistes – *Suon Tour Niyum.* Nous n'avions qu'un devoir : penser à la collectivité et nous purifier.

Au Kampuchéa démocratique, il n'y avait pas de prisons, pas de tribunaux, pas d'universités, pas de lycées, pas de monnaie, pas de postes, pas de livres, pas de sport, pas de distractions... Aucun temps mort n'était toléré dans une journée de vingt-quatre heures. La vie quotidienne se divisait ainsi : douze heures de travaux physiques, deux heures pour manger, trois heures pour le repos et l'éducation, sept heures de sommeil. Nous étions dans un immense camp de concentration. Il n'y avait plus de justice. C'était l'Angkar qui décidait de tous les actes de notre vie. En fait, les chefs de villages prenaient les décisions. Les Khmers rouges affirmaient qu'ils n'avaient pas besoin d'organisations anachroniques à l'occidentale.

Les Khmers rouges n'aimaient pas s'encombrer de paperasses inutiles. Les longues procédures de justice appartenaient au passé. Les Khmers rouges détestaient les lenteurs administratives. Le peuple souverain décidait ! En réalité, le chef de village s'exprimait au nom du peuple souverain et ne le consultait pas pour prendre une décision.

Les Khmers rouges utilisaient souvent des paraboles pour justifier leurs actes et leurs ordres contradictoires. Ils comparaient l'individu à un bœuf : « Vous voyez ce bœuf qui tire la charrue. Il mange où on lui ordonne de manger. Si on le laisse paître dans ce champ, il mange. Si on le conduit dans un autre champ où il n'y a pas assez d'herbe, il broute quand même. Il ne peut pas se déplacer. Il est surveillé. Et quand on lui dit de tirer la charrue, il la tire. Il ne pense jamais à sa femme, à ses enfants... »

Cette humiliante et sotte comparaison nous aurait fait sourire si elle ne nous avait pas arraché des larmes, de la sueur. En se fondant sur ce raisonnement, les Khmers rouges avaient laissé mourir nos familles, nos enfants. Le bœuf, animal docile par excellence, était le modèle que nous devions imiter. Souvent, au cours des réunions, les Khmers rouges parlaient du bovidé comme d'un homme. Ils disaient fréquemment : « Camarade bœuf ». Le bœuf avait toutes les qualités qu'ils exigeaient d'un déporté. Le bœuf ne refusait jamais de travailler. Il était obéissant, ne se plaignait pas et ne secouait pas son joug. Il suivait aveuglément les directives de l'Angkar.

La leçon de la parabole était perceptible pour tout le monde. Même pour les réfractaires, pour les citadins les plus récalcitrants. Nous n'avions pas le droit de nous plaindre, ni de raisonner. Il fallait mettre notre intelligence en sommeil. Chaque membre de notre corps était un instrument pour l'Angkar, un outil de travail. La force musculaire et l'intelligence devenaient des moyens de production pour la collectivité. Un bon révolutionnaire se comportait en animal respectueux et servile, en animal apprivoisé. Il n'avait pas de penchants individualistes, pas de sentiments, pas d'ambitions. Les seules initiatives tolérées étaient celles qui étaient jugées bonnes pour la collectivité. Ces initiatives étaient exclusivement d'ordre pratique. Le laboureur, par exemple, devait savoir réparer une charrue endommagée.

Les vraies initiatives, c'est-à-dire les initiatives personnelles, étaient réprimées. Prendre l'initiative de cultiver des légumes pour soi constituait un motif d'accusation. L'initiative était alors interprétée comme une manifestation de l'égoïsme. A moins, bien entendu, de cultiver des légumes pour la communauté et de ne pas en manger soi-même... Le potager personnel, pour les Khmers rouges, était un reliquat de la propriété individuelle et du capitalisme. C'était un crime contre la révolution.

Pourquoi les séances d'éducation politique étaient-elles si fréquentes ? Les Khmers rouges nous comparaient aux couteaux qu'on doit aiguiser régulièrement afin qu'ils soient tranchants et qu'ils coupent bien les bambous. Selon eux, notre conscience était toujours maintenue en éveil grâce aux séances répétées d'éducation politique. Notre conscience, comme la lame aiguisée, pouvait alors remplir les missions que l'Angkar nous confiait.

Dans le « Kampuchéa démocratique » de Pol Pot, il n'y avait pas de prison. Cela rendait les Khmers rouges très fiers. Ils s'en vantaient : « Observez la différence entre la révolution, disaient-ils, et la religion bouddhique. Dans le bouddhisme, le pécheur était condamné longtemps après avoir commis son péché. Le châtiment était remis à plus tard, dans une prétendue autre vie. C'était un sursis qui pouvait s'éterniser. Cela encourageait les gens à commettre d'autres péchés. Ils ne savaient pas à quel moment ils allaient être punis. Or, la révolution a supprimé cette attente. L'homme coupable d'une faute grave est immédiatement châtié. Il n'attend pas. Voilà la vraie justice. La révolution vous purifie plus vite que la religion. »

Cette démonstration des bienfaits d'une justice expéditive leur semblait sensée. L'absence de prison était le corollaire de ce postulat. Toute faute était fatale et les mécanismes ordinaires de la justice avaient perdu toute leur valeur. La destruction du concept d'individu par les Khmers rouges expliquait leur mépris et leur brutalité. Nous comprenions pourquoi nous pouvions être envoyés dans la forêt, n'importe quand, pour défricher. Nous savions, aussi, pourquoi nous n'avions pas le droit de faire cette requête : « Je veux aller à Leach pour voir ma femme... » Les mots familles et enfants ne représentaient plus rien. Ils étaient sacrilèges. Cela justifiait les déportations et les exodes forcés. On ne pouvait pas réclamer le droit de voir des parents malades, de les assister. C'était interdit. L'individu était désarmé, isolé de toute tendresse et de toute sollicitude.

A Leach, dans les réunions politiques, les Khmers rouges avaient expliqué leur attitude vis-à-vis de l'argent : « Savez-vous pourquoi l'Angkar a retiré la monnaie de la circulation ? Si nous écoulons de la monnaie, chacun de vous désirera un salaire. Naturellement, nous pourrions vous donner un salaire égal mais comment l'Angkar pourrait-elle vérifier que vous dépensez de l'argent équitablement, de manière égale ? Il y aurait certainement des gens qui économiseraient plus que d'autres. Cela entraînerait à la longue de nouvelles inégalités. Voilà donc pourquoi nous avons renoncé à l'argent, à la monnaie. Le magasin de distribution de la coopérative répartit les biens... » Les Khmers rouges ponctuaient toutes leurs professions de foi d'une vérité sacrée : la conscience politique, la détermination idéologique, était la véritable épine dorsale de la révolution.

Il fallait que notre conscience politique fut impeccablement droite. D'après les Khmers Rouges, l'homme, armé de sa seule conscience politique, pouvait tout réussir, surmonter tous les obstacles, briser toutes les entraves.

Dans la paix, les gens instruits étaient utiles pour reconstruire le pays. Les Khmers rouges ne voulaient pas le croire. Ils persistaient à nier le rôle de l'instruction et de l'éducation dans une société humaine. Ils répétaient que les hommes cultivés étaient négligeables, même condamnables car ils affichaient, avec leur savoir inutile, un complexe de supériorité : « Les laisser en vie n'apporte rien. Les exterminer ne fait rien perdre à la révolution. »

Leur méthode, fondée sur la seule conscience politique, ne s'appliquait pas à la période de paix et de reconstruction. Il est impossible de construire un barrage sans une technique éprouvée. Les Khmers rouges niaient cette évidence. Mobiliser mille hommes pendant un an sur un ouvrage d'art ne pouvait remplacer la compétence des ingénieurs. En cinq mois, avec un effectif de cent hommes, j'étais certain de mieux faire. J'avais assisté, à Leach, à la construction d'un grand barrage destiné à retenir le cours d'une rivière torrentielle. Je n'avais pas cru à la solidité du barrage. J'étais sûr qu'il ne tiendrait pas. Le lit de la rivière était vide pendant la saison sèche mais les eaux grossissaient très vite au moment des pluies. Le débit était imprévisible et le cours gonflait tout d'un coup. C'est ainsi qu'un barrage à Veal Vong s'était rompu en décembre 1975.

J'avais participé à la construction du barrage et je me rendais compte que les Khmers rouges défiaient les lois élémentaires de l'hydraulique et de la physique. Ils ne considéraient le problème de la construction du barrage que par temps sec. Aucune étude préalable n'avait été entreprise. Nous amoncelions des petits matériaux divers que nous transportions dans nos paniers tressés : de la terre, de la boue mélangée avec de l'herbe, des feuilles, des cailloux, des branches. Tout était bon. Nous jetions ces débris sur la digue, sans dispositif de sécurité, sans étayage ou compactage. Je pensais que cette digue improvisée ne résisterait pas plus d'une année aux grandes crues, même si ses dimensions étaient démesurées, gigantesques.

Des milliers d'hommes et de femmes avaient gaspillé leur énergie, jour et nuit, sur ce chantier. C'était l'inévitable gâchis de la fureur révolutionnaire. Les Khmers rouges avaient perdu tout sens critique, tout sens de la mesure. La société nouvelle que l'Angkar avait enfantée étant divisée en deux castes. La caste des anciens et la caste des nouveaux. La caste des seigneurs et des cadres pouvait prendre toutes les décisions. Elle avait droit de vie et de mort sur nous. La classe des esclaves, les nouveaux, représentait les deux tiers de la population.

Nous avions été prévenus : les nouveaux ne deviendraient jamais de bons Khmers rouges. C'était la plus flagrante contradiction de la révolution. Elle dressait les nouveaux contre les anciens. Aussi, les anciens, conscients de ce péril, s'acharnaient à nous faire souffrir, à nous torturer. Les Khmers rouges voulaient nous mater parce qu'ils ne pouvaient pas faire marche arrière, parce que leur logique les conduisait au gouffre. La révolution nous avait donc poussés dans ce piège paradoxal : une masse d'hommes exploitait une autre masse d'hommes. Cette contradiction intolérable contribua à la perte des Kmers rouges.

Un autre point, dans l'organisation des Khmers rouges, m'avait troublé. Les trois composantes du système étaient l'Angkar, la discipline et l'encadrement. L'organisation marchait plutôt convenablement mais la discipline n'était maintenue qu'au prix d'une répression sévère. Nous nous demandions pourquoi les Khmers rouges ne pouvaient pas rééduquer le peuple nouveau avec ces réunions politiques qui avaient lieu tous les trois jours. La raison de cette incapacité à maîtriser la propagande était simple : les cadres khmers rouges manquaient. Il n'y en avait pas assez. Les anciens promus cadres étaient ignorants. Ils appliquaient et expliquaient à tort et à travers les principes révolutionnaires. Cette incompétence amplifiait la démence des Khmers rouges.

Les chefs, dans leur majorité, étaient bornés. Ils étaient aigris et rancuniers. Ils manifestaient, à l'égard des citadins, une haine tenace, un esprit de vengeance mêlé de jalousie. La cruauté de la répression exacerbait ces sentiments vils. Non seulement les Khmers rouges, avec leurs mesures draconiennes, tentaient de jeter les bases d'une société égalitaire mais ils excitaient la volonté de vengeance de leurs gardes-chiourme. Le pouvoir exorbitant des chefs de villages – droit régalien de vie et de mort sur les hommes – corrompait les cadres et les rendait ambitieux.

La vénalité de la plupart des partisans de Lon Nol et de certains officiers généraux avait ruiné, rongé, le régime républicain. L'exemple le plus dramatique de cette corruption était l'attitude des officiers supérieurs qui ne tenaient pas à jour la liste des morts et des déserteurs afin de toucher leurs soldes. La corruption, chez les Khmers rouges, était d'un autre type mais elle procédait d'une méthode analogue. Les chefs khmers rouges n'inscrivaient pas tous les décès, les centaines de décès, dans les listes officielles. Ils détournaient ainsi les boîtes de riz qui devenaient une monnaie d'échange. Avec cette monnaie d'échange, les Khmers rouges faisaient ce qu'ils voulaient.

C'était un cercle vicieux. La corruption et les penchants individualistes, au lieu d'être refoulés, se nourrissaient du pouvoir absolu des petits chefs. Chaque chef, ivre de pouvoir, voulait renforcer sa situation. Son souci n'était pas de rééduquer mais de réprimer. Sans cette répression terrible, le pays se serait soulevé.

Les chefs khmers rouges, en réalité, avaient préparé le terrain pour les envahisseurs vietnamiens. Ils subordonnaient tout, en apparence, à l'objectif révolutionnaire. La fin justifiait les moyens. L'idéal révolutionnaire légitimait le crime. L'Angkar pouvait changer d'avis à sa guise. Elle était instable. La révolution légitimait aussi les contradictions et les paradoxes. Un chef de village pouvait nous désigner un emplacement, décider de nous faire construire nos paillotes et, deux jours après, nous demander de lever le camp. Soidisant infaillible, l'Angkar justifiait tout : les mauvais traitements comme les caprices des chefs. Cette injustice était trop flagrante pour que nous ne la ressentions pas. Les chefs vivaient entre eux comme des négriers repus. Ils pouvaient corrompre la communauté. Autour d'eux, les esclaves s'échinaient à faire pousser le riz.

Ma femme, après l'incident de la boîte de riz, était tombée malade. Son ventre la faisait souffrir et elle avait la diarrhée. Elle était si faible que j'avais demandé au chef de village la permission de l'emmener à l'hôpital. J'étais toujours affecté au débroussaillement dans la forêt. Le chef de village avait accepté que ma femme se rende à l'hôpital. C'était la seule condition pour qu'elle cesse de travailler, pour qu'elle prenne un peu de repos. Il était interdit de rester longtemps au village sans travailler. Les malades, à l'hôpital, en raison de leur oisiveté, recevaient une ration réduite.

Mon problème était simple alors : je devais échanger un maximum d'objets précieux pour procurer à ma femme des médicaments et des rations supplémentaires. Heureusement, à défaut de vêtements, il nous restait encore les pierres précieuses et les dollars. J'avais une autre difficulté à résoudre : comment remettre les rations à ma femme ? L'hôpital était gardé et entouré d'une clôture. De temps en temps, je demandais à mon chef de groupe d'aller voir ma femme à l'hôpital. Il acceptait souvent. De l'autre côté, il fallait que l'hôpital m'accorde l'autorisation d'entrer.

Au cours de ma première visite, je n'avais pas rencontré d'hostilité. Les Khmers rouges m'avaient laissé entrer. Discrètement, j'avais pu emporter un peu de riz. La seconde fois, cela n'avait pas été aussi facile. J'avais tenté de revoir ma femme deux semaines après ma première visite. C'était long mais je n'avais pu faire autrement. L'infirmière, une jeune fille, m'avait fort mal accueilli la seconde fois :

– Camarade, vous êtes déjà venu il y a quinze jours.

J'essayai de me défendre derrière la permission que mon chef de groupe m'avait donnée :

– Oui, je suis venu au début du mois; mon chef m'a autorisé à la voir.

Elle me toisa de la tête aux pieds et, tout à coup, s'emporta :

– Si vous venez souvent comme ça, comment voulez-vous que l'Angkar soigne votre femme ? Vous venez tout le temps la déranger. Occupez-vous de votre travail ! Ne revenez plus ! L'Angkar prend soin d'elle.

– Et puis, dites-moi, qu'est-ce que vous lui apportez ?

J'étais embarrassé :

– Je ne lui apporte rien. Je veux seulement avoir de ses nouvelles.

Elle me répliqua sèchement :

– Elle va très bien, très bien. Ce n'est pas la peine de la déranger, l'Angkar s'en occupe.

Autrement dit, il n'y avait pas de règlement. Certaines personnes pouvaient entrer comme elles le voulaient. Toutes les semaines...

Toutefois, si l'infirmière nous jugeait antipathiques, elle pouvait nous interdire l'entrée de l'hôpital. Le droit de visite n'était pas réglementé. Il était appliqué de façon arbitraire. Cette fois-là, j'avais été obligé de retourner au chantier. J'avais le cœur gros. Il fallait pourtant que je trouve une solution pour l'approvisionner en médicaments, en riz. J'avais même échangé du sucre.

En étudiant le plan de l'hôpital, j'avais entrevu le moyen de la joindre. Ma femme se trouvait dans l'un des quatre bâtiments réservés aux malades. Deux étaient réservés aux hommes et les deux autres aux femmes. En passant par-derrière, en longeant la cantine des malades valides, j'étais sûr d'atteindre la clôture de barbelés sans être repéré. Là, je pouvais passer. A côté du passage, il y avait les toilettes des malades et, derrière la clôture, s'étendaient les rizières. On apercevait les maisons proches des villageois.

Le soir même, au crépuscule, je décidai de passer à l'action.

J'empruntai le passage que j'avais reconnu dans la journée. Le long du bâtiment, un garde armé faisait les cent pas. En période normale, je n'avais jamais remarqué de sentinelles armées autour d'un hôpital. Les rumeurs d'insurrection avaient incité les Khmers rouges à garder le magasin et l'hôpital. J'attendis que le soldat se fût éloigné pour appeler doucement ma femme. Dès qu'il revint vers moi, je m'écartai et je restai tapi dans l'ombre. Prévenue par une voisine, ma femme alla aux toilettes et je pus lui parler quelques instants, lui donner du riz et des médicaments. Puis je m'en retournai. J'avais contourné la difficulté.

Face aux tourments que nous infligeaient les Khmers rouges, nous n'avions que la ruse comme défense. Les compagnes de ma femme avaient suivi notre manège mais elles n'avaient pas parlé. Elles ne nous avaient pas dénoncés. Il faut dire qu'elles appartenaient au peuple nouveau. Il y avait une complicité évidente entre nous. Par hasard, si quelqu'un se trouvait à l'extérieur des bâtiments, il allait dire à ma femme que je l'attendais dehors. Ainsi, j'avais trouvé le moyen de ravitailler ma femme en riz tous les trois ou quatre jours. Je ne traînais pas.

Mes absences, au campement, devaient rester inaperçues. Je m'absentais quand il n'y avait pas de travail de nuit ni de séance politique après le dîner. Quelquefois, j'attendais la fin de la réunion pour m'éclipser. J'allais seulement voir ma femme lorsque j'avais quelque chose à lui remettre.

Ma femme avait fait deux séjours à l'hôpital de Leach. Elle avait repris le travail à la suite de son premier séjour hospitalier. Et la rechute, à nouveau, l'avait immobilisée. Ses maux précédents l'avaient moins fait souffrir. Any était couverte d'œdèmes. Elle était si faible qu'elle pouvait à peine marcher. Contre les œdèmes, les Khmers rouges utilisaient un remède très convoité : le pain moisi. Ces morceaux de pain traînaient dans les boulangeries abandonnées de Phnom Penh depuis l'évacuation de la ville. Les infirmiers pensaient que la moisissure était un antibiotique efficace et ils nous distribuaient cela comme un véritable médicament. Nous aimions bien ce pain moisi malgré sa dureté. On tentait de feindre la maladie pour en obtenir beaucoup. Nous faisions griller les morceaux de pain avant de les manger. C'était un supplément alimentaire appréciable. En dépit des moisissures, nous mordions dans ce pain avec gourmandise.

Mith Châk, l'adjoint de mon équipe de débroussaillement, était un ancien douanier, sihanoukiste et originaire de la province de Battambang. Loyal envers le prince, il avait pris le maquis au moment de la chute de Sihanouk. Il affirmait qu'il était devenu officier dans les rangs des Khmers rouges et qu'il avait participé à de nombreuses batailles. Il semblait avoir toujours manifesté, dans ces circonstances, un courage exemplaire. L'Angkar, peu de temps avant que je le rencontre, avait ôté son grade d'officier à Mith Châk et lui avait accordé une période de repos avant qu'il devienne cadre civil. Il ignorait pourquoi il avait ainsi été transféré d'une responsabilité militaire aux tâches civiles. Le repos forcé constituait, à ses yeux, le motif de son transfert. Je ne le crus pas. L'explication qu'il avançait ne blessait pas son amour-propre.

Mith Châk nous avait raconté ses batailles. A ce sujet, il ne pouvait pas mentir. Les détails étaient trop précis pour relever de la mythomanie. Rarement, toutefois, les anciens officiers du maquis devenaient des cadres civils. Le poste de cadre civil était la promotion des villageois du peuple ancien. Mith Châk, visiblement, avait toutes les attitudes de l'officier. Il était autoritaire et sûr de lui. Il ne craignait pas le président du groupe. Il s'habillait convenablement. Rien en lui ne rappelait les manies et les tics des Khmers rouges.

Mith Châk n'avait pas été contaminé par le poison de l'idéologie barbare de Pol Pot. Il n'avait pas la mentalité des Khmers rouges. Il n'était pas communiste mais il n'osait pas le dire. Parfois, dans ses discussions avec nous, il faisait référence au prince Sihanouk. Son uniforme noir était impeccable. Autres signes de bonne éducation : Mith Châk portait une montre et sentait le savon parfumé. Ce parfum de propreté nous impressionnait beaucoup. Nous nous demandions comment il pouvait s'en procurer. Nous pensions qu'il se parfumait à l'eau de Cologne.

Mith Châk disparut un jour soudainement. Le bruit courut qu'il y avait eu une histoire de femme derrière sa disparition. Mith Châk avait été arrêté et emmené. On ne l'avait jamais revu. On ne savait pas si cette histoire de femme, dont tout le monde parlait, était exacte. Mith Châk avait vraisemblablement été exécuté dans la forêt. Cette rumeur autour d'une prétendue liaison illicite arrangeait finalement les autorités. Il me paraissait plus plausible que l'exécution de Mith Châk ait quelque rapport avec le loyalisme à l'égard de Sihanouk que l'ancien douanier ne dissimulait pas.

Un autre cas m'avait averti de cette vague de purges. J'avais connu un autre Khmer rouge qui avait été professeur au collège Kampuch Both de Phnom Penh, un établissement privé. Communiste convaincu, Tuot avait pris le maquis avant la destitution de Sihanouk. A Leach, il était devenu l'homme clé du village : il était chef du service de distribution et de ramassage. Au moment de notre arrivée, Tuot tenait le rôle d'organisateur. Comme on dit, c'était un homme civilisé. Toujours rasé de frais, il s'habillait avec beaucoup de soin. Il aimait porter des vêtements propres. Je ne savais pas comment il faisait pour être aussi bien rasé et toujours peigné.

Tuot s'exprimait clairement et faisait preuve, dans toutes ses interventions, d'une grande éducation. Je m'entendais bien avec lui. Toutefois, je ne le rencontrais pas souvent. Après avoir été chef du service de ramassage et de distribution, Tuot avait brusquement changé d'emploi. Il avait été rabaissé au rôle inférieur de secrétaire de l'organisation des labours. La raison de cette sanction n'était pas connue. Personne, cependant, ne disait qu'il avait été dégradé. On prétendait que ce changement de poste était justifié par la rotation normale des responsabilités dans la révolution.

Tuot savait pourtant qu'il avait été dégradé, qu'il avait subi une sanction, en représailles de ses opinions. Tuot ne cachait à personne sa mauvaise humeur. Cette décision de l'Angkar l'avait scandalisé. Il en avait parlé à certains de mes amis et avait même évoqué, en ma présence, les motifs de son mécontentement. C'était vraiment un type bien. Il nous avait dit, au cours d'une réunion informelle : « Vous savez, camarades, l'Angkar est imprévisible. Essayez de conserver votre santé et votre vie intactes. Faites ce que l'on vous dit. »

Le même principe de survie revenait sur toutes les lèvres. La formulation était différente selon le degré d'hypocrisie ou la sincérité de celui qui l'énonçait. Tuot était franc et honnête. Il ne trichait pas quand il nous parlait de notre peine et de notre malheur : « Conservez votre vie, votre santé, en mangeant ce que l'on vous donne, en travaillant sans rien dire. La vie est longue et l'Angkar est imprévisible. Alors, autant vivre longtemps pour voir ce qui va arriver... On ne sait jamais... »

Tuot confirmait involontairement les rumeurs qui circulaient un peu partout. Sage et bien élevé, il était estimé par les nouveaux. Il ne réprimait pas sauvagement les erreurs comme les autres Khmers rouges. Il essayait toujours d'expliquer d'une façon originale la faute commise. Tuot tentait de convaincre au lieu d'imposer l'idéologie communiste par la peur et la violence. Il trouvait que l'exaltation de l'idéal communiste était un meilleur moyen de rééducation que la terreur. Si tous les cadres avaient ressemblé à Tuot, toute la population cambodgienne se serait ralliée aux Khmers rouges. Il agissait sans brutalité, sans vexation. Quand il demandait que l'on travaille, tout le monde acceptait avec joie de travailler avec lui.

Tuot était très populaire. Et il avait le courage d'exprimer son mécontentement. Nous nous disions : « Tuot est courageux. Mais pourquoi a-t-il parlé de survie en attendant les jours meilleurs ? Il connaît peut-être des gens en place... On ne sait jamais. L'Angkar peut s'humaniser... »

Un mois après ses déclarations intempestives, Tuot disparut. Il ne fut pas arrêté seul. Le président, le vice-président et le secrétaire – Tuot – furent emmenés, tous les trois, par les Khmers rouges. Personne n'avait assisté à leur exécution mais les Khmers rouges eux-mêmes avaient décrit cette effroyable mise à mort. Ils nous avaient rapporté que Tuot avait longtemps crié avant d'être abattu. Nous ne savions pas ce qu'il avait dit, exactement, mais il avait copieusement insulté l'Angkar.

Les Khmers rouges avaient justifié ces arrestations en racontant que les trois hommes avaient été surpris en train de boire des boissons alcoolisées, c'est-à-dire du jus de palme fermenté – *Tuk Thnot Chou*. Ils avaient été découverts, toujours selon la version officielle, ivres morts tous les trois. Boire des boissons alcoolisées était un crime au même titre que l'acte charnel illicite. Les Khmers rouges les avaient punis en dépit de leur rang et des services rendus.

C'était, aux yeux des Khmers rouges fiers de leur forfait, une preuve de l'infaillibilité de l'Angkar, de sa rigueur. La preuve qu'une faute était fatale aux anciens comme aux nouveaux.

Cette propagande ne m'avait pas abusé. La vraie raison de ces exécutions était l'épuration politique. La tendance la plus radicale des Khmers rouges se livrait à une purge impitoyable. Elle éliminait les anciens accusés de penchants individualistes, coupables d'humanité, de courtoisie et de bonté. Tuot, de plus, était un intellectuel. La façon de vivre et de s'exprimer de Tuot ne plaisait pas aux autres Khmers rouges.

Il y avait eu une autre histoire troublante à Leach. Une femme avait été surprise par les soldats tandis qu'elle faisait l'amour avec un Khmer rouge. Son fils, bien longtemps avant l'incident, avait été déporté dans le camp des jeunes et elle avait été arbitrairement séparée de son mari, un ancien lieutenant républicain, avant de s'installer à Leach. Le Khmer rouge avec lequel elle avait été surprise n'était pas n'importe qui. C'était le vice-président du camp numéro deux. Pendant l'interrogatoire que les Khmers rouges lui avaient fait subir, elle avait dénoncé ses deux autres amants : le chlop et le secrétaire du second camp. Les trois Khmers rouges impliqués dans cette affaire étaient de véritables brutes, des bourreaux avérés. Ils avaient de nombreux crimes sur la conscience. Tous les quatre, la jeune femme et les trois Khmers rouges, avaient été emmenés dans la forêt et exécutés.

Les nouveaux considéraient cette femme comme une authentique héroïne de la résistance passive. Elle avait dénoncé le chlop et le secrétaire les plus sanguinaires du camp. Sans doute, avait-elle vengé son mari et des amis qui avaient été torturés et massacrés par ces deux hommes nuisibles. Nous admirions son geste. Elle avait également exacerbé les sentiments de jalousie qui existaient au sein de l'équipe des dirigeants. Le président n'aimait pas le vice-président, le secrétaire et le chlop. Cette élimination l'arrangeait. La conjugaison des ambitions personnelles du président du camp et de l'héroïsme de cette femme nous avait débarrassés d'individus dangereux. L'exécution, là encore, avait été tenue secrète.

C'était d'ailleurs une chose curieuse que cette floraison d'histoires amoureuses, de liaisons. Dans un autre camp, le président s'était épris d'une veuve du peuple nouveau. Souvent, les jeunes citadines, comme ma sœur, se prétendaient veuves pour éviter d'être enrôlées dans les brigades de jeunes. Il s'agissait certainement d'une jeune fille. Le Khmer rouge était marié. Sa femme dirigeait une brigade féminine. Elle était partie travailler à l'extérieur de Leach avec sa brigade. Le mari, resté seul au camp, en avait profité pour prendre la poudre d'escampette avec la jeune veuve.

On avait raconté qu'ils s'étaient enfuis vers la Thaïlande. La jeune femme avait certainement incité le Khmer rouge à s'évader. Ils n'avaient pas préparé leur voyage et s'étaient rapidement égarés. Curieusement, ils avaient cru bon de faire demi-tour et de rentrer à Leach. L'Angkar promettait le pardon, paraît-il, aux fugitifs repentants. Cela m'avait semblé invraisemblable mais le couple avait cru qu'on lui accorderait la vie sauve. A leur arrivée, ils furent immédiatement arrêtés et emmenés dans la forêt. Cet incompréhensible retour n'était ni logique ni cohérent. Il s'agit pourtant d'une histoire vraie. La raison exacte de leur repli m'échappe encore.

Ils avaient sans doute épuisé leurs provisions. Hors des listes de la coopérative, il était impossible de se nourrir dans le Kampuchéa démocratique. L'Angkar disposait de toutes les ressources alimentaires du pays.

De l'ensemble de ces histoires, on ne peut guère tirer de conclusion. Simplement, c'était la première fois que l'Angkar faisait ouvertement allusion aux relations sexuelles.

Il ne faut pas mésestimer l'importance de cet événement. Cela signifiait d'abord que nous avions atteint le stade final de l'organisation sociale prévue par l'Angkar. Ensuite, je crois que les Khmers rouges ont invoqué deux ou trois aventures amoureuses pour fourbir des motifs d'inculpation et justifier leurs purges. Dans toutes ces affaires, les hommes étaient des Khmers rouges et les femmes appartenaient, sans exception, au peuple nouveau.

L'Angkar avait recommandé aux hommes de se tenir à plus de trois mètres de leur interlocutrice quand ils s'adressaient à une femme. En dehors de leur milieu familial, les cadres khmers rouges respectaient rigoureusement cette règle. Ces pratiques puritaines nous semblaient ridicules. Nous, les nouveaux, nous nous fichions du sexe, du désir. Nous n'avions même plus de pensées coupables. Les Khmers rouges, subtilement, nous avaient émasculés. Nous étions asexués. A Leach, il ne restait pas beaucoup d'hommes parmi les nouveaux. Malgré les interdits de l'Angkar, les hommes et les jeunes gens du peuple ancien étaient tentés de flirter avec les jeunes citadines, plus belles et plus fines que les paysannes. Les Khmers rouges et les habitants de base étaient sensibles au charme des citadines, polies et douces. Aussi, l'Angkar voulait défendre ses cadres contre les périls de la contamination sentimentale. Les populations persécutées avaient d'autres soucis. Nous avions perdu le goût et le souvenir de l'amour physique. La beauté des femmes nous laissait indifférents. Seuls nos estomacs comptaient. Cela n'empêchait pas les coups de foudre, les liaisons platoniques.

Dans le village, l'Angkar avait organisé quinze mariages. Ces mariages étaient exclusivement contractés entre hommes et femmes du peuple nouveau. Les quinze mariages avaient été célébrés dans la même journée. Les jeunes mariés avaient eu droit à une journée de congé puis ils avaient été séparés. Personne n'avait assisté à ces tristes noces collectives. Tout le monde devait travailler. Il n'était pas question de faire la fête.

J'avais su que des mariages allaient être célébrés grâce à un camarade qui avait demandé au chef de village la permission de se marier. Le garçon travaillait dans mon équipe de débroussaillement. Il avait suivi une filière assez longue pour obtenir son autorisation. En premier lieu, il s'était adressé au chef d'équipe qui avait lui-même transmis la demande au chef de village. La hiérarchie bureaucratique était ainsi respectée. Lorsque le chef du village avait reçu la demande du futur époux, il priait le chef d'équipe de convoquer la jeune fille, la future épouse. Il l'interrogeait pour connaître son avis puis donnait son agrément. Contrairement à notre coutume, les parents n'avaient plus rien à dire. Quinze couples avaient reçu l'assentiment du chef de village.

Tous les couples avaient été mariés en même temps, collectivement. La cérémonie se résumait à un discours du chef de village, à une ration de riz plus copieuse que d'ordinaire. Les jeunes mariés avaient un jour de repos pour se connaître et pour vivre ensemble. Le lendemain, chaque époux retrouvait son équipe respective. Les jeunes femmes retournaient également dans les équipes féminines. Ces mariages se situaient vers le début de l'année 1977.

Nous n'avions plus de calendrier. Nous avions perdu la notion du temps. Nous ne savions plus si nous étions mardi, samedi ou jeudi. On travaillait sept jours sur sept. Suivant les nécessités de la production et les caprices de l'Angkar, je changeais souvent d'équipe. Ma femme aussi quand elle n'était pas malade.

Pendant cette période, nous parlions de plus en plus de maquisards, de soulèvements. La rumeur prenait beaucoup d'ampleur. Un chauffeur des Khmers rouges, qui conduisait les camions de ravitaillement de Leach à Pursat, nous avait raconté qu'il y avait eu un coup de main à Pursat-Ville. L'opération des maquisards avait fait cinq morts parmi les Khmers rouges et dix hommes du peuple nouveau étaient repartis avec les insurgés dans la brousse.

Nous savions que la route de Leach à Pursat, longue de trente kilomètres, n'était pas sûre. Des tracts ronéotypés avaient été jetés au bord de la route. Ils étaient écrits en khmer. J'avais lu l'un de ces tracts. Nous étions en février. Le tract, qui reproduisait un texte manuscrit, invitait les déportés à se soulever : « Le 17 avril sera le jour fatal pour les Khmers rouges barbares. Nous avons fait la révolution contre Lon Nol et la clique des corrompus. C'était le 17 avril 1975. Le 17 avril 1977 sera le dernier jour de Pol Pot et de la clique des " Thmils ", des " sans religion ". Tenez-vous prêts. » C'était tout. D'après les observations de mes camarades, il semblait que les tracts avaient été distribués un peu partout. Ces tracts avaient ranimé notre espérance.

Nous étions sensibles à ces bribes d'espoir. Nous avions essayé de nous organiser dans l'attente de ce coup de force. Moi-même, j'avais contacté pas mal de gens, pour suivre l'affaire tout au moins. Je voulais rester attentif, vigilant et travailleur. Je faisais attention à mes paroles, à mes actes aussi.

Depuis le mois de janvier, je me disais que je devais partir. Je ne pouvais plus endurer ce régime de famine et de travaux forcés. J'avais emmené ma femme à l'hôpital pour qu'elle puisse se reposer, reprendre des forces. Je ne pensais qu'à une chose : pouvoir nous évader. A ce moment-là, partir voulait dire mourir. Il y avait de nombreuses tentatives d'évasions mais elles se soldaient toutes par des échecs.

Les Khmers rouges affirmaient toujours que les fugitifs étaient repris par l'Angkar. Au mois de décembre 1976, sept jeunes gens étaient partis. Le bruit courait que les Khmers rouges les avaient rattrapés et exécutés.

Malgré ces rumeurs, je caressais le projet de partir en 1977 pendant la saison sèche. La saison sèche permettait de marcher et de se diriger dans la jungle. En vain, pendant plusieurs semaines, j'avais essayé de trouver une boussole. Je n'avais pas renoncé à m'en procurer une.

Cependant, j'étais partagé entre le risque de l'évasion et

l'éventualité d'un soulèvement. Il était périlleux de partir. En restant, je pouvais peut-être participer à une insurrection. Tout était possible désormais. On ne parlait plus, partout, que des tracts diffusés par le maquis. Volontairement, j'avais retardé mon évasion. Je ne voulais pas manquer le soulèvement qu'on nous prédisait. C'était imminent. Plusieurs indices le confirmaient.

Un de mes amis, un nouveau installé dans le même camp que moi, avait reçu la visite d'un ancien qui voulait échanger des vêtements. D'ordinaire, nous assistions à la démarche inverse. L'ancien, à n'importe quel prix, était venu réclamer des vêtements colorés à mon ami. C'était une proposition plutôt étrange : depuis l'adoption de l'uniforme austère des Khmers rouges, les vêtements de couleur avaient peu de valeur. Seuls les pantalons et les chemises sombres pouvaient être négociés comme l'or ou les dollars. Intrigué par la requête de l'ancien du village voisin, mon ami était venu me trouver. Il voulait savoir s'il me restait des pantalons et des chemises que je n'avais pas utilisés. Je lui exprimai mon sentiment de surprise. Pourquoi un ancien venait-il donc, en cachette, quémander des vêtements interdits par l'Angkar ?

Mon ami, au cours de sa seconde rencontre avec l'ancien, lui avait posé la question qui me tracassait. L'homme s'était esquivé. Il n'avait pas voulu répondre. Le troisième contact fut plus fructueux. L'ancien avoua d'abord qu'il était chlop dans son village. Cela ne nous rassurait pas. Mais il se confondit aussitôt en excuses, en justifications. Il était désolé, affirmait-il, de tout ce qui nous était arrivé : « Je vais tout vous dire. Vous connaissez les bruits qui courent. Le régime ne vivra pas longtemps. Maintenant, je peux vous le dire. Mes différents contacts avec vous m'ont prouvé que vous êtes des amis. J'ai confiance en vous. Je connais vos sentiments. Vous n'êtes pas des barbares. Vous vous méfiez de moi, hein ? Je suis un Khmer rouge et un chlop en plus. Mais tous les Khmers rouges ne sont pas pareils. Il ne faut pas les mettre dans le même sac. Moi, je vous comprends. Je ne m'attendais pas à cette société de misère et de travaux forcés. Il ne faut pas condamner pêle-mêle tous les Khmers rouges. Ce que vous avez lu dans les tracts et entendu est bien vrai : nous devons être prêts. C'est la vérité. Vous savez pourquoi, enfin, nous voulons des vêtements de couleur. C'est une recommandation que je vous fais personnellement : le jour J, ceux qui porteront des vêtements colorés seront de votre côté. Ils seront comme les hommes du peuple nouveau. »

Les teintures imprégnaient inégalement nos vêtements. Il était facile de voir que nous étions des citadins même si nos vêtements étaient sombres. L'ancien n'accomplissait pas cette démarche pour lui seul. Il était formel : « J'essaie de me procurer de nombreux vêtements colorés parce que certains de mes camarades n'en ont pas. Nous en avons tous besoin. »

Le chlop nous prenait au dépourvu. Nous n'avions plus beaucoup de vêtements. Nous les avions échangés ou, quelquefois, volontairement détériorés. Dans le « Kampuchéa démocratique », l'habit faisait le moine. Les hommes qui portaient des haillons, qui semblaient les plus misérables, étaient les mieux considérés par les cadres khmers rouges. Intentionnellement, nous déchirions et rapiécions nos vêtements pour montrer aux cadres que nous étions vraiment pauvres. Moi-même, j'avais recours à cette ruse anodine.

Au cours de sa quatrième rencontre avec l'ancien, mon ami avait éprouvé un certain embarras. Le chlop lui avait suggéré de se lier à un réseau clandestin. Mon ami, prudent, n'osait pas se prononcer. L'autre insistait : « Si vous devenez notre agent, on pourra vous donner des renseignements et vous pourrez les communiquer à vos camarades. Comme ça, le jour du soulèvement, vous saurez comment agir. » Mais mon ami ne disait ni oui ni non. Il n'arrivait pas à dominer sa peur légitime. Le Khmer rouge se retira après avoir fait appel, une dernière fois, à son bon sens : « Je comprends votre appréhension. Mais, écoutez-moi. J'ai confiance en vous, vous pouvez avoir confiance en moi. S'il se passe quelque chose, je vous contacterai de toutes les façons... » Ils avaient échangé les vêtements mais mon ami n'avait rien dit qui puisse trahir ses opinions.

Un autre ami de l'équipe des labours nous avait fait une confidence encore plus étonnante : « Vous savez, les maquis avancent. L'autre jour, un gars que je connais a emmené un élément khmer de l'autre côté. » Ce passeur savait déjà où les maquisards avaient établi leurs campements. Notre ami nous assurait que cela s'était passé ainsi. Il avait même guidé l'agent des maquisards pour lui faciliter la reconnaissance topographique du village, l'emplacement du magasin en particulier.

Les informations de cette sorte se multipliaient mais il était très difficile d'en distinguer l'origine, la source exacte. Tout ce que nous savions, c'était que le soulèvement allait être imminent.

En mars 1977, un avion de reconnaissance survola Leach. C'était la première fois, depuis la chute de Phnom Penh, que je voyais passer un avion de reconnaissance. Leach était situé à la limite de la région des Cardamomes, là où Pol Pot devait trouver refuge après l'invasion vietnamienne. Le survol de l'avion était insolite. Tout le monde avait interrompu son travail et s'interrogeait : « Qu'est-ce que cela veut dire ? Il tourne autour de Leach pour nous voir travailler. Il s'éloigne au-dessus de la forêt. C'est sans doute un avion qui est venu nous filmer, prendre des photographies aériennes pour la propagande khmère rouge. »

Les commentaires, discrètement, allaient bon train. Il est possible que cet avion tentait de déceler la présence des maquisards dans la forêt. Tous les bruits qui circulaient étaient plus ou moins fondés à cette époque.

Incontestablement, certains événements perturbaient l'ordre révolutionnaire. Leach était un district assez profondément enfoncé dans la forêt.

Les Khmers rouges de Pursat-Ville s'approvisionnaient en bois près de Leach. Dans la scierie de Pursat, les troncs d'arbres étaient découpés et le bois façonné en traverses de chemin de fer. A partir du mois de mars, les Khmers rouges s'entourèrent de nombreuses précautions pour circuler dans la province de Pursat. Ils attendaient, avant de prendre la route, de former un convoi composé de cinq à dix camions. Deux ou trois Khmers rouges armés s'installaient dans chaque camion.

Mars... Avril... Tout le monde attendait avec impatience l'anniversaire de la révolution. Ceux qui n'avaient pas entendu parler d'une éventuelle insurrection comptaient sur la fête annuelle pour recevoir une ration supplémentaire et du dessert. Le dessert des jours de fête ne variait guère. Il s'agissait de sucre, d'eau et d'un peu de noix de coco. Une semaine avant la fête, notre chef d'équipe, pendant que nous étions au travail, nous annonça que la discipline changeait : « Attention ! Maintenant, il y a un couvre-feu tous les soirs. Plus de travail nocturne. Une fois que vous aurez mangé, il faudra impérativement rester sur place. Pour les besoins naturels, ne vous éloignez pas trop. Vous aurez une demi-heure pour vous laver. Après le dîner, il faudra vous endormir et surtout, ne pas bouger. » Je ne pouvais plus aller voir ma femme. C'était la première fois que le couvre-feu était institué. Cela confirmait les rumeurs de troubles et d'insécurité.

En 1976, l'anniversaire de la victoire de la révolution avait été fêté pendant trois jours. Les Khmers rouges, l'année suivante, avaient fait une entorse au programme des réjouissances. La fête s'était résumée à une seule journée de congé. Le dispositif militaire était imposant et rigoureux. On devait, dans l'ordre et le calme, entrer dans l'enceinte de la fête et ne plus en sortir jusqu'à la fin. De grandes banderoles avaient été déroulées. Elles exaltaient les mérites – c'était une nouveauté – du parti communiste khmer. A l'entrée du périmètre réservé à la fête, il y avait des barrières gardées par les militaires.

Le protocole de la fête était identique à tout ce que nous avions vu précédemment. Nous avions subi les discours du président, du vice-président, du secrétaire. Seule originalité : le parti communiste khmer, dans les discours, était apparenté à l'Angkar Loeu. Nous étions bel et bien entrés dans la phase finale du processus révolutionnaire. Chaque orateur dissertait sur l'un des thèmes favoris de l'Angkar. Nous avions des fourmis dans les jambes. Nous ne pouvions même pas nous soulager, en cas d'urgence, en dehors du champ où se déroulait la fête. Il fallait trouver un coin discret...

On nous avait distribué des rations supplémentaires et l'Angkar nous avait offert un spectacle assez triste et guindé. Des femmes et des hommes dansaient. Ils mimaient des allégories révolutionnaires. Les chants s'inspiraient du folklore cambodgien mais les poses des danseurs étaient importées de Pékin. La création artistique des Khmers rouges était un lamentable plagiat des ballets chinois. On ne regardait pas le spectacle. Cette fête était un prétexte pour nous reposer.

Au fil des jours – 16, 17 et 18 avril – une nouvelle rumeur se propagea. Le bruit courait que les troupes de maquisards s'étaient retirées. On ne savait pas pourquoi elles s'étaient retirées... Nous ne posions jamais de question à nos informateurs. Le 20 avril, rien ne s'était passé. Tout, pourtant, nous indiquait que quelque chose se tramait. Ce n'était qu'un faisceau d'indices et de présomptions mais les informations étaient suffisamment vraisemblables pour étoffer la rumeur. Nous avions eu beaucoup de contacts dans tous les camps. Nous avions surtout pu parler avec les quelques hommes, parmi les nouveaux, qui avaient une personnalité forte et qui étaient respectés par tous les autres citadins. Il y avait, dans chaque campement, un ou deux hommes plus téméraires que leurs camarades. J'étais de ceux-là. Nous n'étions pas nombreux mais nos amis déportés nous estimaient tous. Nous nous étions consultés, au sein de ce petit groupe, pour envisager une action en cas d'intervention armée des maquisards.

Il fallait un plan et une certaine coordination entre nous. Nous voulions savoir comment nous pouvions nous reconnaître, comment on pouvait se joindre d'un camp à l'autre et, enfin, comment on pouvait prendre les choses en main.

Nous complotions pour de bon. Nous étions prêts à sacrifier notre vie. La mort ne nous faisait pas peur. Nous vivions quotidiennement avec elle. Cette conjuration, toutefois, devait être efficace. A quoi bon se soulever si nous allions nous jeter dans la gueule du loup ? Un échec n'était pas envisageable.

Il était difficile de nous réfugier dans la forêt car nous n'avions rien à manger. Les stocks de riz étaient soigneusement gardés par les Khmers rouges. En tuant les gardes, nous attirions à coup sûr le reste de la garnison qui campait près du village. Dans ce cas, plusieurs centaines de soldats pouvaient nous tomber dessus. Nous n'avions aucune chance d'atteindre la forêt avec les sacs de riz si nous nous engagions, à l'aventure, dans un combat par trop inégal. Nous pouvions réussir une opération de guérilla à condition de rejoindre, le coup de main accompli, un maquis constitué et organisé disposant d'armes et de vivres. C'était le seul moyen de continuer la lutte dans une forêt dense et hostile.

Nous attendions, le cœur gros, l'aide extérieure pour bouger. Toute la population nouvelle de Leach était prête, au premier signal d'insurrection, à se ruer à l'assaut des bâtiments occupés par les Khmers rouges. Nous avions songé aux moyens de neutraliser les cadres civils et les militaires. Hélas ! malgré nos prières, rien ne semblait se mettre en place.

Dès le 21 avril 1977, les rumeurs de report étaient murmurées d'un camp à l'autre. Cela ne nous arrangeait pas car les moissons venaient juste de se terminer. Nous ne pouvions pas éternellement attendre une action extérieure, l'intervention d'un maquis fantôme qui n'apparaissait jamais[1].

Je me demandais si j'avais réellement la force de rester en vie encore une année. Les échanges, faute d'objets à troquer, étaient compromis et, chaque jour, je courais le risque d'être découvert, comme à Don Ey. Je n'étais pas tout à fait guéri des fièvres et, de temps en temps, je rechutais. Malgré le travail harassant, j'essayais de tenir le coup, de me maintenir, relativement, en bonne santé.

J'avais peur de ne pas pouvoir faire le fanfaron très longtemps. J'étais brave mais je sentais qu'un jour tout cela allait craquer. Au bord de l'épuisement, au seuil d'une mort pitoyable, j'étais mis en demeure d'agir.

1. Plus tard, j'ai su que les conjurés participaient à un soulèvement général dans tout le pays. Le complot avait été déjoué peu avant son déclenchement. Une purge sanglante s'en était suivie.

sixième partie

« On trouverait difficilement un peuple plus doux, plus raffiné dans ses sentiments et dans sa courtoisie, plus constamment maître de lui que le peuple cambodgien. On a vu qu'il joint à une très grande sentimentalité une pudeur extrême de ses sentiments; mais il a un noble orgueil de sa race; il vénère son glorieux passé, et en conclut sa propre valeur. »

G. J. MONOD,
Le Cambodgien, 1931.

12

LA LIBERTÉ EST MORTE, VIVE LA LIBERTÉ !

Ma décision était prise : je ne voulais pas mourir sans avoir tenté de m'évader. Il fallait soigneusement préparer notre fuite en Thaïlande. Tout mon temps, désormais, devait être consacré à cet objectif. Il était très difficile, pour des raisons matérielles, d'envisager une expédition solitaire. Nous manquions de tout. La solidarité s'imposait.

J'avais conservé des relations avec les hommes et les femmes que nous avions contactés en songeant à un éventuel soulèvement. Après maintes consultations, un choix de candidats loyaux et constants avait été arrêté : douze personnes en tout. Dans le camp numéro un, nous n'étions que deux, ma femme et moi. Les dix autres personnes associées à notre évasion étaient réparties dans les différents camps. Nous appartenions tous les douze au village de Leach. Nous pouvions ainsi échanger des informations.

Parmi nos compagnons de voyage pressentis, il y avait deux femmes et huit hommes. Sept hommes étaient d'anciens militaires. Grâce à la complicité de leurs familles paysannes installées sur place, ces militaires de l'ancien régime avaient pu cacher leur identité et se déplacer sans être inquiétés. Nous nous étions partagés la tâche. Nos contacts étaient discrets. Nous évitions de nous réunir pour ne pas alerter les Khmers rouges. Personnellement, j'informerai deux hommes. J'entrai en contact avec Yim Yann, un cousin éloigné qui avait été employé aux travaux publics. Yim Yann transmettait au militaire le plus gradé de notre équipe, le capitaine Lang, les informations que je lui confiais.

Pour des raisons de sécurité, je devais limiter mes contacts directs avec Lang. Notre réseau devait rester clandestin. Une indiscrétion aurait tout fichu par terre. Yim Yann jouait le rôle de l'agent de liaison. Lang et moi, nous étions chargés, chacun de notre côté, de rassembler les vivres. Les autres s'occupaient de la topographie, de la reconnaissance de l'itinéraire. Ils devaient choisir les directions à prendre et situer les emplacements des postes militaires dans la forêt.

Je travaillais toujours dans l'équipe de débroussaillement. Nous ne nous déplacions jamais très loin du village. Cela me permettait de passer de temps en temps chez moi. Malheureusement, ce chantier s'achevait. Je risquais, en attendant plus longtemps, d'être éloigné par les Khmers rouges pour aller couper du bois dans la forêt. Je ne savais pas comment faire pour rester. Mes compagnons m'avaient remis des bijoux et une montre afin de faire des échanges et de se constituer des provisions de riz.

Nous avions un mois pour nous préparer et pour mettre tous les atouts de notre côté. Notre départ devait avoir lieu avant la fin mai. Après, c'était trop tard. En juin, la saison des pluies arrivait et pouvait compromettre notre expédition. Pendant la saison des pluies, il était impossible de se diriger.

Nous avions essayé de nous procurer une boussole. Nous connaissions un type qui en possédait une mais il hésitait à se joindre à nous, en dépit de la haine qu'il vouait aux Khmers rouges. Sa mère avait été fusillée par les Khmers rouges parce qu'elle demeurait attachée, fidèle, aux pratiques religieuses. C'était une dévote têtue, inconsciente du danger qu'elle courait. Elle s'était offerte et livrée au mysticisme avec une innocence presque enfantine. Habillée selon le rigoureux règlement du village, elle avait le crâne rasé comme les bonzesses. Les Khmers rouges, adversaires farouches de l'excentricité, avaient interprété son entêtement religieux comme un défi. La folie douce de cette femme les dérangeait. Les gens, dans le village, croyaient qu'elle était investie de dons divinatoires. Les villageois venaient la consulter. Elle prédisait l'avenir et ses prophéties étaient appréciées. Après trois avertissements solennels, les Khmers rouges enlevèrent la femme et la fusillèrent. Son fils, le précieux propriétaire de la boussole, n'osait pourtant pas faire un choix. Les récits des exécutions de fuyards l'avaient effrayé.

En nous fondant sur l'itinéraire que nous avions choisi, nous nous trouvions à cent soixante kilomètres de la Thaïlande, à vol d'oiseau. C'était une région hostile à l'homme, une jungle tropicale accidentée. Il y avait des chaînes de montagnes – les Cardamomes – des rivières torrentielles. En raison de la densité de la végétation, il était difficile de se repérer le jour. La nuit, il ne fallait pas bouger sous peine de s'égarer. Tous ces motifs d'incertitude rendaient le propriétaire de la boussole méfiant et inquiet.

J'étais résolu, cependant, à passer outre à ces hésitations et à me procurer des vivres. Deux vœux me poussaient à agir : d'une part, la possibilité de mettre fin aux travaux forcés et, d'autre part, le bonheur d'entrevoir la liberté en Thaïlande ou ailleurs. Bien sûr, nous avions quatre-vingt-dix-neuf chances sur cent de mourir. Leach n'était pas bien situé pour entreprendre une telle expédition. Des plateaux tropicaux, couverts d'une jungle épaisse, nous séparaient de la frontière. Un vieux m'avait encouragé à tenir tête aux difficultés : « Je suis trop vieux pour partir mais si j'avais ton âge, je m'en irais. Tu me dis que les Khmers rouges peuvent vous reprendre. Autrefois, il y avait des centaines de chasseurs de tigres dans la forêt et les tigres étaient aussi nombreux. C'était rare qu'on en rencontre un. Comment voulez-vous tomber sur les Khmers rouges. Ce serait jouer de malchance. »

Le vieux nous incitait à vaincre notre crainte, à forcer nos réticences. Il voulait dire que la forêt était à la fois hostile et protectrice. Elle pouvait constituer un abri dans notre cas. Les Khmers rouges pensaient généralement que le passage vers la Thaïlande le plus favorable aux évadés se trouvait au nord-ouest du pays, c'est-à-dire aux alentours de Battambang et de Sisophon. Ils imaginaient que la barrière forestière de la chaîne des Cardamomes décourageait les fugitifs.

J'avais mis en balance les deux menaces : la forêt et les Khmers rouges. L'obstacle naturel, la forêt, me paraissait moins dangereux que les Khmers rouges. Une fois la barrière du village franchie, les gardes khmers rouges mystifiés, nous avions des chances sérieuses d'arriver au bout du voyage. Aussi, la principale difficulté, c'était bien de franchir cet espace sillonné par les Khmers rouges, entre le village et la jungle. Le problème à résoudre était relativement simple : il fallait percer le dispositif militaire établi autour de Leach. C'était un pari intrépide, un acte aussi insensé que le passage de la frontière thaïlandaise.

Entre ces deux barrières réputées infranchissables, nous avions la forêt et les montagnes à traverser. C'était ce qui m'inquiétait le moins. Il était plus aisé mais plus périlleux de traverser les zones habitées de la province de Battambang en faisant un détour vers le nord-ouest. Tous les villages étaient construits dans les vallées ou dans la plaine. A partir de Leach, la distance à parcourir était plus longue aussi. Les risques de rencontres fâcheuses y étaient élevés. Dans le nord-ouest, les patrouilles étaient fréquentes. Tout bien pesé, il valait mieux passer par la forêt et les Cardamomes, c'est-à-dire filer vers l'ouest.

Hésiter à partir, c'était se résigner à une agonie lente. Coûte que coûte, il fallait forcer notre ultime chance et préparer notre fuite. Dans le groupe que nous avions formé, il y avait un officier – le capitaine – et de jeunes sous-officiers. Tous avaient été d'excellents soldats de métier. Ils savaient marcher et se débrouiller dans la forêt. Ils acceptaient même de se battre si notre expédition tournait court. Nous n'étions pas armés. Nous n'avions que des couteaux. A tout prix, nous devions éviter un affrontement. Il fallait être plus malin que les Khmers rouges et prévoir leurs réactions. La ruse contre la terreur armée : tel était le rapport des forces.

En premier lieu, le travail le plus délicat était d'obtenir des renseignements. Un de nos compagnons d'évasion appartenait à l'équipe des labours. Ses bœufs paissaient souvent à la lisière du village. Deux semaines après avoir pris la décision de nous évader, notre laboureur repéra un passage. Il avait volontairement laissé les animaux s'éloigner; puis, il les avait cachés et attachés solidement dans la forêt. De retour au village, immédiatement, il avait feint la panique et demandé au chef de groupe l'autorisation de partir à la recherche des bœufs. Accablé de réprimandes et de blâmes, il avait toutefois pu s'écarter du groupe de travail et reconnaître les environs. Il avait découvert un passage, à l'orée du village, relativement peu surveillé. Les patrouilles passaient par là à heures fixes. Enfin, quant à la connaissance de la région frontalière, nous n'avions recueilli que des informations fragmentaires. Je savais seulement que l'on devait apercevoir la mer en approchant de la frontière thaïlandaise.

En attendant la date du départ que nous avions fixée, je n'avais qu'une obsession en tête : rester à proximité du village, ne pas être éloigné par une décision de l'Angkar. Je voulais échanger des produits, des vivres. L'équipe de débroussaillement, malheureusement, se déplaçait souvent. Nos chantiers ne duraient pas plus de deux ou trois semaines. Fatalement, l'Angkar allait nous désigner un nouveau chantier, loin de Leach. Je devais agir vite; mais comment me tirer d'affaire ?

Pour ne pas attirer l'attention des Khmers rouges sur moi, je travaillais dur. Comme un bon bœuf, j'accomplissais toutes les tâches sans tricher, sans prendre de repos. Il m'arrivait de tomber malade. J'avais alors la permission de rester chez moi pendant deux jours. Le troisième jour, il fallait retourner au travail. Sinon, c'était l'hôpital. On ne voulait pas aller à l'hôpital car on risquait d'y attraper une maladie contagieuse. On y mangeait moins, aussi. Les faux malades étaient généralement détectés, à l'hôpital, et percés à jour. Les simulateurs ne leurraient pas longtemps les infirmiers. La répression hospitalière – c'était une prison où l'on ne mangeait pas – décourageait les malades qui n'étaient pas gravement atteints.

Quand je voulais obtenir deux jours de répit, je faisais semblant de souffrir du ventre, d'être pris de coliques. Les Khmers rouges me fichaient la paix. Malgré nos rations supplémentaires, nous ne mangions pas assez. Nous avions la certitude que les quatre cinquièmes d'entre nous allaient mourir.

Nous avions toujours faim. J'échangeais tout ce que j'avais, sauf les cinq cents francs et les trois cents dollars. Je dépensais tout. Je me moquais des consignes de prudence. Je n'avais plus de temps à perdre. L'essentiel était que nous restions en vie, ma femme et moi. Qui ne risque rien n'a rien... Je me répétais sans cesse cette phrase. Je n'avais que cette idée en tête : garder ma santé intacte. Tout le reste était récupérable; tout ce que j'échangeais : les dollars, les bijoux, les vêtements.

Pour réaliser des échanges fructueux, il était bon de savoir se faufiler, d'utiliser, à bon escient, l'audace et la lucidité. Ma présence d'esprit m'a quelquefois, dans ces circonstances délicates, sauvé la vie. Trois raisons m'avaient incité à jouer le tout pour le tout après le 17 avril 1977. D'abord, je voulais me reposer et me refaire une santé. Ensuite, nous devions tous être forts et résistants pour supporter les longues marches dans la jungle. Enfin, si notre tentative se soldait par l'échec et la mort, je voulais me payer un dernier plaisir sur cette terre. Pour nous, le dernier plaisir, c'était manger. Même pas manger à notre faim, non ! Manger, simplement.

Je n'abusais pas des congés d'une journée. Quelquefois, je disais que j'avais mal au ventre ou qu'un douloureux élancement me déchirait la poitrine. Les camarades me suggéraient de faire une pause : « Tu as trop travaillé... » Il était vrai que notre travail nous éreintait. Le choc de la hache sur le tronc d'arbre, plus ou moins bien ajusté, produisait parfois une vibration intolérable dans la poitrine. J'avais l'impression qu'on m'écartelait. Le chef de groupe, voyant que ma santé préoccupait mes camarades, me laissa, sur le chantier, une journée de repos. Quand la journée fut écoulée, je me remis au travail sans mot dire. Trois jours après, j'avouai au chef de groupe qu'une douleur semblable à la poitrine m'avait de nouveau assailli. Cette fois, la douleur ne s'estompa pas. C'était sérieux.

Initialement, j'avais cru pouvoir tirer parti de cet élancement chronique. Mais le chef de groupe ne l'entendait pas de la même oreille :

– Thay, pourquoi n'as-tu pas pris deux jours de repos la dernière fois ? Tu es avancé maintenant. Tu as encore mal, Repose-toi deux jours afin de guérir. Après, tu reviendras...

Je protestai pour la forme :

– Vous savez bien, chef, que je ne sais pas me reposer quand je ne suis pas malade. Je n'aime pas regarder les autres travailler et manger la même ration qu'eux. C'est injuste. Je ne peux pas faire ça. Je ne peux pas supporter d'être inactif, d'être à la charge de la communauté...

Le chef de groupe éprouvait de la sympathie pour les bons travailleurs. Nous pouvions lui parler avec familiarité. Il avait pris mon histoire pour argent comptant. Ma maladie était plausible. Tout le monde souffrait du ventre et de la poitrine. Plusieurs travailleurs de notre groupe avaient déjà été envoyés à l'hôpital.

Le second jour, je décidai de persévérer. Je me lamentai :

– J'ai très mal. Camarade, je ne sais pas comment faire pour apaiser la douleur. Vous possédez peut-être un médicament ?

Le chef de groupe me donna les remèdes de l'Angkar. Le lendemain, je fis semblant de souffrir encore. Mes plaintes auraient suscité la compassion de n'importe quel cœur endurci :

– J'ai toujours mal, camarade. Puis-je vous demander une autre journée pour me reposer ? Je sais que le règlement accorde seulement deux jours de repos sur le chantier. Puis-je réclamer une autre journée sans déplaire à l'Angkar ? J'ai vraiment très mal. Demain, ça ira mieux. Je serai guéri.

Le chef de groupe, catégorique, se retrancha derrière la loi :

– Non ! Impossible ! Tu dois aller à l'hôpital.

– Chef, seulement une journée...

– C'est impossible. Tu vas à l'hôpital ou tu travailles. Choisis ! Le règlement, c'est le règlement.

J'essayai de lui expliquer que je ne voulais pas aller à l'hôpital et qu'une seule journée de repos supplémentaire m'aurait remis sur pied. Il ne céda point. J'eus droit à un ordre de mission pour me rendre à l'hôpital. Je savais ce que signifiait l'hôpital. C'était précisément l'affectation que les citadins craignaient par-dessus tout. Pour la vraisemblance de ma comédie obséquieuse, j'avais feint la peur de l'hôpital. Et, comme je l'avais prévu, le chef m'avait envoyé à l'hôpital. L'hôpital, non loin de mon camp de base, se trouvait à trois kilomètres de mon chantier de débrousaillement. Les chemins de l'hôpital et du camp numéro un – c'était important – étaient les mêmes.

Ma femme, avant moi, avait regagné notre paillote. Les infirmiers de l'hôpital l'avaient laissée partir mais elle n'était pas guérie. Après deux mois de repos « hospitalier », nous n'avions pas constaté d'amélioration réelle. Elle était encore faible. Elle souffrait surtout de la sous-alimentation. Any avait approuvé le principe de l'évasion en dépit de son état. Je lui avais expliqué qu'au cours de notre marche dans la jungle nous allions manger plus copieusement que dans le village. Nous avions prévu, en fonction du rythme de notre marche quotidienne et des efforts que nous devions fournir, des rations plus riches que celles qui étaient distribuées par les Khmers rouges. J'avais compté une boite de riz par jour et par personne. Ce riz pouvait être accommodé de légumes sauvages, de tubercules de la forêt et, parfois, de poisson séché. Nous mettions ainsi un maximum de chances de notre côté.

Le jour où mon chef de groupe m'envoya à l'hôpital, je me rendis chez moi au lieu de confier ma pauvre carcasse aux infirmiers. Je dus justifier mon retour, auprès du chef de camp, par un motif sérieux. Je savais que le chef de camp était corruptible et vulnérable mais je ne pouvais utiliser le chantage qu'en dernier ressort. Nous avions donné trois taels d'or à sa femme et je pouvais le dénoncer. Je gardais cette affaire de corruption en réserve. Il était important, pour ma sécurité et pour le succès de notre évasion, qu'il croie spontanément à la fable que je m'apprêtais à lui raconter :

– Camarade, j'ai mal à la poitrine et je suis revenu pour me faire soigner par ma femme. J'ai demandé la permission à mon chef de débrousaillement et il a accepté. Naturellement, j'irai tous les jours travailler là-bas. Simplement, je ne peux plus dormir à la belle étoile. Au petit matin, on attrape froid sur le chantier. Le chef m'a autorisé à rentrer tous les soirs à la maison. Tous les matins, je retournerai au chantier et je mangerai avec mes camarades. Je ne mangerai pas ici. Je reviendrai seulement pour dormir.

J'avais apporté cette précision en connaissance de cause. En effet, pour manger au camp, j'aurais normalement dû fournir un papier signé de mon chef d'équipe, rédigé comme suit : « Le camarade Thay est autorisé à manger dans le camp. »

Le chef de camp accepta mon installation nocturne sans discuter. Ainsi, je pouvais voir ma femme tous les soirs quand elle rentrait de son travail proche du village. Le matin, je me levais tôt et j'allais bavarder avec mon contact dans l'autre camp. Je dormais toute la journée ou je faisais des échanges. Je ne sortais pas de sa paillote. Le seul moment où je pouvais sortir était l'heure du déjeuner. Là, tout le monde s'octroyait une pause. Je pouvais me mêler aux travailleurs. Personne ne songeait à me poser des questions. Au cours de ces démarches téméraires, j'échangeai tout ce que j'avais conservé et ce que mes compagnons m'avait remis : la montre, les bijoux, les pierres précieuses, les dollars.

Pendant un mois, j'ai complètement vécu en marge du règlement de l'Angkar. Je jouissais d'une relative liberté de déplacement. Je pouvais, quand cela me chantait, rencontrer mes amis « nouveaux ». Ils étaient surpris de me voir me promener d'une paillote à l'autre :

– Que fais-tu là ? On croyait que tu étais à l'hôpital...

Je leur faisais signe de ne pas parler trop haut :

– Ne vous en faites pas. Je suis à l'hôpital mais je sors quelquefois pour faire des échanges. C'est normal. Il n'y a rien d'extraordinaire là-dedans.

De nombreux malades sortaient après le dîner pour rentrer chez eux, se nourrir ou voir leurs familles. Les anciens, dans Leach, n'étaient pas au courant de mes allées et venues. Aussi, j'avais exigé des nouveaux qui me connaissaient une certaine discrétion. Toutefois, j'essayais toujours d'éviter mes camarades de l'équipe de débroussaillement. Je n'empruntais jamais les chemins connus et familiers du chef d'équipe.

Mon chef de camp croyait que j'allais travailler avec l'équipe de débroussaillement et le responsable de cette dernière pensait que je me reposais à l'hôpital. Je m'étais placé hors du circuit de contrôle. Bien entendu, je sacrifiais les rations quotidiennes de l'Angkar. Heureusement, j'avais mon riz échangé. Pendant ce mois de repos volé, de promenades buissonnières, j'avais récupéré environ trois cents boîtes de riz. J'avais dissimulé ce trésor de guerre chez les uns et chez les autres par paquets de cinquante boîtes. Presque tous nos compagnons d'évasion recélaient du riz.

Tous les matins, lorsque j'allais cacher du riz chez un ami, je mettais mon sac à dos. Je donnais ainsi l'impression d'aller au travail. J'arrivais chez mes amis avant qu'ils ne partent vers leur chantier. Je restais dans leurs paillotes jusqu'au soir pour ne pas attirer les soupçons des *chlops.* Je m'efforçais de passer inaperçu. En attendant que la journée passe, je mangeais mon propre riz. Jamais, depuis Veal Vong, je n'avais si bien mangé.

J'étais allé assez loin pour trouver du riz. Je m'étais rendu dans un village voisin. C'était un gros risque de passer d'un village à l'autre. J'avais fabriqué des faux papiers, des faux ordres de mission, pour me déplacer en toute quiétude. En fait, ma sérénité de façade masquait bien des soucis. Mais c'était ça ou rien... Aussitôt arrivé dans le village voisin, à quatre kilomètres de Leach, je prenais contact avec l'homme qui possédait du riz et je réalisais, comme convenu, l'échange. Au retour, je cachais les boîtes de riz dans mon sac à dos. Pour donner le change aux sentinelles, je portais un fagot de bois sur l'épaule. Les Khmers rouges mobilisaient beaucoup de monde pour couper du bois dans la forêt. Le fagot me servait de passeport. Je l'abandonnais tout près de mon village. En entrant dans mon camp, il n'était pas question d'exhiber ces branchages. J'étais censé travailler dans l'équipe de débroussaillement.

Un ami, une fois, m'avait accompagné dans une de ces expéditions alimentaires. Je ne pouvais pas porter en un seul voyage cinquante boîtes de riz. Cela devenait trop voyant. J'avais partagé le précieux colis avec mon ami, un candidat, lui aussi, à l'évasion. Nous transportions chacun vingt-cinq boîtes de riz. Nous avions échangé ce pactole contre une montre d'excellente qualité. La piste que nous empruntions était un itinéraire souvent fréquenté par les Khmers rouges, par les patrouilles. A trois kilomètres de Leach, nous avions aperçu un soldat. Nous nous étions enfoncés dans la forêt. Nous avions caché les sacs à côté de nous, sous les feuillages, et, ostensiblement, nous avions uriné. Le soldat passa sur la route sans nous questionner. Nous continuâmes alors à marcher dans les sous-bois. En procédant ainsi, c'est-à-dire en dosant la prudence et l'audace, nous avions pu mettre de côté trois cents boîtes de riz, du sucre et du poisson séché, et même un poulet.

Pendant cette période, soucieux de recouvrer toutes mes forces et toute ma vivacité, j'avais particulièrement soigné mon alimentation. Nous avions même mangé du poulet avec ma femme. C'était, dans le village, un événement très rare. J'avais gardé le sel, le riz et le sucre pour le voyage. Je considérais ce mois de liberté comme mon dernier mois à vivre. Je n'étais pas sûr de voir arriver le mois suivant. La vie était précaire à Leach et notre dernière tentative d'évasion devait à tout prix être la bonne. Sinon...

Je ne voulais pas, en revanche, que ma femme coure des risques. Elle travaillait à proximité du village. Le soir, quand elle rentrait, nous faisions cuire le riz. Elle prenait son déjeuner chez nous, dans le camp. Moi, à l'heure du déjeuner, j'étais installé chez l'un ou chez l'autre, selon la nature des échanges que j'avais faits dans la journée. Les Khmers rouges ne fouillaient pas les paillotes le jour. Il fallait être prudent quand des gens s'approchaient de la paillote où je me trouvais. Dès que j'entendais des pas, je me blottissais dans un coin, contre un mur. J'attendais que les gêneurs s'en aillent avant de bouger, de faire le moindre geste. Je sortais de la paillote quand les habitants du camp commençaient à rentrer du travail. Au lieu d'emprunter les raccourcis, je prenais mille précautions pour revenir chez moi. Je ne voulais pas rencontrer mon chef d'équipe. C'était la seule personne, dans le village, que je devais vraiment éviter.

Pendant trois semaines, exactement, j'avais joui, à l'insu des autorités, d'une liberté de mouvement relative. Je craignais toutefois d'être découvert. J'avais pu me procurer assez de vivres pour notre expédition. Je me sentais mieux – j'avais recouvré une bonne santé – et il fallait que je trouve une filière pour me réintégrer dans le système. J'avais moi-même rédigé un billet dans lequel il était précisé que j'étais envoyé à l'hôpital. J'avais tout bonnement copié le laissez-passer de mon chef d'équipe en modifiant la date. Muni de ce document, je me présentai à l'hôpital.

J'avais emporté mon sac à dos et je simulais la maladie. L'infirmière avait lu mon faux ordre de mission et elle avait accepté de m'hospitaliser. Au bout de deux jours, mon état, par la force des choses, s'était considérablement amélioré... Cette transformation, que j'avais mûrement étudiée, n'avait pas échappé à l'infirmière. Aussi, lorsque je lui avais demandé de quitter l'hôpital, elle ne m'avait pas retenu. Je voyais qu'elle ne voulait pas me créer d'ennuis. J'avais besoin d'un autre document, émis par l'hôpital, pour regagner le camp numéro un sans difficulté. Je fis cette requête à l'infirmière. J'ajoutai que je souhaitais prendre quelques jours de repos chez moi avant de retourner auprès de mon équipe de débroussaillement.

La jeune femme exauça mon souhait après quelques minutes de discussion. Ce congé supplémentaire n'avait pas d'importance pour elle. Elle me l'octroya facilement à condition que je rejoigne mon équipe au terme de ce repos. Je mesurais la chance que j'avais. Après avoir défié, pendant trois semaines, le rigoureux règlement de l'Angkar, je disposais de documents officiels qui me mettaient à l'abri d'une mauvaise surprise. Du moins, je le pensais.

Je me rendis chez mon chef de camp de base avec le billet de l'hôpital. Il m'écouta, lut mon billet et consentit à la prolongation de mon congé. Je devais profiter de ce répit pour trouver une équipe de travail proche du camp. Mon équipe de débroussaillement avait changé de chantier. Elle s'était éloignée de Leach. Je ne savais pas où elle se trouvait exactement. J'avais discrètement suggéré à mon chef du camp numéro un de m'affecter au groupe des fertilisants.

L'équipe des fertilisants travaillait à proximité du camp. Un ami, qui était enrôlé dans cette équipe, m'avait dit qu'ils manquaient de main-d'œuvre. Deux ou trois hommes, dans leur groupe, avaient été hospitalisés. La femme du président du camp avait assisté à l'entretien que j'avais eu avec son mari. Ils avaient écouté mes explications avec attention :

– Camarade, vous savez que je suis en convalescence. Ma maladie était due à la coupe du bois. Si je reprends ce travail, je risque de rechuter. Voulez-vous être compréhensif à mon égard ? Pouvez-vous m'affecter dans l'équipe des fertilisants ? Comme ça, je ne serai pas loin de ma maison et je pourrai dormir tous les soirs chez moi. Le campement de l'équipe de débroussaillement se trouve en pleine forêt. Cela est très malsain pour moi. S'il vous plaît, camarade, voulez-vous m'affecter ailleurs !...

Le président pouvait bien m'accorder une faveur. Il se souvint, apparemment, de nos trois taels d'or :

– J'accepte de vous rendre service mais je ne vous garantis rien. Votre chef d'équipe, en apprenant votre nouvelle affectation, peut très bien exiger votre retour dans son groupe. Dans ce cas, je ne pourrai rien faire pour vous.

– C'est bon. On verra...

Je remerciai le chef de camp. Il avait accepté de rédiger un billet où il indiquait que j'étais affecté dans le groupe des fertilisants. Nous étions vingt dans ce groupe : nous formions deux équipes de dix travailleurs.

Mon équipe était chargée de ramasser la terre des termites pour la mélanger avec les excréments. L'autre mélangeait les excréments et la terre des termites. Elle répandait ensuite cette répugnante mixture dans les rizières.

Notre équipe travaillait à un kilomètre du village. Le travail n'était pas trop dur. Notre chef d'équipe se déplaçait souvent. Il ne pouvait pas constamment nous surveiller. Il était obligé de diriger les deux groupes. Tantôt, il accompagnait mon équipe; tantôt, il était avec l'autre. Nous nous reposions quand il n'était pas près de nous. L'un d'entre nous faisait le guet. Dès qu'il apercevait le chef, il nous faisait signe de travailler. Nous étions très prudents. On essayait toujours de ne pas faire trop de zèle. Il fallait, pour éviter les blâmes, avoir un rendement quotidien régulier. En somme, j'étais plutôt satisfait de mon changement d'affectation. Je ne m'épuisais pas au travail et je mangeais à ma faim. J'avais même entamé la réserve de riz constituée pour notre évasion. Il me restait deux cent cinquante boîtes de riz. Cette quantité, d'après mes estimations, était suffisante.

Le fardeau de la discipline et de la peur s'était allégé dans le groupe des fertilisants. Le chef n'était pas aussi sévère que celui du groupe de débroussaillement. Les horaires de travail étaient moins stricts. Je me sentais revivre. Ce bien-être relatif m'engourdissait peu à peu. Je m'accoutumais à cette discipline atténuée au point d'oublier ma tentative d'évasion. Ma femme aussi se portait mieux.

Mes amis venaient me voir et voulaient connaître mes intentions :

– Quand allons-nous partir ?

Je modérais leur empressement :

– Attendez, attendez. Regardez toutes ces évasions qui échouent en ce moment. Ne nous hâtons pas. Pour l'instant, nous ne pouvons pas partir. Nous sommes seulement à la mi-mai. Fin mai, nous pourrons partir. Actuellement, un départ serait prématuré...

Mes résolutions fondaient. Ma détermination souffrait de la tranquillité que j'avais trouvée dans l'équipe des fertilisants. Mon nouveau chef m'avait presque réconcilié avec Leach. Nous pouvions nous reposer, manger à notre faim et raconter n'importe quoi. Je mangeais plusieurs fois par jour. Le soir, je mangeais au camp, puis je prenais un autre repas chez moi. Tous les soirs, je rentrais chez moi. Au sein de l'équipe, nous nous entendions bien. Le chef, souvent absent, ne nous espionnait pas. Nous ne risquions pas la mort. Je commençais à remettre en cause nos projets. Je pensais qu'il était peut-être possible d'attendre la fin de l'année. « Après, me disais-je, j'aviserai. » Mais le destin veillait. Le destin poussait sa roue...

Un jour, malheureusement, l'inévitable rencontre que j'appréhendais eut lieu. Ce malencontreux tête-à-tête précipita les événements. Nous avions intialement repoussé notre évasion à la fin du mois de mai. Deux familles, soit quinze personnes, quelques jours avant la date que nous avions fixée pour notre départ, avaient tenté de s'évader. Elles avaient échoué. Les Khmers rouges avaient arrêté les quinze personnes. Ils avaient exécuté hommes, femmes et enfants. Les Khmers rouges faisaient parfois circuler de fausses rumeurs pour nous effrayer. Nous nous tenions sur nos gardes. Ces rumeurs nous incitaient à la prudence.

Pendant les préparatifs de la fuite, j'avais été voir, un soir, une femme de cinquante ans qui tirait les cartes. Elle habitait une cabane à une cinquantaine de mètres de notre paillote. Cette voyante prédisait l'avenir et nous la consultions en cachette. Ses clients étaient rares. J'étais curieux de connaître le sort auquel notre entreprise était promis. Ma question, toutefois, ne laissait rien transpirer de notre projet :

– Comment voyez-vous mon avenir dans les prochains mois ?

Elle m'avait fait couper les cartes puis les avait étalées et comptées :

– Thay, tu voyages tout le temps à partir du mois prochain...

– Mais c'est impossible ! Comment puis-je voyager ? On ne peut même pas se déplacer d'un village à l'autre.

– Je ne sais pas. Mes cartes m'indiquent que tu dois voyager à partir du mois prochain.

La prédiction me troublait. La dame, en effet, n'avait pas été informée de nos intentions. Je voulus en savoir plus :

– Comment finira ce voyage, à supposer que je voyage un jour...

Elle recommença à battre les cartes et à les étaler :

– Je ne vois rien d'autre. Les cartes disent la même chose : tu voyages tout le temps...

Je pris congé de la dame, non pas rassuré, mais toujours décidé à partir.

J'avais travaillé plus d'une semaine dans l'équipe des fertilisants lorsque je rencontrai par hasard, sur le sentier qui menait au village, l'un des trois chefs de l'équipe de débroussaillement. Nous étions entrés dans la troisième semaine du mois de mai. Je me reposais depuis la fin avril. J'avais bénéficié de trois semaines de liberté et j'avais vécu deux jours à l'hôpital. Je n'étais resté que huit jours dans l'équipe des fertilisants.

Le Khmer rouge de l'équipe de débroussaillement m'interpella :

– Où vas-tu, camarade Thay ? Tu devrais être à l'hôpital, non ?

– Non, camarade. Je suis sorti de l'hôpital et j'ai été reversé à mon camp de base. Mon chef de camp m'a affecté au groupe des fertilisants.

Mon ancien chef d'équipe parut offusqué :

– C'est impossible ! Qu'est-ce que tu me racontes ? Cela ne doit pas se faire. Tu appartiens à l'équipe de débroussaillement, tu dois revenir, il ne faut pas frauder et se dérober à la tâche qui a été fixée par l'Angkar, à moins, que l'équipe disparaisse ou qu'on n'ait plus besoin de toi. Je sais que tu es un bon travailleur. Tu dois revenir nous donner un coup de main et tu verras : tout se passera bien.

Il avait besoin de moi parce que je travaillais beaucoup. Il se souvenait que j'avais été l'une des meilleures recrues de son équipe. Je ne voulais pas retourner sur son chantier. Je tentai de plaider ma cause :

– Camarade, j'ai été admis à l'hôpital. J'ai mal à la poitrine. Je ne peux vraiment pas dormir à la belle étoile. Tous les soirs, je dois dormir chez moi. Votre camp se trouve dans la forêt. Il y fait froid. C'est difficile pour moi, désormais, de tenir la cognée. Cela risque de provoquer de nouvelles douleurs et d'entraîner, à plus ou moins long terme, un nouveau séjour à l'hôpital. Je pense que le chef de base a compris que je ne pouvais plus vivre en forêt, comme ça, exposé au froid et à l'humidité. Il a pensé que je serais plus efficace dans l'équipe des fertilisants. C'est une équipe qui a toujours besoin de personnel.

J'inventais et j'improvisais un peu :

– N'importe comment, je suis prêt à suivre toutes les directives de l'Angkar. Mais, puisque la dernière directive m'a nommé dans le camp des fertilisants, je reste dans cette équipe.

Mon interlocuteur ne partageait pas cet avis. C'était le secrétaire du groupe de débroussaillement. Il supervisait la logistique de l'équipe. Son campement était en pleine forêt, à douze kilomètres du village. De temps en temps, il venait à Leach prendre des vivres. Mon plaidoyer ne l'avait pas convaincu :

– Non, c'est impossible. Vous ne pouvez pas rester. C'est impossible. Je vais aller voir le chef des fertilisants.

– Vous ne pouvez pas me faire ça. Je suis bien ici.

Comme il n'était pas sensible à mes arguments, j'essayai de voir si je pouvais le soudoyer. Il ne voulait rien entendre. Sa résolution était prise. Il avait décidé d'aller voir le chef d'équipe des fertilisants. Il le questionna :

– Comment se fait-il que le camarade Thay travaille avec vous ?

L'autre se défendit d'avoir pris une quelconque initiative :

– Je ne sais pas. C'est le chef du camp numéro un qui me l'a envoyé.

– Thay ne peut pas rester avec vous. Je le reprends dans mon équipe.

L'autre, intimidé, n'osait pas insister :

– Faites comme vous voudrez. Je ne sais pas...

Le chef de débroussaillement se révéla être le plus autoritaire des deux Khmers rouges. Il était plus âgé et avait sans doute plus de prestige. Je comprenais que le chef des fertilisants aurait aimé me garder mais il ne parlait guère. Il avait peur de hausser le ton. Moi, je voulais rester. Mais le chef des fertilisants s'inclina. La priorité revenait à la première équipe :

– Ta première affectation, c'est le débroussaillement. Je ne peux rien faire; tu dois le suivre.

Je cherchais une solution. Je manifestai l'intention d'aller trouver le chef du camp de base. Le secrétaire de l'équipe de débroussaillement calma mon ardeur.

– Ne t'en fais pas pour cela, me dit-il, j'y vais.

Même scène chez le chef du camp de base. Le secrétaire ne semblait pas ému par tout ce remue-ménage. Il interrogea, avec une certaine agressivité, le chef du camp numéro un :

– Comment se fait-il que mon camarade Thay, qui est censé travailler dans mon équipe, soit enrôlé dans le groupe des fertilisants ?

Le chef du camp, lui non plus, ne se distingua pas par son courage :

– Je ne sais pas comment ça s'est passé exactement. L'hôpital me l'a envoyé. Je croyais qu'il était disponible et, sur la demande des fertilisants, je l'ai envoyé là bas.

– Il n'en est plus question. Je veux le reprendre.

Le secrétaire de mon ancienne équipe de travail était inflexible. Tant pis. C'était le destin. Il fallait que je m'en aille. Brusquement, je pris peur. Le chantier était à douze kilomètres du village et le rude travail de défrichage allait reprendre. Enfin, cet incident m'avait remis en mémoire notre projet d'évasion collective. Tout était fichu si je m'éloignais du village. Il fallait à la fois que je me résigne à tomber malade et que je renonce à notre seul espoir de fuite. J'étais certain de gaspiller mes forces en défrichant. Le chantier était trop éloigné du village pour nous permettre d'emporter des rations supplémentaires. Les allées et venues entre le camp de base et le chantier étaient impensables. J'étais donc coupé de mes arrières. Douze kilomètres, c'était très long.

Je devais raisonner calmement et trouver, avant de partir, une solution. L'après-midi s'achevait. Le Khmer rouge m'avait averti de notre départ :

– Nous partons demain matin, camarade Thay. Prépare-toi. Tu transporteras ton sac à dos, tes couvertures. N'oublie rien surtout. Douze kilomètres, tu sais, c'est long. Tu n'auras pas le temps de revenir. Avant de bénéficier d'une permission, il faudra d'abord remplir ton devoir.

J'étais obligé de partir. Il n'y avait rien à faire. Nous nous étions donné rendez-vous chez lui, le lendemain matin, dans un autre camp. Son domicile se trouvait à cinq cents mètres de ma paillote. Rentré chez moi, je me reposai un peu et cherchai une idée pour me tirer de là. Puis, ma femme et moi, nous allâmes dîner. Dès que le repas communautaire fut terminé, à la tombée de la nuit, je m'aventurai dans la pénombre pour prévenir mes contacts que l'évasion était imminente :

– Tenez-vous prêts. Nous partons demain ou après-demain.

La surprise était de taille. Ils n'en revenaient pas :

– Pourquoi veux-tu partir si vite ? Nous n'aurons jamais le temps d'alerter les autres.

Je leur expliquai l'urgence de la situation. Je leur dis aussi qu'il nous restait peu de temps, avant la saison des pluies, pour sortir du pays. Je laissai vingt-quatre heures à mes compagnons pour se préparer. Yim, toutefois, ne comprenait pas le sens de cette précipitation :

– Pourquoi nous préviens-tu au dernier moment ?

– Comme ça, répondis-je, les mouchards n'auront pas le temps d'éventer notre projet. Et les poltrons hésiteront... C'est une bonne chose. Devant le danger, au pied du mur, il y a toujours des gens qui reculent, qui changent d'avis.

Je savais de quoi je parlais. La couardise d'un seul homme avait fait capoter notre première tentative d'évasion.

– Ceux qui peuvent partir partiront. Les timorés et les irrésolus resteront, conclus-je.

Mon mot d'ordre, ce soir-là, fut relayé à travers tous les camps par nos différents contacts. Parmi les citadins que j'avais rencontrés au cours de cette nuit, certains hésitaient :

– On ne peut pas partir, tu sais. Je viens juste d'apprendre que des fuyards ont encore été fusillés, il y a trois jours.

– Bon ! Si tu ne veux pas partir, ça ne fait rien. Mais motus ! Il ne faut pas nous dénoncer. Tais-toi, même si les Khmers rouges veulent t'impressionner.

Nous voulions cependant emmener tout le monde et persuader tous nos compagnons de nous suivre. Nous leur avions toujours fait confiance. Ensemble, nous avions préparé l'itinéraire, convenablement gardé le secret et chacun, dans notre petit groupe, était investi d'une tâche précise. Les défections, même si elles ne remettaient pas en cause notre expédition, étaient regrettables.

J'avais tenté de convaincre l'un de ces partenaires hésitants à surmonter sa peur. Tout le monde avait peur. Alors, un de plus, un de moins...

– Sais-tu pourquoi je veux partir maintenant ? J'ai écouté *la Voix de l'Amérique*. Elle annonçait, hier soir, que trois familles avaient réussi à atteindre la Thaïlande. Les familles ont été bien reçues par les Thaïlandais. Si ces gens ont réussi à s'évader, pourquoi pas nous ? Nous avons bien préparé notre opération. Nous avons pensé à tout. Nous avons tout réglé. Moi, j'ai les vivres. Maintenant, il faut te décider. C'est le dernier moment pour partir. Si tu ne veux pas partir, on part sans toi. Je te rappelle quand même cette nouvelle : trois familles ont réussi à passer en Thaïlande. Un camarade l'a entendue comme moi sur *la Voix de l'Amérique*, la nuit dernière. Dans ce groupe, il y a une famille qui est partie de notre région. Pourquoi ne réussirions-nous pas ? Nous n'avons pas d'enfants. Les trois femmes qui nous accompagnent sont valides. Elles peuvent marcher. Décide-toi. Si tu veux rester, tais-toi.

Il hésita puis acquiesça :

– Bon ! Bon ! Je pars aussi.

J'avais fabriqué de toutes pièces l'odyssée des trois familles pour le convaincre. Il m'avait cru. Nous avions décidé de partir le surlendemain.

Mes compagnons d'évasion travaillaient tous à proximité du village. Je devais organiser ma dernière journée à Leach afin de me débarrasser de l'encombrant secrétaire. Le garde secrétaire m'avait fixé un rendez-vous à 6 heures du matin devant chez lui. Il m'avait demandé de transporter le riz destiné au campement. Au lieu de m'y rendre à l'heure convenue, j'attendis un peu. Je savais qu'il allait venir me chercher. Lorsque je le vis apparaître, de loin, je sortis de l'autre côté de la maison. Je contournai le camp et j'arrivai chez lui. Avant de partir, j'avais dit à ma femme :

– Quand le garde se présentera près de la maison, tu crieras et tu te tordras de douleur. Tu feras semblant d'avoir très mal au ventre. Fais n'importe quoi pour exprimer la douleur, la souffrance.

Ma femme avait écouté mes recommandations. J'avais également confié au chef du camp numéro un, avant de m'en aller, que ma femme souffrait et que j'étais parti à la recherche de médicaments :

– Il faut que je me dépêche. Tu entends comme elle pleure...

Le chef de camp en avait par-dessus la tête de mes histoires. Il ne voulait plus entendre parler de moi :

– Fais ce que tu veux. Tu ne m'appartiens plus. Tu es affecté à l'équipe de débroussaillement. Je ne sais plus ce qu'il faut faire pour toi.

– Camarade. Je demande cette permission pour ma femme, pas pour moi. Elle est très malade et elle ne peut pas travailler.

Il finit par céder;

– Bon, bon. C'est d'accord.

Ma femme avait bien retenu ma leçon. Tandis que le garde secrétaire approchait de la paillote, ma femme continuait de crier. Le garde secrétaire parut surpris de découvrir une femme dans les transes. Impressionné par ces manifestations de douleur, il l'interrogea courtoisement :

– Camarade, où est passé Thay ? Il devait partir avec moi.

Ma femme ne se trahit pas. Elle raconta la version que j'avais imaginée dans la nuit :

– J'ai très mal au ventre, camarade. Vous voyez, mon mari est parti chez vous pour vous demander la permission de rester une journée de plus. Il m'a dit qu'avec votre permission, il essayerait de trouver des médicaments pour moi. J'ignore où il est allé chercher ces médicaments.

Ma femme, tout en parlant, pleurait et se lamentait. L'homme voyait bien qu'elle était malade. Malgré cela, il persévérait :

– C'est impossible. Il ne peut pas rester dans le village. Il faut qu'il parte aujourd'hui avec moi. Il doit me suivre au campement de débroussaillement. C'est loin d'ici.

– Mais Thay est parti chez vous. Vous auriez dû vous croiser, rétorqua ma femme.

Le chef quitta ma paillote :

– Bon, c'est d'accord. Si vous le voyez, vous lui direz que je l'attends chez moi.

Bien entendu, comme prévu dans mon plan, je le rencontrai en chemin. Avant qu'il n'ait eu le temps d'ouvrir la bouche, je lui récitai mon chapelet de malheurs :

– Camarade, ma femme est souffrante. Je vous demande une permission pour aujourd'hui afin de la soigner, d'aller chercher des médicaments à l'infirmerie de l'Angkar. Si son état ne s'arrange pas ce soir, je l'emmènerai à l'hôpital. Elle est seule, vous l'avez vue. Elle n'a pas d'enfants et, quand elle tombe malade, est complètement désarmée. Elle ne peut pas ramasser du bois pour faire chauffer de l'eau. Seule, elle ne peut rien faire pour se soigner. Elle n'a que moi. Je vous demande juste une journée. Demain, j'irai au campement. C'est promis.

Je le suppliais de toutes mes forces, de toutes mes larmes. En fait, nous avions décidé de nous évader le soir-même. Nous nous étions donné rendez-vous en dehors du village.

– Camarade, laissez-moi seulement la journée pour m'occuper de ma femme. Demain, je vous promets de me rendre au campement. Et si ma femme n'est pas guérie, je confierai sa santé à l'Angkar et je la laisserai à l'hôpital. Demain, je serai libre et je vous rejoindrai.

Il balançait la tête en signe de dénégation :

– Non, non, c'est impossible. Tu vas t'expliquer avec notre président. Tu dois venir avec moi. Ta femme, je le comprends, c'est ta femme et tu tiens à ce qu'elle soit bien soignée. Mais tu dois obtenir la permission du président. Maintenant, tu dois venir. Si tu ne viens pas, gare à toi ! Tu as déjà esquivé pas mal de journées. Pour notre groupe, c'est une perte. Ce n'est pas bien d'avoir demandé ton affectation dans l'équipe des fertilisants...

Ce Khmer rouge appliquait le règlement à la lettre. Il était rigoureux et sévère. Il refusait d'écouter mon raisonnement :

– Tu dois me suivre, Thay.

Mes supplications ne le touchaient pas. Il faisait son devoir en bon révolutionnaire : il devait me ramener au campement de débroussaillement.

Le président du campement était la seule personne, dans notre groupe de travail, habilitée à prendre une décision :

– Maintenant, aide-moi à transporter le riz.

Le Khmer rouge ne voulait pas revenir sur le principe de mon départ. Je devais le suivre. Je ne pouvais pas faire autrement. Il allait au campement avec sa bicyclette. Moi, je n'emportais rien. Même pas mon sac à dos qui contenait des vêtements de rechange, un hamac et une couverture. Il était indispensable d'emmener un sac à dos quand on partait en mission. Le Khmer rouge sembla étonné :

– Tu ne prends pas ton sac à dos ?

– Non, puisque je vais demander une permission au président...

– Je ne sais pas ce que dira le président. Tant pis pour toi si tu n'as rien pour dormir.

Arrivés chez lui, nous chargeâmes le sac de riz sur le porte-bagages de la bicyclette. Je tenais la bicyclette. Il marchait derrière moi. Nous nous dirigeâmes vers le campement.

Chemin faisant, je me creusais la tête pour trouver une solution. Je me disais qu'au campement, je pourrais demander au chef d'équipe la permission de rentrer chez moi... Mais s'il n'acceptait pas ? Je me remettais en mémoire le plan d'évasion. Nous devions nous retrouver, tous les douze, vers 8 heures du soir, près du village. Au lieu de nous rassembler – ce qui aurait attiré l'attention des Khmers rouges – nous avions décidé d'arriver en ordre dispersé. Si j'obtenais la permission du chef d'équipe, nous pouvions gagner une nuit de marche sur nos poursuivants avant que l'alarme ne soit donnée. Autrement, notre expédition était compromise. Le chef secrétaire avait vu ma femme pleurer. Il ne voulait pas m'aider mais il savait que je ne mentais pas.

La route était longue. Pendant que nous marchions, je remarquai qu'il portait une montre au poignet. C'était une Citizen, une montre japonaise. Dans nos marchés clandestins, il y avait deux catégories de montres : les montres automatiques et les non automatiques. Les montres automatiques coûtaient naturellement plus cher que les autres. Au fil des mois, les Khmers rouges s'aperçurent qu'il y avait également différentes qualités dans les montres automatiques. Les montres japonaises étaient de moins bonne qualité que l'Oméga, par exemple. L'Oméga, c'était le nec plus ultra. Tous les Khmers rouges avaient une préférence secrète pour l'Oméga automatique. Ils rêvaient tous d'en posséder une. C'était difficile d'en trouver. Elles étaient relativement rares. Au bout de cinq ou six kilomètres, une idée me vint à l'esprit. Je demandai l'heure au Khmer rouge :

– Camarade, pardon, quelle heure est-il ?

– Il est environ 10 heures. Tu nous as fait perdre beaucoup de temps. Il faut nous dépêcher. Nous devons faire cuire le riz pour les autres avant qu'ils viennent manger.

Je continuai à exploiter mon idée fixe :

– Oui, mais camarade, votre montre, c'est une montre japonaise, une Citizen.

– Comment cela s'appelle ? me répondit-il.

Je réalisai alors qu'il ne savait pas lire.

– C'est une Citizen, camarade.

– Ah, bon... Une Citizen.

Je revins à la charge :

– Ce n'est pas mal comme montre, mais pourquoi vous ne vous offrez pas une Oméga.

Depuis notre départ, je sentais qu'il n'avait pas envie de parler avec moi. Mais le mot Oméga, semble-t-il, avait éveillé son attention. Il me dit :

– C'est difficile de trouver une Oméga. J'ai cherché. Je n'en ai pas trouvé.

Là-dessus, je voulus mettre sa curiosité à l'épreuve et je le provoquai :

– Si, camarade. Je sais où on peut trouver une montre Oméga. Cela coûte cher et il faut un peu de riz...

Je savais pourtant qu'un Khmer rouge ne pouvait pas avoir de riz et qu'il lui était interdit de pratiquer l'échange. Il était probable, toutefois, que mon garde-secrétaire s'était procuré sa montre de manière illégale, en échangeant du riz. Malheureusement, il avait fait une acquisition médiocre. Une Citizen ne valait pas une flatteuse Oméga. J'avais trouvé le défaut de la cuirasse.

Voyant qu'il mordait à l'hameçon, je ferrai. J'excitai son désir, son ambition cachée :

– Camarade, j'ai un ami, dans mon camp, qui veut échanger une Oméga. Il est très discret mais, si vous avez du riz, il acceptera de s'en défaire. Il veut bien échanger la montre contre soixante boîtes de riz. Vous comprenez, son fils est malade. Avec le riz, il pourra dénicher des médicaments. Nous serons les seuls à le savoir, à être au courant de cet échange.

Je sentais mon homme pris au piège. Il était fébrile :

– Soixante boîtes, c'est trop cher.

– Vous êtes cuisinier. Vous pouvez d'abord lui donner vingt boîtes et lui remettre ainsi les quarante autres boîtes par livraison de dix. Je veux bien essayer de lui en parler mais il faut faire vite. Mon ami a besoin d'un médicament. Il connaît un *Yothear* (un militaire) qui dispose de nombreuses boîtes de riz. C'est très recherché, l'Oméga.

Le secrétaire semblait désemparé :

– Je n'ai pas assez de riz...

– Avez-vous des poissons secs ?

De temps en temps, les cuisiniers nous servaient du poisson séché. Généralement, ils le gardaient pour eux. Le marché paraissait raisonnable. Il n'avait pas de raison de se plaindre de ma dernière proposition :

– Trente boîtes de riz, deux noix de coco et du poisson séché. C'est trop ? Si c'est trop important, dites-le moi tout de suite.

Le matin même, j'avais remarqué des cocotiers près de sa paillote. Il marchanda un peu et fit son prix :

– Trente boîtes et une noix de coco. Rien de plus !

– Je vais lui faire cette proposition. Si seulement ce soir j'avais la permission du chef, je pourrais le contacter immédiatement. Sinon, je lui en parlerai plus tard. C'est dommage parce qu'il a un besoin urgent de riz. Il est possible qu'il ait échangé la montre dans une semaine. Ah ! Si nous pouvions lui donner dix boîtes tout de suite.

Mon garde était partisan d'un échange rondement mené :

– Naturellement, je peux donner dix boîtes immédiatement.

J'ajoutai :

– Je le contacterai sans faute ce soir si j'ai la permission du chef d'équipe de rentrer chez moi.

On s'arrêta quelques instants pour se reposer et on parla d'autre chose.

Dès notre arrivée dans le campement de l'équipe de débroussaillement, le secrétaire khmer rouge me conduisit auprès du président :

– Voilà le camarade Thay. Il était supposé se reposer à l'hôpital. Je l'ai retrouvé dans l'équipe des fertilisants. Nous en avions besoin ici. Il s'est soustrait à son devoir.

Le président prit la parole après l'exposé du secrétaire. Le président avait un préjugé favorable à mon égard. C'était rare. Il savait que j'étais un bon travailleur :

– Alors, Thay, tu nous abondonnes comme cela...

Je tentai de me défendre en gommant la gravité des événements :

– Camarade, vous savez que je respecte les décisions de l'Angkar. Là bas, on m'a envoyé dans l'équipe des fertilisants. Je ne sais pas pourquoi. Ils avaient peut-être besoin de moi. Peut-être, ils ne travaillaient pas bien.

Je désirais montrer que je n'étais pas fautif dans cette histoire. Je n'étais pas un déserteur. Après tout, on m'avait demandé de changer d'emploi. Je n'avais pas été volontaire. Je n'avais travaillé que huit jours dans cette équipe de fertilisants. La conclusion du président fut catégorique :

– Maintenant que tu es revenu, tu travailles ici. Tu ne repars plus. Je l'implorai :

– Pardonnez-moi camarade. Je n'ai rien apporté pour dormir. Puis-je retourner chez moi ce soir ? Ma femme est malade. Je dois essayer de trouver des médicaments pour la soigner. Si elle ne se remet pas, je l'emmènerai à l'hôpital et l'Angkar s'occupera d'elle. Je vous promets de revenir de très bonne heure demain matin.

Il était midi passé. Je ne réclamais pas une journée entière. Le chef se fâcha :

– Ah, toi ! Tu veux toujours t'esquiver. Tu te défiles tout le temps. Toujours une bonne histoire pour partir... Toujours. Tu me racontes maintenant une nouvelle histoire. Il faut d'abord que tu travailles. Je te donnerai la permission plus tard.

Je m'accrochai. Il n'était pas question de rester :

– Mais, camarade, ma femme ? Demandez au secrétaire. Il vous dira dans quel état se trouve ma femme. Demandez-lui.

Le président ne me croyait pas :

– Tu cherches des histoires. Ta femme n'est pas malade.

– Demandez au secrétaire ! Vous verrez. Il a vu ma femme souffrir.

Le président se tourna vers le camarade secrétaire :

– C'est vrai ce qu'il raconte ?

Le secrétaire, appâté par l'histoire de la montre Oméga, fit une réponse favorable :

– J'ai été le chercher chez lui parce qu'il était en retard. Sa femme est vraiment malade. Elle crie beaucoup.

Je posai la question au président :

– Je peux y aller ?

– Tu déjeunes d'abord et on en reparlera.

Je voulais en avoir le cœur net :

– Je peux partir ?

Bougon, le président finit par me répondre :

– Bon, tu partiras après le déjeuner mais demain tu seras là de bonne heure. C'est la dernière fois que tu peux faire une chose comme ça. Je te déconseille de te dérober, une fois de plus, aux décisions de l'Angkar.

– Je vous promets que je me lèverai tôt et que je reviendrai à 6 heures pour le travail.

J'étais pressé de m'en aller. En quelques minutes, j'avalai mon repas. Puis, je filai. En passant dans les différents camps de base, j'avertis trois de mes camarades :

– Préparez-vous, on part ce soir... Prévenez les autres.

Le 24 mai 1977, dans la soirée, tout était prêt. Les minutes qui suivaient le repas communautaire, autour de 8 heures du soir, constituaient le moment idéal pour se déplacer sans éveiller les soupçons. Les gens commençaient alors à sortir pour participer aux travaux de nuit. Nous avions rangé dans mon sac à dos mes provisions de riz cuit et de riz cru, les ustensiles de cuisson tels que les boîtes Guigoz. Au cas où il aurait plu, nous avions aussi emporté de quoi nous changer. Nous avions une boîte en plastique et un bidon pour recueillir de l'eau. Dans la boîte en plastique, nous avions mis le sel et le sucre. Nous n'étions que deux à connaître le point de ralliement. Les uns et les autres s'étaient fixés des rendez-vous à la même heure, à proximité de cet emplacement. Nous avions agi ainsi pour éviter une concentration de personnes qui aurait intrigué les Khmers rouges. Nous n'étions que deux, également, à connaître le passage par lequel nous devions nous enfuir.

Lorsque tous nos compagnons furent recensés – ils étaient disséminés sur trois cents mètres – nous fîmes circuler un nouveau mot d'ordre. Chaque groupe devait rejoindre un endroit plus éloigné dans la forêt. Au cours de nos reconnaissances, nous avions fixé des repères pour écarter les risques de confusion. Toutes les précautions avaient été prises afin que les équipes qui travaillaient la nuit ne nous repèrent pas. Douze personnes arrêtées en même temps, cela aurait été catastrophique... C'est pour cela que nous avions divisé notre expédition en différents groupes. Il était important de gagner du temps pendant la nuit, d'avancer sans relâche.

Nous marchions résolument, à la queue leu leu, malgré l'obscurité, les ronces et les broussailles. A un kilomètre de Leach, nous étions déjà en pleine forêt. Deux de nos compagnons, un ancien adjudant et un ancien sergent-chef, avaient étudié le terrain et l'itinéraire. Ils se relayaient en tête. Le silence était de rigueur. Nous devions rester parfaitement muets. Les femmes trébuchaient souvent. Elles étaient au milieu de la colonne. Je marchais juste derrière ma femme. De temps à autres, les bons marcheurs s'arrêtaient pour attendre les retardataires. Le ciel était dégagé, rempli d'étoiles.

On se distinguait à grand-peine dans la nuit. A défaut de pouvoir se faire des signes, nous communiquions entre nous en sifflant, en imitant le chant des oiseaux. En dépit des difficultés, notre moral était très haut. Nous étions tous conscients de l'acte que nous accomplissions. Les dés étaient jetés. Il n'y avait plus de retour possible : c'était la liberté ou la mort. L'instinct de survie animait notre volonté. J'étais lucide et satisfait du choix de mes compagnons. Ils étaient solides, physiquement et moralement, courageux et disciplinés.

Pendant la nuit et toute la journée du lendemain, nous avions parcouru vingt kilomètres, environ, dans la direction du sud. Nous avions même contourné un village d'anciens. Il fallait prendre, dans les deux premiers jours, un avantage appréciable sur les Khmers rouges certainement lancés à nos trousses. On se reposa quelques heures, aux cours de la première journée. Nous avions atteint la jungle et dépassé la forêt fréquentée par les Khmers rouges, les dernières zones habitées.

Il y avait encore un sérieux obstacle à franchir avant d'être à l'abri d'une patrouille. Il fallait traverser une route stratégique. Nous nous étions reposés dans une cuvette avant de nous attaquer à ce gros morceau. Nous avions cherché des emplacements bien camouflés pour dormir en paix. Après avoir fait une vingtaine de kilomètres dans la direction du sud, nous avions corrigé notre cap et, en traversant la route stratégique, nous nous apprêtions à marcher vers l'ouest.

La route stratégique conduisait vers les villages de l'intérieur. Les gens qui m'accompagnaient connaissaient bien cette route et toute la région. Ils savaient que les Khmers rouges étaient massés à l'ouest de notre village et qu'ils interceptaient les fuyards qui quittaient Leach ou Pursat en marchant vers l'ouest. Nous nous étions d'abord dirigés vers le sud pour ne pas tomber dans ce piège. Aller tout de suite à l'ouest, c'est-à-dire vers la Thaïlande, signifiait, à coup sûr, se retrouver nez à nez avec une patrouille de soldats khmers rouges.

Toute la nuit et toute la journée, nous avions marché en file indienne, sans faire de bruit. Nous n'avions pas perdu de temps. Nous ne parlions jamais. C'était une règle. Quand certains compagnons s'attardaient ou traînaient la jambe, nous nous arrêtions et nous les attendions. Tout le monde devait rester à portée de vue.

Les jeunes femmes, surtout, éprouvaient des difficultés à nous suivre. Ma femme, malgré les repas supplémentaires, manifestait déjà des signes de fatigue. Nous n'empruntions pas des sentiers tracés mais, au contraire, nous devions nous frayer un chemin dans la jungle. C'était épuisant.

Nous nous étions donc arrêtés, au cours de la première nuit que nous passions dans la jungle, dans cette cuvette avant de traverser la route. Bien à l'abri d'éventuels visiteurs, dans les hautes herbes et sous les feuillages, nous nous étions enroulés dans nos couvertures. Nous avions dormi à même le sol. Quelques-uns d'entre nous avaient suspendu leurs hamacs aux branches basses des arbustes. Le matin, nous étions partis de bonne heure. L'alerte, sans doute, avait été donnée dans le village. Cela faisait deux nuits et une journée que nous avions quitté Leach.

Au lever du jour, notre éclaireur s'était posté sur un petit monticule d'où il dominait la route. La région des hauts plateaux commençait de l'autre côté de la route. L'éclaireur regardait à gauche et à droite avant de nous faire signe de passer. Il passa le dernier. Nous avions tous couru pour nous éloigner le plus rapidement possible de la route. Une patrouille pouvait toujours nous surprendre. Les soldats khmers rouges se déplaçaient à pied, dans des chars à bœufs ou à dos d'éléphants. Ils connaissaient bien la région et étaient beaucoup plus mobiles que nous. Ils mangeaient à leur faim. Il fallait constamment se méfier des soldats. Pendant des années, il avaient trouvé refuge dans la jungle. Aucun sentier, aucun accident de terrain ne leur était étranger.

Nous étions convenus de nous arrêter pour faire une pause à deux kilomètres, environ, de la route après l'avoir traversée. Au sortir de la route, nous étions très éloignés les uns des autres. Dans la jungle, deux cents mètres, c'est important. Les hommes les plus robustes étaient passés les premiers. J'avais attendu ma femme et son amie. Notre groupe était composé de neuf hommes et de trois femmes. Chacun de nous portait un sac à dos très chargé. Nous avions réparti les rations de riz entre les différents membres de notre expédition.

Tout à coup, pendant que nous reprenions notre souffle, le premier groupe nous fit des signes que nous ne réussîmes pas à traduire. Puis, nous les entendîmes chuchoter. Ils étaient assez loin de nous. Nous ne comprenions pas ce qu'ils voulaient dire. Je crus discerner un ordre de dispersion. D'après les signes que nous avions pu interpréter, il nous demandait de reculer. Immédiatement, je pensai qu'il y avait une menace, un danger.

Quelqu'un répéta plusieurs fois distinctement :

– Il faut se disperser !

L'ordre était impératif. Le groupe ne pouvait que s'étirer. Il n'était pas question de revenir en arrière, sur la route. Aussi, je vis mes amis entrer dans la forêt. Ils paraissaient affolés; ils couraient en désordre. J'ai alors pensé qu'ils allaient se cacher. A toute allure, ils redescendaient vers le sud. Je me trouvais, à ce moment précis, dans une clairière. Je m'arrêtai sur-le-champ. Il devait y avoir une patrouille khmère rouge dans les parages. Je me demandais ce que je devais faire. Si je continuais, je plongeais dans la nasse.

Nous n'avions pas de quoi résister aux Khmers rouges. Nous étions faibles et fatigués. Je devais me décider vite. Nous n'étions plus que trois : ma femme, une amie et moi-même. Je leur indiquai de rebrousser chemin, discrètement. Nous nous cachâmes dans des buissons, immobiles et terrorisés. Nous nous étions terrés sous un gros rocher, derrière des arbres touffus.

Notre attente, dans ce trou humide, dura plus de deux heures. On attendit jusqu'à midi que quelqu'un se manifeste. Personne. Rien. Pas un bruit. Tout semblait mort. Le soleil était au zénith. Nous nous demandions ce qui s'était vraiment produit. C'était un mystère. Nous n'avions pratiquement rien vu. Qu'était-il advenu de nos compagnons ?

Je dis aux deux femmes de ne pas bouger :

– Restez là. Je vais voir ce qui leur est arrivé.

Prudemment, j'avançai dans la jungle. Je prenais garde de ne pas faire de bruit. Rien. Toujours rien.

J'avais fait le tour de l'endroit où nous nous étions dispersés. Il n'y avait plus une trace du passage de nos amis. Ils s'étaient évaporés dans la nature. Où étaient-ils passés ? Impossible de le savoir. Les Khmers rouges aussi avaient disparu. J'errai ainsi en tous sens pendant vingt minutes. A la fin, je m'étais même risqué à appeler, à crier. Personne ne répondit. Tout était parfaitement calme.

Nous étions seuls; il fallait se faire une raison. Je pensai que mes amis, ayant aperçu la patrouille des Khmers rouges, s'étaient détournés de l'itinéraire prévu. Provisoirement, ils avaient certainement renoncé à marcher vers l'ouest. Ou, peut-être, ils avaient tenté de devancer les Khmers rouges, de les contourner. Dans ce cas, nous ne pouvions pas non plus rattraper deux heures de retard. Tout était possible, au fond. Les Khmers rouges pouvaient aussi les avoir arrêtés. Il fallait nous résigner à cette séparation. Nous étions tristes et découragés. Ce déchirement était un fâcheux présage.

Las, dépités, nous avions fait cuire le riz et nous avions mangé. Nous nous étions remis en route après avoir repris haleine. Nous cherchions toujours nos compagnons mais en vain... Personne ne donnait signe de vie. Nous nous dirigions vers l'ouest. Nous n'étions que trois naufragés : deux femmes et un homme.

Mes amis s'étaient peut-être dispersés en voyant apparaître les Khmers rouges ou bien ils avaient été encerclés par les soldats. Encerclés et arrêtés. Comment savoir s'ils étaient indemnes ? Les deux hypothèses étaient vraisemblables, plausibles. Quelque chose, cependant, me tracassait. Dans l'hypothèse d'une arrestation, je me demandais comment ils avaient pu se rendre sans que les Khmers rouges tirent un seul coup de feu. Je n'avais rien entendu. Cela me paraissait trop facile et m'intriguait.

Il y avait une troisième explication à laquelle je ne voulais pas croire : la possibilité d'un abandon... C'était étrange mais pas incroyable. Cela expliquait au moins l'absence de bruits de lutte. J'optai tout de même pour la première hypothèse, pour la version de l'arrestation. L'écho des coups de feu, entendu dans la forêt le lendemain, renforça mon opinion. Il m'avait semblé qu'on tirait très loin de moi. Toutefois, je m'étais immédiatement caché. Mêmes lointains et assourdis, les coups de feu signifiaient que les Khmers rouges patrouillaient dans les environs. Il ne fallait pas être repéré. Je faisais attention aux sons insolites. Ils m'avertissaient d'un danger, d'une menace. Nous nous remettions à marcher, après ce genre d'incident, quand tout était redevenu calme dans la forêt.

Nous marchions le jour et nous nous reposions la nuit. Nous n'avions qu'un objectif : l'ouest, toujours l'ouest. Les deux femmes, Any et notre amie, ne pouvaient plus dissimuler leur fatigue. Elles avaient du mal à me suivre. Elles marchaient avec peine.

Le jour, nous nous dirigions grâce au soleil. La nuit, même quand il ne pleuvait pas ou que le ciel était dégagé, il était impossible d'avancer. On ne pouvait pas s'orienter dans la forêt en pleine obscurité. La forêt était dense. L'enchevêtrement des branches, à la cime des arbres, cachait le ciel. Nous ne connaissions pas cette région sauvage. Il arrivait, de temps en temps, que l'on aperçoive un cerf, au loin, et des singes jouant dans les arbres. Nous parlions rarement. Nous échangions quelques mots, le soir, tout doucement, pendant que nous faisions cuire le riz.

Au cours des trois premiers jours de marche, nous avions été extrêmement attentifs à tous nos faits et gestes. Nous sursautions aux moindres mouvements inhabituels. Nous vivions dans l'anxiété d'être surpris par les Khmers rouges, d'être encerclés, de tomber dans un guet-apens. Quatre jours après la dispersion de notre groupe, l'inattention reprit le dessus. Sans le savoir, nous nous acclimations à l'inquiétude et nous oublions les précautions élémentaires. Rien ne nous était arrivé...

Engourdis par la fatigue et par le manque de sommeil, nous cheminions. Nous escaladions et nous descendions les montagnes. Nous traversions les rivières sans trop de difficultés. Elles n'étaient pas encore torrentielles. Les averses n'étaient pas fréquentes. Quand il pleuvait, nous nous abritions sous un grand arbre ou sous un rocher. Il ne pleuvait pas souvent et il n'était pas facile de trouver de l'eau. Nous buvions n'importe quelle eau croupie, l'eau des mares, par exemple. Il est difficile, en période sèche, de trouver de l'eau en montagne. Les ruisseaux, le plus souvent, s'étaient asséchés. Nous ne pouvions même pas faire de détour pour trouver de l'eau. Nous disposions, heureusement, d'un bidon. Nous ne devions pas nous écarter, si nous voulions rester en vie, du cap que nous avions fixé sur l'ouest. On se fiait au soleil pour ne pas s'égarer, pour demeurer sur le chemin de la Thaïlande. Ce passage vers la liberté, nous devions le frayer nous-même.

Le matin, le soleil se levait à l'est. L'ombre, notre ombre, nous indiquait la route à suivre... Nous suivions notre ombre. Quand le soleil montait au zénith, on ne pouvait plus s'orienter. Nous nous arrêtions alors et nous préparions à manger. A ce moment de la journée, je plantais un couteau en terre pour conserver la bonne orientation. J'avais volé ce couteau à un Khmer rouge dans l'une des maisons où j'avais échangé du riz. Subrepticement, sans qu'il s'en rende compte, j'avais glissé le couteau dans mon sac, je le lui avais subtilisé. C'était un couteau très effilé qu'on utilisait pour inciser les fleurs des palmiers à sucre et recueillir le jus de palme.

Pour m'orienter, je fichais le couteau dans le sol bien verticalement. Je marquais la direction d'où nous venions. Dès que le soleil déclinait, je traçais l'ombre portée sur le sol avec un morceau de bois. L'ombre faisait un demi-cercle autour du couteau. Cent quatre-vingt degrés... Quand elle rejoignait la ligne que j'avais tracée, elle indiquait l'est, l'Orient. Je marquais la direction opposée, c'est-à-dire l'ouest, à l'aide d'une branche rectiligne. J'attendais que l'ombre soit nette et étirée pour donner le signal du départ. Plus tard, l'après-midi, nous suivions le soleil couchant qui tombait à l'ouest.

Au coucher du soleil, nous faisions étape et cherchions un abri de fortune. Il s'agissait de se protéger contre les averses, les orages. Il n'avait pas beaucoup plu au cours de la première semaine. Nous marchions régulièrement, sans perdre trop de temps, à travers la jungle et les montagnes. Nous avions traversé une rivière et nous avions même fait exception à notre règle de discrétion pour nous baigner dans un endroit découvert. Nous étions fatigués et n'avions pas mesuré les dangers que nous courions en relâchant notre vigilance.

A côté du risque permanent d'être repéré par les patrouilles khmères rouges, il existait un péril non moins sournois : je n'avais pas emporté beaucoup de riz. Nous n'avions que douze boîtes pour tenir jusqu'à la Thaïlande. J'étais parti avec quinze boîtes dans mon sac. Je n'en avais pas emporté plus car je n'étais pas assez robuste pour me charger et j'avais activement participé à la préparation de notre évasion collective. Mes amis estimaient que j'avais payé mon dû, que je leur avais suffisamment rendu service pour être exempté du transport des grosses charges pendant l'expédition. Hélas ! Nous avions réparti le riz sans envisager cette séparation prématurée, cette fâcheuse dispersion. Je m'étais retrouvé seul avec Any et l'autre femme; je devais songer à économiser les douze boîtes de riz que j'avais gardées dans mon sac. Les femmes, dès le départ, étaient trop faibles pour porter de lourdes charges dans leurs sacs. En plus des douze boîtes de riz, j'avais conservé du sel et un peu de sucre.

J'avais calculé que l'on pouvait subsister deux à trois semaines grâce à ces vivres. Deux ou trois semaines, pas plus. Je ne savais pas exactement combien de temps le voyage pourrait bien durer. Tous nos plans antérieurs avaient été bouleversés par l'éclatement de notre groupe. J'avais le sentiment, pendant la première semaine, que nous marchions assez vite et qu'à ce train-là nous pouvions atteindre la Thaïlande en moins de trois semaines.

Une semaine après notre départ, j'avais estimé qu'il nous restait quinze jours de marche avant d'atteindre la Thaïlande. Je péchais par optimisme. Nous avions omis, avant de nous évader, de compter avec les difficultés du terrain, avec les obstacles végétaux. Certaines parties de la forêt étaient impénétrables. Nous étions parfois obligés de faire des détours et perdions ainsi beaucoup de temps et d'énergie. Au mieux, nous progressions de dix kilomètres environ tous les jours. Quelquefois, quand la montagne était trop abrupte, nous faisions demi-tour. Ces déviations et ces piétinements nous coûtaient beaucoup de force.

Nous consommions le riz plus vite que je le prévoyais. Bientôt, nous n'eûmes plus que neuf boîtes et nous sentions bien que les obstacles, les différentes embûches, nous retardaient, ralentissaient notre marche. Neuf boîtes de riz et cette expédition qui n'avançait guère ! J'étais inquiet. Il fallait envisager de nous nourrir pendant quinze jours avec le riz qu'il nous restait.

Nous nous étions partagés, au bout de quelques jours, les boîtes de riz. Je ne pouvais pas tout porter seul. Une seconde raison nous avait incités à partager le riz. Nous pouvions être séparés brutalement par l'intervention d'une patrouille khmère rouge, par un événement quelconque. Il importait que chacun d'entre nous possède de quoi survivre seul et qu'il ait la capacité de parer à toute regrettable éventualité.

Nos marches quotidiennes ne variaient pas. Toujours les ascensions, les mêmes chausse-trapes, les mêmes obstacles... Les herbes hautes, la végétation dense, la difficulté de se diriger, le risque de tourner en rond, les ruisseaux que nous franchissions avec de l'eau jusqu'à la taille, les rochers qui nous déchiraient la paume des mains, et qu'il fallait coûte que coûte escalader. La végétation était très variée dans cette région. Quelquefois, nous nous heurtions à des bosquets de bambous. Nous ne pouvions pas passer autrement qu'en rampant. L'essentiel, c'était de continuer tout droit, de ne pas perdre l'ouest de vue. C'est une règle facile à respecter en terrain découvert mais qui se révélait souvent illusoire et purement théorique en pleine forêt tropicale, sous le ciel opaque de la mousson...

Mon principe, c'était d'aller toujours tout droit sans jamais me retourner. Ce principe était valable partout, dans toutes les situations topographiques, même au milieu des buissons d'épineux. Aller à l'ouest en dépit des difficultés... Aller à l'ouest plutôt qu'au nord-ouest ou qu'au sud-ouest. C'était une question de vie ou de mort. Je tolérais des petits détours si nous nous trouvions au pied d'une paroi infranchissable. Toutefois, quand je décelais un passage accessible pour nous trois dans la paroi, j'empruntais le plus court chemin. Ainsi, nous avions gravi toutes les montagnes auxquelles nous pouvions nous attaquer dans notre piètre état physique. Je savais, par l'exemple d'autrui plutôt que par expérience personnelle, que négliger ce principe élémentaire d'orientation nous conduirait à notre perte. Nous n'avions pas d'autre moyen de nous orienter que de fixer obstinément l'ouest, que de tourner le dos au soleil le matin et de le poursuivre l'après-midi, de suivre sa course.

Je tenais tous les jours un discours presque révolutionnaire à ma femme et à notre compagne d'évasion. Nous parlions un peu pendant les moments de pause forcée, les moments où nous mangions. Je leur expliquais doucement – essayant de les convaincre et de leur donner du courage pour tenir bon jusqu'au bout – que nous n'étions pas plus malheureux qu'à Leach. Nous travaillions douze heures par jour à Leach et, dans la jungle, nous marchions pendant douze heures.

« Comme les Khmers rouges, disais-je aux deux femmes, nous sommes à l'affût, sur le pied de guerre. Pendant douze heures nous marchons et, quand la nuit tombe, nous mangeons notre ration de riz. Les Khmers rouges, dans la forêt, vivent comme nous. Nous ne sommes pas plus malheureux qu'à Leach et nous avons l'avantage de marcher librement, de nous rapprocher, jour après jour, de la liberté définitive. Il faut marcher vite pour atteindre la liberté, pour avoir la vie sauve, pour échapper à l'extermination. »

Aussitôt que je discernais un signe de lassitude chez l'une des deux femmes, je m'efforçais de les encourager, de les persuader de continuer. Ma femme avait vingt-sept ans. Notre amie devait avoir trente-deux ans. C'est curieux mais je ne me souviens pas bien de son nom. Elle s'appelait Eng, quelque chose comme ça. Je sais qu'elle avait de la famille à Paris. Sa sœur, qui était partie de Leach avec nous, avait disparu lors de l'étrange dispersion de notre groupe.

Notre marche vers la liberté, j'en avais conscience, était vraiment épuisante, éreintante. Nous avions les jambes et le souffle coupés par la succession des ascensions et des descentes. Nous nous battions contre le temps. C'était une lutte impitoyable contre la montre. Nos rations diminuaient. Si nous avancions, ça allait. Si nous n'avancions pas, c'était autant de riz perdu pour se maintenir en vie. Le sable qui nous filait entre les doigts était ces grains de riz que nous conservions religieusement. Le succès de notre évasion en dépendait; notre vie aussi.

A tour de rôle, nous puisions dans chacun de nos sacs de riz afin d'alléger nos charges respectives. Nous consommions, à chaque repas, une demi-boîte de riz, beaucoup d'eau. Nous mélangions cette soupe avec des feuilles comestibles et des champignons. Nous trouvions rarement des fruits. Nous n'avions pas le temps de nous arrêter, au cours de la journée, ou de nous détourner pour cueillir des fruits. Nous avions un minimum de vivres et nous voulions gagner du temps, éviter de nous attarder.

Dans la forêt, nous n'entendions presque rien, aucune voix. Parfois, nous entendions des oiseaux ou des animaux que nous mettions en fuite, des sangliers ou des singes. Jamais, nous n'avons rencontré de fauves, des tigres par exemple. Une fois, nous avions reconnu des empreintes de tigre au bord d'un ruisseau. Les Khmers rouges utilisaient leurs éléphants pour patrouiller dans les régions frontalières. Par bonheur, nous n'en avions pas vu. Les Khmers rouges se servaient aussi des éléphants pour le transport du bois, pour l'approvisionnement de la scierie de Pursat.

Les éléphants tiraient les troncs d'arbres et les chargeaient dans les camions. Ces éléphants avaient été dressés pour accéder à certaines zones forestières que les véhicules motorisés ne pouvaient pas atteindre. Les éléphants étaient également chargés du ravitaillement des campements militaires isolés dans la jungle. Nous redoutions d'être pris en chasse par une patrouille montée. Mais, apparemment, nous ne nous étions pas trouvés sur leur chemin. Nous n'avions même pas aperçu d'éléphants sauvages.

En fait, nous étions attentifs à tout ce qui pouvait constituer une véritable menace et faire échouer notre entreprise. Nous ne voulions pas être repérés et dénoncés. Nous savions ce qu'il en coûtait aux déportés de prendre la fuite et d'être rattrapés par les Khmers rouges... Nous étions toujours aux abois. Nous avions la sensation d'être du gibier que l'on traque. Au creux des vallées, nous avions peur d'être surveillés par des soldats embusqués sur les crêtes. Au sommet des cols, à flanc de montagne, nous faisions le moins de bruit possible pour ne pas être entendus de l'autre côté. Je ne connaissais pas cette région et je ne savais jamais ce que nous allions découvrir sur l'autre versant...

Un jour, peut-être le neuvième jour de notre voyage, nous avions ainsi atteint le sommet d'une montagne. D'après la durée et la difficulté de notre ascension, nous étions à environ mille mètres d'altitude. Nous avions fait étape sur une sorte de dôme d'où nous dominions toutes les gorges, les défilés, les combes... Non seulement, nous avions pris conscience du chemin parcouru mais, surtout, nous nous rendions compte des difficultés qu'il fallait encore surmonter. Les crêtes de montagnes se chevauchaient à perte de vue.

Sur l'autre versant, en face de nous, j'avais distingué quelques paillotes bâties dans une clairière. Les paillotes se trouvaient loin, à plusieurs kilomètres de notre tertre. Nous les distinguions à peine. Ce hameau avait été construit à flanc de montagne, presque au fond de la vallée. De la fumée s'élevait des paillotes. Les modestes rizières en terrasse révélaient la présence de cultivateurs. Le hameau était pauvre mais il semblait habité. Il était cerné par la forêt. Les villageois ne pouvaient pas nous voir. Nous surplombions la clairière et les paillotes.

Je prévins les deux femmes de se tenir sur leurs gardes, de faire attention aux mouvements d'animaux dans la jungle. Ils pouvaient nous révéler la présence des Khmers rouges. Le village était peut-être un campement de soldats. La proximité des patrouilles était vraisemblable. Nous étions trop éloignés du village pour voir s'il y avait certains mouvements autour des paillotes. On ne pouvait pas formellement affirmer qu'il y avait une présence humaine. Nous devinions que des hommes et des femmes, capables d'entretenir des rizières, occupaient ce coin perdu. La clairière où ces paysans s'étaient installés n'était pas grande. C'était une sorte de plateau, de trouée dans la forêt.

La nuit commençait à tomber. Comme nous nous étions établis, pour notre repos nocturne, au sommet de la montagne, le crépuscule nous éclairait de ses derniers feux. Nous commençâmes à préparer notre maigre dîner aux lueurs du soleil couchant. Nous avions allumé un petit foyer avec des brindilles et du bois mort derrière un gros bloc de pierre, un rocher, afin de ne pas attirer l'attention du village voisin. Notre amie s'occupait de la cuisine. La fumée disparaissait dans les grands arbres et elle ne pouvait pas nous signaler à l'attention des patrouilles. Pendant que l'autre femme faisait cuire le riz – ou plutôt la soupe de riz – Any et moi, nous préparions nos couches.

Quand le ciel nous semblait clair et dégagé, nous cherchions habituellement un endroit plat et relativement confortable pour dormir à la belle étoile. Si le ciel se couvrait, si la pluie menaçait de tomber, nous nous mettions alors en quête d'un endroit bien abrité, un endroit même inconfortable. Plutôt qu'être trempés et transis, nous préférions dormir assis et au sec. Nous ne voulions pas attraper froid. L'idéal, au fond, était de dénicher un endroit abrité et plat. Ce n'est pas courant dans la chaîne des Cardamomes. Nous ne formions qu'un vœu tous les soirs : trouver un endroit sec et pas trop accidenté pour nous allonger et reposer nos membres sollicités par cette longue marche.

Nous n'étions guère mieux lotis qu'au village de Leach. Hantés par la peur d'être entendus, d'être écoutés, nous n'osions même pas parler en marchant. Lorsque nous entendions des bruits insolites, nous échangions des signes, nous restions muets. Nous nous immobilisions et nous nous agenouillions en attendant de déceler, avec exactitude, l'origine du bruit. Souvent, il s'agissait de petit gibier effrayé par notre passage. C'était instinctif. Nous nous arrêtions sur place. Quelquefois, nous voyions apparaître un coq sauvage. Nous nous demandions toujours si nous l'avions réveillé ou si quelqu'un d'autre l'avait débusqué. Cela nous incitait à rester silencieux, à attendre que tout rentre dans l'ordre. Quand le bruit se répétait, je rampais dans les feuillages, le plus discrètement possible, pour en vérifier l'origine. Si c'était un sanglier qui retournait la terre en quête de nourriture, nous le laissions passer et, lorsqu'il s'était éloigné, nous repartions.

Dans ces moments d'insécurité, j'allais toujours en reconnaissance. Les deux femmes attendaient que je leur fasse signe d'avancer pour bouger. Quand elles tardaient trop, je m'asseyais et les regardait venir. Je ne m'écartais pas d'elles. Je restais toujours à portée de vue pour qu'elles ne s'affolent pas. Ainsi, au cours de la journée, je les devançais souvent et je m'arrêtais à chaque fois pour les attendre. Nous n'avions qu'une étape prolongée à midi. Le soir, au couchant, nous nous arrêtions pour la nuit.

Cette nuit-là, nous nous étions installés au-dessus du petit village dans l'espoir de ne pas être dérangés par des soldats trop curieux. Nous avions décidé de redescendre le lendemain, au petit matin. Nous voulions reprendre des forces pour franchir ce nouvel obstacle. Un vent assez violent soufflait sur la cime de la montagne où nous nous étions établis pour la nuit.

La dame qui nous accompagnait avait du mal à mettre le feu aux brindilles. Le vent étouffait les flammèches ou les dispersait. Je lui avais dit de faire attention en allumant le petit foyer. Il fallait couvrir le feu afin que les villageois, au pied de la montagne, ne remarquent pas notre présence. Notre amie, avisée, avait écouté mes conseils. Elle avait jeté des feuilles humides sur les flammes. Cela ralentissait la combustion. La fumée âcre que les feuilles dégageaient se dissipait dans les grands arbres. Les gens du village ne pouvaient pas la voir. Une barrière rocheuse nous dissimulait de la curiosité des villageois. Elle nous protégeait contre une arrestation nocturne.

Je croyais que nous pouvions faire du feu sans nous attirer des ennuis. Nous avions préparé les couches avec ma femme puis, tous les trois, nous avions avalé une soupe de riz. Nous avions hâte de nous reposer, de nous allonger.

Tout à coup, je découvris que le feu, attisé par le vent, s'était propagé. Les herbes sèches, autour du foyer mal éteint, des cendres chaudes, s'étaient enflammées en contact des braises. Le vent, tandis que les minutes passaient, activait le feu. L'incendie s'étendait et nous ne pouvions plus rien faire pour le circonscrire. J'essayai de battre l'herbe et les feuilles avec une branche. Vainement. Le feu, alimenté par le vent, prenait de l'ampleur et s'attaquait aux arbustes. Les flammes léchaient les troncs des arbres. L'incendie tournait à la catastrophe. Il fallait fuir avant que l'alarme ne soit donnée dans le village. Nous nous affolions.

Il est difficile de garder son sang-froid dans des circonstances pareilles. Avec précipitation, nous rangeâmes toutes nos affaires dans les sacs. Nous avions déjà préparé nos couches. Le temps de rouler les couvertures, d'emporter nos ustensiles de cuisine, nous étions prêts à partir... Je demandai aux deux femmes de ne pas traîner : « Il faut partir le plus vite possible. L'incendie a pris sur l'autre versant. Il est probablement visible du village. Sauvons-nous d'ici avant que les Khmers rouges arrivent. Dépêchez-vous ! »

Je ne savais pas s'il y avait réellement des Khmers rouges dans le village; ça n'était pas impossible. Je craignais qu'ils nous repèrent et qu'ils se lancent à notre poursuite dans cette région qui leur était familière. Cela ne nous laissait pas une seule chance de survie. Nous courions dans tous les sens, essayant de rassembler tous les objets que nous avions utilisés pour préparer le repas. Lorsque nous eûmes fini, nous nous éloignâmes de notre campement provisoire, dévoré par le feu. Je marchais devant, la dame me suivait et ma femme, plus lente, fermait la marche. La nuit était tombée.

Nous marchions dans l'obscurité à tâtons. J'avais recommandé à Any et à notre amie de me suivre de près. Je ne voulais pas les semer. A tout moment, elles pouvaient s'égarer. Ma femme, je l'entendais, marchait à une cinquantaine de mètres derrière moi. Je l'invitais à se presser...

Nous étions à deux cents mètres de notre point de départ lorsque Any s'écria : « La boîte ! On a oublié la boîte ! » Elle faisait allusion à la boîte de lait en poudre dans laquelle nous cuisions le riz. Cette boîte comptait pour nous : c'était un ustensile de cuisson et, surtout, il restait un peu de riz au fond de la boîte que nous avions laissé sur le feu. Saisie par le remords, ma femme fit demi-tour et elle se précipita vers le foyer d'incendie. Je lui hurlai : « N'y va pas ! On ne peut pas s'arrêter. Reviens ! Nous n'avons pas le temps de retourner là-haut... »

Ma femme ne m'écoutait pas. Elle s'entêta et remonta le long de la montagne pour retrouver sa boîte de riz. L'obscurité m'empêchait de l'apercevoir. Any ne m'avait pas répondu. Elle était partie... L'autre femme m'avait rejoint. Nous nous assîmes et attendîmes le retour de ma femme. Le feu se propageait et le vent le rabattait de l'autre côté de la montagne. Nous nous étions enfuis dans la direction opposée. Le feu courait vers l'est. Ma femme ne réapparaissait toujours pas.

Au fil des minutes, mon angoisse augmentait. Que lui était-il arrivé ? J'avais entendu, lorsqu'elle avait rebroussé chemin, un petit cri étouffé. « Elle a trébuché sur une souche », avais-je alors pensé... Mais rien, toujours rien. Elle ne revenait pas. Je me faisais de plus en plus de mauvais sang. Je dis à la dame qui nous accompagnait : « Attendez-moi là. Je vais voir où est passée ma femme. Ne bougez pas ! »

Je partis à la recherche de ma femme. On n'y voyait goutte. Lentement, sans faire de bruit, je réussis à atteindre l'endroit d'où nous venions. J'avais beau regarder de tous les côtés, je n'apercevais pas la silhouette de ma femme. Je ne résistai pas, malgré la proximité du village, au désir de l'appeler, de crier. J'aurais voulu ameuter le monde entier pour retrouver sa trace. Je criais son nom. L'espace autour de moi, était vide. Aucune réponse, même pas d'écho... Comme je ne voulais pas m'en tenir là, je revins sur mes pas et tentai de l'appeler. Rien. J'étais au désespoir. Je tournais en rond et fouillais les alentours de notre campement ravagé par le feu.

Le temps passait et ma femme ne se manifestait toujours pas. J'errais dans la nuit, incapable de la retrouver, m'imaginant les pires circonstances de sa disparition. J'essayais mentalement de refaire son itinéraire et de reconstituer ses gestes pour comprendre ce qui lui était arrivé. Avait-elle été prise par les Khmers rouges ? Je ne le pensais pas. Les Khmers rouges, dans ce cas, nous auraient entendus et nous auraient aussitôt recherchés... Ma femme s'était certainement égarée dans l'obscurité. Elle s'était enfoncée dans la forêt sans s'en rendre compte.

La jungle, surtout la nuit, était trompeuse. On avait l'impression d'aller dans une direction et, en réalité, on en prenait une autre. La forêt était un labyrinthe fatal. Ma femme avait peut-être cru qu'elle se rapprochait de nous en marchant vite, en courant. Au contraire, elle s'était éloignée de son point de départ... Moi-même, j'essayai de retrouver notre amie que j'avais laissée à cent cinquante mètres de là. Impossible de refaire en sens contraire le chemin que j'avais pris en m'élançant derrière ma femme ! Et, pourtant, je n'étais qu'à cent cinquante mètres de cette femme.

Il n'y avait pas de clair de lune. Je butais contre les arbres, je me heurtais aux branches basses. Seule possibilité d'orientation : distinguer les étoiles à travers le faîte des arbres. Toujours, je croyais me remettre dans la bonne direction et je déchantais au bout d'un long moment. J'appelais Any et l'autre femme en vain. Je n'entendais rien. Je ne percevais même pas le bruissement d'une présence animale. J'étais seul, désespérément seul. Toutes mes tentatives étaient déçues. J'avais tenté, je le croyais, d'emprunter toutes les directions possibles, tous les passages accessibles. C'était invraisemblable. J'étais perdu.

J'avais perdu, moi aussi, la bonne direction. J'avais hurlé et parcouru la forêt sans résultat. J'étais épuisé et désespéré. Je ne voulais pas croire que ma femme s'était égarée pour de bon. J'avais dû marcher pendant trois heures, en pleine nuit, à la recherche des deux femmes. La forêt s'était refermée sur elles. Elle les avait englouties.

Abattu, je décidai de dormir sur place, dans la jungle, et d'attendre l'aube pour reprendre mes investigations. Je ne sais plus si je m'endormis de chagrin, de peur ou de fatigue... Je m'étais considérablement éloigné de l'incendie qui, poussé par le vent, avait progressé vers l'est. Je ne le voyais même plus, cet incendie de malheur.

Le lendemain matin, j'étais réveillé avant qu'il fasse jour. Je ne pouvais pas bouger tant que le soleil ne s'était pas levé, tant que je n'avais pas situé ma position par rapport à l'ouest. En attendant que le soleil se lève, je préparai mon sac à dos. Puis, dès que je vis apparaître le soleil levant, je me remis en marche. Je repartis à la recherche d'Any et de notre compagne d'infortune. Je marchai toute la matinée. Pas plus de résultat que la veille...

Je criais comme un beau diable, je m'égosillais. Je n'entendais ni ma femme ni l'autre dame. Je ne sais pas combien de kilomètres j'ai ainsi parcouru entre l'aube et midi. J'étais fatigué, j'avais les jambes lourdes, mais la peine, la détresse, me tenaient en alerte. Je ne voulais pas me résigner à la perte de ma femme dans des conditions aussi absurdes. J'étais incapable de me remémorer exactement mes pérégrinations de la nuit et de la matinée. Inlassablement, j'avais refait l'itinéraire autour de notre lieu de campement.

Je sombrais dans le désespoir. J'éprouvais de la pitié pour la femme que j'aimais. Je ne pouvais pas concevoir qu'Any s'était égarée en pleine jungle. Eperdu de chagrin, j'aurais aimé croire à un miracle. Mais rien... Pas de réponse. L'autre femme ne répondait pas non plus. J'avais pitié d'elle, aussi. Je pleurais Any. Depuis toujours, nous étions ensemble. Maintenant, je restais seul. J'étais effondré. Désarmé, je ne cherchais même plus à puiser dans mes ressources, dans mon énergie. J'avais perdu goût à la vie.

Je m'étais assis par terre et j'avais décidé de m'arrêter là, dans cette forêt qui m'avait ôté ma femme et notre amie. Je ne voulais plus continuer, je n'en avais plus le courage. Je perdais pied, à mon tour. J'avais fait toutes les recherches possibles et imaginables; j'avais arpenté, sillonné la forêt, les alentours de notre campement en tous sens.

Soudain, il me vint une idée. Et si je faisais du feu ? En voyant la fumée, elles pourraient, qui sait ? s'orienter et me retrouver... Je ne craignais plus d'alerter le village proche. Je n'avais plus conscience du danger. Je préparai à manger. Il me restait du riz mais je n'avais plus d'ustensiles de cuisson. Je n'avais plus de gamelle. Je ne possédais qu'une petite boîte métallique, vraiment petite.

J'avais rangé des morceaux de poisson sec dans cette boîte. Je la vidai de son contenu et la remplis de riz. Il n'était possible de cuire que très peu de riz à la fois. La boîte contenait à peine quelques bouchées. J'avais faim; ça n'était pas facile mais j'avais besoin de manger pour me consoler, pour voir clair. J'avais gardé deux briquets sur moi, les deux briquets de notre petit groupe. Je songeais au malheur des deux femmes égarées. Elles n'avaient pas de briquet, pas d'allumettes, pas de quoi faire du feu, se réchauffer, faire cuire de la nourriture.

Je fis brûler quelques branches pour cuire mon riz et je laissai le feu s'étendre. Je n'avais plus peur de rien. L'herbe flambait, les arbustes aussi et je restais au milieu de cet incendie. La forêt brûlait encore. J'étais indifférent à tout ce qui se passait autour de moi. J'étais tellement désespéré que je ne me rendais plus compte de ce que j'étais en train de faire. Je pleurais. Je pleurais... Une voix intérieure me répétait : « Cache-toi. Si ta femme vient, tu la verras. Pourquoi restes-tu au milieu de la clairière ? Et si les Khmers rouges te voyaient ? Penses-tu à ta vie... »

Je me cachai. La forêt brûla pendant plusieurs heures. Et personne ne vint. Deux heures d'incendie, cela représente une bonne partie de la forêt ravagée. Ma femme, pourtant, n'était pas réapparue. J'eus beau crier, hurler mon désespoir, elle ne revenait pas.

Je n'avais plus envie de bouger, de marcher; je ne savais plus quoi faire. J'étais complètement désemparé. Cette brutale et inadmissible séparation était la cause d'un déchirement intolérable. A ce moment-là, la vie ne signifiait plus rien pour moi. Je n'avais plus grand-chose non plus dans mon sac pour tenir tête au drame, pour faire front : un pantalon, une chemise de rechange, deux briquets, trois boîtes de riz, une minuscule boîte en métal dans laquelle je pouvais faire cuire une quantité dérisoire de riz. C'était tout, ou presque. J'avais sur moi un couteau et un bidon.

Toute la journée, je restai dans la clairière à attendre le retour de ma femme. Vers 4 heures de l'après-midi, alors que le soleil commençait à descendre dans le ciel, ma conscience me rappela à l'ordre, me mit en garde contre l'assoupissement de mon esprit et de ma vigilance : « Pourquoi restes-tu là ? Tu vas mourir. Le temps presse. Une demi-journée, c'est beaucoup de temps perdu. Une heure, deux heures, ce sont tes chances de survivre qui s'envolent... Tu vois que personne n'est venu. Tu as cherché partout. Tu ne peux plus rien faire, désormais. Tu as marché toute la matinée, tu dois partir maintenant. Il faut te sauver. Tu n'as pas beaucoup de riz, pas d'ustensiles. Continue de marcher ! » Cette voix me hantait. Malgré ses conseils, j'hésitais à reprendre la route, à me remettre à marcher.

Au bout d'une heure, je pris la douloureuse décision de m'en aller. Je sanglotais toujours. Depuis le début de la matinée, je n'avais pas arrêté de pleurer. Mon corps n'existait plus. J'étais littéralement submergé par le chagrin. Au creux de la détresse, on se sent allégé du poids du monde, de la fatigue et des maladies qui meurtrissent le corps. On ne perçoit plus la douleur physique, on est envahi par le désir d'en finir, de se libérer des entraves, des contraintes. On préfère mourir pour retrouver toute sa famille...

J'aurais aimé qu'on mette fin à mes jours pour aller rejoindre ma femme, la dernière emportée, la dernière disparue. La vie n'avait plus de sens pour moi. La mort m'était égale.

13

LA TORTUE ÉCRASÉE

Je partis seul vers l'ouest, la mort dans l'âme. Je marchais encore plus vite que les jours précédents. La voix me poussait. N'ayant plus d'espoir, plus de sens à ma vie, je me sentais léger, très léger. Je n'avais plus peur de mourir. J'étais devenu indestructible. Invincible...

J'avais ainsi marché, presque mécaniquement, pendant trois jours. Dans l'après-midi du troisième jour, je rencontrai une grosse tortue des montagnes, longue de vingt-cinq centimètres environ. C'était la première fois que j'en voyais une au cours de ma fuite. Je la retournai et la pris sous mon bras. Le soir-même, je devais la rôtir. Pour cuire la tortue, je l'avais renversée et j'avais mis le feu sous la carapace. La vie n'avait plus d'importance pour moi. Cela ne me faisait rien de manger de la tortue. Je trouvais ça très bon. La viande était fine et délicate. Ce n'était pas la première fois que je mangeais de la tortue. Je mangeai copieusement et je gardai une moitié de tortue pour les jours suivants.

Après le drame de la clairière, je ne craignais plus de faire du feu dans la forêt, d'attirer l'attention des patrouilles khmères rouges. Tous les soirs, à chaque étape, j'allumais un feu pour me chauffer et pour écarter les moustiques. Le soir où j'avais mangé la tortue, je m'étais endormi près du feu le ventre plein, repu. J'avais découpé l'autre moitié en trois gros morceaux que j'avais mis dans mon sac et dans l'une des poches de mon pantalon.

Le lendemain, je repartis à l'aube. A midi, je m'arrêtai au bord d'un ruisseau. Je m'arrêtais toujours à cette heure-là pour fixer la position du soleil. J'attendais une heure ou une heure et demie avant de repartir vers l'ouest. Tous les jours, j'accomplissais le même relevé solaire, le même rituel. Je plantais mon couteau dans la terre et je me remettais en route quand l'ombre avait basculé.

Ce jour-là, j'avais mes provisions de viande de tortue grillée dans ma poche et dans mon sac à dos. Il n'était pas encore midi, en fait. J'avais encore l'intention de marcher jusqu'à ce que le soleil monte au zénith. Je m'étais arrêté près du ruisseau pour me rafraîchir et pour manger un peu. Le fumet de la viande rôtie m'avait mis en appétit.

Je m'étais étendu au bord du ruisseau et j'avais pris un morceau de tortue dans ma poche. D'ordinaire, je ne retirais pas mon sac à dos quand je m'accordais une courte pause. Je ne sais pas ce qui me prit. J'ôtai mon sac pour prendre du sel et saler un morceau de tortue. Je continuai ensuite de manger normalement. J'avais posé le sac à côté de moi. Je ne songeais plus à lui. Je n'avais pas l'habitude de le retirer et de le remettre. Je le retirais seulement à midi et le soir pour dormir.

J'ignore encore quel caprice m'avait incité à ôter mon sac. Après m'être un peu reposé, je bus de l'eau et continuai ma marche. Cela se passait au quatrième jour de ma solitude. Tout à coup, je me sentis mieux qu'à l'habitude. Je marchais d'un meilleur pas. J'avais entrepris de gravir une pente assez accentuée. L'escalade me semblait facile, aisée. Je n'éprouvais pas de fatigue. J'étais étonné. J'avais cette obsession en tête : gagner au plus vite la Thaïlande. Je n'avais plus aucune appréhension. Ma fuite était un pari que je jouais à quitte ou double.

J'avais parcouru plusieurs centaines de mètres d'un pas vif lorsque je ressentis une impression bizarre, une sorte de malaise inexplicable. Je marchais trop vite; ça n'était pas normal. Je crus d'abord que la viande de tortue m'avait donné des forces exceptionnelles. Je montais rapidement la côte, sans m'essouffler. « Ah ! J'y suis... » Ce soulagement soudain – et bref – n'était dû qu'à ma distraction. J'avais oublié mon sac à dos au bord du ruisseau. Je n'avais pas l'habitude de le laisser traîner et, par conséquent, je n'avais pas pensé à le prendre en partant. Je pris peur. Une nouvelle catastrophe me frappait. Je n'avais pas besoin de cela.

Sur moi, j'avais juste un bidon, un couteau et un morceau de tortue. Le reste était dans le sac. Je décidai de faire demi-tour et de retrouver mon sac. Je savais que le ruisseau se trouvait en contrebas, à trois cents mètres environ. Je repris le même chemin. Du moins, je l'avais cru... Je croyais reconnaître la topographie du terrain mais je m'égarais. J'avais longé un ruisseau en vain; ça n'était pas le bon. Je n'avais pas retrouvé l'emplacement où je m'étais arrêté. Pendant trois heures, j'avais erré. Mes intuitions étaient régulièrement déçues. Quand j'espérais tomber sur mon sac, je découvrais un endroit inconnu, une berge que je n'avais jamais foulée de ma vie. Mon étourderie et la perte de temps qu'elle provoqua m'avaient consterné.

Le sort s'acharnait contre moi. J'étais un robinson échoué en pleine forêt, privé du matériel élémentaire de survie. Je profitai de ma halte de midi pour sonder la forêt, pour essayer de retrouver mon sac. Rien à faire. J'étais incapable de reconstituer un itinéraire de trois cents mètres. Cela me semblait incroyable, extraordinaire. Un cauchemar.

Le soleil, dans le ciel, était descendu. L'ombre avait dévié sa course d'ouest en est. La voix me parla : « Tu dois t'en aller. Sans ton sac. Sinon, tu es fichu, tu vas mourir. Tu dois partir. Tant pis pour le sac. Tu as un morceau de viande, un couteau et un bidon. Sans fardeau, tu avanceras plus vite. Tu peux encore atteindre la Thaïlande. » Je me remis en marche. Je laissais, quelque part derrière moi, le sac et le riz. Je marchais sans penser à rien. Je fixais le soleil à l'horizon. Le soir, pour tout dîner, j'avalai mon morceau de viande de tortue. Puis, je dormis profondément...

Le lendemain matin, je m'étais résigné à manger cru. J'étais bien décidé à ramasser des plantes sauvages en chemin. Je soulevais les champignons que j'apercevais et je les reniflais. Si l'odeur des champignons n'étais pas incommodante, je les goûtais. C'était téméraire mais je ne pouvais pas faire autrement pour m'assurer qu'ils n'étaient pas vénéneux. La première bouchée me servait de test. Si je n'éprouvais pas de répulsion, je mangeais le champignon cru tout entier. Ainsi, je pouvais me constituer des stocks que je mettais dans mes poches, dans ma chemise.

Je me fiais toujours à la saveur des fruits et des légumes sauvages que je cueillais. J'emportais tout ce qui était mangeable. Je ne goûtais, à mes risques et périls, que les fruits qui se présentaient en quantité appréciable. Je ne me demandais pas si ces légumes, ces fruits ou ces champignons étaient empoisonnés. Je me fichais de ce qui pouvait m'arriver.

J'avais même mangé des plantes spongieuses, assez répugnantes d'aspect. Ces plantes, dont j'ignore le nom, avaient de larges feuilles. Elles poussaient un peu partout dans la forêt. Elles m'avaient paru convenables au goût et presque bonnes quand elles étaient grillées. Pendant la journée, je faisais provision de ces tiges et je les grillais, le soir, sur le feu. Mes deux briquets fonctionnaient encore. Je transportais ces tiges grillées sur moi. Quand je franchissais un ruisseau, de la même façon, je remplissais mon bidon. Je mangeais ces légumes flasques lorsque je ne trouvais rien d'autre, ni champignons comestibles ni fruits. J'avais même fait griller des limaces, d'autres tortues. Une fois, seulement, j'avais croqué dans un fruit d'aspect inoffensif qui m'avait mis la bouche en feu. J'avais immédiatement craché tous les morceaux du fruit tant ils me brûlaient le palais. Toute la journée, j'avais marché la bouche ouverte en espérant que la douleur s'estomperait.

Mon corps était amaigri. J'avais épuisé toutes mes forces. J'étais arrivé au bout du rouleau, comme on dit. Je tenais debout grâce à ma volonté, ma détermination. Ma volonté seule m'animait. J'avais la tête vide. Je voulais évacuer toutes les pensées sombres, tout ce qui aurait pu ralentir ma progression. Je ne pensais qu'à une chose : garder le bon cap, marcher vers l'ouest. Tout le reste ne m'importait plus. J'étais un automate.

Le long du chemin, je ramassais parfois des fruits. Je ne m'arrêtais pas. Je les dévorais en marchant. Je ne pouvais pas perdre de temps et me promener dans la forêt pour cueillir les plantes ou les baies qui me convenaient. Je me battais aussi contre le temps qui m'usait et me menaçait plus sûrement que les Khmers rouges disséminés dans la forêt. Pour m'encourager, je comparais l'énergie qu'il me restait à celle des animaux qui vivaient dans la jungle. Pourquoi l'homme, avec son intelligence, n'aurait-il pas survécu à un séjour d'un mois dans la forêt vierge alors que les animaux y étaient adaptés ? C'était cette conviction qui m'avait permis de ne pas abandonner, de ne pas lâcher prise.

Le temps gagné, c'était de la vie volée à la fatalité, de la vie grignotée sur la mort. Je ne me rendais même plus compte que les jours passaient. Comme un animal, je me soumettais au coucher et au lever du soleil. Je marchais depuis deux semaines et demie et j'étais de plus en plus accablé par la fatigue. Dans une de mes poches, j'avais un morceau de carte et un vieux crayon. Chaque soir, je notais approximativement les kilomètres parcourus. Tel jour, j'avais progressé de cinq kilomètres, tel autre jour, de dix... Un autre jour encore, j'avais peut-être accompli six kilomètres. J'additionnais tous les soirs la distance parcourue. Au bout de dix-huit jours, j'étais arrivé à plus de cent cinquante kilomètres. C'était presque le total que j'avais prévu au départ. Pourtant, j'en étais certain, je n'avais pas atteint la frontière thaïlandaise. M'étais-je trompé dans mes calculs ? Avais-je fait fausse route ?

Plus tard, toujours préoccupé par ces chiffres, je découvris une piste carrossable. J'étais étonné de la trouver au cœur de cette jungle.

Elle allait vers le sud-ouest. Prendre la direction sud-ouest, cela voulait dire que j'allongeais sensiblement mon itinéraire. Tant pis ! Je voulus en savoir plus. Je suivis le chemin forestier pour voir où il menait. J'avais relevé des traces de moto. Plus loin, j'avais ramassé quelques noyaux de jaque – *Knor*. Le jaque est un gros fruit jaune, juteux et sucré de l'arbre appelé jacquier. Les noyaux contiennent une sorte de farine qui devient comestible lorsqu'on la cuit. La farine des noyaux de jaque était très bonne, une fois bouillie, et nourrissante surtout. Cette trouvaille était une véritable aubaine pour moi. J'avais trouvé six ou sept noyaux et je les avais fait cuire le soir même. La chair jaune du jaque était très appréciée au Cambodge.

J'étais persuadé que la piste conduisait vers les régions sud-ouest des Cardamomes. Je continuais tout de même sur ce chemin pour m'épargner de la fatigue. Au lieu de couper à travers la jungle, il était facile de marcher sur une voie carrossable. Depuis la disparition de ma femme, je marchais pieds nus. Fou de colère et de chagrin, le jour de l'incendie, j'avais jeté mes souliers au loin. Ils se détachaient sans arrêt et me gênaient alors pour marcher. Ce jour-là, je n'avais pas de minutes à gaspiller. Je désirais retrouver ma femme avant qu'il soit trop tard.

Ainsi, je marchais pieds nus depuis neuf jours. On s'habitue vite aux morsures des buissons d'épineux, aux herbes tranchantes, aux cailloux. Je ne sentais plus la douleur. Je ne m'attardais pas sur les petites plaies. J'avais repris courage malgré la fatigue physique, malgré ma faiblesse. Mon moral était très haut. Je ne craignais pas la mort. Je n'avais plus rien à perdre. Je ne pensais qu'à ma lutte avec le temps. Je comptais les heures, les jours. J'avais dépassé le stade de la peur physique.

J'avais franchi cette étape. J'avais une dernière carte à jouer et je ne me faisais plus guère d'illusions sur l'issue de mon entreprise. J'avais une chance sur mille de m'en tirer. Ce qui me maintenait en vie, c'était le sentiment d'avoir surmonté toutes les peurs. J'étais au-dessus de ces angoisses et de ces craintes qui nous minaient depuis le 17 avril 1975.

Une force nouvelle, inconnue, insoupçonnable quelques semaines plus tôt, me poussait, m'animait. Physiquement, j'étais une épave. Chose curieuse, le délabrement physique, dont j'étais conscient, ne m'affectait pas. L'instinct de conservation me tenait lieu de feu sacré, de volonté intense. Au soir de cette journée où j'avais suivi la route latéritée, je fis étape à l'écart du chemin. Comme d'habitude, j'allumai quelques branches pour me réchauffer. L'humidité, dans ces montagnes, imprégnait mes vêtements. Il me restait un briquet en état de fonctionner. J'avais jeté l'autre, faute de pouvoir le remplir d'essence.

Le lendemain matin, je continuai ma marche très tôt. J'avais contourné la piste pour sortir des bois. A cent mètres de mon gîte nocturne, j'entendis une espèce de bruissement. Quelqu'un n'était pas loin et remuait des feuilles. Je me tapis et je découvris une patrouille khmère rouge avançant sur la route. Elle était composée de six soldats. Le chef marchait en tête. Quand je le vis, il allumait une cigarette. Il était à peine à cinquante mètres de moi. En dépit de la fatigue, j'étais vif et alerte. Avec beaucoup de précautions, je rampai dans la forêt pour m'éloigner de la patrouille. Je n'étais même pas effrayé. J'avançais à quatre pattes sans faire de bruit, sans trembler.

Là, dans les herbes, je m'arrêtai et j'attendis qu'ils passent. J'étais à dix mètres de la route. Je les entendais respirer. Ils ne me remarquèrent pas. Je laissai quelques minutes s'écouler... Ils étaient tous passés et je n'avais rien noté d'anormal. Je m'étais dissimulé du mauvais côté de la route : à l'est... Il fallait que je traverse. Je ne pouvais plus suivre la piste latéritée dans ces conditions. Je risquais, à tout moment, d'être intercepté par une patrouille. J'avais eu beaucoup de chance. Il me sembla plus raisonnable de reprendre mon expédition à travers bois.

La forêt, en montagne, était dense et variée. J'avais souvent à franchir des barrières de ronces ou de bambous. Je m'écorchais et je déchirais mes vêtements dans ces traversées difficiles. Quelquefois, je rampais. Mes vêtements étaient lacérés par les taillis de ronces, par les bambous. Ces obstacles ne me décourageaient pas. Peu m'importait dans quel état j'allais rejoindre la Thaïlande. Je ne voulais pas perdre de temps. Je ne m'arrêtais que le midi et le soir. Les ascensions, en raison de ma fatigue, devenaient de plus en plus pénibles. Dans les pentes trop raides, j'avais les jambes coupées. Je me nourrissais toujours de plantes sauvages et je me ravitaillais en cours de route. J'avais même failli attraper une poule faisane. Elle s'était envolée à quelques centimètres de moi. Je l'avais surprise tandis qu'elle pondait. J'avais trouvé un œuf et je l'avais gobé. C'était délicieux.

J'étais, il faut le comprendre, un véritable naufragé. Mon seul bien, c'était ce briquet qui me permettait, tous les soirs, de faire du feu. Outre mes vêtements, un pantalon et une chemise, je ne possédais qu'un bidon en plastique et un couteau. Mes poches étaient bourrées de plantes, de champignons, de morceaux de tortues, parfois. Les tortues me semblaient offertes par la providence. A chaque fois que je découvrais une tortue, j'étais sur le point de mourir de faim, de défaillir. J'avais attrapé cinq tortues en tout. J'avais été obligé de manger les deux dernières crues, faute de pouvoir faire du feu. Mon second briquet avait été épuisé. Jusque-là, j'avais tenté, au hasard de mes étapes, de faire des flambées de bois humide. Il fallait gratter les branches avec le couteau et enflammer les parties sèches du bois. A la fin, les branches, saturées d'eau, ne s'enflammaient plus. J'avais brûlé la moitié du morceau de carte qu'il me restait, sur lequel je comptais les kilomètres parcourus. Je gardais l'autre moitié pour le kilométrage. J'avais aussi eu recours aux cannes de bambous séchés que je déroulais comme du parchemin. Ces feuilles de bambous prenaient feu facilement. Malheureusement, je ne pouvais pas faire grand-chose, privé de mon briquet.

Le soir, avant de m'étendre, j'essayais toujours de trouver des grandes feuilles et de les étaler sur le sol pour me confectionner une litière isolée de l'humidité. J'étais en quête d'un abri à la tombée de la nuit, un abri sous les rochers ou sous les grands arbres. Il y avait parfois des arbres déchaussés ou déracinés qui ne s'étaient pas tout à fait couchés, retenus par d'autres arbres, d'autres branches. Je m'endormais sous leurs troncs.

Les vautours commencèrent à m'accompagner, à me suivre, quelques jours après l'accident de la clairière et la disparition de ma femme. Les trois vautours ne me quittaient jamais de l'œil. Quand je m'accordais une pause, à midi par exemple, les charognards se posaient sur une branche et me contemplaient d'un œil terne, indifférent. Je ne sais pas si ces oiseaux étaient des vautours exactement. Ces grands rapaces, très inquiétants, aboyaient comme des chiens. Ils jappaient le jour. Ils veillaient sur moi, la nuit. Au petit matin, je levais les yeux et je les retrouvais, sinistres, immobiles sur une branche ou sur un escarpement rocheux. Je ne les trouvais pas lugubres, en fait. Ils constituaient ma seule compagnie.

Souvent, je rencontrais des singes. Ma présence semait le désordre dans leurs bruyantes colonies. Ils sautaient d'un arbre à l'autre et me jetaient des branches mortes comme pour me faire peur... Il y avait des petits avec leurs mamans. Je les regardais avec envie. Les singes étaient réunis en famille... En même temps, je souhaitais que l'un des petits s'écrase par terre pour que je puisse manger. J'étais seul au monde. Ils étaient heureux.

Je m'étais aussi pratiquement trouvé nez à nez avec un sanglier. Il m'avait regardé d'un air étonné. Il était plus étonné que moi, en réalité. En le découvrant, je n'avais même pas eu un geste de recul, un réflexe de peur. Il s'était enfui le premier. Il avait filé à toute allure devant moi. Je n'avais pas bougé. J'étais resté tranquille, serein. Le sanglier était un vieux mâle, un solitaire. Il semblait lourd et ses défenses étaient bien visibles. J'étais inconscient du danger. Au fond. j'avais effrayé le sanglier... Ce coup de bluff involontaire m'avait plus ou moins servi de leçon. Face aux animaux, je savais quelle attitude adopter. Il suffisait d'être calme, de ne pas perdre son sang-froid. L'homme semble inspirer la crainte chez tous les autres animaux.

De la même façon, j'avais croisé, sans me faire mordre, sans être attaqué, des chiens sauvages, des renards. Tous les animaux que j'apercevais détalaient. On aurait dit que j'étais un pestiféré. Ma silhouette osseuse, squelettique, les effrayait peut-être. J'aurais certainement préféré prendre au piège du gibier plutôt que de le laisser courir. Dans les ruisseaux, j'étais un chasseur plus chanceux. J'arrivais à attraper des crabes d'eau douce et des tortues. J'avais également pris un poisson à la main. J'en étais très fier même si ma prise était modeste. Le poisson était de petite taille. Il ne dépassait pas dix centimètres. Il était toutefois le bienvenu. J'étais affamé. Avec autant de dextérité, j'avais réussi à tuer un serpent. Oh ! Ce n'était pas un gros reptile. Il était long comme mon avant-bras. C'était un serpent vert. La chair, que j'avais mangée crue, n'était pas très bonne au goût.

Les charognards, ces rapaces qui aboyaient d'une voix rauque, m'accompagnèrent pendant une semaine. Un jour, ils me faussèrent compagnie. Les singes, eux, régnaient sur toute la jungle. Ils occupaient les vallées et les montagnes. Ils faisaient un grand tapage quand ils se réfugiaient, apeurés, dans les arbres. Ils jouaient entre eux. Leur insouciance m'avait frappé. Le monde animal de la forêt semblait étranger au drame que nous vivions dans les villages cambodgiens. Je me sentais presque plus en sécurité dans la jungle, au milieu des animaux sauvages, que dans le « Kampuchéa démocratique ». Je ne redoutais que les patrouilles khmères rouges.

J'avais découvert un essaim de guêpes dans le tronc creux d'un arbre mort. Cette découverte avait eu lieu avant que j'épuise les dernières gouttes d'essence de mon briquet. J'avais mis le feu au tronc d'arbre. L'essaim avait grillé dans le bois. Les guêpes les plus vigoureuses, rendues folles par la fumée et la chaleur du foyer, s'étaient envolées. Les autres avaient brûlé avec l'essaim. La combustion du tronc s'était prolongée pendant une heure environ. Vers midi, l'essaim était rôti, cuit à point. Je l'avais fendu en deux et j'en avais extirpé des larves succulentes. J'avais bien mangé ce jour-là. J'avais rempli mes poches de larves de guêpes grillées.

J'avais la certitude que mon voyage touchait à sa fin. Je ne sais pas pourquoi exactement mais j'avais l'impression d'être tout près de la Thaïlande. La frontière, je l'avais vue sur la carte, ne se trouvait pas loin d'une grande rivière appelée Mé Toek, ce qui veut dire mère de l'eau. J'avais franchi plusieurs rapides. J'étais persuadé d'avoir traversé le bon. Ainsi, près d'une rivière, j'avais vu les traces d'un campement khmer rouge. Je supposai qu'il s'agissait d'un campement de soldats car je voyais mal qui d'autre aurait pu camper en toute impunité dans cette région frontalière.

Des bouteilles d'orangeade traînaient à l'endroit où les Khmers rouges s'étaient installés. J'en avais emporté une. J'avais regardé autour de moi pour vérifier si je n'étais pas arrivé en Thaïlande. Pourquoi pas ? J'avais peut-être passé la frontière sans le savoir. Les étiquettes des bouteilles d'orangeade étaient rédigées en cambodgien. J'étais au Cambodge, malheureusement.

Incapable de me situer géographiquement, j'étais embarrassé pour faire une estimation de ce qu'il me restait à accomplir. Le campement khmer rouge m'indiquait seulement que je devais me tenir sur mes gardes. A tout moment, les soldats pouvaient me tomber sur le poil. A chaque fois que je franchissais une rivière, je croyais que c'était la bonne et je me trompais. Mon odyssée n'en finissait pas... Bientôt, la pluie se mit à tomber. Il ne manquait plus que ça pour ralentir ma progression. J'avais du mal à avancer. Les averses étaient violentes. J'attrapai froid. Je frissonnais et ne savais pas comment faire pour m'abriter. La pluie n'était pas encore fréquente à cette époque de l'année. Les averses n'avaient pas duré longtemps. Le soleil avait brillé le lendemain. J'en avais profité pour marcher plus qu'à l'accoutumée.

J'avais marché jusqu'à ce que la pleine lune m'éclaire. Le ciel était dégagé. Il faisait bon et beau. J'avais l'intention d'atteindre le sommet de la colline avant de m'arrêter pour la nuit. J'étais presque arrivé au sommet quand une agitation insolite m'alerta. On aurait dit les échos d'un sabbat diabolique. J'entendais des ricanements, des voix faibles et lointaines. C'est ainsi, dans mon imagination, que je m'étais représenté, jadis, les circonstances d'une célébration maléfique. Si ça n'était pas le diable, cela y ressemblait drôlement. Je n'en menais pas large. Les contours d'ombres difformes, effrayantes, se découpaient sur la lune. Dans les taillis, j'entendis un cri strident. Je n'avais pas réellement peur mais tout cela me paraissait tellement étrange que j'étais intrigué.

Dans l'obscurité des bois, je ne pouvais pas voir ce qui remuait dans les fourrés. J'étais habitué aux bruits bizarres mais je n'avais jamais entendu crier comme ça. Dès que je m'arrêtais, les cris cessaient. Si je me remettais à marcher dans la même direction, ils reprenaient. Ces cris d'effroi me rappelaient les manifestations des revenants telles qu'elles sont décrites dans les livres, dans les légendes populaires et orales. Un esprit fragile y aurait succombé. Étais-je en présence de fantômes ? Je décidai de changer de direction, je marchai alors vers la gauche. Il n'y avait plus de cris. Tout, subitement, était rentré dans l'ordre.

A trente mètres de là, je trouvai un bel emplacement pour dormir. C'était la providence qui m'avait conduit dans cet endroit bien protégé, bien abrité. J'avais parfaitement dormi.

Levé à l'aube, le lendemain, je repris mon expédition. Je traversai encore deux campements militaires abandonnés. Le premier avait été délaissé depuis longtemps. Les Khmers rouges avaient semé des plants de maïs. J'avais arraché cinq maigres épis, de quoi me nourrir pendant la journée. L'autre campement était situé sur des rochers au bord de la rivière. Des bûches calcinées témoignaient de la présence récente des Khmers rouges. Les reliefs de leur repas étaient répandus parmi les détritus. J'avais trouvé des arêtes de poisson, sur lesquelles il restait quelques morceaux de chair, et des grains de riz fermentés. J'avais soigneusement lavé le riz grain par grain et j'avais sucé les arêtes du poisson. Le riz était bon. Encore une journée de gagnée...

Les yeux rivés sur l'ouest – sur mon ombre le matin – je coupais à travers les buissons, les sous-bois. Je franchissais les sentiers forestiers sans précaution particulière. Je ne pensais même plus à éviter d'éventuelles patrouilles. J'y allais au culot. Je n'avais plus peur de rien, vraiment. Je vivais dans une autre dimension, dans mon univers de naufragé, n'ayant rien à attendre du monde, aucune aide, aucun secours. J'étais seul; coûte que coûte, il fallait que je retrouve la civilisation. Je n'avais qu'une préoccupation : passer la frontière.

Les sentiers que je traversais n'étaient pas carrossables. Ils étaient étroits et accidentés. Les motos ou les voitures ne pouvaient pas passer par là. Les motos se seraient enlisées dans les fondrières. J'avais relevé dans ces sentiers des traces de pas et des feuilles mortes fraîchement retournées. J'étais alors attentif au moindre bruit. Si j'entendais quelque chose, je plongeais dans les sous-bois et j'attendais que l'intrus invisible se manifeste. Certains sentiers sur les crêtes, ou à flanc de montagne, semblaient être fréquemment empruntés par les fugitifs, les candidats à l'évasion. On pouvait nettement relever le passage des gens qui fuyaient vers la Thaïlande. En fait, les traces des fugitifs et de leurs poursuivants, les Khmers rouges, se confondaient.

Jusqu'au bout du voyage, pires que les insectes ou les serpents, les sangsues ne me laissèrent aucun répit. Elles me harcelaient. C'était un véritable fléau. J'en étais littéralement couvert. Les sangsues terrestres – *Teak* – étaient bien plus mauvaises que les sangsues d'eau. Elles avaient entrepris de me laisser exsangue. Les herbes hautes et les feuilles mortes étaient les repaires des sangsues. Si je ne faisais pas attention, heure après heure, j'étais rapidement dévoré par ces bestioles. Elle montaient jusqu'à la taille. Les coutures de mon pantalon étaient fendues. J'avais un slip et, pourtant, elles venaient se glisser dans l'aine. Elles se collaient sur la chair. De temps en temps, il fallait les arracher avec le couteau. Sinon, elles me suçaient le sang jusqu'à satiété.

Autrefois, dans les villages de Leach, de Don Ey ou de Veal Vong, je répugnais à les tuer. J'éprouvais de la répulsion pour ces parasites. Dans la jungle, j'avais changé d'avis. Je jubilais et je prenais du plaisir en tuant les sangsues. Je les laissais s'installer et je les écrasais. Les petites sangsues étaient plus malignes que les grosses.

J'étais pieds nus. Quand je marchais dans l'herbe, les petites sangsues se collaient sur mes pieds, entre les orteils, et commençaient à absorber le sang. Impossible de les éviter ! Elles étaient partout. Elles vivaient dans l'herbe des bois, dans les sentiers, sous les feuilles mortes des clairières... Elles devenaient rapidement énormes, grosses comme le petit doigt. Une demi-douzaine se plaçaient sur les pieds ou sur les jambes. Il ne me restait plus qu'à les arracher. Une demi-heure après, j'étais de nouveau dévoré par d'autres sangsues. Il en venait cinq ou six, en moyenne, sur chaque pied. Et cela, toutes les demi-heures... C'était un calvaire dont je me serais bien passé. Je finissais par m'habituer aux assauts des sangsues.

Je pensais que j'approchais de la frontière. J'avais traversé, à la nage, une rivière assez large et profonde. C'était un exercice périlleux à chaque fois. Le courant était fort. On risquait d'être happé par les tourbillons ou de s'écraser contre les rochers. Ma faiblesse physique m'handicapait beaucoup. Suivant le caractère de la rivière que je devais franchir, je descendais tantôt vers l'aval; tantôt, je remontais en amont, le long de la rive, pour trouver un espace aussi dégagé que possible – sans rochers, sans remous – afin de me jeter à l'eau. Pris dans le courant, je me laissais porter sur l'autre berge.

Au-dessus de la rivière, il y avait un vaste plateau. Cela ne me disait rien mais il n'était pas possible que je me sois éloigné de la frontière. J'escaladai les contreforts du plateau et j'atteignis ainsi une clairière dans laquelle il y avait une mare. Une intuition me suggérait que la Thaïlande n'était pas loin.

Les mares et les flaques d'eau étaient toujours riches en petite faune aquatique. Quand je dénichais une mare, je tentais de prendre des grenouilles, des petits crabes ou des insectes. Je n'avais pas pêché grand-chose dans cette mare. J'étais plutôt mécontent et dépité. Je dominais toutes les montagnes. Le paysage était magnifique dans cette région. Hélas ! La faune était rare. Ne trouvant rien à manger, je continuai ma route. C'était la fin de l'après-midi.

Tout à coup, tandis que j'avançais en repérant ce qui courait sur le sol, j'entendis tousser. Immédiatement, je regardai dans la direction d'où le bruit était venu. Je vis un soldat khmer rouge. Aussitôt, instinctivement, je m'assis, essayant de me tasser, de me faire le plus petit possible. Le Khmer rouge n'était pas loin. A une vingtaine de mètres, à peine. Un arbuste me dissimulait. Le soldat avait une écharpe et il portait un uniforme noir. Il avait un pistolet mitrailleur chinois suspendu à son épaule. J'entendais battre mon cœur. Pas d'affolement... La peur ne m'étreignait pas.

J'étais serein. Je me tins immobile. Le garde khmer rouge passa à un mètre de moi. Il me frôla presque. Je n'avais pas bougé. Comment sortir de ce guêpier ? M'avait-il entendu respirer ? Le Khmer rouge, c'était curieux, était en short. Son uniforme se limitait à la veste noire et à l'écharpe traditionnelle qu'il avait nouée autour du cou. L'homme ne semblait pas jeune. Il avait entre quarante et quarante-cinq ans mais paraissait robuste, en bonne santé.

J'entendais mon cœur battre de plus en plus fort et je craignais qu'il me dénonce, que le Khmer rouge l'entende et donne l'alerte. Dans ce cas, j'étais fichu. Le soldat s'éloigna un peu. J'en profitai pour rebrousser chemin à mon tour. Je rampai sans faire de bruit. La nuit tombait. En me fiant au coucher de soleil, j'avais pris la direction du sud-ouest. Je n'avais pas voulu complètement revenir vers l'est. Je ne devais plus perdre de temps. Je rampai ainsi sur cinquante mètres, entre chien et loup.

Arrivé près d'un large tronc d'arbre couvert d'un feuillage épais, je pris la décision de dormir là, de ne pas aller plus loin. Je m'étais dissimulé sous les branches afin de ne pas être repéré par les Khmers rouges. Tous les soldats qui patrouillaient dans cette région étaient des garde-frontières. Ils abattaient les fugitifs sans sommation. Au cours de la nuit, je dormis seulement trois à quatre heures. Je fus réveillé par deux coups de feu tirés non loin de moi. Les Khmers rouges étaient en train de chasser, pensai-je...

Il devait y avoir une patrouille ou un campement à quelques kilomètres de la clairière où j'avais trouvé refuge. C'était dangereux de rester là. A l'aube, les Khmers rouges pouvaient me voir. J'ignorais les itinéraires empruntés par les garde-frontières. Où passaient-ils ? C'était le moment ou jamais d'être vigilant. Je quittai la clairière en pleine nuit. La lune m'éclairait assez pour que je ne trébuche pas sur des branches, pour que je ne heurte pas les troncs d'arbres abattus. Je faisais très attention.

Ma marche dura toute la fin de la nuit et toute la journée. Je n'avais pas franchi la frontière, comme je l'avais tout d'abord cru, mais j'avais traversé, avec une chance inouïe, une zone qui fourmillait de Khmers rouges. J'étais bien décidé à ne pas gâcher ma chance. J'avais gagné un sursis dont je voulais profiter. J'étais devenu complètement insensible aux attaques des sangsues. J'étais prêt à m'enfoncer dans les bois, à me cacher. Ma vigilance demeurait constamment en éveil. J'étais à l'affût des bruits insolites et mes yeux parcouraient le sol à la recherche d'un petit animal comestible ou d'un fruit mûr. Je ramassais tous les fruits qui étaient tombés par terre.

Pendant la dernière semaine de mon évasion, j'avais avalé n'importe quoi. Je voulais croire à ma bonne étoile. Je ne me méfiais même plus des plantes empoisonnées ou des champignons vénéneux. J'engloutissais tout ce qui avait un goût convenable. Même si ces végétaux n'étaient pas riches en matière nutritive, ils me remplissaient l'estomac et c'était l'essentiel. Je ne risquais pas, ainsi, de tomber en syncope. C'était le plus important : résister.

Les deux années vécues sous le régime khmer rouge m'avaient accoutumé aux pires conditions d'existence. Mon organisme, décidément vigoureux, avait appris à tolérer l'intolérable : la disette, les diarrhées, la dysenterie... Fidèles alliées des Khmers rouges, toutes les maladies s'étaient liguées contre nous. Nous avions subi les assauts des fièvres et des maladies parasitaires. Les survivants, comme moi, s'étaient endurcis. Du moins, je le croyais. Mon estomac, dans la jungle, digérait tant bien que mal les plantes sauvages, les champignons, la viande crue des reptiles. Je pensais que j'étais en train de vivre ma dernière épreuve de déporté captif de l'Angkar. Ce sentiment me donnait assez de forces pour oublier ma fatigue, pour dépasser mes propres limites.

Nul n'aurait pu m'arrêter. Je continuais à marcher sans me décourager. Mes douleurs physiques n'affectaient pas mon moral. Je ne faisais guère attention aux animaux que je croisais. J'avais vu deux ours noirs. L'un glissait le long d'un tronc d'arbre au pied duquel l'autre l'attendait. Ils étaient à trente mètres de moi. Nous avions à peu près la même taille. Les deux ours n'étaient pas plus grands que moi. Ils marchaient à quatre pattes.

Je me demandai s'ils allaient se diriger vers moi. Dans ce cas, je n'avais d'autre alternative que de me défendre, de les tuer. J'avais dû surprendre les ours en pleine recherche d'essaims d'abeilles. Cela me donna une idée. Ils avaient peut-être laissé du miel derrière eux. Crânement, je marchai vers les deux plantigrades. Au lieu de m'attaquer, ils s'enfuirent dans la forêt. Je tournai alors autour de l'arbre pour recueillir quelques morceaux d'essaim. J'étais trop optimiste. Les ours m'avaient abusé en quelque sorte. Ils n'avaient rien flairé dans l'arbre. Ils étaient repartis bredouilles, décontenancés de me trouver sur leur chemin. Les ours, à la fois farouches et curieux, n'avaient pas l'habitude de voir passer des hommes dans ce coin de la forêt.

Faute d'avoir pu mettre la main sur une provision de miel, je repris ma route jusqu'au soir. A la tombée de la nuit, j'essayai – avec beaucoup de soin – de trouver un abri convenable pour dormir. Je ne voulais pas me réveiller grelottant et trempé. L'endroit que j'avais choisi, ce soir-là, pour passer la nuit ne me satisfaisait pas. Il n'offrait pas un bon abri contre de prévisibles averses. Il ne pleuvait pas encore mais le ciel était bas, couvert de nuages. Je m'étais calé, en désespoir de cause, sous un arbre affaissé. Je n'étais pas bien abrité. A le première chute de pluie, le sol fut inondé. Je ne pouvais pas rester ainsi, dégoulinant d'eau.

En pleine nuit, je tentai de gagner un meilleur abri. J'avançais à tâtons dans l'obscurité. Enfin, je sentis sous mes doigts un tronc d'arbre partiellement ouvert, certainement fendu par la foudre. L'arbre était encore droit et le trou que j'avais palpé n'était pas très gros. Je l'élargis avec mon couteau. Ce travail se révéla facile : le bois était pourri. J'agrandis suffisamment la cavité pour pouvoir me glisser dans le tronc creux. A l'intérieur de l'arbre, je me sentais bien, la pluie ne m'arrosait plus. Cela ne me dérangeait pas de dormir debout. Je pouvais dormir dans toutes les positions.

Au-dessus de moi, dans l'arbre, j'entendis, tout à coup, quelque chose remuer. C'était un animal, semblait-il, qui tentait de sortir par le trou que j'avais agrandi. Je n'avais pas peur. Sans appréhension, je tendis la main. Les griffes du petit animal que j'avais attrapé me lacéraient les doigts. La chauve-souris que je serrais dans ma main essayait de s'agripper au bois de l'arbre creux. Je lui tordis le cou et la glissai dans ma poche pour le repas du lendemain. Je pouvais me féliciter de mon adresse. La chauve-souris était une bonne prise. J'étais réveillé et j'attendais qu'une autre occasion se présente. J'avais entendu une autre chauve-souris voleter. J'essayai de la prendre au vol. J'avais présumé de mon habileté. Ma proie avait filé. Du coup, je me rendormis.

La fraîcheur du petit matin me tira du sommeil. Sorti de l'arbre, en guise de petit déjeuner, je mangeai la chauve-souris. Je me mis en route après cette collation... Toutes les viandes que je pouvais manger étaient bonnes pour moi. La chauve-souris, par exemple, me permettait de tenir deux jours. Dans mon état, c'était appréciable. Cela neutralisait la mémoire lointaine du péché. C'était bon. C'était de la viande. Comme la viande de tortue. Depuis que j'avais abandonné mon second briquet, j'avais mangé du serpent cru, du crabe cru.

Je pouvais voir venir les jours avec de telles provisions. Ma dernière tortue, je ne l'avais pas immédiatement mangée. Peu de temps avant de la découvrir, j'avais trouvé un crabe et cela m'avait assez copieusement nourri pour la journée. Au lieu de consommer la tortue sur place, je l'attachai à ma ceinture.

J'éprouvais, pendant cette période de mon évasion, une sensation curieuse. Je me sentais complètement libéré de mon corps. J'étais faible mais j'avançais obstinément, soutenu par une détermination farouche, opiniâtre. Mourir ou ne pas mourir, telle était la question... Il ne s'agissait pas de littérature. Tout bonnement, le temps, c'était la vie.

Il fallait que je marche le plus vite possible. Je m'arrêtais seulement à midi quand le soleil était au-dessus de moi et quand je risquais de m'égarer. Je faisais alors une petite sieste. Certes, je ne dormais pas. Je somnolais seulement. Je cherchais toujours des sentiers pour ne pas perdre de temps. Même si je relevais des empreintes de pas et des excréments d'éléphants, je n'hésitais pas une seconde à suivre les chemins. Ils m'épargnaient ma peine et ma fatigue. Je souffrais moins sur les chemins qu'à travers bois. Je ne pensais pas, de toutes les façons, qu'il s'agissait d'empreintes de soldats khmers rouges. Je voulais croire que des fugitifs m'avaient précédé sur ces sentiers.

Quand je décelais une présence proche, je me précipitais dans la forêt, dans les buissons. Je restais à plat ventre pendant quelques minutes pour m'assurer de la nature du péril. Je réagissais comme un animal. J'interprétais tous les mouvements et les sons insolites comme autant de menaces. Mes réflexes et mon instinct s'étaient aiguisés pendant cette expédition.

Le pluie commençait à tomber régulièrement. J'entrais dans le mauvaise saison et j'approchais de la mer. Je n'aimais pas la pluie. Elle décuplait mes difficultés. Ce soir-là, je m'étais abrité sous un rocher. L'averse était violente et je me demandais comment j'allais m'installer pour la nuit. Mes vêtements étaient mouillés et je ne pouvais pas faire de feu. Sous la main, je n'avais rien d'autre à manger que ma tortue. J'avais très faim. L'effort important que j'avais produit au cours de la journée m'avait creusé l'appétit. J'avais très faim, vraiment.

A l'aide de mon couteau, j'avais tenté de casser la carapace de la tortue. Je n'y étais pas parvenu. Rien à faire ! Aussi, j'imaginai un autre moyen de briser cette tortue : je frappai violemment la carapace de la tortue contre le rocher. Au bout de cinq ou six essais, la carapace éclata comme une coquille de noix. Ainsi, je pus découper la tortue avec mon couteau. Je procédais toujours de la même manière. En premier lieu, je mangeais le corps de la tortue, c'est-à-dire tout ce qui était comestible à l'intérieur de la carapace. Je gardais généralement les quatre pattes pour le lendemain, pour mon déjeuner. Au début, je répugnais à traiter les tortues avec cette cruauté. Cette répulsion s'était rapidement dissipée. De bon appétit, je savourais la chair de la tortue. Cela ne me choquait pas. C'était devenu presque naturel.

Le soir où je m'étais abrité de la pluie sous le rocher, j'avais mis les quatre pattes de la tortue dans ma poche et je m'étais tranquillement endormi jusqu'au lendemain matin. A l'aube, je repartis d'un bon pied, assuré de pouvoir me nourrir. Dégagé du souci alimentaire, je m'efforçais de marcher vite, de gagner du temps. J'évitais de faire des crochets pour ramasser des fruits. Je faisais mes provisions au gré des découvertes. Toujours l'obsession du temps...

J'étais très affaibli et je ne savais pas à partir de quel moment mon corps cesserait de m'obéir. Je ne savais pas jusqu'où mon corps pouvait m'emmener. Je me rendais compte, toutefois, que j'étais près d'atteindre mes limites. Déjà, je ne pouvais plus grimper à un arbre.

Au delà d'un certain délai, mon corps pouvait s'immobiliser et mes membres refuser de bouger. Je me disais que le compte à rebours était entamé... J'avais mis l'incident de la clairière – les manifestations diaboliques au clair de lune – sur le compte de la fatigue, de l'épuisement. Curieusement, en y repensant, je m'étais aperçu que j'avais beaucoup marché ce jour-là. Au lieu de m'arrêter, comme prévu, à la nuit tombée, j'avais commis l'imprudence de vouloir continuer. C'est alors que les étranges apparitions avaient troublé ma nuit.

Muni de mes quatre pattes de tortue, j'avais décidé de foncer, d'atteindre la Thaïlande dans la journée. Au fond, c'était un rêve mais il fallait que je me raccroche à l'espoir de liberté pour accomplir ces ultimes efforts qui me semblaient surhumains. Le paysage et les obstacles changeaient de crête en crête, de vallée en vallée. J'avais l'impression de toucher au but et rien n'arrivait. Au cours de la journée, j'avais commencé par traverser une rivière puis j'étais monté au sommet d'une haute colline. Pendant l'ascension, j'espérais que j'allais découvrir la mer. Je dus déchanter. Devant moi, il y avait encore quelques sommets – d'autres montagnes à gravir – et, derrière moi, je pouvais contempler le chemin parcouru. C'était une succession de monts élevés ou de sommets escarpés. Je n'en revenais pas d'avoir surmonté tout ça. Mais je n'étais pas au bout de mes peines. Mon interminable course me réservait encore des surprises.

Non loin du sommet, je découvris un campement khmer rouge abandonné. Il y avait encore une bouteille de *nuoc mâm* à moitié pleine. J'en bus un peu au goulot. Ce jus de poisson providentiel était un authentique fortifiant. Il m'aida à me tenir debout. Même à proximité de la frontière, je n'avais pas renoncé à mon sacro-saint principe de survie. Il fallait boire et manger quand l'occasion s'en présentait. Dans le campement, j'avais tenté de rassembler des indices pour me situer réellement. Les boîtes de conserves qui traînaient par terre provenaient de Thaïlande. Je ne devais pas me trouver très loin de la frontière. Je connaissais les caractères de l'écriture Thaï. Étais-je déjà, oui ou non, en Thaïlande ? Je me posai la question.

La ligne frontalière n'était pas délimitée par une clôture. Rien ne m'indiquait si je foulais le sol de la Thaïlande ou si j'errais encore en territoire cambodgien. J'avais traversé de nombreuses rivières et j'étais persuadé d'avoir franchi la frontière, de marcher en Thaïlande. J'avançais dans l'espoir de trouver un village habité, de rencontrer des soldats thaïlandais.

La pluie s'était remise à tomber. Je n'avais pas d'imperméable, de couverture ou de veste épaisse pour me protéger. L'eau me glaçait de la tête aux pieds. Je grelottais de tous mes membres. Je ne transportais sur moi que mon couteau et mon bidon dans lequel j'avais caché mon argent enveloppé dans le dernier morceau de la carte. J'avais essayé d'additionner, sur la carte, les kilomètres accomplis. Je ne comprenais pas ce qui avait pu se passer. C'était tout de même une chose incroyable que de marcher vers une destination qui semblait reculer, se dérober, à chaque fois que je l'approchais. J'étais sûr d'avoir atteint la Thaïlande. Il ne pouvait pas en être autrement. Deux cent trente kilomètres ! J'avais parcouru plus de deux cent trente kilomètres, pourtant.

L'absence de vêtements de rechange me gênait énormément. Mes vêtements étaient littéralement imbibés d'eau et un vent froid soufflait des collines. J'étais impuissant. Je ne pouvais même pas me réchauffer. Je tremblais comme une feuille, tenaillé par la faim et le froid. Le moral, lui, ne se relâchait pas. Il me disait de continuer, de persévérer. Quelle sottise d'abandonner ou de céder à la fatigue si près du but ! Ma voix intérieure se révoltait contre ma lassitude. Elle m'exhortait à continuer.

Je n'avais pas peur, non. Je n'avais pas peur de mourir. Je voulais tenir jusqu'au bout à tout prix. Je ne voulais pas m'effondrer à deux pas de la liberté. Je la flairais, la liberté... Elle n'était pas loin. J'anticipais déjà sur ses bienfaits. C'est dans la famine qu'on perçoit le bonheur d'être nourri. C'est la disparition de l'être aimé qui éclaire la vraie nature de notre amour et la douleur d'une inconsolable détresse. Et c'est en captivité que l'on mesure l'inestimable valeur de la liberté... Marcher, toujours marcher et ne penser à rien.

Une chose me tenait particulièrement à cœur : je voulais atteindre la Thaïlande pour témoigner du génocide cambodgien, pour décrire ce que nous avions subi, pour raconter comment l'on avait froidement programmé la mort de plusieurs millions d'hommes, de vieillards, de femmes et d'enfants... Comment le pays avait été rasé, replongé dans l'ère préhistorique, et ses habitants torturés... Je voulais vivre pour supplier le monde d'aider les survivants à échapper à l'extermination totale.

Un nouvel obstacle naturel se présenta à moi tandis que je m'imaginais déjà accueilli en Thaïlande. Il s'agissait d'une rivière assez large, au cours agité. Plutôt que de passer tout habillé, j'avais retiré mes vêtements et je m'étais jeté à l'eau en slip, tenant mes vêtements à bout de bras. Avant de sauter dans la rivière, j'avais longé la berge en amont afin de trouver un endroit pas trop rocheux, point obstrué par les récifs. Ensuite, j'avais un peu nagé. Le courant m'avait déporté sur l'autre berge. Ainsi, je ne m'étais pas écarté de mon chemin.

Sur la rive, j'avais pris la direction de l'ouest. Cette fois, cela ne faisait plus aucun doute : j'étais en Thaïlande. La rivière, à mon avis, matérialisait la frontière. J'avais trouvé, dans la forêt, une piste qui me conduisait, semblait-il, sur un vaste plateau. Je ne me faisais plus de mauvais sang. J'étais convaincu de marcher en Thaïlande. La terre de la piste était presque damée. Je croyais que cette piste était fréquentée par des bûcherons et des forestiers thaïs. Je n'avais pas de souci à me faire. Je n'avais même pas pris la précaution de me rhabiller.

J'étais en train de tordre mes vêtements quand, tout à coup, à vingt mètres de la rivière, j'entendis : « Haut les mains ! » Trois jeunes Khmers rouges – entre quatorze et seize ans peut-être – me tenaient en joue. Curieusement, ils ne m'avaient pas intimidé. Je souriais plutôt. Tout cela me dépassait. Naïf, je m'étais cru arrivé en Thaïlande, à l'abri d'une fâcheuse rencontre. Je ne savais pas pourquoi je souriais. C'était plus fort que moi. L'un des jeunes soldats prit peur en me voyant sourire. Il avait cru qu'on s'était servi de moi comme appât et qu'on leur avait tendu une embuscade. Les trois Khmers rouges, brusquement, se mirent en position. Je les rassurai :

– Camarades, je suis seul.

– Immobilisez-vous et restez tranquille, m'ordonna le plus âgé des trois adolescents. Il m'arracha mes vêtements des mains et les fouilla. Il prit mon poignard, mon bidon. Dans le bidon, en le secouant, il entendit un froissement.

– Qu'est-ce que c'est ? me questionna-t-il.

– De l'argent américain...

– Quel argent américain ?

Ma réponse l'intrigua. Il retira les billets roulés du bidon, soit trois billets de cent dollars, un billet de cinq cents francs et un billet de vingt baths thaïlandais. Les billets étaient enveloppés dans le morceau de carte sur lequel j'avais noté les kilomètres parcourus. Il jeta ce morceau de carte. Cela m'arrangeait. Je pouvais lui raconter n'importe quelle fable. Il n'était pas censé savoir d'où je venais. Cette idée m'était venue à l'esprit au moment où le soldat fouillait ma chemise et mon pantalon. Il me restait peu de temps pour forger une histoire crédible. Le soldat et ses camarades m'emmenèrent dans un campement à trois cents mètres plus loin, au bord d'une autre rivière encore plus large. Il y avait une trentaine de Khmers rouges dans le campement. J'avais eu le temps de les compter. Abrités par des bâches en plastique, les soldats avaient installé des hamacs. Certaines bâches, comme des tentes, étaient tendues entre des piquets de bois sur des lits en bambous. Le chef n'était pas là. Je le sus plus tard. Son adjoint m'interrogea :

– Alors, tu viens de Thaïlande ?

Il pensait que je faisais partie des maquisards basés en Thaïlande. Je lui dis d'abord la vérité :

– Non, camarade. Je veux aller en Thaïlande. Je viens du Cambodge. Je voulais passer en Thaïlande.

Je lui parlais simplement sans éprouver la moindre peur, la moindre émotion. Si j'avais conscience du traquenard dans lequel j'étais tombé, je n'avais pas peur. J'avais perdu, aboli, la conscience de la peur. Il insistait :

– Tu es sûr que tu ne viens pas de Thaïlande ?

– Camarade, regardez-moi. Serais-je aussi maigre, aussi faible, si je venais de Thaïlande ? Regardez ma constitution. Pourquoi suis-je aussi maigre ? Je n'ai que la peau sur les os. Je veux aller en Thaïlande parce que l'on m'a dit que la Thaïlande c'est comme chez nous autrefois. On y est libre. On a la liberté, la joie de vivre. Ce n'est pas comme chez nous, maintenant. Camarade, je veux aller en Thaïlande.

Ce qui le frappa dans ma réponse, c'était mon assurance, le fait que je ne manifestais aucune crainte. Le Khmer rouge n'était pas brutal. Il utilisait la douceur mais je connaissais cette douceur perfide. Les Khmers rouges utilisaient la douceur, les paroles douces, pour endormir notre vigilance. C'était une ruse qu'ils utilisaient couramment. Le soldat continua de me questionner :

– Mais d'où venez-vous camarade ? De quel village ?

– Vous savez, nous étions douze personnes en partant : trois femmes et neuf hommes...

J'avais choisi de dire partiellement la vérité. Mais, sans savoir pourquoi, je n'avais pas prononcé le nom de Leach :

– Je viens du village de Krakor, situé près des Grands Lacs de Tonlé Sap. Parmi nous, il y avait deux frères, Thuon et Then, qui connaissaient le chemin de la Thaïlande. Naturellement, ce sont eux les instigateurs du voyage.

– Mais là-bas vous n'étiez pas bien ? Vous ne mangiez pas assez ? Il y a beaucoup de poissons pourtant dans cette région.

– Oui, nous mangions bien. Mais je m'ennuyais. Comme j'ai perdu toute ma famille, j'ai été tenté de partir avec eux. Deux jours après notre départ, nous avons rencontré une patrouille de vos camarades khmers rouges. Nous nous sommes dispersés. Certains de nos compagnons ont été abattus, fusillés, et d'autres furent arrêtés. Je suis resté seul à errer dans la forêt. J'étais complètement égaré. Je ne connais pas la forêt, ni la région où se trouve la Thaïlande.

Le Khmer rouge essayait de m'endormir par ses paroles douces et, de mon côté, j'essayais de le berner par mon ignorance. Bien sûr, je savais où se trouvait la Thaïlande. Il fallait toujours feindre l'ignorance avec les Khmers rouges. Ils n'aimaient pas les types arrogants qui voulaient jouer au plus malin. Je débitais mon histoire d'une manière lasse et résignée :

– J'ai continué à marcher seul dans la jungle. J'ai marché pendant trois semaines sans riz, sans provision. Regardez, je n'ai rien sur moi. Vous pouvez me fouiller. Vous trouverez juste un quartier de tortue dans mon pantalon. J'ai mangé de la tortue crue. J'en ai attrapé plusieurs au cours de mon voyage...

Je me suis mis à raconter, en omettant les détails dangereux, certains épisodes de mon expédition. Je lui avais dit qu'une tortue pouvait me nourrir pendant trois jours. Quand je n'étais pas patient, je la mangeais en une seule journée. Je mangeais une tortue dans la journée si la faim me tenaillait réellement. Quelquefois, quand je n'étais pas trop pressé, une tortue me nourrissait pendant deux jours. Si j'arrivais à être patient et à résister à ce supplice de Tantale, je pouvais tenir trois jours et demi avec une tortue. J'agrémentais les morceaux de tortue de feuilles, de champignons, de petits crabes, de jeunes serpents... Le Khmer rouge m'écoutait avec attention :

– Vous voyez camarade, je voulais vraiment aller en Thaïlande. Malheureusement, je ne sais pas où la Thaïlande se trouve, dans quelle direction. J'ai marché; j'ai marché pendant des jours sans pouvoir m'orienter. J'ai trouvé ce sentier, je l'ai suivi et j'ai rencontré vos camarades. Je suis très content de vous avoir rencontré. Comme ça, maintenant, je peux manger. Et puis après, vous pourrez faire ce que vous voudrez. Si vous décidez de me fusiller, fusillez-moi ! Mais donnez-moi à manger, j'ai très faim et j'ai froid. Je suis gelé. Je viens juste de traverser la rivière. Mes vêtements sont trempés. Donnez-moi à manger.

Je pensai, en parlant, à la grande rivière au bord de laquelle leur campement était installé. C'était sans doute celle que j'avais relevée sur la carte et qui marquait la frontière entre la Thaïlande et le Cambodge. Je voulais dissiper cette incertitude et m'assurer du nom de la rivière. J'interrogeai le Khmer rouge :

– Où sommes-nous ici ? Dans quelle province nous trouvons-nous ? Dans quelle région ?

Le chef, au lieu de me fournir une réponse précise, s'en tira par une vague justification :

– Nous sommes nulle part... On nous a dit de prendre position ici, dans cette forêt. On est donc venu.

– Mais quelle est cette rivière ? C'est la rivière de Pursat ? Machinalement, il me répondit :

– Non, non. La rivière Pursat n'est pas si large que ça. Vous ne voyez pas comme cette rivière est grande. C'est la rivière Mé Toek, la mère de toutes les eaux.

J'étais bel et bien à côté de la Thaïlande. Le Khmer rouge essayait toujours de m'apprivoiser par la courtoisie tandis que je m'obstinais à jouer les naïfs. Je n'étais pas dupe de son jeu mais, à force de faire l'innocent, je passais vraiment pour un idiot, un demeuré. D'autres Khmers rouges étaient venus à la rescousse de l'homme qui m'interrogeait. Ils n'avaient jamais vu un fugitif aussi candide que moi. Je déployais tous mes talents de simulateur pour affecter une ingénuité parfaite.

Je lui faisais croire que j'étais perdu et que je l'avais trouvé providentiellement sur ma route. Un fugitif ne lui avait probablement jamais tenu ce langage. Il était obligé de constater que j'étais content d'être tombé sur une patrouille khmère rouge. Calmement, sans manifester le moindre signe de peur, j'avais dit au Khmer rouge que j'étais prêt à accepter n'importe quoi pourvu qu'on me donne à manger. Je montrais toutes mes plaies : les marques de sangsues, mes pieds et mes jambes ensanglantés. J'avais l'air pitoyable, je le savais... Ils n'éprouvaient aucune pitié pour les hommes du peuple nouveau mais ils étaient étonnés de me voir encore en vie. J'étais à leurs yeux une carcasse en sursis, un mort vivant. J'étais moins faible, en réalité, que mon aspect physique le laissait supposer. Je m'étais plaint et lamenté afin que les Khmers rouges ne se fassent aucune illusion à mon sujet.

Mon œil clignait depuis le matin. Ce tic, dans ma vie, avait toujours été le signe d'un bon présage. En fait, c'était depuis la veille que le clignement de ma paupière gauche m'avait averti qu'un événement heureux m'arriverait. Le lendemain matin, mon œil clignait encore. Décidément, le doute n'était plus permis. Le mouvement de la paupière gauche, toutefois, n'annonçait pas un aussi bon présage que le clignement de la paupière droite. Mais, tout de même, la paupière signifiait une réussite proche ou une rencontre heureuse, avec une jolie femme, par exemple, à Phnom Penh... Le clignement de l'œil gauche avait toujours été un bon présage pour moi... Depuis la veille, le clignotement ne me quittait pas. Le matin, en marchant, je m'étais dit, très serein : « Ah ! Je suis enfin en Thaïlande. Je viens de traverser une rivière; ce doit être la bonne rivière. Mon œil ne me trompe pas : je vais manger du riz aujourd'hui... » Le tic certifiait en quelque sorte mon intuition.

Je ne pouvais pas me tromper. En fait, je m'étais trompé de peu. Les Khmers rouges m'avaient effectivement donné de quoi manger. A priori, je ne comptais pas sur leur générosité. Après m'avoir interrogé, les Khmers rouges m'avaient donné trois bananes. Je m'étais jeté dessus comme un enfant glouton. Les Khmers rouges me conseillaient de manger sans précipitation : « Mangez celle-ci avant d'entamer l'autre. Ne vous étouffez pas... » Ils me regardaient tous avec des yeux ronds. L'un des soldats me questionna : « D'où venez-vous ? » Un autre soldat répondit à ma place. Son camarade fut étonné d'entendre que je marchais, sans ration, depuis trois semaines. « Trois semaines, ça alors... » Il était presque admiratif. Quand j'eus avalé mes trois bananes, je réclamai un peu de riz.

J'avais toujours faim. En voyant de la nourriture, j'étais devenu boulimique. Là, les Khmers rouges se montrèrent moins conciliants : « Non, non ! Il n'y a plus de riz. Nous avons fini notre repas. Il est 3 heures de l'après-midi. Attendez le repas du soir et mangez des bananes en attendant... » Je m'étais gavé de bananes mais j'avais encore faim. J'étais insatiable. Le Khmer rouge n'en revenait pas :

– Vous voulez encore manger ?

– Oui, j'ai faim.

– Alors, venez camarade. Prenez des bananes vertes et on va les faire bouillir pour vous.

Le Khmer rouge alluma un feu. J'avais très envie de m'approcher du foyer pour me réchauffer. Je grelottais. Tous les soldats m'observaient comme une bête curieuse. Le Khmer rouge qui m'avait pris en charge fit bouillir les bananes vertes. J'essayais toujours de le convaincre de ma faiblesse. J'avais le sentiment que mon subterfuge l'abusait. L'homme, cependant, était habile. Je ne devais pas mésestimer mon gardien. Lorsque j'évoquai le châtiment suprême devant lui, il m'interrompit :

– Qui vous a dit qu'on va vous fusiller ?

Je l'avais supplié de me donner à manger avant que l'on me fusille... Sur ce point, il avait pris ma fausse naïveté en défaut. Je tentai de m'expliquer :

– Je sais que je suis un fugitif, un contre-révolutionnaire. J'ai cherché à m'enfuir du pays et l'on me fusillera.

Je n'appréhendais pas les conséquences de mes actes et de mes propos. Je m'exprimais librement devant ce Khmer rouge qui n'en revenait pas. Mon esprit était clair, lucide. Jamais mon intelligence n'avait été aussi active, aussi pénétrante. Je savais qu'on allait me fusiller et je m'en foutais. Ainsi, pensai-je, j'irai rejoindre ma famille. Je n'avais qu'un désir : manger à ma faim avant de mourir. Insidieusement, le Khmer rouge tenta d'infléchir mon pessimisme :

– Mais, camarade, qui vous a dit qu'on va vous fusiller. Vous savez, on ne fusille pas les hommes comme cela dans notre Kampuchéa démocratique. Il nous manque de la main-d'œuvre pour travailler, pour rebâtir notre pays. D'accord, vous avez eu de mauvaises pensées... Vous avez voulu partir pour la Thaïlande sans même savoir où la frontière se trouvait. Elle se trouve peut-être encore à deux cents ou trois cents kilomètres. Moi, je ne sais pas où est la Thaïlande, de quel côté. Ici, nous sommes en pleine forêt.

Je savais qu'au plus nous étions à cinq kilomètres de la frontière thaïlandaise. Toutefois, je n'avais manifesté aucune surprise quand il m'avait raconté ses sornettes. J'avais fait semblant d'écouter ses mensonges comme des paroles d'évangile. Il mettait beaucoup de bonne volonté à me rassurer :

– Ici, vous êtes chanceux, vous nous avez rencontrés. On va vous donner à manger et l'Angkar ne vous fera pas de mal. Ce sont les impérialistes qui font courir le bruit que l'on fusille les fugitifs.

– Vous savez, moi je vous répète ce qu'on m'a dit. On m'a raconté que l'Angkar fusillait les fuyards qu'elle rattrapait. Moi, j'ai cru les gens qui m'ont raconté cela. Enfin, si vous me fusillez, donnez-moi à manger. C'est tout ce que je réclame.

– On ne vous fusillera pas. Vous avez ma parole. Je vous le dis : on ne vous fusillera pas. Nous manquons de main-d'œuvre. Il faut que vous acceptiez de travailler avec nous. C'est la condition de votre réhabilitation.

J'étais sur le point de le croire. Le Khmer rouge commençait à m'apprivoiser. Je n'y prenais pas garde mais, lentement, il me circonvenait. Les deux années vécues sous la terreur khmère rouge avaient dissipé toute illusion quant à la valeur de leurs promesses. Ils étaient capables de faire toutes les promesses que nous voulions entendre pour anesthésier notre méfiance. Je savais que leurs paroles douces accompagnaient les crimes ou les précédaient. Les Khmers rouges étaient polis en toutes circonstances, même avant de nous abattre comme du bétail.

L'homme me parlait doucement. Il me dorlotait presque. Ma vigilance était endormie. Je mangeais une banane et je regardais le feu où un autre Khmer rouge était en train de faire cuire deux grosses bananes vertes. J'avais froid, j'avais faim; je voulais me réchauffer et manger. La fatigue aidant, je crus que le Khmer rouge disait vrai. Au fond, je devais avoir envie de le croire. J'éprouvais, ainsi entouré de soins, une impression de liberté. Le Khmer rouge semblait me considérer comme un individu à part entière. Ses propos étaient pleins de conviction :

– Vous êtes Cambodgien. Nous avons besoin de vous. Vous êtes notre camarade, notre frère, quoi !

Innocemment, je me levai pour me rapprocher du feu. Je tremblais toujours. Je n'avais pas assez chaud. Mes vêtements n'étaient pas secs. En me collant près du feu, j'espérais les sécher plus rapidement. Tranquillement, je me dirigeai vers le feu. Arrivé à trois mètres du foyer, j'entendis derrière moi le cliquetis d'un fusil automatique que l'on armait. Je vis, en me retournant, qu'un soldat pointait son arme sur moi. Le chef, lui, n'avait pas bougé. Le soldat m'apostropha :

– Où allez-vous ?

Le fusil était chargé. Le soldat khmer rouge avait été affecté à ma surveillance. Je rassurai mon gardien :

– Camarade, je vais me réchauffer près du feu.

– Non, vous ne devez pas bouger. Revenez à votre lit. Restez tranquille et ne bougez plus.

Le chef n'avait rien dit. Il l'avait laissé faire et semblait se désintéresser de l'incident. L'intervention de la sentinelle était opportune à mon sens. Elle m'avait fait revenir à la réalité. J'avais cru que les Khmers rouges m'avaient adopté comme un des leurs, qu'ils me considéraient comme un homme à part entière et, en toute lucidité, je n'étais qu'un prisonnier. Je ne pouvais même pas aller me réchauffer près du feu.

Les Khmers rouges me donnèrent les deux bananes cuites. Je me félicitai encore de la générosité de mes gardiens. Ces deux bananes étaient une sorte de bienfait pour moi. Le chef, après mon solide repas, continua de me questionner :

– Qu'est-ce que tu cachais dans ton bidon ?

– C'est de l'argent américain, c'est-à-dire trois billets de cents dollars. Les billets sont légèrement mouillés mais on peut toujours les faire sécher...

– Qu'est-ce que c'est que cent dollars ?

– On peut acheter deux montres automatiques en Thaïlande avec cent dollars. Avec trois cents dollars, on en a six.

– Et cette tête, cette figure sur le billet, qui c'est ?

– C'est le président des États-Unis, Lincoln... Ou bien, c'est quelque chose comme cela. Je ne sais pas. C'est un président des États-Unis en tout cas.

– Ah ! bon !... Mais le président, qu'est-ce que c'est ?

– C'est comme le roi. C'est une personnalité qui a autant d'importance qu'un roi.

– Ah ! les impérialistes ! Et ça alors, qu'est-ce que c'est ?

– C'est de l'argent français, cinq cents francs...

– Qui est-ce sur le billet ?

– Je ne sais pas. Sans doute une haute personnalité française.

– Ah ! encore les impérialistes ! Ils ont encore des classes : des hautes personnalités, des basses personnalités.

– Et ceci ?

– C'est de l'argent thaïlandais. Avec cela, on peut acheter des objets, de la nourriture. Les cinq cents francs français ont la même valeur que les cent dollars.

– Ah ! bon ! ce gros papier vaut ce petit papier...

– En tout cas, vous pouvez faire ce que vous voulez de ces papiers. Je vous les donne.

Je n'avais pas le choix. Je ne pouvais pas les garder non plus. Le chef s'absenta un instant pour confier un message à un petit garde khmer rouge. Je l'entendis parler d'un autre chef. Je pensai qu'il prévenait le chef du campement de mon interception et qu'il l'attendait pour décider de mon sort. Le chef était en mission à la frontière, à cinq kilomètres du campement.

Je m'étais installé sur un lit en bambous, sous un sac de jute que les Khmers rouges m'avaient prêté. Le lit était protégé de la pluie par une petite bâche en plastique. Là, j'avais essayé de m'orienter, de trouver l'ouest. C'était difficile, le ciel était bas, gris, couvert. La rivière Mé Toek, en crue, grossissait au fil des heures. Son débit était torrentiel et sa largeur impressionnante. Elle faisait deux cents mètres de large. Le jeune Khmer rouge, qui portait un fusil, ne pouvait pas traverser la rivière à la nage. J'étais curieux de savoir quel moyen il utilisait pour franchir le cours tumultueux de la rivière.

Il y avait un câble tendu au-dessus de la rivière entre les deux rives. Un radeau était relié aux berges par des cordes. Pour traverser le rapide, le garde s'était installé sur le radeau et tirait sur le câble. Le radeau était sans cesse déporté et c'était miracle si les cordes ne se rompaient pas...

Quand le soir tomba, on me donna encore à manger. Je n'avais pas mangé de riz depuis presque trois semaines. Je me jetai comme un malheureux sur le bol de riz que les Khmers rouges me tendirent. Jamais, je n'avais mangé aussi goulûment. Je m'étais précipité sur le riz. Voyant cela, les Khmers rouges m'offrirent même une soupe de riz avec du poisson pour calmer ma fringale. C'était très bon. Jeune et courtois, le cuisinier était venu me voir :

– Camarade, vous mangez bien.

– Je voudrais un autre bol de riz si c'est possible.

– Mais non, regardez les autres. Ils ne mangent qu'un bol.

– Moi, j'ai très faim. J'aimerais obtenir un autre bol de soupe.

– Je ne sais pas. Il faut demander au camarade-chef.

Le chef adjoint n'avait pas écouté notre conversation. Le cuisinier lui répéta ma requête. Ce cuisinier m'appelait toujours camarade :

– Ce camarade demande un autre bol.

– Bon, d'accord ! Donnez-lui...

Le cuisinier me donna un bol de riz supplémentaire. Il fut vite avalé. Je sentais que mes forces revenaient. C'était un léger mieux, une amélioration passagère avant de mourir... J'avais presque recouvré toutes mes capacités physiques. Les Khmers rouges m'ordonnèrent de dormir sur le lit où j'avais mangé, à l'écart du feu. Le nuit tomba. J'essayais de deviner à quoi pouvait bien ressembler le chef du campement. Ma vie, peut-être, dépendait de son éducation, de sa formation. Il devait être assez haut placé dans la hiérarchie militaire si j'en jugeais d'après l'âge de son adjoint qui avait environ trente ans. Les autres soldats avaient entre quatorze et seize ans. Avant le couvre-feu, un Khmer rouge vint me trouver :

– Camarade, vous connaissez le règlement de notre organisation. Je suis obligé de vous ficeler pour la nuit.

– Pourquoi ? Je n'ai pas l'intention de m'enfuir. Où irais-je ? Je ne connais même pas le chemin de la Thaïlande. Je suis tranquille ici, je mange bien. Pourquoi m'enfuirais-je ? Je risquerais de m'égarer, de tourner en rond dans la forêt et de mourir de faim. Ce n'est pas la peine de me ficeler.

– C'est le règlement. Je dois l'appliquer. Je ne peux pas faire autrement. Le règlement c'est le règlement. Il faut que vous soyez ficelé. Vous pourriez errer le soir en allant aux toilettes. Si vous éprouvez le besoin d'aller aux toilettes, il suffit de demander à vos deux gardes de vous accompagner. Ils sont près de vous pour garder le camp, pour veiller sur votre sécurité toute la nuit. S'il y a quelque chose, ils viendront vous détacher. Par contre, si on ne vous attache pas, vous risquez d'aller aux toilettes seul, sans les prévenir, et vous tomberez sur une mine. Il y a beaucoup de mines à proximité du campement. Enfin, si vous vous éloignez trop de notre campement, d'autres sentinelles qui ne vous connaissent pas peuvent vous confondre avec un ennemi. Vous comprenez pourquoi le règlement dit qu'il faut vous ficeler.

Il expliquait cela gentiment, d'une manière civilisée comme l'on dit dans les pays anglo-saxons. Je lui répondis sur le même ton :

– Bon, cela n'a pas d'importance. Vous pouvez me ficeler si vous le souhaitez. Je vous le répète, je n'ai pas l'intention de m'enfuir. Je suis très faible et je risque de m'égarer. Je suis incapable de marcher vite. Je me trouve bien ici, d'autant plus que le camarade, tout à l'heure, m'a affirmé que je ne serai pas fusillé et que je pourrai travailler avec vous.

– Bien sûr, bien sûr. Mais le règlement, c'est le règlement...

Tandis qu'il me parlait, le Khmer rouge s'était mis à l'œuvre. Il m'avait lié les coudes derrière le dos et il me fit étendre sur le lit en bambous. Une fois couché sur le dos, je fus plaqué contre les montants du lit par le soldat. Puis, il fit glisser mes liens sous le lit et serra très fort. Il serra si fort que j'eus mal aux bras. Il fit plusieurs tours avec sa corde sous le lit, par-dessus, par-dessous. Je ne pouvais plus bouger. Mon corps était immobilisé. Seules mes jambes étaient libres. Les gardes s'installèrent près de moi. Le Khmer rouge s'éloigna après m'avoir ficelé comme un saucisson. J'étais vraiment ligoté. A plusieurs reprises, j'essayai de dire à mes deux cerbères de desserrer les liens. Je leur expliquai que je souffrais et que je ne pouvais pas dormir. Ils ne voulurent pas m'écouter. Je les suppliai d'adoucir mon sort. Leur refus était catégorique :

– Non, non. Dormez. Demain matin, vous verrons cela.

Ces deux gardes étaient armés. Ils n'avaient pas renoncé, toutefois, à leur politesse, à leur courtoisie. Ces apparences aimables ne me trompaient pas. J'étais prisonnier et j'attendais une décision du chef à mon égard. Je ne pouvais me bercer d'illusions à ce sujet. Tant pis, j'étais coincé...

Chose curieuse, mon œil droit se mit à cligner le lendemain matin. La veille, ma paupière gauche s'était mise à battre anormalement. Mon œil droit était agité par le même mouvement. C'était tout à fait inhabituel. Je n'y comprenais plus rien. Il bougeait, bougeait sans cesse. Le tic était irrépressible. J'essayai de trouver une explication. Je tenais peut-être la clé : l'œil gauche voulait dire prisonnier, l'œil droit fusillé. Puisque toutes les valeurs étaient inversées, me disais-je, il était possible que mes bons présages se soient transformés en funestes prophéties. Tant pis ! J'attendais ma fin avec résignation. L'idée de la peur ne m'effleurait même pas. Au moins, aurais-je ainsi la chance de retrouver ma famille... Dans l'autre monde.

Je pensais à ma femme. Je me demandais où elle avait pu aller. Qu'est-ce qui avait pu lui arriver ? Elle était, probablement, morte de faim. Elle ne savait pas s'orienter. Elle ne connaissait pas la direction de la Thaïlande. Elle était incapable de se diriger. Les Khmers rouges l'avaient peut-être attrapée. Cela était aussi désespérant que la faim. Les Khmers rouges exécutaient tous les évadés repris. La mort, dans ce cas, était fatale. Dans la jungle, deux principaux dangers menaçaient Any : les fauves et la faim. Les bêtes féroces s'en prenaient aux proies faibles, sans défense. Ma femme n'avait même pas de quoi faire du feu. L'autre dame non plus. Comment survivre dans ces conditions ?

Au cours de cette nuit, attaché à mon lit, j'avais revu toute ma vie. Tous mes amis et tous ceux que j'aimais avaient défilé devant moi. Je revoyais surtout cette période de ma vie passée chez les Khmers rouges, dans leur enfer. Qu'était devenu mon enfant laissé à l'hôpital ? J'ai longtemps espéré qu'il survivrait à nos malheurs. Aujourd'hui, il est sûrement encore en vie avec sa maman adoptive. Cela n'a pas été vérifié. Personne n'a pu faire un véritable recensement. Mais il fait certainement partie des survivants. J'ai toujours l'espoir de le revoir vivant.

J'avais aussi retrouvé les visages de mes enfants disparus, mon aîné et mon cadet, de mes parents et des autres membres de ma famille. Mon cadet avait été le plus chanceux. Il était mort le premier. C'est lui qui avait souffert le moins. Il était mort en dormant, entouré de ses parents. Le plus malheureux, c'était mon aîné. Cinq jours après son départ, on nous avait annoncé sa mort. Il était mort loin de ses parents, dans des conditions que nous n'avions pas pu élucider. Soumis aux travaux forcés, il avait été certainement battu. Il n'avait, dans son camp de travail, aucun recours, aucune consolation à espérer. Mais le troisième n'était-il pas encore plus malheureux encore que l'aîné ? Il était resté seul à l'hôpital. Il n'avait plus ses parents pour prendre soin de lui. Il était seul et je ne sais pas dans quelles misérables conditions il vit actuellement. Ma femme était morte dans des circonstances encore plus atroces, égarée dans la forêt... Quelle mort l'avait emportée ?

Moi, j'étais le plus chanceux de la famille. Avant de mourir, j'avais pu manger à ma faim et j'étais certain qu'on allait m'administrer une mort expéditive : me fusiller ou me briser la tête à coups de manche de pioche. J'avais plus de chance que ma femme, que mes enfants. Le souvenir de mes parents m'avait ému aussi. Tous les membres de ma famille, en vérité, avaient sacrifié quelque chose pour moi.

Mes parents, courageux et bons, m'avaient laissé la liberté de tenter de m'évader et de les abandonner. Ils m'avaient poussé à me libérer de mes sentiments familiaux, du remords, pour me permettre de quitter cet immense camp de concentration, ce bagne à l'échelle d'une nation pourtant toléré par les grandes puissances. Mes parents m'avaient légué leurs bijoux pour que je puisse vivre le plus longtemps possible. Préoccupé par notre propre survie, je n'avais plus pensé à eux. Ils étaient morts pour me léguer une parcelle de vie.

Ils voulaient que je tente l'ultime fuite, l'ultime évasion. Maintenant que mon sort était scellé, que j'étais pris, il n'y avait plus d'illusion à se faire, d'espoir à nourrir. Le destin avait voulu que je meure le dernier. Au moins, j'avais le bénéfice de mourir en luttant pour ma liberté, comme sur un champ de bataille, et de pouvoir manger avant d'expirer. C'était une consolation, aussi, de savoir que la Thaïlande était à deux pas du lieu où j'allais être exécuté. J'avais fait tout ce que je devais faire et ce que j'étais en mesure de faire.

C'était dommage, tout de même ! J'avais presque atteint la frontière. J'avais été piégé au terme de la mission que je m'étais fixée, sur le point d'entrer en Thaïlande. J'aurais tant aimé pouvoir franchir la frontière et parler pour tous les morts. Témoigner, dire ce qui s'était passé au Cambodge... Je voulais le faire pour la mémoire de mes enfants, de ma femme, de ma famille et de tous mes compatriotes décédés.

Je dormis peu cette nuit-là. J'étais hanté par les visions de mes proches, de mes amis, de mes enfants. Tous ces millions d'innocents massacrés...

Le lendemain matin, les deux gardes khmers rouges me détachèrent. J'étais ligoté comme un fou auquel on impose la camisole de force. Je ne pouvais pas remuer. J'avais les deux bras, au-dessous des coudes, meurtris par les cordes. Le chef adjoint vint me voir. Par déduction, j'avais pensé qu'il dirigeait le camp en l'absence du véritable chef.

– Alors, ça va bien. Vous avez bien dormi ?

Tous les Khmers rouges venaient aux nouvelles. Je constituais une attraction de taille. On appréciait ma présence. Je suivais avec un certain détachement le remue-ménage matinal du campement. Certains soldats préparaient le repas. D'autres étaient déjà partis en mission avec leurs fusils et leurs sacs à dos. Ils étaient une dizaine d'hommes, environ. Pour se diriger vers la Thaïlande, ils avaient traversé la rivière. Je les avais regardés de loin, sans avoir l'air de m'intéresser à leurs déplacements. Je me plains à l'adjoint :

– Comment voulez-vous que je puisse dormir ? Regardez mes bras. Les liens étaient trop serrés. Mes avant-bras, ce matin, sont enflés et bleus. Le sang n'a pas circulé. Mes mains sont mortes. Elles sont froides !

Les Khmers rouges me regardaient tous. Le chef adjoint avait pris note de ma protestation et, toute la matinée, j'étais resté assis, impassible. Je contemplais la rivière couler et le paysage à l'entour. Je méditais paisiblement. Une pensée me vint à l'esprit : puisque mon heure était venue, pourquoi ne pas essayer de m'enfuir... Même s'ils me tuaient, le jeu en valait la chandelle.

Tout à coup, je fus pris d'une douleur terrible au ventre. Je dis au chef adjoint que j'avais besoin d'aller aux toilettes. Sans faire d'histoires, il acquiesça. Les deux gardes me demandèrent d'emporter une pioche et m'entraînèrent en dehors du campement. Nous avions gravi la pente et nous nous étions éloignés de la rivière. Un moment donné les deux gardes me firent signe de m'arrêter :

– Creusez un trou et faites vos besoins là !

Je me demandai si le moment était propice à une évasion. Si je m'enfuyais, ils pouvaient m'abattre sur place. J'étais à portée de fusil. De toutes les façons, j'allais finir sous les balles des Khmers rouges. Je pouvais courir ma chance. Pourquoi me résigner à être tué comme un chien ? J'avais bien l'intention d'essayer de m'enfuir.

Je scrutai la forêt, au sommet de la colline et en contrebas. Il n'y avait pas d'autres sentinelles que les deux hommes qui m'accompagnaient. Je pensai que j'avais le temps de courir si les fusils n'étaient pas encore chargés. Cela me laissait quelques secondes pour m'enfoncer dans la forêt et m'y réfugier. Naturellement, j'avais insisté, auprès d'eux, sur le fait que j'étais trop faible pour marcher et creuser. Ils s'en fichaient. Mes démonstrations de faiblesse, si j'ose dire, ne les avaient pas convaincus.

Les deux gardes avaient armé leurs fusils et paraissaient très vigilants. Pendant que je creusais le trou, ils ne m'avaient pas quitté des yeux. Même pas lorsque j'aurais souhaité plus d'intimité. Ils me surveillaient avec attention. Leurs armes étaient plus perfectionnées que de simples fusils. Il s'agissait de pistolets mitrailleurs chinois, des armes redoutables. Je fis mes besoins sous leur surveillance attentive. Je ne pouvais rien faire pour m'évader, rien tenter. Un pas de côté, un geste imprévu et ils me faisaient sauter la cervelle. J'étais trop faible pour atteindre rapidement la forêt dense et me dissimuler dans la végétation. Ils étaient en bonne santé et bien robustes.

Les Khmers rouges ne m'auraient pas laissé une seule chance de m'en tirer.

La jungle était épaisse autour du campement. Je n'aurais pas pu faire dix mètres dans la forêt sans être rattrapé. Je me résignai à rentrer docilement avec eux. Pendant que je déféquais, un groupe de cinq soldats passèrent près de nous. Ils revenaient certainement d'une mission. Ils échangèrent quelques mots :

– Comment ça va, camarade Chuon ?

– Moi ça va. Mais dis donc, cela sent bon... C'est bien de regarder un ennemi faire ses besoins ?

Ils riaient entre eux. Le mot ennemi avait résonné dans mes oreilles. Jamais le chef, en m'interrogeant, n'avait employé ce mot : « ennemi ». Cela me troublait et me choquait. Le chef avait toujours utilisé des mots indulgents, tolérants. Il avait fait preuve de tact et de douceur. Il ne m'avait pas traité en ennemi. L'homme qui venait de s'exprimer – et d'employer le mot ennemi – était un simple soldat, un garde. Peu éduqué, retors, il parlait simplement. Il s'exprimait sans faux-semblant. Sans arrière-pensée, de manière brutale, il m'avait désigné en terme d'ennemi.

Discrètement, j'écoutais les Khmers rouges. Ils ne s'en rendaient pas compte. Ils parlaient de moi en employant le mot « ennemi ». Il n'y avait aucun doute là-dessus. Or, dans les réunions politiques, une personne désignée comme ennemie était toujours quelqu'un à abattre. Dans toutes les réunions, ce mot était synonyme d'exécution. Nous savions qu'être traité d'ennemi signifiait être fusillé. Au passage, le mot fatal m'avait averti du sort qui m'attendait. Le garde répondit à son camarade Chuon :

– Ne t'en fais pas mon vieux. Ton tour viendra.

Il voulait dire que son interlocuteur, à son tour, me garderait et me conduirait aux toilettes. Lui aussi, suggérait-il, aurait à supporter cette corvée malodorante. Chuon lui répliqua immédiatement :

– Mon tour ? Mon tour ne viendra pas. Ce soir, ce sera fini. Enfin, demain matin plutôt. Le chef arrive ce soir.

J'étais édifié. L'arrivée du chef allait entraîner ma mort le lendemain matin. J'interprétai vite les propos du soldat. J'étais foutu... Je montrai au soldat que sa corvée était finie. Je rebouchai le trou que j'avais creusé et le garde m'accompagna jusqu'à mon lit en bambous. Là, je m'assis.

Les deux soldats affectés à ma surveillance ne bougeaient pas. Ils étaient installés à trois mètres de moi, l'un en face, l'autre à côté. Mes gardes ne me quittaient pas. A l'heure du déjeuner, je mangeai seul, sur mon lit, en même temps que les Khmers rouges qui s'étaient assis autour d'une longue table en bois, près de la cuisine. J'avais encore réclamé un supplément de riz mais ils n'avaient pas voulu me servir :

– Vous avez déjà eu un supplément de riz hier. Aujourd'hui, il faut manger comme les autres. Il ne faut pas faire de différence.

Même lorsqu'il me refusait quelque chose, le chef continuait d'être courtois, poli. Il ne cessait d'employer des paroles douces avec moi. Il m'avait d'ailleurs posé d'autres questions sur mon passé. Obstinément, je répétais la même chose :

– Je suis technicien des Travaux publics. J'ai quitté ma ville. Ma femme et mes enfants sont morts...

Je ne changeais pas un mot à ma déclaration de la veille. Je faisais attention au moindre détail. Je disais toujours que je venais de Krakor. Le chef adjoint voulait me prendre en défaut, trouver la faille dans mon récit. Je connaissais la chanson. Je savais que je ne devais pas me trahir, que je devais toujours répéter les mêmes mots. Il m'avait demandé si je connaissais d'autres candidats à l'évasion dans le village de Krakor.

– Je ne connais personne d'autre qui voulait quitter Krakor. Je ne sais pas où se trouve la Thaïlande. Vous me dites que c'est à deux cents kilomètres d'ici, alors j'ai dû marcher dans la mauvaise direction. Je n'ai pas mangé pendant toutes les semaines où j'ai erré. Je n'ai pas l'intention de m'enfuir puisque je vous ai rencontré. Je dois rester avec vous. Je suis trop faible pour partir. Je suis heureux ici : je mange enfin.

Je ne pouvais pas m'écarter de mon lit. Je réfléchissais. Je me reposai jusqu'au soir. Le chef du campement arriva dans la soirée. Toute la journée, j'avais contemplé le paysage forestier. Je n'étais pas attaché. Je pouvais rester assis. Le spectacle de la nature me donnait des regrets. Je rêvais à ce que j'aurais pu faire si j'avais réussi à passer en Thaïlande. Ma seule préoccupation, c'était encore la nourriture. Manger à ma faim...

Le chef de campement, à son arrivée, me toisa sans me poser de question. Il alla s'installer près du feu et le chef adjoint lui expliqua d'où je venais. Le rapport de l'adjoint sembla le satisfaire. Il paraissait content de ses soldats. Je l'entendis dire aux gardes :

– Faites attention à ce prisonnier. Fais très attention à lui. Gare à celui qui le laissera partir.

J'avais fait semblant de ne rien entendre. L'avertissement, toutefois, n'était pas tombé dans l'oreille d'un sourd. Le soir, encore, les Khmers rouges me donnèrent un bol de riz avec une copieuse soupe de poissons. Je m'étais régalé.

A la tombée de la nuit, le garde qui vint m'attacher à mon lit avait changé. Ce n'était plus celui qui m'avait ligoté la veille. L'adjoint du chef lui avait recommandé de ne pas serrer mes liens trop fort. Il avait constaté que mes mains avaient gonflé et que je n'avais pas réussi à trouver le sommeil. Pour apitoyer mon gardien, je m'étais mis à me plaindre. Sans qu'il s'en aperçoive, je tirais sur mes liens. Je gémissais :

– Ne tirez pas trop fort, camarade. Vous me faites mal.

Il s'inquiétait de mes plaintes :

– Vous ne souffrez pas comme ça ? Dites moi si ça va...

Je tirais de mon côté et lui tirait du sien. Au bout du compte, je pouvais remuer un peu mes bras. Mes liens étaient assez lâches. J'étais étendu et attaché sur le lit. J'avais sous la tête mon bidon en guise d'oreiller. La nuit, les sentinelles qui me surveillaient, changeaient toutes les deux heures. Je m'étais aperçu de la régularité de cette rotation car l'une des deux sentinelles en faction gardait sur elle la montre du chef et la passait à son successeur à chaque relève.

Toutes les deux heures, ils se passaient la montre. L'un des gardes restait en place pendant que l'autre allait chercher la relève. La relève arrivait et mes deux gardiens se retiraient. Les deux hommes en faction se tenaient assis l'un en face de l'autre, dans un lit parallèle au mien, à deux mètres de moi. Leur lit était surmonté d'une bâche.

Ce soir-là, je ne sais pas pourquoi, je m'endormis tout de suite, comme par enchantement. La nuit précédente, j'avais souffert d'insomnies et j'avais revécu les étapes successives de notre détresse, tous nos malheurs. Il se produisait une chose curieuse : ces angoisses avaient disparu, elles m'avaient déserté. Je m'étais endormi, comme un enfant, du sommeil du juste.

A 11 heures, je me réveillai en sursaut. Les éclairs et le tonnerre annonçaient un orage proche. Il ne pleuvait pas encore. Je savais qu'il était 11 heures car les gardes s'étaient appelés entre eux. De temps en temps, un éclair illuminait le campement. Le ciel, sinon, était très couvert. Il était impossible de discerner même des silhouettes dans cette obscurité. Régulièrement, l'un des gardes venait me voir. Il vérifiait, à la lueur de son briquet, que je n'avais pas bougé. J'avais remarqué, également, qu'ils ne se déplaçaient pas quand je toussais. Ils ne se donnaient pas la peine de voir si j'avais changé de position. Ils étaient sûrs que j'étais allongé. C'était la seule chose dont ils se souciaient. J'étais éveillé et je les écoutais parler.

Soudain, je fus pris d'une crampe à l'estomac. Ce malaise était identique à celui que j'avais éprouvé dans la matinée. Il était provoqué par l'inhabituelle abondance de mes repas dans le campement. Je souffrais le martyre. J'avais l'impression qu'on m'arrachait le ventre. Cette crise n'était pas préméditée. Je ne l'avais même pas senti venir. Je souffrais atrocement. Je me disais qu'il était impossible que cela dure. J'avais la colique. J'espérais pouvoir me retenir jusqu'au matin. Je n'avais pas encore pensé que je pouvais me faufiler dans l'obscurité, dans cette nuit d'encre. Les minutes passaient mais la crise ne s'apaisait pas. Il fallait que j'appelle les gardes. J'avais peur de faire dans mon pantalon. C'était une question de temps :

– Camarades, s'il vous plaît, j'ai mal au ventre, venez, venez...

– Quoi ? Vous avez encore mal au ventre ? Ce matin, vous êtes déjà allé aux toilettes.

– Je ne sais pas pourquoi, camarade, mais j'ai encore mal au ventre. Dépêchez-vous, sinon je vais faire dans mon pantalon.

– Bon ! Attendez...

L'un des gardes vint dénouer mes liens et les cordes qui me maintenaient attaché au lit en bambous. L'autre, pendant ce temps, avait pris la pioche et il avait commencé à creuser un trou à trois mètres du lit. Il avait creusé un petit trou. Son camarade me tenait presque en laisse. Il n'avait pas lâché la corde, de peur de me voir filer sans doute. Mes coudes étaient toujours entravés, attachés dans le dos. Il était difficile d'accomplir le moindre geste dans cette posture.

– Camarade, pouvez-vous détacher un peu mes bras ? Je n'arrive pas à défaire mon pantalon. Déliez-moi pour que je puisse me déshabiller au moins.

Le soldat accepta de desserrer légèrement les cordes afin que mes mains atteignent la ceinture de mon pantalon. Puis, il me laissa faire mes besoins. Il n'avait pas lâché la corde. Tandis que je reboutonnais mon pantalon, une pluie torrentielle s'abattit sur nous. Instinctivement, nous nous précipitâmes tous les trois vers les abris. Nous voulions nous couvrir. Il faisait froid et la pluie eut vite fait de transpercer nos vêtements.

Les deux hommes tiraient sur la corde pour m'entraîner dans leur course. Arrivé à mon lit, l'un des gardes me rattacha rapidement dans le dos, en serrant très fort. Moi, je tirais en sens inverse pour conserver le maximum de corde. Personne, dans la nuit, ne pouvait voir les efforts que je faisais avec mes bras. Les gardes m'avaient ligoté sur mon lit avec une corde de nylon avant de retourner à leur place. Il pleuvait à verse. Un bruit assourdissant nous enveloppait. Les gouttes d'eau tambourinaient dans les feuillages et sur les bâches en plastique. Je n'entendais plus rien, même plus mes gardiens. Il faisait noir.

Calmement, je remuai mes bras. Je pouvais les déplacer sensiblement vers l'avant, juste assez pour que mes doigts touchent des liens qui me meurtrissaient les coudes. Patiemment, obstinément, je grattai la corde. L'un des nœuds se desserra et le reste n'était plus qu'un jeu d'enfant. C'était incroyable, je pris conscience que j'étais libre. Comment décrire cette sensation de liberté que j'éprouvai à ce moment-là ! Je voulais rester lucide, ne pas perdre mon sang-froid. Il fallait ne pas s'affoler, rester tranquille, réfléchir.

La pluie continuait à tomber. On n'entendait que le bruit de l'eau sur les bâches. La foudre éclairait, de temps à autre, le campement. Je n'avais pas bougé de mon lit. A l'exception de mes sentinelles, le reste du campement semblait plongé dans un sommeil profond. Mes gardes m'avaient donné un sac de jute – un gros sac de riz – pour me couvrir. Je m'étais caché dessous, tandis que je détachais mes liens, et je toussotais pour rappeler ma présence aux gardes. J'attendais les éclairs pour relever la topographie des lieux et la position exacte des sentinelles. Les deux Khmers rouges en faction, leur fusil à la main, étaient toujours assis à ma droite sur leur lit.

Dans l'attente d'un autre éclair, je réfléchis à ce que je devais emporter dans ma fuite : peut-être un peu de riz et un morceau de plastique pour m'abriter de la pluie. J'essayais de raisonner vite. Je décidai d'emporter seulement mon bidon. Je n'avais pas beaucoup de temps devant moi. Avant de partir, j'arrangeai le sac de jute pour lui donner une forme humaine. Un éclair m'aveugla. L'obscurité complète qui suivit me donna quelques minutes de répit. Je descendis posément du lit et me tournai du côté opposé à celui où se tenaient les deux sentinelles.

Le terrain était en pente, à flanc de montagne. Je commençai à descendre le long de la colline. Une idée me traversa l'esprit. Je remontai rapidement vers la piste que j'avais empruntée deux jours plus tôt. Tout le monde, d'une manière générale, prenait la piste. La pluie avait creusé de nombreuses flaques dans le sentier. Volontairement, je laissai beaucoup d'empreintes dans la glaise. Je rampais, enfonçant mes pieds et mes mains dans la boue. Je voulais que les traces de mon passage soient bien visibles. Puis, je redescendis en marchant dans les herbes hautes, en faisant attention, cette fois, à ne pas laisser de traces.

Je marchais sur les feuilles mortes, dans l'herbe gorgée d'eau. J'avançais à tâtons. Lentement, je réussis à atteindre les rochers qui marquaient la limite du campement en contrebas de la clairière. Là, la pente s'accentuait. N'y voyant rien, avançant au juger, je tombai et roulai jusqu'aux arbustes qui bordaient la rivière. Arrivé sur la berge, je tentai de retrouver le câble tendu entre les deux rives. J'essayai de me fier aux éclairs pour entrevoir le câble. Mais rien ! Impossible de le distinguer dans cet orage, dans cette tempête. J'arpentais la berge en tous sens et je n'apercevais rien du tout. Je commençai à m'affoler. Où ce maudit câble avait-il été amarré ? Allais-je continuer à longer la rivière ?

Tout à coup, je trébuchai contre le radeau qui avait été tiré sur la berge. En levant les bras, je sentis le câble. J'étais sauvé. Une question se posa alors à moi : fallait-il que j'utilise le radeau ? C'était une solution qui me semblait dangereuse et qui, de toutes les façons, ruinait ma tentative précédente de mettre les Khmers rouges sur une fausse piste. Si j'avais pris le radeau, les Khmers rouges auraient percé à jour ma manœuvre et se seraient jetés à mes trousses. Qu'importe, je n'aurais pas su diriger le radeau et j'aurais perdu beaucoup trop de temps à le détacher.

Je décidai donc de franchir la rivière en me suspendant au câble. Je risquais d'être emporté par le courant. Je savais que la corde touchait presque l'eau au milieu de la rivière. Il n'y avait rien d'autre à faire. Je me glissai dans l'eau. A mi-chemin, j'avais de l'eau jusqu'au cou et le courant me déportait. Je tenais bon mais j'avais du mal à résister à la violence de ces eaux en crue. Deux ou trois fois, j'avais failli lâcher le câble. Ces deux cents mètres me semblaient interminables. Pour garder la tête hors de l'eau, j'avais serré le câble sous mon aisselle et j'avançais ainsi.

J'avais fait d'incroyables efforts pour atteindre l'autre berge. J'étais arrivé épuisé, éreinté. J'étais essoufflé, à bout de forces. Tant pis si je ne pouvais pas aller plus loin. Je voulais bien mourir comme ça, sur la berge... Mourir pour mourir, je préférais mourir dans ces conditions. Mourir libre.

Je lançai un regard sur la rive opposée. Les Khmers rouges n'étaient pas encore apparus. Je ne distinguais, sur la rive occupée par les militaires, aucune lumière, aucun signe d'agitation. Quand j'eus récupéré mon souffle, je remerciai le ciel d'avoir fait étape chez les Khmers rouges. Comment aurais-je pu traverser la rivière sans câble, affamé et terriblement affaibli, c'est-à-dire dans l'état où ils m'avaient trouvé ?

Pour plus de sûreté, je pénétrai dans la jungle, à dix mètres de la rivière. Je n'entendais toujours rien d'insolite. Il pleuvait et l'obscurité, tout en gênant ma progression, protégeait ma fuite. Deux possibilités s'offraient à moi pour atteindre la Thaïlande. A l'ouest et au sud-ouest, il y avait un plateau accessible qui menait en Thaïlande. La végétation n'y était pas trop dense. Sachant que j'étais faible – à supposer qu'ils avaient compris que j'avais traversé la rivière, les Khmers rouges pouvaient en déduire que j'allais suivre le chemin le plus court, le plus direct et le moins accidenté, surtout.

Par prudence, je choisis d'obliquer vers le nord-ouest, c'est-à-dire de trouver une voie dans les montagnes abruptes. Je ne pensais pas qu'ils me croiraient assez fort pour entreprendre une expédition pareille dans la jungle. Ils me croyaient seulement capable, dans mon état précaire, de suivre la direction sud-ouest. Une seconde raison m'avait fait opter pour le nord-ouest en dépit des difficultés du terrain. Dans l'obscurité, en pleine jungle, il était bien difficile de s'orienter sur un plateau où l'on ne pouvait pas trouver de repères naturels : des rivières, des vallées... En me dirigeant vers le nord-ouest, j'avais un repère. Si je gravissais une colline, j'étais sur la bonne voie. Si, au contraire, je descendais, je faisais fausse route. C'était simple. Je ne pouvais pas me tromper. Même en tâtonnant, je pouvais m'assurer que je ne tournais pas le dos à la liberté. Je mettais ainsi toutes les chances de mon côté. J'étais comme fou. J'éprouvais une griserie nouvelle. Je chantais et je criais dans les grondements de l'orage. Je marchais comme un enfant heureux...

J'avais décidé de ne pas faire de pause et de marcher toute la nuit. Je voulais prendre une confortable avance sur mes poursuivants. J'arrivai au sommet de la colline au petit matin. J'étais très fatigué. J'avais du mal à reprendre haleine. Je cherchai un abri sous un rocher pour prendre un peu de repos. Je m'endormis dans une anfractuosité de la paroi rocheuse. Il plut toute la journée. Aussi, je dormis tout mon saoûl, la journée et la nuit entière. Puis, je me remis en route. Il n'avait pas cessé de pleuvoir depuis mon évasion du campement. J'étais sur un vaste plateau dégagé et je ne pouvais pas m'orienter : le ciel était trop couvert. Pas un seul rayon de soleil ne perçait les nuages.

J'entendis deux coups de feu. Je ne savais pas d'où ils venaient. Je n'avais aucune donnée topographique. Il m'était impossible de savoir à quel endroit se trouvait la frontière. Je courais le risque de m'égarer, de tourner en rond et de rebrousser chemin à mon insu. Si j'attendais, je risquais également d'être affaibli par la faim et d'être repris par les Khmers rouges. Ils devaient me chercher activement. Je ne pouvais pas me permettre de traîner. Je continuai quand même et je priai le ciel de ne pas être rejoint.

Une éclaircie, par bonheur, vint à mon secours au moment providentiel. Il pleuvait toujours mais le ciel s'était dégagé. J'avais l'habitude de me fier au soleil. Je ne pouvais pas me tromper. J'étais un navigateur avisé dans la jungle. Je savais que je rôdais autour de la frontière.

J'avais suivi, un moment donné, un torrent. C'était mal commode pour marcher mais mes traces, ainsi, ne pouvaient pas être relevées. On ne pouvait pas suivre ma piste dans l'eau. Mes pieds glissaient sur les galets. Quelquefois, je sentais qu'une pierre acérée me tranchait la plante des pieds. Je n'y prenais pas garde. J'avais hâte d'entrer en Thaïlande. Je glissais sur les rochers. Je m'en moquais. J'avais déjà l'esprit de l'autre côté. Au fond, les valeurs n'étaient pas inversées comme je l'avais cru dans le campement. Le tic de la paupière gauche était bien synonyme de repos et de nourriture. L'autre paupière m'avait averti de ma libération prochaine. Aux confins des ténèbres, les valeurs retrouvaient leur juste place. La civilisation était la plus forte... Quand je traversais une clairière, je prenais mille précautions pour ne pas attirer l'attention. J'étais aux aguets. Je me collais derrière les arbres et j'avançais prudemment.

Bientôt, il cessa de pleuvoir. Le soleil brillait. J'accélérais mon pas. Je marchais tout droit, avec le soleil pour seule compagnie. C'était mon salut et mon réconfort.

J'approchais du but et j'avais peur. Il est difficile d'exprimer ce sentiment qui succédait à l'ivresse de l'évasion et qui préludait à la liberté. Je ne voulais pas perdre ce précieux fil d'Ariane qui me conduisait en Thaïlande. Ma peur grandit au fur à mesure que j'approchais de la frontière. Je sentais confusément que quelque chose de capital était en train de se passer dans ma vie mais je craignais une ultime déception, un échec final. Mon cœur oscillait entre la joie prématurée et l'angoisse d'échouer tout près du but.

Soudain, j'entendis un bruit de moteur. Je ne rêvais pas. En descendant dans une vallée, le bruit disparut. Lorsque je remontai, sur l'autre versant, il revint à mes oreilles. Plus je montais, plus la nature du bruit se précisait. Sa localisation aussi. Le bruit semblait toujours venir de la même direction. Je m'interrogeais sur la vraisemblance de ce bruit de moteur. S'agissait-il d'un mirage, d'une hallucination ? J'avais entendu dire que la fatigue et la faim pouvaient provoquer des hallucinations. J'étais méfiant. Le bruit venait de l'ouest; ça, c'était une certitude.

J'entendais toujours ce bruit de moteur, ce ronflement sourd, persistant. J'avais presque atteint la limite du plateau. Mes yeux découvrirent un paysage inattendu, inespéré, que j'avais désespéré de voir un jour. Là, sous mes pieds, à plus de mille mètres – à quelques heures de marche – une autoroute, quelques maisons, et, au loin, la mer... C'était la Thaïlande.

Il était midi, le soleil était au zénith, mais je n'avais pas envie de me reposer. Je voulais atteindre la Thaïlande le plus rapidement possible. Malheureusement, je n'étais pas arrivé au bout de mes peines. Un nouvel obstacle se présenta à moi : un ravin, un gouffre profond de plus de vingt mètres. Je ne pouvais pas sauter. La barre rocheuse était haute et verticale. Il me fallait contourner ce gouffre.

Chemin faisant, je vis un grand arbre qui avait poussé dans ce ravin. Il était couvert de lianes épaisses. Elles paraissaient solides. Assez solides en tout cas pour que je me laisse glisser le long d'une liane. La liane m'avait brûlé, déchiré les mains. Mon atterrissage avait été plutôt brutal. J'avais roulé sur le sol.

J'avais l'impression, cette fois encore, d'être arrivé en Thaïlande. Je devais déchanter. Au bout d'une demi-heure de descente, je tombai sur des herses de bambous taillés. C'était encore un piège imaginé par les Khmers rouges. Les bambous m'avaient seulement écorché les pieds. Cela m'avait averti du danger et ce n'était pas grave en comparaison de ce qui aurait pu arriver : j'aurais pu m'enfoncer un bambou dans le pied. J'avais vu, dans le campement khmer rouge avant de m'évader, des soldats tailler des bambous. Cette fâcheuse trouvaille me prouvait que je n'avais pas atteint la Thaïlande.

Les Khmers rouges n'étaient pas loin. Je voyais également des bananiers et du manioc planté un peu partout, en désordre. Je repensai aux bananes que les Khmers rouges m'avaient données. Quelle déception ! J'avais cru à ma liberté et j'étais encore dans leurs griffes. Sans aucun doute, je longeais la frontière. Quand me laisseraient-ils en paix ?

Pour éviter d'autres pièges éventuels, je choisis de marcher le long des barrières de bambous dressés, aiguisés, fichés en terre. Qui sait ce qui pouvait être dissimulé sous les broussailles ? Avec beaucoup de précautions, j'arrachai ces bambous un par un. J'avançais lentement afin de ne pas me blesser. Je posais mes pieds sur les emplacements des bambous que j'avais retirés. Je risquais moins, ainsi, de tomber sur des mines. L'étrange défrichage s'étendit sur cent cinquante mètres environ. Je faisais attention aux endroits recouverts de feuilles mortes. Les Khmers rouges plantaient des cannes de bambous effilées au fond de trous cachés par les feuilles. Ce type de piège avait été traditionnellement utilisé pour la capture du gros gibier. Enfin, je réussis à atteindre un ruisseau. Je descendis par le ruisseau, à la fois pour éviter les pièges et pour effacer mes traces. Je marchai dans l'eau pendant trois heures.

Au pied de la montagne, je dépassai une plantation d'hévéas et débouchai sur le bas-côté d'une autoroute. C'est à quatre pattes, en rampant, que je réussis à atteindre l'autoroute... Je n'en pouvais plus. J'étais à bout de forces. J'étais harassé. Je restai là, assis, exténué, au bord de l'autoroute. J'étais tellement heureux que je m'étais voluptueusement étendu par terre, sur le trottoir. J'étais au paradis. J'avais l'impression d'avoir gagné le ciel. J'avançai lentement, à quatre pattes. Je ne pouvais plus me tenir debout.

Je voyais des taxis, des autocars, des voitures particulières passer devant moi. Je venais de me réincarner en plein XXe siècle. En cet après-midi du 22 juin 1977, je ressuscitais, je renaissais dans la liberté...

EPILOGUE

J'étais allongé au bord de l'autoroute, ce 22 juin 1977, et je regardais, incrédule, les automobiles circuler. Plusieurs taxis étaient passés sans ralentir. Deux jeunes Thaïlandais à bicyclettes, m'ayant aperçu, s'arrêtèrent près de moi. Ils parlaient thaï, je parlais cambodgien. Nous ne nous comprenions pas. J'essayai de leur parler français et anglais mais ils ne connaissaient pas ces langues. Par signes, je leur expliquai que je venais de l'autre côté de la frontière, que je mourais de faim. Ils comprirent ma supplique tout de suite. Ils hélèrent un taxi collectif sur la route et me firent monter à l'intérieur.

A trois kilomètres de l'endroit où j'avais été découvert, le taxi me déposa devant le poste administratif de Maï Rut. Là, les Thaïs, méfiants et circonspects, m'entourèrent. Des attroupements de femmes et d'enfants, curieux de la nouvelle et pitoyable attraction que je représentais, tournaient autour de moi. Quelques policiers thaïs, armés, apparurent. L'un d'eux avait pointé son fusil sur moi et son visage était sévère. Pour l'amadouer, je tentai de faire le récit de mon aventure. Il fit mine de ne pas comprendre mes gestes, mes explications. Les quelques mots thaïlandais que je connaissais ne m'étaient d'aucun secours.

Son fusil restait dirigé vers moi. Il ne m'impressionnait pas, toutefois. Depuis ma traversée de la chaîne des Cardamomes, plus grand-chose pouvait réellement m'affecter. La sensation de peur me semblait lointaine, abstraite. Je venais de sortir du cauchemar, de l'enfer. Je m'étais enfui du pays des morts. Rien de pire pouvait encore m'arriver... En Thaïlande, enfin, j'étais tranquille, en paix. Je n'attendais qu'une chose : un repas. J'avais hâte de manger. Le souvenir de mon dernier bol de riz remontait à la veille de mon évasion du campement khmer rouge. Qu'attendait donc le policier pour me tendre un peu de riz ?

Nous restâmes ainsi plusieurs minutes face à face. Cela dura une éternité... Tout à coup, alors que je désespérais de rencontrer un homme parlant cambodgien, français ou anglais, le policier arrêta une voiture qui sortait du camp de réfugiés voisin. Le conducteur de la voiture était un pasteur de la « Saint Jean Baptist Mission ». Son interprète thaï l'accompagnait. Le pasteur descendit de voiture et déclina son identité. Il était grand et portait des lunettes. Ce ne pouvait être qu'un Américain. Il m'interrogea aussitôt en anglais.

Je lui racontai ma vie, lui décrivis mon métier et ma formation universitaire. Je lui parlai aussi de mes voyages en Amérique. Il me demanda si j'avais été à New York et, dans l'affirmative, par quel moyen de transport. Je lui répondis qu'étudiant j'avais voyagé de Montréal à New York en autocar. Il exigea des précisions. Quelle était la marque de l'autocar ? Combien de temps le voyage avait-il duré ? Je ne me souvenais que de l'emblème de la compagnie de transports : un lévrier qui se détachait sur un triangle...

Deux heures durant, Robert Stearns m'interrogea sans relâche pour vérifier la vraisemblance de mes propos. Convaincu de ma bonne foi, il expliqua aux Thaïlandais que je ne pouvais pas être un Khmer rouge, que je ne mentais pas. Ils avaient une grande confiance dans la parole de l'Américain. Ils me donnèrent à manger.

Les Thaïlandais avaient manifesté une méfiance légitime, à mon arrivée, car la frontière était réputée infranchissable. De chaque côté, les Thaïlandais et les Khmers rouges avaient miné la zone frontalière. Tous les jours, des paysans thaïs imprudents ou des chiens errants sautaient sur les mines. L'armée thaïlandaise connaissait aussi les pièges que les Khmers rouges avaient dressé le long de la frontière pour décourager les fugitifs. A moins d'être un soldat khmer rouge – c'est-à-dire de connaître exactement les emplacements des mines et des pièges – il était quasiment impossible, selon les Thaïlandais, d'échapper aux patrouilles des soldats de Pol Pot et de franchir la frontière à cet endroit.

Les militaires thaïlandais, dans cette région limitrophe, étaient constamment sur le pied de guerre. Ils craignaient que les communistes s'infiltrent dans leur pays. Ainsi, les Thaïlandais passaient au crible tous les Cambodgiens qui se réfugiaient sur leur sol. Après m'avoir donné du riz et de la viande, les policiers du centre administratif me fouillèrent. Le chef du centre plaisanta avec moi et me demanda ce que j'avais l'intention de faire si les Khmers rouges se lançaient à ma poursuite, en Thaïlande. Du tac au tac, je lui répliquai : « Eh bien, je vous demanderai un fusil et je me défendrai ! » Mon assurance les fit rire.

Je dormis toute la nuit dans une cellule. Un garde était posté devant la porte. Je n'avais vraiment plus le désir, cette fois-ci, de m'en aller. J'étais au chaud, j'étais nourri et protégé. J'étais bien.

Le lendemain, on me transféra dans un poste administratif plus important. Là, je fus soumis à un interrogatoire serré. Pendant deux jours, les Thaïlandais m'interrogèrent. Tous les réfugiés devaient affronter, je pense, cet interrogatoire extrêmement sérieux. Les officiels qui nous questionnaient ne laissaient rien au hasard ou dans le flou. Ils voulaient tout comprendre. Ils voulaient connaître l'identité exacte des réfugiés et vérifier si nous disions vrai, si nous n'étions pas suspects.

Les Thaïlandais, après l'interrogatoire, m'avaient photographié et jeté en prison, parmi les criminels et les délinquants de droit commun. Il s'agissait de la vaste prison de Trad. J'ai vécu trois jours dans cette vaste prison. J'y ai vu beaucoup de gens et j'y ai mangé à ma faim. Avant l'admission, les Thaïlandais m'avaient coupé les cheveux. Certains criminels, les plus dangereux, étaient enchaînés. D'autres n'avaient pas les jambes entravées. Ils travaillaient. La prison était propre, bien tenue par ses occupants. Le soir, après le dîner, on se mettait en rang et les gardiens nous comptaient. Ils faisaient l'appel dans chaque dortoir. Nous étions environ soixante par dortoir.

Tous les prisonniers n'étaient pas des criminels de droit commun. Ils n'étaient pas méchants. Je m'entendais bien avec eux. Ils étaient robustes et ne me voulaient pas de mal. C'était, après la terreur des Khmers rouges, la paix reconquise. Il y avait un seul inconvénient dans cette prison : nous étions continuellement éclairés. Nous devions dormir, la nuit, malgré la violente lumière électrique. J'avais perdu l'habitude de l'éclairage électrique. Dans les villages cambodgiens, nous n'avions même plus d'huile pour nous éclairer un peu. La première nuit, dans la prison de Trad, fut très pénible. Je n'arrivais pas à trouver le sommeil. J'étais aveuglé par cette lampe qui brûlait au plafond et qui diffusait une vive lumière blanchâtre. La nuit suivante, heureusement, je m'y étais accoutumé.

Pendant trois jours, j'ai attendu mon procès. Je savais qu'une instruction était en cours et que les juges thaïlandais devaient statuer sur mon cas : j'étais entré illégalement en Thaïlande, sans passeport. Après le jugement, je restai encore une semaine dans la salle d'arrêt d'un poste de police de Trad. J'étais alors enfermé dans une cellule de trois mètres sur quatre – qui comprenait un cabinet de toilette – avec toutes sortes d'individus. Il y avait, dans cette cellule, des Chinois, des Thaïs et d'autres réfugiés cambodgiens. Deux anciens Khmers rouges se tenaient dans un coin. Amaigris, le crâne rasé, ils racontaient qu'ils s'étaient rendus aux autorités thaïes et qu'ils n'avaient pas bougé de ce poste de police depuis un an.

D'une manière générale, les détenus thaïs méprisaient les Cambodgiens et les traitaient comme une domesticité servile, esclave. Les hommes qui se rebiffaient étaient battus. Pour avoir la paix, les premiers temps, j'avais feint la maladie. J'étais si maigre que les autres détenus ne donnaient pas cher de ma peau. Ils ne m'importunaient pas.

Quatre jours après mon arrivée dans le poste de police de Trad, cinq Cambodgiens quittèrent la prison. Ils avaient atteint la Thaïlande par bateau. Leur peine de prison était achevée et ils étaient autorisés à se rendre dans un camp de réfugiés. Trois autres Cambodgiens les remplacèrent aussitôt. On venait de les intercepter à la frontière. Je ne parlais pas couramment anglais mais on avait fait appel à moi comme interprète car je pouvais traduire le récit des réfugiés à l'un des policiers thaïs qui, à son tour, assurait la traduction en thaïlandais.

Quelle ne fut pas ma surprise quand je découvris les trois hommes ! Ils appartenaient tous les trois à mon groupe des douze fugitifs de Leach. Ils étaient dans un état lamentable, comme moi. Parmi eux, se trouvait mon cousin Yim Yann.

A la suite de la première séparation – notre éparpillement dans la jungle deux jours après notre départ de Leach – ils s'étaient retrouvés à cinq. Ils avaient perdu la trace du capitaine et de nos autres compagnons. Ils avaient continué leur route et, près de la frontière, ils étaient tombés sur une patrouille khmère rouge. L'avant-garde de leur groupe, deux hommes, avait été arrêtée au cours de l'embuscade tendue par les Khmers rouges. Les trois autres, loin derrière, avaient eu le temps de fuir. L'un des deux captifs criait leurs noms à tue-tête et les appelait. Les trois hommes qui avaient échappé au guet-apens rebroussèrent chemin et changèrent de direction. Ils pensaient que les Khmers rouges, en forçant leurs compagnons à hurler leurs noms, voulaient les attirer dans un piège. Peu de temps après l'embuscade, ils entendirent deux coups de feu. Leurs amis avaient certainement été abattus par les Khmers rouges.

Les trois survivants avaient atteint un camp militaire thaïlandais pendant la nuit. Ils n'avaient pas suivi le même itinéraire que moi. Ils étaient entrés en Thaïlande à vingt kilomètres au nord de mon point de passage. Ils avaient mis une semaine de plus que moi. En traduisant leur récit, je dis au policier qui recueillait leur déclaration que Yim était mon cousin et que je m'en portais garant. Ils furent immédiatement emmenés à la maison d'arrêt.

J'attendis dix jours avant d'être reversé au centre administratif de Khlong Yai. Ma peine était terminée mais il fallait que je remplisse les formalités administratives. Cela avait pris encore deux semaines...

Ma situation changea sensiblement dans le camp de réfugiés. J'étais libre de rencontrer n'importe qui dans ce camp. De nombreux journalistes m'avaient rendu visite. Nous n'avions pas de contraintes. Nous pouvions nous déplacer, à l'intérieur du camp, comme nous le voulions. Le camp se trouvait à deux kilomètres du littoral. Mes compatriotes, qui m'avaient précédé, m'avaient bien accueilli.

Je m'étais fixé une mission en quittant le Cambodge : faire connaître au monde entier les tortures et les souffrances que nous avions endurées. Les contacts que j'avais pris dans le camp m'avaient déjà permis d'alerter les représentants de la presse internationale. Le 13 octobre 1977, je rentrai en France, j'arrivai à Paris. J'organisai alors une tournée de conférences pour décrire, auprès des journalistes occidentaux, la situation réelle du peuple cambodgien. Sauf de rares exceptions, les esprits partisans et incrédules ne voulaient pas croire, à cette époque, au génocide que Pol Pot et ses acolytes avaient méthodiquement planifié.

Au mois de janvier 1978, j'étais allé donner des conférences au Canada et aux Etats-Unis. Ainsi, j'avais le sentiment d'avoir rempli la mission pour laquelle j'avais voulu m'évader du Cambodge. Malheureusement, les milieux officiels des pays occidentaux ne prêtaient guère d'attention aux appels des réfugiés du Cambodge. Nous avions beau frapper à la porte des grandes puissances et des Etats développés, personne ne daignait nous répondre. Cela se passait, dois-je le rappeler, au début de l'année 1978.

Personne, au fond, n'avait vraiment intérêt à se brouiller avec les Khmers rouges, alliés déclarés de la Chine populaire. Au nom du sacro-saint principe de non-ingérence, nulle puissance politique, ni morale – pas même les Nations unies – n'avait osé demander des comptes aux dirigeants du « Kampuchéa démocratique ». Aucun intérêt militaire ou économique ne pouvait justifier une intervention des pays occidentaux au Cambodge. Bouddha, encore une fois, avait raison. Notre intérêt – l'intérêt du peuple cambodgien – ne concordait pas avec les intérêts des grandes puissances. Nous ne pouvions compter que sur nous-mêmes. Partout, dans la presse et dans les réunions politiques, il était question des Droits de l'homme. Le drame cambodgien était passé sous silence ou pudiquement évoqué au conditionnel...

J'avais tenté de dépeindre la réalité atroce du « Kampuchéa démocratique » à Paris, à Bruxelles, à Montréal, à Ottawa, à Washington. Mon témoignage n'était pas isolé. Nous étions des milliers, exilés en Europe ou aux États-Unis, à réclamer justice. Mais le monde entier restait indifférent à notre tragédie. Les bonnes consciences de l'Est et de l'Ouest, aguerries à l'échange d'invectives et de condamnations solennelles, fermaient les yeux sur les méfaits de l'Angkar, ce monstre enfanté par les idéologies, par quelques théoriciens fanatiques et détraqués qui avaient fait leurs études, leurs « apprentissages » en Europe, en Chine ou au Viêt-nam.

Les Occidentaux – je veux parler des États – n'ont même pas levé le petit doigt pour prendre notre défense quand il était encore temps. Les Droits de l'homme étaient systématiquement bafoués, même les droits élémentaires à la survie, mais il valait mieux laisser mourir les gens et ne pas avoir d'histoires. Cela relevait des « affaires intérieures cambodgiennes ». On s'en lavait les mains dans les chancelleries.

Les Occidentaux condamnaient Pol Pot pour le principe. Ils n'agissaient pas. Pire, certains s'apprêtaient à admettre l'intolérable. Le 27 décembre 1978, peu avant l'effondrement du régime khmer rouge devant les troupes vietnamiennes, une compagnie privée thaïlandaise organisait, avec l'accord des autorités de Phnom Penh, un voyage de promotion touristique à Angkor. Une quarantaine de journalistes et d'agents de voyages, en majorité américains, avaient participé à cette excursion mondaine au milieu d'un Cambodge ravagé par la faim, les fièvres et le terrorisme d'Etat.

Les Vietnamiens ont cueilli le Cambodge comme un fruit mûr. Les Khmers rouges avaient fait leur jeu. Bravo !

L'Occident aurait dû intervenir au Cambodge avant le Viêtnam. De nombreux rescapés l'ont demandé à cor et à cri. Moi-même, après mon évasion, au cours de mon séjour aux Etats-Unis, j'ai tenté d'expliquer aux Américains responsables et aux personnalités que je rencontrais ce qui justifiait une telle intervention. Mon exposé faisait appel à leur intelligence, à leur sens politique et à leur cœur : « Vous avez la chance de pouvoir libérer le Cambodge avec seulement le dixième de l'aide versée au régime de Lon Nol et dans un délai très court. »

Sans nourriture et sans fusil, les hommes du peuple nouveau ne peuvent pas s'enfuir dans la forêt. Donnez-nous ces munitions et ce riz; nous harcèlerons les Khmers rouges. Nous n'avons même pas besoin de soldes. Nous sommes si pauvres et si peu habitués à dépenser que nous pouvons nous passer d'argent. Il est inutile de faire venir des mercenaires. Les combattants existent à l'intérieur du pays. Même physiquement affaiblis, les victimes des Khmers rouges sont capables de se battre. Leur moral est intact. Leur volonté de vengeance implacable. Mais il leur manque des vivres et des munitions. C'est tout ce que nous demandons : des vivres et des armes pour soutenir, dans un maquis anti-Khmer rouge, la lutte contre l'Angkar. »

C'est la première fois qu'un peuple est « libéré » d'une tyrannie communiste par un autre régime communiste. Le peuple cambodgien, en dépit de la crainte que lui inspiraient les Vietnamiens, a éprouvé un vrai soulagement lorsque les troupes de Hanoi ont chassé Pol Pot du pouvoir. L'épreuve de la dictature des Khmers rouges a été la plus douloureuse que nous ayions jamais subie. Mais cela ne doit pas justifier l'installation définitive des Vietnamiens dans notre pays. Si le Viêt-nam veut profiter de la situation pour coloniser le Cambodge, il rencontrera notre résistance acharnée. Nous nous battrons contre les colons vietnamiens comme les Vietnamiens, il n'y a pas si longtemps, ont combattu le colonialisme français. Hors d'une contrainte militaire, jamais aucun Cambodgien, aucune Cambodgienne, n'accepteront de vivre sous la domination vietnamienne. Il faut espérer que les Vietnamiens comprendront qu'il est dans leur intérêt de conserver un voisin ami et de se retirer du Cambodge.

Le flux des réfugiés en Thaïlande aurait dû ouvrir les yeux des Occidentaux. Pourquoi tous ces réfugiés khmers ? Les ingénieurs, bon ! cela pouvait s'expliquer. Mais pourquoi les ouvriers, les paysans, les soldats et même les déserteurs khmers rouges ? Pourquoi les paysans incultes fuyaient-ils leur pays malgré les dangers qui les guettaient à la frontière thaïlandaise ? Et pourquoi les Cambodgiens qui vivaient dans l'est du pays, s'étaient-ils enfuis vers le Viêt-nam ? Le Viêt-nam, ennemi héréditaire et pays communiste... Pourquoi les Cambodgiens se jetaient-ils dans l'inconnu ?

Prisonniers de leur propre système, envoûtés par le vertige de la terreur, les Khmers rouges ne pouvaient plus relâcher leur discipline de fer. Pour prévenir les rébellions, ils devaient sanctionner par la peine capitale les moindres fautes et, même, dépister les mauvaises intentions. Paranoïaques, les dirigeants khmers rouges voyaient des ennemis partout. Ils avaient raison de se méfier. La population entière les haïssait et continue encore à les haïr.

Les Cambodgiens, qui avaient vu souffrir et mourir leurs parents, leurs enfants, n'attendaient qu'une occasion pour s'enfuir ou se révolter. C'était leur seul instinct de survie qui les conduisait à se soulever contre les Khmers rouges.

Les Khmers rouges, après deux années de terreur absolue, semblaient s'en rendre compte. Mais c'était trop tard. Les crimes étaient accomplis. Les Khmers rouges ne pouvaient plus faire marche arrière. Ils n'avaient qu'une issue, dans leur hystérie égalitaire : la fuite en avant. Tuer plus. Toujours tuer. La meilleure façon pour eux de s'en sortir, c'était d'abattre le plus possible de survivants du peuple nouveau. Ils constituaient des ennemis potentiels et un danger permanent pour leur règne. Les Khmers rouges avaient résolu le problème en les éliminant...

Dans les rangs des Khmers rouges, l'organisation était tellement bien rôdée que chacun était entraîné dans le tourbillon implacable du radicalisme. Chacun se sentait observé, contrôlé par ses camarades. Il était contraint de s'endurcir, de rivaliser, dans ses actes d'inhumanité. La délation venait en tête de ses devoirs révolutionnaires. Il devait observer ses camarades et dénoncer les traîtres, les timorés. Les Khmers rouges sentimentaux, indulgents, étaient impitoyablement écartés et écrasés. Les soldats les plus féroces étaient cités en exemple.

L'amour, l'amitié, la pitié et la compassion, tous les sentiments exaltés par Bouddha, étaient bannis. C'était l'ère des ténèbres où toutes les valeurs étaient renversées. Plus la répression khmère rouge était dure, plus notre réaction de défense et de défiance était forte. Sans la pression totalitaire – le cloisonnement, les travaux forcés, la famine, les exécutions – tout aurait sauté. L'écart, de mois en mois, s'élargissait entre les anciens et les nouveaux. La minorité khmère rouge, grisée par le pouvoir, s'enfermait dans l'autoritarisme brutal. Les nouveaux, c'est-à-dire la majorité de la population, étaient réduits en esclavage. Nous étions les serfs des Khmers rouges.

Au sommet de la hiérarchie, les chefs suprêmes – tels que Pol Pot, Ieng Sary, Khieu Samphân, Son Sen, Khieu Thirith, Khieu Ponnary – étaient tous des intellectuels formés au Cambodge ou en France. Le nombre de leurs compatriotes qu'ils avaient fait périr était tellement élevé qu'ils ne pouvaient plus reculer, renier leurs crimes. Coûte que coûte, ils devaient conserver le pouvoir pour sauver leur peau. D'où les purges successives pour éliminer leurs camarades contestataires ou leurs concurrents potentiels. Intellectuels eux-mêmes, ces dirigeants étaient la cible d'éventuelles critiques de la part de leurs subordonnés auxquels ils enseignaient la méfiance à l'égard des intellectuels.

Pol Pot avait désigné les intellectuels comme des contre-révolutionnaires dangereux, coupables de penchants individualistes et de complexes de supériorité. Les dirigeants de l'Angkar craignaient d'être pris en défaut par leurs collaborateurs en majorité illettrés. Aussi, ils redoublaient de zèle dans l'horreur et la cruauté.

L'indulgence était une faute politique pour ces dirigeants. J'avais connu le cas de Mme Yok Lévine, qui avait perdu tous ses enfants et qui était séparée de son mari électricien. Dans les premiers mois de la déportation, elle avait reçu une lettre rassurante de ses tantes. Ses tantes n'étaient autres que Khieu Ponnary, la femme de Saloth Sâr alias Pol Pot, et Khieu Thirith, la femme de Ieng Sary. Ni Khieu Ponnary, ni Khieu Thirith n'avaient fait un geste pour sauver leur nièce.

Du simple soldat au chef suprême, tous les Khmers rouges étaient, après deux années de terreur, pris à leur propre piège. Il n'y avait pas d'issue à cette frénésie de meurtres et de tortures. Cette fatalité était inscrite dans les principes fondamentaux de l'Angkar : « La roue de la révolution n'a aucune pitié. Elle écrase tous ceux ou toutes celles qui se mettent en travers de son chemin. » La roue était devenue incontrôlable. Même ceux qui l'avaient lancée ne pouvaient la retenir.

Selon leur stratégie machiavélique, les Khmers rouges subdivisaient leurs ennemis en plusieurs catégories, des plus dangereux aux moins dangereux. Le pire ennemi était le premier à abattre. Quand ils l'avaient mis hors d'état de nuire, ils exterminaient progressivement leurs alliés.

J'ignore si cette stratégie accompagne toutes les révolutions marxistes. Les Khmers rouges l'appliquèrent méthodiquement jusqu'à l'invasion vietnamienne.

La déroute des Khmers rouges entraîna une révision complète des alliances dans les premiers mois de 1979. A cette époque, le sinistre Ieng Sary, l'un des dirigeants khmers rouges, proclama la constitution d'un « large front uni patriotique » contre les occupants vietnamiens, considérés comme les ennemis numéro un. Les autres Cambodgiens, méprisés et exterminés la veille, étaient réhabilités et invités à signer le pacte provisoire de l'union sacrée avec les Khmers rouges. L'histoire recommençait. Les imposteurs khmers rouges répétaient leurs mensonges...

Qui pouvait cependant oublier les trois millions de Cambodgiens massacrés sur les ordres de Pol Pot, Ieng Sary, Son Sen, Khieu Samphan, criminels de guerre au même titre que Hitler, principaux responsables de la destruction, en quelques années, de la civilisation millénaire khmère ?

On ne peut aborder le problème de la capacité de résistance

des Khmers rouges que si l'on a subi leur joug. En Occident et en Chine, on pense généralement que les Khmers rouges sont les meilleurs guérilleros du monde parce qu'ils ont su battre les Américains. Ils évoluent dans la forêt comme un poisson dans l'eau. Les Chinois ont tort de soutenir cette thèse. Ils ne font qu'encourager les Khmers rouges à commettre d'autres crimes. Les Khmers rouges ont pu venir à bout des Républicains en raison de la corruption qui minait le régime du maréchal Lon Nol. Ils avaient l'appui du peuple parce qu'ils lui avaient promis monts et merveilles.

Enfin, ils avaient combattu leurs adversaires avec acharnement. Cet acharnement, ils le devaient à l'esprit d'unité, à une conscience politique ardente et à une discipline sans faille. Chacun, pendant la guerre, voyait son idéal au bout du chemin, au bout du fusil. Maintenant que les Khmers rouges ont mis le pays en coupe réglée et qu'ils ont exterminé ennemis et alliés, nous connaissons la nature de l'idéal promis par l'Angkar : la misère et la mort.

La population acceptera-t-elle, une fois de plus, de croire aux promesses des Khmers rouges ? Jamais ! Les Khmers rouges ne seront plus des poissons dans l'eau mais ils se débattront comme des poissons dans l'huile bouillante.

Toutefois, si les Vietnamiens veulent dominer, à long terme, le Cambodge, ils assisteront à une renaissance du nationalisme et devront faire face à une insurrection. Le Viêt-nam est-il conscient du piège qui se referme sur lui ? En colonisant le Cambodge, les Vietnamiens réalisent un vieux rêve féodal. A moins que les Cambodgiens reprennent en main leur destin, le cycle infernal de la guerre recommencera et les Vietnamiens, inéluctablement, échoueront là où les Américains ont échoué, naguère, au Viêt-nam...

Écrasé entre les tueurs de Pol Pot – Ieng Sary et les annexionnistes vietnamiens, le peuple khmer pourra-t-il survivre encore longtemps ? Si l'on ne trouve pas une solution politique immédiate, le Cambodge risque d'être effacé de la carte du monde à brève échéance. Le monde est resté indifférent à la mort lente et atroce de trois millions de Cambodgiens. Assistera-t-il en spectateur à l'extinction des survivants ?

Le Cambodge doit sortir des griffes des colonialistes vietnamiens mais, par pitié, qu'il ne retombe jamais sous le pouvoir sanguinaire et dément des Khmers rouges... Nos bourreaux rivalisent de violence actuellement. Ils font doublon. Les uns, les Khmers rouges, assouvissent leur vengeance aveugle. Les autres, les Vietnamiens, nous laissent mourir ou nous assimilent à un peuple colonisé pour s'approprier nos terres...

Avant tous les drames que nous avons connus, le Cambodgien,

en général, était allergique à la politique. Il n'aimait guère se mêler des jeux politiciens. Depuis ces tragiques événements, chaque Cambodgien a pris conscience de ses responsabilités. Chacun, désormais, sait qu'il doit être concerné par le destin de son pays. L'espérance de la nation khmère repose sur cette conscience des survivants de la « révolution ».

Pour que survivent les rescapés de notre peuple martyr, les grandes puissances doivent se concerter et imposer une solution politique. Qu'elles oublient, un instant, leurs idéologies et leurs intérêts pour la sauvegarde d'un peuple entier. Le temps nous est compté. La solution politique ne peut être obtenue qu'au prix de cette concession : le Cambodge ne doit constituer une menace pour aucun de ses voisins ou des parties en cause dans cette guerre. Je souhaite que mes compatriotes cessent d'être les otages d'idéologies et de puissances étrangères. Oublions la haine.

Chaque Cambodgien, du plus humble au plus illustre, doit mettre de côté ses ambitions personnelles, taire ses passions partisanes, effacer ses mésalliances passées. C'est l'unique condition d'un pardon, d'une réconciliation nationale. Tous les Cambodgiens peuvent s'unir avec franchise, sincérité, sans arrière-pensée. Ils ne sont plus très nombreux. Ils doivent se donner la main pour bâtir ensemble la paix, pour perpétuer leur race. Qu'ils soient indulgents envers leurs frères de sang égarés et repentis... Exception faites des criminels : Saloth Sâr, alias Pol Pot, Ieng Sary, Son Sen, Khieu Samphân et leurs acolytes. Les survivants doivent savoir tirer les leçons des erreurs du passé.

Si, par bonheur, une solution – dans un avenir proche ou lointain – pouvait faire recouvrer à notre Kampuchéa la paix, l'indépendance et la neutralité, nous pourrions panser nos plaies et renaître. Le choix d'un nouveau régime politique, pour notre pays, appelle de nombreuses et graves réflexions. L'expérience désastreuse du libéralisme à outrance, au Cambodge, n'a fait qu'accentuer les inégalités sociales, les injustices, les trafics d'influence, le népotisme. Cela a détruit le tissu social de notre nation et les institutions étaient notoirement bafouées. Pour prévenir un retour à ces pratiques dictatoriales, nous devons établir une démocratie forte et réelle qui protège la liberté des citoyens. Nous venons de subir un totalitarisme barbare sans précédent dans l'histoire de l'humanité. Tenant compte de ces malheurs et de la situation présente du pays, nous avons la tâche de reconstruire une nouvelle société juste et équitable, une société où le peuple maîtrisera les décisions qui le concernent.

L'Etat devra promouvoir le respect des valeurs morales, la culture, la liberté des cultes pour pacifier les esprits, réconcilier l'homme avec le spirituel et restaurer les sentiments nobles tels que l'amour, la fraternité, l'amitié. Il faut que la famille redevienne aussi le berceau de l'épanouissement de l'individu. Nous avons assez souffert de la propagation de la haine et de l'absence de sentiments humains.

Il est impossible et impensable – en quelques pages – de démêler les responsabilités historiques de ce drame dans l'inextricable nœud des repentirs, du remords et de la honte muette. Le Cambodge fut le champ d'expérimentation, d'extermination, de tous les dogmes criminels, de toutes les doctrines fondées sur l'intolérance. Dans notre tragédie, il n'y a pas de vainqueurs, il n'y a que des vaincus. Vaincus, les Américains... Vaincus, Pol Pot et ses sbires. Bientôt vaincus les Vietnamiens enlisés dans une guerre de conquête coloniale. Vaincus, surtout, des millions d'innocents, d'enfants, de mères, de pères. Le peuple a payé pour que s'entre-déchirent des tribuns... Faisons la trêve des querelles partisanes ! Tirons les leçons de notre détresse pour que cela ne se renouvelle jamais. La paix et la réconciliation sont-elles utopiques ?

Combien restera-t-il de mes compatriotes, demain, sur le sol cambodgien, pour entrevoir cet espoir, cette utopie pacifique ?

Paris, octobre 1979.

REMERCIEMENTS

J'aimerais exprimer ma gratitude à tous les amis et à toutes les personnalités qui m'ont aidé, qui m'ont secouru, après mon évasion du « Kampuchéa démocratique ». Dans ces jours sombres, dans ces heures de détresse, leur assistance et leur générosité me furent précieuses. Je voudrais citer : Mme Yvette Pierpaoli et MM. J. Arrighi de Casanova, Gilles Blanchet, Diep Oubonn, Kurt Furrer, Robert Garry, Jean Lacouture, Lek Sam Oeun, Long Botta, Kong Thann, Khem Savath, Khus Chiev, Joseph de Rienzo, Robert Stearns, Toa Seng Huor, le révérend père Venet... J'adresse aussi mon témoignage de gratitude à mes compatriotes du camp de réfugiés de Khlong Yai en Thaïlande.

Je remercie également les diverses institutions philanthropiques nationales et internationales pour toutes leurs actions en faveur des réfugiés du Sud-Est Asiatique : les organismes religieux et humanitaires, la Croix-Rouge Internationale, le Haut-Commisariat des Nations unies pour les réfugiés, le gouvernement thaïlandais, les ambassades du Canada, de la France et des Etats-Unis à Bangkok.

Je tiens à rendre un hommage particulier à l'ensemble de la presse qui a alerté l'opinion internationale sur la tragédie cambodgienne et qui a diffusé les témoignages des rescapés. Personnellement, je sais gré aux organismes, aux associations et aux journaux suivants de m'avoir entendu et, surtout, d'avoir relayé mes appels à la solidarité universelle : Amnesty International, la Fédération internationale des Droits de l'Homme, le Comité de coordination des associations et groupement khmers de France (C.D.L.), les associations khmères aux U.S.A, le Comité européen d'aide aux réfugiés khmers (Bruxelles), l'Institut de Coopération internationale (université d'Ottawa), le Centre d'Etudes sur l'Asie de l'Est (université de Montréal), l'American Security Council (Washington); les bulletins et les revues spécialisés dans les affaires cambodgiennes : le Bulletin d'Information sur le Cambodge (BISC), revue *Sereika*, revue de la Communauté khmère au Canada, Cambodian Appeal; l'Agence France-Presse (M. Joseph de Rienzo), *Le Monde* (M. Roland-Pierre Paringaux), *L'Aurore* (Mlle Denise Dumoulin), la revue *Les Temps Modernes* (M. Pierre Rigoulot); TF1, France-Inter, France Culture; *Le Soir* (Bruxelles), *Daily Telegraph* (M. Michael Field), la télévision allemande (M. Henning Huge); Bangkok Post, The Dong A Il Bo de Séoul (M. Il Sookim), Sankei Shimbun de Tokyo (M. Seki Tomoda), la radio-télévision iranienne (M. Safa Haeri); *Canadian Press, Le Devoir* de Montréal (MM. Georges Vigny, Clément Trudel, *Le Droit* d'Ottawa (Fay La Rivière), Radio Canada (radio et télévision); NBC News (M. Jack Reynold), « Good Morning America » (M. Jack Anderson), *Washington Star,* Associated Press (M. Robert B. Cullen), T.V. Guide (M. Patrick Buchanan), *National Review* de New York (M. J. D. Mac Hale), *Washington Report* (American Security Council).

Que tous les amis, connus et inconnus, du peuple cambodgien me pardonnent de ne pas pouvoir citer tous leurs noms.

ACHEVÉ D'IMPRIMER
SUR LES PRESSES DE
L'IMPRIMERIE HÉRISSEY
A ÉVREUX (EURE)
POUR LES ÉDITIONS
ROBERT LAFFONT

Nº d'impression : 25581
Nº d'édition : H 541
Dépôt légal : 1er trimestre 1980
Imprimé en France